Steven Price

L'HOMME AUX DEUX OMBRES

Traduit de l'anglais par Pierre Ménard

alto

Catalogage avant publication de Bibliothèque et Archives nationales du Québec et Bibliothèque et Archives Canada

Price, Steven, 1976-

[By gaslight. Français]

L'homme aux deux ombres

Traduction de : By gaslight.
Publié en formats imprimé(s) et électronique(s)

ISBN 978-2-89694-370-8 (couverture souple)
ISBN 978-2-89694-371-5 (EPUB)
ISBN 978-2-89694-372-2 (PDF)

I. Ménard, Pierre. II. Titre. III. Titre : By gaslight. Français.

PS8631.R524B9214 2018   C813'.6   C2017-942223-5
PS9631.R524B9214 2018   C2017-942224-3

Les Éditions Alto remercient de leur soutien financier
le Conseil des arts du Canada et la Société de développement
des entreprises culturelles du Québec (SODEC).

Gouvernement du Québec — Programme de crédit d'impôt
pour l'édition de livres — Gestion SODEC

Financé par le gouvernement du Canada | Canadä

Illustration : Dan Hillier, *Big Smoke* (2009)
danhillier.com

Titre original :
By Gaslight

Éditeur original :
Farrar, Straus and Giroux

Pour Cleo & Maddox
et à la mémoire d'Ellen Seligman

«Lorsqu'un homme accepte les conséquences de ses actes, rien n'est en mesure de l'arrêter. Tout ce dont nous nous souvenons sombrera un jour dans l'oubli.
Ne laissez rien derrière vous.»

Adam FOOLE

«Je pense vraiment, sincèrement, être en mesure de manipuler cet homme. Et de faire en sorte qu'il serve nos intérêts.»

William PINKERTON

LA NOYÉE DE LA TAMISE

(Première partie)

———————————————

LONDRES

1885

UN

C'était lui l'aîné.

Il avait de longues moustaches noires qui pendaient comme celles d'un hors-la-loi et le pouce droit fiché dans la ceinture, là où aurait dû se trouver son colt Navy. Il n'avait pas encore quarante ans mais son genou droit se raidissait les jours de grand froid, suite à l'explosion d'une bombe confédérée à Antietam. Il avait alors seize ans et l'obus lui avait ouvert le genou en faisant gicler autour de lui une gerbe de boue. Depuis ce jour-là on l'avait cru mort à deux reprises, et chaque fois il avait resurgi comme un spectre vengeur devant ses assassins présumés. Il avait abattu vingt-trois hommes plus un jeune garçon, tous des hors-la-loi, et seule la mort de ce garçon ne venait jamais le hanter. Il pénétrait dans les banques tête baissée, les sourcils froncés, ses larges mains aussi vides et menaçantes que s'il s'apprêtait à étrangler quelqu'un. Lorsqu'il montait à bord d'un tramway bondé, les hommes s'écartaient instinctivement sur son passage et les femmes le suivaient discrètement des yeux. Il n'avait pas passé plus d'un mois d'affilée chez lui au cours des cinq dernières années et pourtant il aimait son épouse et ses filles. Il avait de longues dents jaunes, des yeux enfoncés, des pupilles aussi noires que des boyaux.

Au fait.

Il détestait Londres. Ses rues pavées étaient d'une saleté repoussante même aux yeux d'un homme dont la saleté était le métier, capable de rester planqué pendant des heures dans les chiottes d'un bordel, son colt à la main, en attendant que le salopard qu'il traquait pointe le bout de son nez. Il n'avait pas aperçu la moindre verdure depuis un mois en dehors des rameaux de houx en provenance d'une campagne qu'il était incapable d'imaginer. À Noël il avait vu des miséreux en haillons se jeter en plein jour sur un homme pour le dépouiller. Le jour de l'an il avait vu une femme tabasser une gamine qui vendait du cresson parce que la petite avait taché ses dentelles. Une pourriture particulière creusait son chemin à Londres, plus ancienne et plus violente que tout ce qu'il avait connu à Chicago.

Il ne représentait pas la loi. Mais cela n'avait aucune importance. En Amérique, le moindre voleur le redoutait. Pour sa part, il ne redoutait personne dans le cercle des vivants. Et dans celui des morts un seul homme lui inspirait de la crainte et cet homme était son père.

Le mois de janvier était froid et l'enterrement avait eu lieu six mois plus tôt lorsqu'il se rendit enfin à Bermondsey pour rencontrer un détective qui avait travaillé avec son père et dont il était l'ami. Il avançait dans le brouillard nocturne alors que sa propre mission arrivait plus ou moins à son terme.

Il était habillé comme un gentleman, bien qu'il eût perdu ses gants et qu'il manipulât sa canne comme s'il s'agissait d'un gourdin. Des taches qui ne provenaient ni de la suie ni de la boue maculaient les poignets de ses manches. Il avait patienté jusqu'à l'aube – ou ce qui passait pour tel dans cet infernal hiver – et s'arrêta dans une étroite allée derrière Snow Fields, son gibus à la main. Le gel faisait craquer les poutres aux devantures des magasins et le brouillard se répandait sur les pavés, d'un jaune infect et lourd des émanations de charbon. Ce brouillard d'une puanteur amère vous prenait à la gorge et s'étendait de tous côtés, s'insinuant dans les rues et s'écoulant au ras du sol comme un être vivant.

Certains soirs il émettait même un sifflement sourd évoquant un jet de vapeur échappé d'une soupape.

Six semaines plus tôt, il avait débarqué dans cette ville pour interroger une femme qui la nuit dernière, après une interminable poursuite jusqu'au pont de Blackfriars, avait sauté par-dessus la rambarde et disparu dans les profondeurs du fleuve. Il repensait aux ténèbres ambiantes, à l'écume des eaux noires, au bruit de bottes des agents du Yard martelant les pavés. Il sentait encore sur ses poignets le contact humide et rugueux des bollards du pont.

Elle avait vécu de manière légale dans cette ville comme si elle avait voulu passer pour une femme respectable et s'absoudre de la vie compliquée qui avait été la sienne auparavant, mais comme pour le reste cela n'avait servi à rien. Elle se faisait appeler LeRoche. Mais son véritable nom était Reckitt et elle avait été associée dix ans plus tôt au célèbre escroc et cambrioleur Edward Shade. C'était sur ce Shade qu'il cherchait à mettre la main, et jusqu'à hier soir la dénommée Reckitt avait constitué sa seule piste sérieuse. Elle avait de petites dents pointues, de longues mains blanches, une voix basse et profonde, vicieuse, irrésistible.

La nuit s'estompait, les rues s'animaient peu à peu. Sur les fenêtres du dernier étage de l'immeuble d'en face, le ciel pâle commençait à briller et reflétait les silhouettes indistinctes qui s'agitaient plus bas, les ombres des premiers chevaux qui passaient en tirant leurs charrettes. Les roues grinçaient et raclaient les pavés dans le froid. Il toussa, alluma un cigare et fuma en silence. Son regard brillait d'une lueur prédatrice comme s'il traquait lui-même une proie au fond d'un coupe-gorge.

Au bout d'un moment, il écrasa son cigare d'un coup de talon et remit son chapeau. Il sortit un revolver de sa poche, l'ouvrit, vérifia les chambres une à une pour tuer le temps et, ne pouvant attendre davantage, redressa les épaules et traversa la rue.

Il ne pénétra pas immédiatement dans le bâtiment mais se glissa au contraire dans une allée latérale. Des créatures s'agitaient derrière le papier étalé sur les fenêtres qu'il longeait. L'allée était une rivière de boue et il faisait attention en marchant. À travers les fentes des parois en bois, il distinguait les silhouettes accroupies d'enfants squelettiques et à moitié nus dont les regards effrontés croisaient le sien. Le brouillard était moins épais par ici, la puanteur plus infecte et plus âcre. Il se faufila sous une porte qui donnait accès à un étroit passage, descendit un escalier en bois de guingois et poussa une porte sur sa gauche.

S'immobilisant brusquement, il perçut l'eau du fleuve qui bouillonnait sous les planches et les parois qui craquaient autour de lui comme les flancs d'un navire.

Le petit bâtiment qui abritait des chambres meublées sentait le bois pourri et la viande avariée. Le papier peint était couvert d'une épaisse couche de suie et il eut soin de ne pas prendre appui sur la rampe en gagnant les étages. Arrivé au deuxième, il émergea de l'escalier plongé dans les ténèbres, s'engagea dans le couloir et s'arrêta devant la sixième porte. À cause du froid ses phalanges blessées commençaient à lui faire mal. Il ne frappa pas mais tourna doucement la poignée de la porte et constata qu'elle n'était pas fermée à clef. Il jeta un coup d'œil derrière lui, attendit un instant et l'ouvrit lentement.

Mr Porter ? lança-t-il.

Sa voix lui parut rauque, enrouée, comme s'il avait été beaucoup plus âgé.

Benjamin Porter ?

Tandis que ses yeux s'accoutumaient à la pénombre, il entrevit un petit bureau, une commode et une cuisine sommaire dans un coin de la pièce, par-delà la fenêtre. Un lit pliant garni d'un matelas élimé et d'une couverture qui n'avait pas été lavée depuis un bon bout de temps. Son regard enregistrait mécaniquement ces détails, par la force de l'habitude. Le lit grinça soudain sous le poids de quelqu'un, enfoui sous la couverture contre le mur.

Ben ?

Qui est là ?

C'était une voix de femme. Elle se tourna vers lui – une négresse aux cheveux grisonnants coupés très court, le visage épais et sillonné de rides. Il ne la reconnut pas de prime abord mais sursauta soudain en apercevant la longue cicatrice en forme de faucille qui traversait son visage.

Sally, dit-il d'une voix douce.

Elle le regarda quelques instants d'un air suspicieux. Billy ? dit-elle enfin.

Il s'avança prudemment.

Approchez un peu, que je vous regarde. Eh bien, dites-moi... Le petit Billy à la lanterne...

On ne m'a pas appelé de la sorte depuis bien longtemps.

Pas étonnant, voyez comme vous avez grandi.

Il ôta son chapeau et le tint gauchement devant lui. L'air était chargé d'une lourde odeur de sueur, de fumée, de pots de chambre attendant d'être vidés. Ce qui réduisait encore les dimensions de la pièce et lui donnait l'impression d'être un géant.

Je suis désolé de débarquer si tôt, dit-il en souriant tristement. Elle était devenue si vieille.

Il n'est pas si tôt que ça, dit-elle.

J'étais de passage en ville, je me suis dit que je pouvais passer voir comment vous vous en sortiez.

Il y avait des papiers empilés autour du petit bureau, il aperçut le tampon du bureau de Chicago sur certains d'entre eux et reconnut l'écriture familière de son père. Les rideaux étaient tirés mais ils étaient si minces qu'une lumière grise se répandait déjà dans la pièce. La cheminée était éteinte, les cendres froides, sur le manteau trônait un éléphant en céramique dont la peinture s'écaillait. Quelque chose remuait vaguement un peu plus haut mais il s'aperçut qu'il s'agissait d'un essaim de cafards et détourna les yeux. Il n'y avait pas de lampe, juste une chandelle à moitié fondue et collée sur le plancher à côté du lit. Il distinguait mieux les traits de la femme à présent. Ses mains étaient crasseuses.

Où est Ben ? demanda-t-il.

Ah, il aurait été bien content de vous voir. Il vous a toujours aimé.

Il lui arrivait de penser à moi ?

Oui, je crois.

Il releva les yeux. Et comprit soudain ce qu'elle voulait dire.

Quand cela est-il arrivé ?

En août. Son cœur a lâché. Comme ça, d'une seconde à l'autre.

Je l'ignorais.

Pour sûr.

Mon père disait toujours du bien de lui.

Elle eut un geste vague de la main.

Pourquoi ne nous avez-vous pas prévenus ? Nous aurions participé aux frais, vous le savez bien.

Ma foi, chacun a ses propres soucis.

Je me demande si vous avez reçu ma lettre, reprit-il doucement. Je veux dire, si Ben l'a reçue. Je l'avais envoyée à votre ancienne adresse.

Je l'ai reçue.

Ben Porter… J'ai toujours cru qu'il était indestructible.

C'était ce qu'il croyait lui-même.

Il fut surpris de ressentir une telle colère. Il avait l'impression que toute une génération se trouvait balayée d'un coup. Il revoyait cette nuit à Chicago, cela remontait à près de trente ans. La pluie qui tambourinait sur la toile du chariot, les roues traçant leur épais sillon dans la boue qui avait envahi les rues. Il était encore un enfant, assis à côté de son père, et brandissait la lanterne sous la pluie en ayant soin qu'elle ne s'éteigne pas. Son père jurait à mi-voix en secouant les rênes et en scrutant l'obscurité. Un groupe de onze esclaves en fuite conduits par le célèbre John Brown avaient trouvé refuge pendant des jours chez son père avant d'être entassés comme des ballots de marchandise dans un wagon et de passer au Canada. Il avait surtout connu Benjamin et Sally, ainsi que deux des autres fugitifs. Leur chariot s'était enlisé dans une mare de boue à deux miles à peine de la voie ferrée et il revoyait la silhouette massive de Ben Porter accroupi à l'arrière et soulevant le chariot pour le tirer de cette mélasse tandis que des torrents de pluie ruisselaient le long de ses jambes et de ses bras puissants et que les femmes entonnaient un chant étrange au milieu des ténèbres inondées.

Sally le regardait d'une drôle de façon. Vous prendrez bien une tasse de thé, dit-elle.

Il parcourut des yeux son modeste logement et acquiesça. Oui, merci, du thé fera très bien l'affaire. Il voulut l'aider mais elle le repoussa d'un geste.

Je ne suis pas vieille à ce point, je sais encore me servir de mes jambes.

Elle se mit péniblement debout et se dirigea vers la cheminée. Il l'entendit frotter une allumette, perçut les effluves fugaces du phosphore et la vit allumer un brandon de papier puis se pencher pour attraper quelques morceaux de bois empilés contre la grille en fer. Les briques du foyer étaient carbonisées, comme si elle n'avait pas réussi à ôter les débris de ce qu'elle avait fait brûler la veille.

Comment le prenez-vous ? demanda-t-elle.

Noir.

Elle se débattit devant le foyer avec la bouilloire en fer. Vous avez déménagé, dit-il prudemment pour ne pas l'embarrasser. Je n'avais pas votre nouvelle adresse.

Elle se retourna pour le regarder, un œil à moitié clos. Ma foi, vous êtes détective après tout.

Mais je ne suis peut-être pas très doué. Vous n'avez vraiment pas besoin d'un coup de main ?

Il n'y a rien à faire, il suffit d'attendre que l'eau se mette à bouillir.

Je ne parlais pas du thé.

J'avais compris.

Il acquiesça.

Je n'ai pas grand-chose à faire mais cela m'aide à tenir. Et mes vieilles jambes sont encore vaillantes, je n'ai pas à me plaindre.

Il avait posé sa canne contre le montant en brique de la cheminée et regardait Sally passer ses grosses mains sur la patte de griffon en argent qui tenait lieu de pommeau, comme si elle avait voulu la rendre plus lisse. Lorsque l'eau se mit à bouillir elle se retourna, la versa et la laissa reposer avant de gagner le recoin de la cuisine pour en rapporter une tasse en porcelaine blanche.

Vous disiez que vous étiez ici pour le travail ? lança-t-elle.

C'est exact.

Je me demandais si ce n'était pas à propos de ce meurtrier dont parlent les journaux. Celui qui est originaire de Leicester.

Il haussa lourdement les épaules. Il doutait qu'elle puisse encore lire la presse étant donné l'état de ses yeux. J'étais sur la piste d'une voleuse qui a eu des ennuis à Philadelphie. Ben la connaissait.

Pour sûr.

J'ai mis la main sur elle hier soir mais elle a sauté dans la Tamise. J'imagine que son corps refera surface d'ici un jour ou deux. J'ai dit à Shore que j'étais ici s'il avait besoin de moi. Du moins tant que l'Agence peut se passer de mes services.

Qui ça ? L'inspecteur Shore ? Elle renifla d'un air méprisant. Ce Shore est un moins que rien.

C'est un ami.

C'est une crapule.

Il fronça les sourcils, mal à l'aise. Je suis surpris que Ben vous ait parlé de lui, dit-il lentement.

Au bout de soixante-deux ans de vie commune, nous n'avions pas de secrets l'un pour l'autre. Surtout s'agissant d'un vaurien comme John Shore. Sally lui tendit la tasse de thé d'un geste hésitant accompagné d'un long sourire triste. Vous avez bon cœur, Billy. Mais cela ne devrait pas vous empêcher de voir les gens tels qu'ils sont vraiment.

Elle alla se rasseoir sur le lit. Elle ne s'était pas servi de thé quant à elle et cela le mit mal à l'aise. Elle le dévisagea brusquement et lui dit : Depuis combien de temps avez-vous dit que vous étiez ici ? Ne serait-il pas temps de songer à rentrer au pays ?

Ma foi.

Pensez un peu à votre femme.

Margaret. Oui. Et aux filles aussi.

Ce n'est pas bien, d'être séparé de la sorte.

Non.

Ce n'est pas naturel.

Ma foi.

Vous allez vous décider à boire ce thé ou vous préférez que les rats s'en chargent ?

Il but une gorgée. La tasse était d'une rare délicatesse dans sa vaste main.

Elle opina, murmurant entre ses dents. Un bon cœur. Oui monsieur.

Pas si bon que ça, dit-il. Aux yeux de beaucoup, ce serait plutôt la haine qui m'anime. Il remit son chapeau sur la tête, se releva lentement. Comme mon père, ajouta-t-il.

Elle le dévisagea du fond de ses yeux plissés. Comme Mr Porter le disait souvent, quand on doit étriller un cheval, mieux vaut ne pas lui demander son avis.

Je vous demande pardon ?

Vous allez partir sans me dire pourquoi vous êtes venu ?

Il était debout entre la chaise et la porte. Non, dit-il. Mais ça m'embête de vous déranger.

Elle croisa les mains sur son ventre et se rejeta en arrière. Me déranger, dit-elle en savourant visiblement le terme. Vous savez, j'aurai quatre-vingt-trois ans cette année. Tous les gens qui ont compté dans ma vie sont morts. Je me lève tous les matins surprise de voir encore une fois le jour. Mais je suis sûre d'une chose, c'est que je préférerais être morte la prochaine fois que vous poserez les pieds de ce côté-ci de l'océan. D'ailleurs mourir cela arrive à tout le monde, ce n'est pas si terrible. Vous êtes venu me demander quelque chose, autant me le dire franchement.

Il la considéra pendant un long moment.

Allez-y. Crachez le morceau.

Il secoua la tête. J'ignore jusqu'à quel point Ben vous parlait de son travail. Et des missions que lui confiait mon père.

J'ai lu votre lettre. Si vous êtes venu chercher ces vieux papiers, ils sont toujours sur son bureau. Vous n'avez qu'à vous servir.

Ma foi, je vais devoir les emporter.

Mais ce n'est pas la vraie raison.

Il s'éclaircit la gorge. Après la mort de mon père, j'ai découvert un dossier dans son coffre-fort personnel. Des centaines de documents, de rapports, de reçus. Une carte était attachée sur la couverture, elle portait le nom de Ben suivi de plusieurs chiffres et d'une date. Il sortit de sa poche intérieure une enveloppe pliée en deux, l'ouvrit, en retira une feuille de papier et la lui tendit. Elle la prit mais ne la lut pas.

Le nom de Ben doit figurer dans pas mal de dossiers.

Il acquiesça. Le nom inscrit sur ce dossier était celui de Shade. Edward Shade.

Elle fronça les sourcils.

Il se trouvait dans le coffre-fort personnel de mon père. Je m'étais dit que Ben pourrait éclairer ma lanterne à ce sujet.

Une calèche passa en cahotant plus bas dans la rue.

Sally ? reprit-il.

Edward Shade.

Vous avez entendu parler de lui ?

Je n'ai *pas cessé* d'entendre parler de lui. Votre père a demandé à Ben de traquer ce Shade pendant des années. Mais il n'a jamais pu dénicher un seul tuyau sur lui. Elle avait l'air dégoûté. Tous les gens à qui vous vous adresserez vous donneront leur propre version d'Edward Shade, Billy. Je ne prétends pas que ce que j'ai entendu corresponde à la vérité.

J'aimerais néanmoins que vous me le disiez.

C'est une étrange histoire vraiment.

Je vous écoute.

Elle ferma les yeux comme si ses paupières lui faisaient mal. Cela se passait quelques années après la guerre, dit-elle. Vers soixante-sept, soixante-huit. Shade ou quelqu'un qui se faisait passer pour Shade avait commis une série de cambriolages à New York et Baltimore. Dans de vastes demeures, de grandes propriétés privées. La résidence d'un sénateur notamment, d'après ce que j'ai entendu dire. Il avait emporté des tableaux, des statues, des trucs de ce genre. Puis il avait envoyé tous ces objets au domicile personnel de votre père à Chicago, accompagnés d'une lettre dans laquelle il affirmait être l'auteur de ces larcins dont il répertoriait minutieusement les victimes. Qui était Edward Shade ? Nul ne le savait. Nul ne l'avait jamais vu. Jusqu'à preuve du contraire, c'était une simple signature au bas d'une lettre. Après l'arrivée de ces premiers envois, votre père a discrètement rendu ces objets à leurs propriétaires. Mais comme les envois ne cessaient pas certains ont commencé à se poser des questions. Tout cela paraissait de plus en plus suspect à mesure que les mois passaient. Comme si votre père avait monté cette opération de toutes pièces afin de démontrer l'efficacité de l'Agence. Un quotidien de New York ébruita l'affaire et en fit ses choux gras pendant des semaines. Votre père n'en dormait plus.

Je me souviens en avoir entendu parler.

Pour sûr. Mais que pouvait-il faire ? Ces objets avaient bel et bien été volés, votre père ne pouvait faire autrement que de les restituer à leurs propriétaires.

Oui.

Et un beau jour le pot aux roses a été découvert. Ce Shade n'existait pas, au bout du compte. Il avait été inventé par une bande de truands qui avaient une dent contre votre père et espéraient jeter le discrédit sur l'Agence par la même occasion. Edward Shade était un simple nom qu'ils avaient forgé à cet effet.

Mais des années plus tard il a demandé à Ben de se mettre sur sa piste.

Oui, jusqu'à la fin. Votre père avait ses raisons.

Rien de ce que vous venez de me raconter ne figurait dans le dossier.

Sally opina. La pire façon de garder un secret c'est de le coucher par écrit.

Ben a-t-il jamais fait allusion à une certaine Charlotte Reckitt ?

Sally porta la main à ses lèvres. Reckitt ?

Charlotte Reckitt. Le dossier sur Shade contenait une photo d'elle. Ses mesures anthropométriques figuraient au dos, de l'écriture de Ben. Il y avait aussi la transcription d'une conversation qu'il avait eue avec elle en 1869. Il l'avait notamment interrogée au sujet d'un type avec lequel elle avait travaillé mais dont elle ne se souvenait pas. Du moins le prétendait-elle. Cela concernait des vols de diamants, des attaques de banques, un trafic de faux destiné à la France et à la Hollande – ce genre de choses. À en croire ses notes, mon père était convaincu que ce complice était Shade. En septembre il a envoyé un câble ici, ainsi qu'à Paris et dans nos bureaux de l'Ouest, contenant une description de Charlotte Reckitt. Shore m'a contacté en novembre pour me dire qu'elle se trouvait à Londres. Là où mon père avait envoyé Ben.

Billy.

Juste avant sa mort, la dernière fois que je l'ai vu, il m'a regardé dans les yeux et m'a appelé Edward.

Billy.

C'est pratiquement la dernière chose qu'il m'a dite.

Elle le regarda d'un air triste. Mon pauvre Mr Porter n'avait plus vraiment sa tête lui non plus les derniers temps, dit-elle. Vous savez à quel point j'aimais votre père. Et que c'est grâce à lui que nous sommes en vie. Mais qu'est-ce que cet Edward Shade vient faire ici aujourd'hui ? Emportez tous ces papiers, lisez-les, vous verrez bien. Votre père n'a pas inventé cette histoire mais elle le minait comme une maladie.

Il la dévisagea dans la pénombre. Je l'ai retrouvée, Sally. La femme que je suivais hier soir, celle qui s'est tuée, c'était Charlotte Reckitt.

Et ensuite.

Je lui ai parlé avant qu'elle ne se jette à l'eau, je l'ai interrogée à propos de Shade. Elle le connaissait.

Elle vous l'a dit ?

Il resta silencieux un bon moment et finit par dire doucement : Oui, mais plus brièvement.

Sally écarta les mains. Comme le disait Mr Porter, on doit se demander chaque jour en se levant ce que l'on traque au juste.

C'est vrai.

Que traquez-vous au juste, Billy ?

Il marcha jusqu'à la fenêtre et regarda à travers la couche de givre et de suie les toits de guingois des entrepôts. Il percevait son regard, son souffle dans son dos. Qu'entendez-vous exactement par là? Que Shade n'existe pas?

Elle hocha la tête. On n'attrape pas les fantômes, Billy.

Quand commence au juste le déclin d'une vie?

Il pensait aux Porter tels qu'il les avait connus autrefois. Au torse luisant de pluie de Ben sous l'éclat jaune de sa lanterne et à la chemise que l'eau plaquait sur sa poitrine tandis qu'il soulevait ce chariot pour l'extraire de la boue. Au chant plaintif de Sally, agenouillée tête nue sous ces trombes d'eau. Il pensait aux semaines durant lesquelles il avait suivi Charlotte Reckitt de sa demeure de Hampstead aux galeries de Piccadilly, où il l'avait observée à la lueur des réverbères derrière les rideaux de ses fenêtres. Espérant percevoir un éclat d'Edward Shade. C'était une petite femme aux cheveux noirs et aux yeux languides, et il la revit brusquement sur les marches de ce théâtre de St. Martin's Lane, le fixant d'un air terrifié. Elle avait sauté par-dessus la rambarde dans le fleuve gelé et l'on découvrirait son corps d'ici un jour ou deux.

Et alors.

Il aurait trente-neuf ans cette année, il était déjà célèbre et confronté à la solitude. À Chicago, sa femme était condamnée par une tumeur à l'œil droit mais ils l'ignoraient l'un et l'autre. Dix années devaient encore s'écouler avant que la maladie ne l'emporte. Il avait tenu la corde tandis que le cercueil de son père s'enfonçait dans le sol et jeté la première pelletée de terre. Le bruit qu'elle avait fait en s'écrasant sur le bois du cercueil résonnait toujours en lui. Qu'il vive ou non jusqu'à quatre-vingts ans, la plus grande partie de sa vie était désormais derrière lui.

Quand commence au juste le déclin d'une vie? Il leva les yeux et contempla le ciel rouge en pensant à la traversée de l'Atlantique, au foyer qui l'attendait de l'autre côté de l'océan. Le brouillard moins dense à présent l'enveloppait toujours, les passants n'étaient plus que des silhouettes fantomatiques. Il descendit jusqu'à Tooley Street pour attraper le tramway qui le ramènerait à son hôtel.

Et son nom ? Ah oui, son nom.

Son nom était William Pinkerton.

DEUX

En voici un autre.

Ses yeux comme ceux des chats retenaient la lumière une fois celle-ci éteinte. Ils étaient violets, de la dureté d'une améthyste et aimaient l'obscurité. Il prenait grand soin de ses favoris bien qu'ils eussent blanchi depuis longtemps. La traversée avait été agitée mais même aux pires moments il était resté assis dans le fumoir du *RMS Aurania* à feuilleter le *Times* de son index humecté. Sa peau un peu mate tranchait sur la blancheur de son col amidonné. Avec ses costumes sur mesure et ses gilets coûteux, il aurait aisément pu passer pour un riche bijoutier ou un industriel de retour de Bombay, mais il traversait en vérité une passe difficile et avait soin lorsqu'il croisait les jambes de ménager le tissu élimé de son pantalon. Cependant ses boutons de manchettes étaient en or massif rehaussé d'émeraudes, son épingle à cravate incrustée de diamants. Si on lui avait demandé à quoi l'on pouvait distinguer la vérité d'un homme de ses apparences, il aurait esquissé un sourire aussi attristé qu'entendu, comme s'il avait suffisamment vécu et bourlingué à travers le monde pour éprouver encore le besoin d'enfoncer des portes ouvertes.

Continuez.

Non, ce n'était pas un menteur. Simplement il n'était pas celui qu'il semblait être. Il voyageait avec une enfant qu'il faisait passer pour sa fille. Il avait une voix douce et bizarrement haut perchée. Sa mère était née dans une modeste maison de Calcutta et à treize ans, n'étant toujours pas mariée, elle était partie jusqu'à la mer en remontant les berges du fleuve Hoogly. Il avait hérité d'elle sa petite taille, des épaules étroites et de larges poignets. Et même s'il avait entendu parler pendant toute son enfance de la stature impressionnante de son père, originaire du Yorkshire, il n'avait jamais su rien d'autre à son sujet. Il avait tour à tour vécu dans la plus grande misère et la plus extrême opulence et savait parfaitement lequel de ces deux états avait sa préférence. En dépit de tout il supportait fort mal tout ce qui venait perturber l'ordre moral car cet ordre était selon lui absolu et s'imposait à toutes les créatures qui arpentaient ce bas monde selon la volonté divine. Aucun homme ne devait suivre la voie de la violence. Tous ceux qui étaient dans le besoin devaient être secourus. Pressé de s'expliquer lors d'un tournoi de whist, il aurait volontiers avoué que d'après son expérience la vérité n'était qu'un mensonge élégamment déguisé, et qu'il n'y avait au fond rien de sacré en ce monde même si tout l'était peut-être dans celui qui nous attendait. À l'ère des industriels et de la noblesse, il était comme on dit un self-made-man et n'avait aucune honte à le reconnaître.

Depuis vingt-trois ans à présent il répondait au nom d'Adam Foole. Il avait déjà fait fortune et été ruiné à plusieurs reprises. Dans certaines banques de la côte Est son nom était tout simplement banni, dans d'autres il demeurait respecté, dans d'autres encore on attendait avec curiosité la suite de ses aventures. À chacun de ses séjours, un club huppé de New York lui réservait pendant plusieurs semaines un salon spécial lambrissé de chêne alors qu'il n'avait plus réglé sa note depuis trois ans. Ses affaires étaient aussi nébuleuses que variées et il avait soin de ne pas faire étalage de ses talents.

Il avait quitté l'Angleterre depuis six semaines à peine et c'était la lettre d'une femme qui l'avait poussé à revenir aussi vite. Pour affaires, cela va sans dire.

Aucune fortune n'est jamais suffisante.

Il était pour l'instant accoudé au bastingage et sentait les moteurs du paquebot vrombir sous ses pieds. Il y avait d'autres passagers sur le pont mais pas tant que ça, au bout du compte, et ils étaient tous emmitouflés dans d'épaisses écharpes ou des couvertures mises à leur disposition et frappées du sigle de la compagnie Cunard, serrant contre eux les pans de leurs manteaux. Il était quant à lui vêtu à la mode de l'année dernière, une veste croisée en tweed, un manteau enfilé à la hâte, un chapeau melon marron que le vent soulevait périodiquement.

Il sentit ses favoris se hérisser et leva les yeux. Le ciel était plombé derrière les coques blanches des canots de sauvetage suspendus au-dessus du pont. À l'est on apercevait Liverpool, semblable à une tache d'encre sur cette étendue grise. Les cheminées des usines et leurs fumées brunes se dressaient au loin, anguleuses sous les rafales de vent.

À cet instant une fillette émergea du grand salon en tirant sur l'attache de son bonnet. Elle n'avait pas onze ans.

Bon sang, Molly, lança-t-il. Regarde un peu tes bottines.

Le cuir souple et les lacets étaient maculés de craie rouge comme si elle avait donné des coups de pied Dieu sait où. Quoi ? demanda-t-elle en grimaçant un sourire. J'ai l'air d'un épouvantail ?

Viens par ici.

Elle avait des yeux doux, un nez couvert de taches de rousseur. Elle croisa les bras sur le bastingage. Le vent plaquait sa robe sur ses jambes et ses hanches un peu masculines, il savait que sous ses gants ses ongles étaient rouges. Il s'approcha, serra plus fermement l'attache de son bonnet.

Qu'est-ce que c'est que cette odeur ? demanda-t-elle.

Arrête de gigoter. De la créosote.

Elle répéta le mot avec délectation.

Le porteur est-il venu chercher nos bagages ? demanda-t-il.

Je les ai laissés dans le couloir. Comme tu m'avais dit.

Comme je *te l'avais* dit. Foole tendit la main et elle la considéra en clignant des yeux.

Quoi?

Tu le sais très bien.

Elle fronça les sourcils, extirpa de sa poche le billet de cinq livres qu'il lui avait donné pour le pourboire du porteur et le lui tendit. Je te préfère quand tu es riche, dit-elle.

Il empocha le billet sans un mot. Mais comme elle se tournait pour regarder le fleuve quelque chose accrocha son regard et il tendit la main vers un pli de sa robe pour en retirer une minuscule poupée en plâtre. Où as-tu déniché ça?

Elle lui reprit la poupée d'un geste brusque.

N'est-ce pas celle avec laquelle jouait la fille des Webster?

Non.

Il se tourna, considéra un instant l'écume qui se déployait comme un éventail derrière la coque du navire puis la regarda à nouveau. Qu'est-ce qui t'a pris?

Elle ne saura jamais que c'est moi.

Ce n'est pas le problème.

La fillette rougit, refusant de le regarder en face. Tu veux que je la lui rende?

À ton avis?

Si je fais ça ils sauront que c'est moi qui l'ai prise.

Il secoua la tête.

Elle resta silencieuse un moment et fixa ses bottines avant de relever les yeux vers lui. De toute façon, dit-elle brusquement, elle en a plein d'autres.

Il regarda derrière elle, aperçut la silhouette d'un homme en tenue de deuil coiffé d'un chapeau mou qui venait de sortir du fumoir. L'homme lui adressa un petit signe de la main et se dirigea vers eux.

Molly suivit le regard de Foole par-dessus son épaule. Après lui avoir lancé un coup d'œil sarcastique, elle marmonna quelque chose et s'éloigna en pianotant sur le bastingage de sa main gantée. De l'autre main elle tenait la poupée par le cou comme si elle avait voulu l'étrangler.

Sois dans notre cabine d'ici dix minutes, lui lança-t-il. Tu m'entends, Molly ?

Elle leva le bras et l'agita sans se retourner.

C'est votre fille ? demanda l'homme qui l'avait rejoint. Elle est charmante. Je ne l'avais pas vue pendant la traversée.

Foole leva les deux mains en signe d'impuissance.

L'homme se mit à rire. J'ai moi-même je ne sais plus combien de nièces, monsieur. On voit tout de suite qu'elle a été bien élevée. Et sa mère…

Est morte, répliqua doucement Foole. Le temps finit par passer même si nous préférerions parfois qu'il s'arrête.

Elle devait être très belle.

Foole se racla la gorge.

En tout cas votre fille a visiblement beaucoup d'atouts, poursuivit l'homme. C'est un excellent spécimen.

Spécimen ?

L'homme se mit à rire. Excusez-moi. Je suis tellement pris par mon travail que j'en oublie le vocabulaire de la vie ordinaire.

Quelle est votre spécialité déjà ? La phrénologie ?

Oui monsieur, opina l'homme d'un air satisfait. La phrénologie. La science du potentiel humain. Et vous, dans quelle branche m'avez-vous dit que vous étiez ?

Je ne vous l'ai pas dit.

Pas le whist en tout cas.

Foole finit par se fendre d'un sourire. J'avais espéré me refaire un peu ces derniers jours.

Je l'avais également espéré pour vous, monsieur.

Les cartes n'étaient pas avec moi, je suppose.

Le phrénologiste se racla la gorge. Je ne voudrais pas vous paraître grossier…

Foole glissa la main sous sa veste et détacha la chaînette qui retenait sa montre à son gousset. Il la soupesa dans sa main. Elle appartenait à mon père, dit-il.

Elle est splendide.

C'est une montre en argent qui a été fabriquée à Philadelphie il y a plus de vingt ans. Un œil en or a été ajouté sur le couvercle qui s'ouvre d'un simple déclic. À l'intérieur est gravée l'inscription POUR MON FILS. Il referma le couvercle d'un simple geste. Si vous en êtes d'accord, reprit Foole, je serai heureux de vous envoyer cette somme dès mon arrivée à Londres.

Le phrénologiste n'avait pas quitté la montre des yeux. Je suis certain de pouvoir vous faire confiance, monsieur. Mais c'est pour le principe, comprenez-vous. On ne peut pas s'asseoir à une table de jeu et miser l'argent qu'on ne possède pas sans en assumer les conséquences. C'est cela que j'aimerais vous faire comprendre. C'est ainsi que nous considérons l'honneur en Angleterre, monsieur.

Bien sûr. Je me disais juste que, peut-être…

Ah non, monsieur.

C'était un homme de grande taille quoique relativement mince et il s'était rapproché de Foole d'un air à la fois retenu et menaçant. Foole se racla la gorge et lui donna la montre, le cœur traversé d'une brusque et violente douleur.

Le phrénologiste ouvrit la montre, la referma et l'empocha d'un geste bref.

Je paie toujours mes dettes, dit Foole les traits crispés.

Je n'en doute pas, monsieur.

Foole se retourna et regarda les hangars et la jetée en bois du débarcadère de Pierhead qui se profilaient déjà. La masse plus imposante des entrepôts se découpait au-delà. L'atmosphère était froide, sinistre.

Et combien de temps comptez-vous rester à Liverpool, monsieur, si je puis me permettre ? Vous logerez à l'Alberti, je suppose ?

Nous gagnerons directement Londres dans la soirée. Par le North Western.

Excellent. Puis-je vous recommander le bar américain du Criterion, à Piccadilly ?

Foole émit un grognement. Et vous-même, vous rentrez chez vous je suppose ?

Oui. Je suis allé examiner une fascinante collection de crânes indiens à Boston. Tout à fait remarquable. Foole avait les yeux fixés sur la main de l'homme qui tripotait sa montre dans la poche de son pantalon.

Cet objet possède une valeur personnelle à mes yeux, dit-il. Peut-être pourrai-je ultérieurement négocier son rachat ? Avec des intérêts, bien sûr.

Le phrénologiste retira la main de sa poche, caressa ses favoris et regarda les grues qui soulevaient leur chargement sur les quais. Je pense que nous pourrions parvenir à un accord, monsieur. Je ne voudrais pas vous priver d'un objet auquel vous attachez une telle valeur. Voici ma carte de visite. Si vous avez un jour besoin d'un médecin à Liverpool ou si vous souhaitez simplement passer une soirée en ma compagnie, j'en serai enchanté.

Je crains de ne pouvoir me le permettre.

Vous pourriez regagner votre montre.

Je pourrais tout aussi bien perdre ma chemise.

Le phrénologiste feignit d'examiner le col et les poignets de son interlocuteur. Hum, fit-il avec un sourire, cela me paraît peu probable.

Foole en eut brusquement assez. Les contours sombres du débarcadère et des passerelles du port se rapprochaient.

Le phrénologiste l'étudiait. Vous n'avez pas une âme de joueur, monsieur.

Qui en a une ? rétorqua Foole avec un sourire contraint.

C'était un Béhémoth d'acier qui pouvait transporter un chargement de sept mille tonnes, muni d'une seule hélice et de deux cheminées jumelles qui crachaient leur fumée brûlante. La traversée avait pris exactement dix jours malgré le mauvais temps et les vagues avaient ballotté le paquebot dans tous les sens, au point que tout le monde à bord avait été malade et que la salle de restaurant s'était peu à peu vidée malgré l'opulence de son salon aux fauteuils en cuir et aux cuivres impeccablement astiqués, évoquant le luxe des bateaux qui descendaient le Mississippi depuis la fin de la guerre avec leurs roues à aubes. Tous les deux jours un magicien français faisait son numéro en tenue de soirée, coiffé d'un haut-de-forme et accompagné par une femme au piano. Chaque soir avant de s'endormir Foole sortait la petite enveloppe brune, dépliait la lettre qu'elle contenait et la relisait en silence tandis que Molly ronflait légèrement sur sa couchette, avant de la remettre dans l'enveloppe et de la glisser sous son oreiller.

Son écriture avait changé depuis dix ans qu'il ne l'avait plus vue et il se demandait à quoi elle pouvait ressembler à présent, redoutant d'après le ton de sa lettre qu'elle ne traverse elle aussi une mauvaise passe. Elle lui écrivait avec une gentillesse qui l'avait surpris, sans faire la moindre allusion aux mensonges et aux trahisons du passé. Chaque matin en se réveillant il empoignait la barre de sa couchette, sensible aux mouvements du navire, en se disant qu'il se rapprochait d'elle et en sentant naître au fond de lui un élancement qu'il n'avait plus éprouvé depuis longtemps. Parmi les passagers qu'il croisait le matin dans la salle où l'on servait le petit déjeuner figuraient un sénateur américain dont il avait vu la photo dans la presse et un médecin d'Édimbourg qui riait bruyamment en compagnie des hommes mais faisait preuve d'une remarquable politesse dès qu'une femme était présente. Il semblait tout savoir sur tout et parlait avec une égale aisance de la boxe à mains nues et des fondements justifiés de l'Empire britannique. Il avait immédiatement plu à Foole. Un soir où il protestait contre les romans policiers dont la solution dépendait plus souvent de la bêtise du coupable que de l'intelligence de l'enquêteur, Foole avait eu un petit sourire ironique, trouvant son raisonnement un peu simpliste, mais le médecin s'était exclamé : La déduction, mon cher ! La déduction, il n'y a que ça de vrai ! Il faisait partie du groupe qui se réunissait tard le soir pour jouer au whist et tandis que les boissons défilaient, que les hommes fumaient et riaient aux éclats, seul le médecin conservait sa lucidité. Enfin, seuls Foole et lui. Au bout de cinq jours Foole s'était accoutumé à la morsure de l'air marin ainsi qu'au tangage du navire et il faisait chaque soir sa promenade sur le pont balayé par la pluie, regagnant sa cabine trempé jusqu'aux os et se frottant les mains pour se réchauffer tandis que Molly l'observait en hochant la tête d'un air dégoûté.

Cela n'avait plus d'importance à présent.

Les jours avaient passé. L'Angleterre était en vue.

En fin de matinée le paquebot avait accosté et mis en place ses doubles passerelles. Foole regardait les malles et les cartons qu'on déchargeait et qui se balançaient dans leurs nasses au-dessus du quai. Du pont supérieur les passagers de première classe pouvaient voir s'écouler des flancs du bateau le flot des familles les plus pauvres, des travailleurs et des émigrants qui traînaient leurs sacs ou leurs valises en grignotant des saucisses, une marée de casquettes grises, de châles et de bonnets bruns qui se déversait, cachée de temps à autre par des bancs de vapeur blanche à mesure que les énormes chaudières s'éteignaient dans le ventre du navire.

Foole se fraya un chemin jusqu'au grand salon puis descendit l'escalier de marbre qui menait au pont inférieur avant de s'engager dans le couloir éclairé au gaz menant à la cabine des secondes qu'il occupait avec Molly. Des porteurs et des passagers circulaient en se hâtant dans tous les sens, mais lorsqu'il eut poussé le lourd battant de la porte il n'aperçut pas la fillette.

Molly? appela-t-il.

La cabine était vide, les draps repliés, le bureau en acajou déjà vidé et astiqué. Il vit que leurs bagages avaient été emportés et se maudit de ne pas avoir laissé de pourboire. Il posa le billet de cinq livres sur le bureau avant de se raviser et de le rempocher.

Il s'attarda un instant, étudiant son visage dans le petit miroir fixé à la paroi. Les rides apparaissaient au coin des yeux, ses cheveux avaient blanchi, il avait le front soucieux. Quand avait-il commencé à vieillir? Qu'allait-elle dire en le voyant à présent?

Qu'allait-elle dire.

Un frisson secoua la coque du navire. Il coiffa son chapeau melon, tira sur ses manches amidonnées, saisit sa canne et rejoignit le pont. Le débarquement avait lentement commencé. Les premières classes avaient quasi fait le plein avec quatre-vingt-seize passagers et Foole se fraya un chemin dans la foule de ceux qui attendaient leur tour pour rejoindre la passerelle par laquelle les gens débarquaient. Molly n'était nulle part en vue mais il savait qu'elle n'était pas très loin, quelque part au milieu de cette cohue.

Il se retrouva finalement derrière un individu de taille gigantesque, vêtu d'un manteau minable et d'un pantalon en toile grossière, une malle bardée de cuir calée sur l'épaule.

L'homme empestait la saucisse bouillie et son cou était noir de crasse. Autour d'eux il n'y avait que des individus habillés avec goût et aux mains soigneusement manucurées.

Un agent des douanes en veste blanche contrôlait les titres de transport des passagers et s'arrêta devant le géant, saisissant son billet du bout des doigts.

Vous êtes dans la mauvaise file, monsieur, lui dit-il. Comment vous êtes-vous retrouvé là ?

Foole entendit le géant grommeler quelque chose.

Je vous demande pardon ? dit l'agent.

Le géant demeura silencieux.

Vous devez sortir par ici, reprit l'agent en lui montrant un peu plus bas de sa main gantée la foule des passagers de troisième classe tassés les uns contre les autres.

Le géant haussa ses massives épaules et lui tourna le dos.

Excusez-moi, lança Foole à l'agent. Mais vous pourriez peut-être laisser passer cet homme ? Nous avons une correspondance à prendre.

L'agent se tourna vers lui. Vous êtes ensemble ?

Le géant lui lança un regard mauvais.

Foole souleva sa canne et recula d'un pas, surpris de sentir que le vide s'était fait derrière lui.

Je n'ai pas de consigne à recevoir, dit l'agent. Ni de votre part ni des individus de cette espèce.

De quelle espèce ? lança le géant.

L'agent renifla d'un air méprisant. Écartez-vous, monsieur. Passager suivant ?

Mes papiers sont en règle.

Passager suivant.

Personne ne bougea. Le géant posa soudain sa lourde malle contre la passerelle, empoigna du même élan l'agent des douanes par la veste et le souleva au-dessus du sol.

Il lui marmonnait quelque chose à l'oreille, et Foole vit la panique gagner le regard de l'agent. Il se sentit soudain très las mais s'avança tout de même. Ça suffit maintenant, lança-t-il.

La chemise du géant était ouverte, le col était trop étroit pour sa large gorge et il avait une bouteille coincée sous sa manche maculée alors même qu'il secouait l'agent comme un prunier au-dessus du pont. Dans les replis de sa barbe noire ses lèvres étaient humides et rouges.

Relâchez cet homme, lui dit Foole. On ne se comporte pas ainsi, monsieur.

L'agent des douanes bredouilla, les yeux exorbités et injectés de sang. Les boutons en cuivre de sa veste brillaient au soleil comme des pièces de monnaie.

Vous, bouclez-la, lança le géant. Ce ne sont pas vos oignons.

Foole opina, mécontent. Il distinguait des effluves d'ail dans l'haleine du géant. Il avait espéré que d'autres passagers le soutiendraient mais il se retrouvait seul. Il aperçut le bonnet de Molly au milieu de la foule qui s'était rassemblée. Ses doigts se crispèrent sur sa canne.

Reposez cet homme, lança-t-il d'une voix plus ferme.

Tout s'immobilisa. Le navire au bord du quai, la foule, les mouettes qui planaient au-dessus des entrepôts.

Le géant inspira profondément et secoua la tête. De sa main libre, avant que Foole ait pu réagir, il le repoussa d'un geste presque nonchalant mais d'une telle force que Foole recula en titubant et en battant des bras pour ne pas perdre l'équilibre.

Je vous ai dit de la boucler.

Foole épousseta son habit. Une brusque colère monta en lui, il s'avança et poussa le géant dans le dos aussi fort qu'il le pouvait. Le géant relâcha l'agent des douanes, se retourna et dévisagea Foole d'un air incrédule.

Vous jouez à quoi au juste ? dit-il à voix basse en parcourant l'assemblée des yeux.

Il y a des dames dans l'assistance, prévint Foole. Il y a des témoins. Laissez tomber, monsieur.

Pendant une fraction de seconde le géant parut hésiter mais cela ne dura guère. Foole inspira à son tour et serra fortement sa canne dans sa main.

Le géant se rua soudain sur lui, brandissant deux énormes poings avec lesquels il comptait visiblement faire voler sa tête en éclats. Malgré sa stature massive il était d'une grande vivacité. Mais au moment où ses poings s'abattirent, Foole s'écarta d'un mouvement leste, sentant l'air siffler à son oreille. Puis il souleva sa canne et d'un coup sec l'abattit à deux reprises sur la tempe du géant qui s'effondra.

On entendit un horrible craquement et Foole vit une tache de sang noir se former sous l'œil du géant qui gisait la joue contre le pont. Elle s'étendit peu à peu autour de sa barbe avant de couler entre les joints métalliques.

Un silence stupéfait avait gagné la foule. Puis tout le monde se mit à pousser des cris et à s'agiter, les traits livides.

Bon Dieu, s'exclama un porteur. Écartez-vous, écartez-vous.

Foole lui-même fut bousculé et repoussé sur le côté. Au bout d'un moment, tournant le dos à la cohue, il marcha jusqu'au bastingage et s'y accouda, immobile et silencieux, tandis que les mouettes tournoyaient et plongeaient juste au-delà de la passerelle. Beaucoup plus bas il distinguait les eaux jaunes de la Mersey qui tourbillonnaient sous la coque.

Sur le pommeau en argent de sa canne une petite tache de sang brillait comme une goutte d'huile. Lorsqu'il s'en aperçut, il sortit un mouchoir amidonné de sa poche et l'essuya avec soin.

C'était la lettre d'une femme qui le ramenait en Angleterre. Pour affaires, cela va sans dire.

Il avait des yeux de la couleur des iris en fleur, des favoris frisés, et ne faisait jamais de confidences à personne. Dans une poche intérieure de sa malle il conservait entouré d'une vieille écharpe en laine un daguerréotype ancien encadré et à demi effacé représentant une jeune femme vêtue d'une robe à crinoline et coiffée d'un bonnet, assise devant la porte ouverte d'un atelier photographique. Une version plus jeune de lui-même se tenait derrière elle et le soleil brillait à travers un balcon qui se découpait dans leur dos. La chaleur de ce soleil s'était depuis longtemps dissipée, le visage de la jeune femme depuis longtemps estompé. Mais cela n'avait aucune importance. Il connaissait ce visage dans ses moindres replis. Une odeur de framboise, il s'en souvenait, montait de sa gorge en été.

Ce daguerréotype avait été pris en septembre 1874 dans la ville portuaire affairée de Port Elizabeth, en Afrique du Sud. Il était pauvre à cette époque. Le nom du photographe était De Hoeck, et son atelier situé juste au nord du jardin public était un vrai labyrinthe de pièces encombrées de fioles et de flacons. Foole était resté assis dans un coin, le châle de la jeune femme entre les mains, tandis que l'homme ajustait ses lentilles. Puis il s'était levé et était allé la rejoindre. C'était la dernière semaine qu'elle passait en Afrique. Leur dernière semaine ensemble. Il avait compris qu'elle vivait quelque part à Londres et que cette vie ne lui convenait pas. Elle devait avoir trente ans à présent et sans doute ne ressemblait-elle plus guère à la femme qu'elle était jadis.

Est-ce que cela avait de l'importance ? Non, cela n'avait aucune importance.

Elle s'appelait Charlotte Reckitt, il l'avait aimée autrefois et il l'aimait encore aujourd'hui.

TROIS

William Pinkerton traversa la minuscule réception du Grand Metropolitan Hotel sans demander s'il avait du courrier. Un homme coiffé d'un chapeau melon cabossé lisait un journal sous les palmiers nains à côté du bar. Il vit bien qu'il le regardait mais ne ralentit pas l'allure. Il sentit sa tête tourner et ses mains parcourues d'un léger tremblement tandis qu'il poursuivait son chemin. La lueur des lampes éclairées au gaz se reflétait sur les cuivres, les miroirs, le sol en marbre, et tout cela finissait par lui donner le tournis. Quand les portes de l'ascenseur se refermèrent derrière lui, l'employé de service opina du menton sans lui demander son étage et actionna le levier. L'appareil se mit lentement en marche. Tandis qu'ils s'élevaient, il vit l'homme installé à côté des palmiers replier son journal, le glisser sous son bras et se diriger vers la sortie.

Arrivé devant sa chambre, s'apercevant que la porte était entrebâillée, il sentit ses poils se dresser sur sa nuque.

Oui ? lança-t-il.

Le silence était pesant.

Montrez-vous, ajouta-t-il d'une voix rude.

Il pénétra dans la pièce, posa sa canne sur la table de l'entrée et referma la porte. Les documents qu'il rapportait de chez Sally Porter étaient coincés sous son bras et il savait qu'il était arrivé au terme de quelque chose. Il les déroula, ouvrit le tiroir d'une commode et les y rangea. Dans le petit salon sur sa gauche il distinguait dans la pénombre le contour des canapés, des chaises cannelées et des guéridons couverts de napperons qui patientaient en silence. Il passa sa main sur sa nuque.

Benjamin Porter était mort.

Cela paraissait injuste. Il savait bien que la justice n'était pas la caractéristique première de ce monde et pourtant sa visite chez Sally l'avait mis mal à l'aise. Il éprouvait la mélancolie, le vague ennui qui vous gagnent lorsqu'une enquête touche à sa fin. Il ressentait toujours cela à Chicago après avoir bouclé une affaire, errant chez lui de pièce en pièce comme un malade enfin autorisé à quitter son lit. Margaret ne savait pas comment le prendre dans ces cas-là et préférait le laisser seul face à ses propres ténèbres. Mais cette fois-ci il en allait différemment. À peine sorti de chez Sally il n'avait pu chasser l'impression qu'une silhouette presque invisible le précédait sans cesse dans tous les lieux qu'il traversait. *On n'attrape pas les fantômes*, avait dit Sally. Ils savaient l'un et l'autre à quel fantôme elle faisait allusion. Il n'avait pas aimé son père de son vivant et ne l'aimait pas davantage depuis sa mort. Mais il savait que le chagrin est plus lourd à porter que l'amour entre les défunts et les vivants.

La femme de chambre était passée. Il ignorait quelle heure il était mais il devait être encore tôt. Le matelas avait été retourné, les draps changés, les rideaux verts tirés de part et d'autre des fenêtres. Il les referma d'un geste sec. La pièce fut à nouveau plongée dans la pénombre bien que la lumière filtrât encore sur les côtés par d'étroits interstices. Lorsqu'il se retourna il aperçut les empreintes mouillées de ses chaussures sur le tapis mais il ne s'en souciait guère. Il pensait à la pièce délabrée où vivait Sally Porter et éprouvait une sorte de honte.

Au milieu se dressait un vieux lit à baldaquin en acajou dans le style espagnol assez large pour deux. William ôta sa jaquette et dénoua sa cravate puis s'étendit sur le couvre-lit et ferma les yeux. Il ne déboutonna pas sa veste, ne défit pas son col amidonné, ne retira pas l'épais couvre-lit. Dans la pénombre, le visage gris de sa femme le dévisageait depuis son petit cadre argenté.

Il s'éveilla en entendant quelqu'un frapper à la porte et l'appeler d'une voix étouffée. Il se retourna, ferma les yeux, enfouit son visage sous un oreiller.

Lorsqu'il se réveilla la fois suivante, une voix aiguë l'appelait à travers la porte.

Mr Pinkerton ? Mr Pinkerton ?

Il s'humidifia les lèvres.

Mr Pinkerton ? Vous êtes réveillé ?

Il entrouvrit lentement une paupière.

Monsieur ? C'est l'inspecteur Shore qui m'envoie.

Il se redressa tant bien que mal et regarda autour de lui sans reconnaître les lieux. Il entendait les sabots des chevaux marteler les pavés, les cris des colporteurs s'élever un peu plus loin dans la rue. C'était encore le matin.

Monsieur ?

Un instant, aboya-t-il.

Après avoir ouvert la porte il aperçut un jeune garçon vêtu d'un pantalon en velours côtelé et d'une veste épaisse, et coiffé d'une casquette en laine rouge. Il ne devait pas avoir plus de dix ans. Et encore. Le gosse cligna des yeux et ôta sa casquette. Ses ongles étaient noirs de crasse. William ne l'avait jamais vu.

Il jeta un coup d'œil de chaque côté dans le couloir avant de reposer les yeux sur le gamin.

Tu es obstiné, espèce de petit diable.

Monsieur ?

Quelle heure est-il ?

Dix heures et demie, monsieur.

C'est toi qui as frappé tout à l'heure ?

Monsieur ?

Peu importe, ajouta-t-il en hochant la tête. Qu'est-ce que Shore me veut au juste ?

Le gamin se redressa. Si vous voulez bien me suivre, monsieur. Il veut vous montrer quelque chose.

De quoi s'agit-il ?

S'il vous plaît, monsieur. Il m'a dit de ne pas vous le dire.

Tu travailles pour le Yard ?

Oui monsieur.

On a découvert le corps ?

Quel corps, monsieur ?

Une porte s'ouvrit un peu plus loin dans le couloir. Un homme aux cheveux roux et à la moustache cirée apparut en bras de chemise, les doigts tachés d'encre. William le dévisagea avant de se frotter le visage de sa main blessée.

Bon sang, dit-il en tirant le gamin par l'épaule dans la chambre. J'espère au moins que cela concerne Charlotte Reckitt.

Il n'était pas à Londres de manière officielle.

Il était arrivé le dernier vendredi de novembre, ce qui remontait déjà à six semaines. C'était le premier Noël depuis la mort de son père et il pensait avec remords à ses filles et aux lettres de récrimination de son épouse. Son frère lui avait également écrit depuis le bureau de New York pour lui demander les raisons de son absence. Il ne lui avait pas répondu.

Ils s'étaient très peu parlé depuis les funérailles mais n'avaient jamais été très loquaces. Robert était le plus jeune et ne trouvait jamais grâce aux yeux de leur père, William le savait et avait observé son frère au cimetière la gorge serrée. Ils étaient passés ensemble à l'Agence mais leur père n'avait pas eu grand-chose à faire durant les derniers mois de son existence et son bureau était quasi vide. Robert s'était contenté d'emporter la statuette d'un cheval de course en bronze. Pendant tout le mois de juillet William avait mal dormi et passé de longues heures dans le noir en attendant que le jour daigne enfin se lever. Finalement il s'était rendu seul chez sa mère en septembre, avait dîné avec elle puis était monté dans le bureau de son père à l'étage. Il était resté un moment assis dans l'obscurité avant d'allumer un feu dans la cheminée et de commencer à fouiller les affaires du vieil homme.

Il était minuit, il avait ouvert le coffre-fort de son père et en examinait le contenu lorsqu'il était tombé sur le dossier qui portait le nom de *Shade*. La maison craquait autour de lui. À genoux au milieu d'un monceau de paperasses, il lut le dossier avec soin. Il contenait divers documents et une série de notes de la main de son père. Au milieu des rapports qui répertoriaient les complices de Shade, il découvrit une vieille photographie de Charlotte Reckitt derrière laquelle figuraient ses mesures anthropométriques. Il y avait également une liste incomplète de ses différents pseudonymes. Le dossier était imprégné de l'odeur des cigares paternels. William le referma et réfléchit un moment. Plus tard dans la semaine, il envoya une circulaire contenant la description de Charlotte Reckitt mais il n'en résulta rien et il cessa d'y penser.

Puis en octobre il entendit parler d'une tentative de hold-up qui avait échoué à Philadelphie. De tels rapports étaient monnaie courante et il y prêta à peine attention. Assis dans son fauteuil en cuir, il feuilletait distraitement le document lorsqu'il s'interrompit soudain, revint au début et le relut plus lentement.

Le voleur avait pris peur et quitté les lieux à la hâte. Bien que l'opération eût échoué, les enquêteurs de l'Agence avaient quadrillé le quartier pour recueillir des informations. Une certaine Eliza LeRoche, une veuve encore jeune, avait loué une boutique sur Congress Street dans la dernière semaine de septembre afin de promouvoir l'élixir miracle du Dr Gilliam. Les petits flacons verts trônaient dans la vitrine ainsi que des coupures de presse vantant les mérites de cette huile miraculeuse. Mais à l'arrière de la boutique, derrière un paravent japonais, un tunnel avait été creusé qui rejoignait une cave située juste en dessous de la banque voisine. L'écriture de LeRoche figurait sur le bail et les divers documents qu'elle avait dû abandonner, tout comme le stock de l'élixir du Dr Gilliam. Une paire de bottines neuves à talons hauts avait également été retrouvée à l'entrée du tunnel. Quelque chose dans cette affaire le tracassait, et ce fut seulement deux jours plus tard en mangeant son porridge qu'il se rappela où il avait déjà entendu ce nom. Il posa sa cuillère et regarda ses mains. Margaret s'était arrêtée de manger elle aussi et le dévisageait.

Il ne laissa rien au hasard et mena son enquête. La femme avait été aperçue à l'aube du 7 octobre par deux balayeurs municipaux. Un facteur prétendait qu'elle avait un accent européen et qu'elle devait être d'origine irlandaise ou polonaise. Les bottines à talons hauts avaient été fabriquées chez Smiley & Fils à Glasgow et n'étaient vendues qu'en Angleterre, mais la compagnie avait reçu et honoré plusieurs commandes en provenance de Philadelphie au cours des six derniers mois. En août, trois paires avaient ainsi été livrées au nom de LeRoche non loin d'Independence Square. Les deux balayeurs avaient ensuite identifié Charlotte Reckitt sur les photos que possédait l'Agence : elle avait les cheveux plus courts, oui, et elle était sans doute un peu plus âgée mais ce regard ne trompait pas, oui c'était bien elle.

Il avait envoyé un autre câble à Toronto, San Francisco, Londres et Paris. En novembre, la femme avait été aperçue à Piccadilly et William ferma son bureau à clef, souhaita le bonsoir à sa secrétaire et descendit lentement l'escalier en sentant le regard de ses employés dans son dos et en sachant pertinemment ce que sa femme allait dire. Mais cela n'y changea rien, il acheta cette semaine-là un billet pour Liverpool sur la compagnie Cunard et envoya un télégramme à l'inspecteur John Shore de Scotland Yard. Il tenait à mettre la main lui-même sur Charlotte Reckitt. Ce n'étaient pas des réponses qu'il attendait d'elle mais quelque chose d'autre.

Il ne lui avait pas fallu trois jours pour dénicher son domicile à Hampstead. Dans les tout derniers jours de 1884, il savait qu'il l'avait coincée et elle le savait aussi bien que lui. Elle avait dormi chez elle le soir du 30 décembre et avait changé de coiffure à l'occasion du nouvel an. William l'avait suivie de porche en porche depuis l'Opéra à travers cette longue nuit calme, la voyant périodiquement porter la main au collier qui ornait sa gorge. Il ne se cachait même pas. Il voulait qu'elle le voie et qu'elle sache que tout était fini.

Le fait qu'il la trouve plutôt à son goût n'avait aucune importance. Dans le monde qu'il fréquentait, il suffisait d'un instant d'inattention pour qu'on vous fasse les poches et qu'on vous pique votre montre.

Le gamin le précéda dans la rue.

Relief argenté des pavés, ténèbres vitrées des lampadaires, brouillard jaune et palpable et pesant.

Un cab attendait dans le froid mais William ne fit aucun commentaire à ce sujet. Le conducteur perché à l'arrière secouait déjà les rênes en claquant de la langue. Le véhicule s'ébranla et se mit rapidement en route. Il ne se dirigeait pas vers Whitehall.

Où allons-nous ?

À Pitchcott, monsieur.

À la morgue ? Et qu'allons-nous trouver là-bas ?

Des cadavres, monsieur.

William concéda un sourire bref. S'agit-il de Charlotte Reckitt, mon garçon ?

Le gamin lui rendit son sourire. On m'a rien dit, monsieur.

William hocha la tête. Il avait cru entendre *Omar a dit*.

La neige n'était pas tombée mais son odeur imprégnait l'atmosphère. Le cab fendait le brouillard orangé qui les enveloppait et que trouaient à peine les sabots des chevaux.

Tandis qu'ils tournaient à l'angle de Long Acre, il aperçut un facteur emmitouflé dans son manteau rouge qui avançait à tâtons dans cette purée de pois. Les vitrines des magasins se distinguaient à peine à l'ombre des immeubles étroits mais ils rejoignirent bientôt une rue plus animée. Un livreur de charbon surgissait d'une allée les manches retroussées, une lourde plaque à la main. Il avait lui-même exercé ce métier dans sa jeunesse et n'en conservait pas un agréable souvenir. Des employés de bureau en pardessus noirs et coiffés de larges chapeaux arpentaient les trottoirs, d'autres se frayaient un chemin au milieu de la circulation entre les charrettes et les omnibus qui émergeaient lentement du brouillard. William se rejeta dans son siège et ferma les yeux.

Il sentait la présence du gamin secoué par les cahots du cab à ses côtés.

Comment t'appelles-tu, mon garçon ?

Ollie, monsieur.

Oliver ?

Ollie tout court, monsieur.

William sourit et entrouvrit un œil. Il y a longtemps que tu fais ce boulot, Ollie ?

Bientôt six mois, monsieur.

Et ça te plaît ?

Le gamin haussa les épaules et se frotta le nez du revers de sa manche. Ça permet de payer les traites.

C'est un point de vue raisonnable.

Ollie acquiesça. C'est une première étape, monsieur. Pour atteindre mon but.

Et quel est ton but ?

Devenir inspecteur.

William opina d'un air grave. C'est un rude métier.

C'est la vie qui est rude, monsieur, quand on a une famille à nourrir.

C'est exact.

Le gamin opina d'un air convaincu et regarda la rue. Puis il se retourna vers le conducteur du cab et lui lança : C'est à

Pitchcott que nous allons, chauffeur! Vous feriez mieux de prendre par Frith.

William considéra le visage du gosse dont le nez coulait. Ses lèvres étaient rouges, sa peau grisâtre. Au bout d'un moment il reprit : Et toi, Ollie ? Tu as une famille à nourrir ?

Le garçon sourit. Je ne suis pas encore marié, monsieur, si c'est ce que vous voulez dire.

Pas exactement.

Ça m'a d'ailleurs l'air d'être une source d'ennuis, le mariage.

William émit un petit rire. Tu me parais plutôt futé, Ollie.

Je ne dirais pas ça, monsieur, rétorqua Ollie d'un air modeste. Au même instant le cab s'immobilisa. Nous voici arrivés à Pitchcott, monsieur, ajouta-t-il.

William aperçut une façade sans enseigne coincée entre une mercerie et les locaux décrépits d'un chirurgien. Les fenêtres des trois bâtiments étaient sombres. En descendant du cab il glissa et faillit perdre l'équilibre, se retenant in extremis à la portière. Il se redressa et jeta un coup d'œil au gosse, mais celui-ci était tourné de l'autre côté et tendait quelques piécettes en cuivre au chauffeur.

William plongea la main dans sa poche et en sortit un mouchoir blanc. Tiens, dit-il à Ollie. Tu en as plus besoin que moi. Et ne crains rien, il est propre.

Le gosse sourit à nouveau. Un shilling ferait encore mieux l'affaire.

Je te crois volontiers.

Le chef est là, monsieur.

William acquiesça mais ne bougea pas. Puis il poussa un soupir et regarda le ciel froid où le cercle blanc du soleil peinait à percer.

John Shore était adossé au perron en brique, les bras croisés et une jambe repliée. Lorsqu'il aperçut William il s'avança vers lui. Il serrait entre ses dents une pipe en bruyère et son manteau ouvert révélait un ventre rebondi. Son pantalon était maculé de boue aux genoux et son haut-de-forme aurait mérité un bon coup de brosse. Il dégageait une impression de tristesse et de découragement.

Vous avez bien dormi ? demanda-t-il en plongeant les mains dans ses poches.

William haussa les épaules.

Désolé de vous avoir fait venir si tôt.

Où a-t-elle refait surface ?

Qui ça ?

Il ne s'agit pas de Charlotte Reckitt ?

Shore avait les yeux cernés. Ma foi, dit-il, je préfère que vous découvriez la chose par vous-même.

Il avait un visage rougeaud et des doigts épais qui faisaient penser à des saucisses italiennes. Il avait collaboré avec le père de William pendant une dizaine d'années, rencontrant le vieux Pinkerton chaque fois que celui-ci était de passage à Londres et communiquait au Yard ses demandes de renseignements. Shore était le fils d'un boucher, et il avait évoqué un jour devant lui son enfance solitaire, arpentant les rues un panier de côtelettes sur l'épaule et suivi par des nuées d'oiseaux qui tournoyaient autour de lui en piaillant.

Il lui fit franchir une porte maculée de suie et munie d'un loquet qui était moins destiné à empêcher les gens d'entrer que de sortir, comme William le comprit aussitôt. Une atmosphère étouffante régnait à l'intérieur. Infestés d'humidité, les murs en plâtre s'écaillaient et sa tête touchait presque le plafond. Une puanteur qui n'était pas due au gaz imprégnait le couloir. William s'éclaircit la gorge et regretta d'avoir donné son mouchoir au gamin.

Votre père ne venait jamais ici sans sa pipe, dit Shore, mais je ne sais pas si vous-même…

William fit la grimace. Ce n'est pas la première fois que je mets les pieds à la morgue, dit-il. Tout en parlant il sortit sa pipe de la poche de son manteau et l'alluma. C'était une vieille pipe de Virginie en bois de cerisier dont l'écorce était encore apparente et qui lui rappelait l'époque de la guerre. À leur gauche, une porte se découpait et donnait sur une salle vide. Des papiers étaient étalés sur un petit bureau où brûlait une chandelle. L'humidité imprégnait au-delà la pénombre ambiante.

Je dois signer un registre?

Non, ce n'est pas un établissement de ce genre. Vous avez pris votre petit déjeuner?

Non.

C'est sans doute préférable. Comment va votre main?

William grommela. Finissons-en, dit-il.

La morgue était tout en longueur, basse de plafond, mal éclairée. Il y avait des tables le long des murs et sur ces tables gisaient des cadavres, certains recouverts d'un drap, d'autres non. Des jambes pendaient çà et là à l'extrémité des tables et il en émanait une odeur infecte où se mêlait cette douceur un peu âcre que William avait connue en charriant les corps des victimes sur les chemins de fer du Midwest. Il tira nerveusement sur sa pipe.

Un jeune agent de police les attendait et se redressa en les voyant s'approcher, rasé de près et les cheveux déjà clairsemés.

Shore jeta un coup d'œil derrière lui dans l'obscurité. Qui est de service aujourd'hui, Mr Stone?

Mr Cruikes, monsieur.

À l'extrémité de la longue salle, un homme vêtu d'un tablier couvert de taches avançait d'une démarche oscillante entre les tables où étaient étendus les morts. On l'entendait fredonner doucement en se déplaçant.

Il est saoul.

Cela fait souvent partie du métier, dit Shore. Du moment que les cadavres sont correctement enregistrés... Nous nous passerons des services de Mr Cruikes.

Oui monsieur.

William n'ajouta rien. Shore les précéda dans l'étroite allée et ils s'arrêtèrent devant une table couverte d'une toile cirée. Shore la retira et William s'approcha.

Il découvrit la tête coupée d'une femme. Son torse gisait à côté. Les jambes semblaient avoir été grossièrement sciées, à en juger par l'aspect des moignons. La peau du visage était devenue grise et les cheveux noirs avaient été tondus. Une serviette avait été glissée sous le sommet du crâne afin que la tête ne bascule pas. Les yeux étaient révulsés et les lèvres béaient légèrement. Le torse avait conservé sa couleur initiale mais semblait luire de l'intérieur en raison du mauvais éclairage. Une lame avait laissé des entailles qui sillonnaient la peau en dessous des côtes et en travers du ventre.

Shore guettait sa réaction. S'agit-il bien d'elle ?

Que sont devenus ses cheveux ?

C'est ça qui vous tracasse ? Alors qu'on l'a découpée en morceaux ?

William retira sa pipe de sa bouche. Ça m'a bien l'air d'être elle.

Charlotte Reckitt.

Oui.

C'était mon sentiment. Nous n'avons pas encore pu joindre sa famille mais son voisin à Hampstead que nous avons fait venir jusqu'ici l'a immédiatement reconnue.

Que lui est-il arrivé ? Elle a été prise dans l'hélice d'un remorqueur ?

Shore secoua la tête. Un Irlandais qui travaille sur les quais a repêché sa tête ce matin. L'agent Stone ici présent s'est rendu le premier sur les lieux.

William se tourna vers le jeune policier, qui fronça les sourcils d'un air concerné.

Il s'appelle Malone, monsieur. Il procédait au déchargement d'un navire en provenance de Hollande. Transportant des bulbes.

Des bulbes ?

Des fleurs, monsieur.

Je sais ce que sont les bulbes, agent. Il se pencha, rabattit la toile cirée jusqu'aux hanches, examina le torse. Les marques de bleus sur les bras là où on l'avait peut-être empoignée. La cage thoracique, les seins légèrement dressés, les tétons bleuis par le froid. Où se trouvent les jambes ?

Nous l'ignorons pour l'instant, monsieur.

La tête a été retrouvée sur les quais. Où était le reste ?

C'est le détail le plus étrange. Shore se racla la gorge. Un agent a découvert le torse ficelé dans un sac sous la fenêtre d'un immeuble dans Edgware Road. Vers cinq heures du matin.

Je ne comprends pas. Le corps n'était pas dans la Tamise ?

Non, dit Shore en fronçant les sourcils. Mais Mr Cruikes a comparé la coupure du cou à celle du torse et elles coïncident parfaitement.

William considéra à nouveau les restes du cadavre. La tête a une drôle de couleur.

Oui, c'est parce qu'elle a séjourné dans l'eau.

William alla se placer de l'autre côté de la table. Et regardez ces entailles, dit-il. A-t-on retrouvé de l'eau dans ses poumons ?

Nous pensons qu'elle a d'abord été agressée au couteau, monsieur, intervint l'agent. Et qu'on l'a ensuite découpée. Alors qu'elle était déjà morte, selon toute vraisemblance.

Vous ne pensez pas qu'elle ait pu s'administrer ces coups elle-même ?

Elle-même, monsieur ?

Il vous fait marcher, agent Stone.

William se tourna vers Shore. On s'est donné beaucoup de mal pour une noyée.

Oui.

Qui pourrait avoir agi de la sorte ? Et pour quel motif ? La vengeance ?

Mon hypothèse c'est que la tête a été fourrée dans un sac préalablement lesté et jetée dans la Tamise pour empêcher que le corps ne soit identifié. Mais le sac a dû se défaire et la tête est remontée à la surface. Le voisin se souvient avoir entendu quelqu'un crier et traîner quelque chose de lourd dans son appartement, il y a deux semaines, alors qu'il promenait son chien.

Il y a deux semaines. En quoi cela nous concerne-t-il ?

Shore avait l'air fatigué. Il ôta sa pipe de ses lèvres et en caressa le tuyau. Les femmes de ce genre ne sont pas assassinées sans raison.

Les femmes de ce genre.

Oui.

Il doit y avoir une preuve quelque part. On ne découpe pas un corps de cette façon sans laisser de traces.

À moins que cela n'ait été fait sur le fleuve.

Dans ce cas quelqu'un a dû le remarquer. Il y a une sacrée quantité de sang dans un corps humain.

Oui.

Cela ne tient pas debout.

Vous connaissez la logique de ces gens. Elle s'apprêtait peut-être à trahir quelqu'un. À venir nous trouver pour nous refiler un tuyau.

Après avoir émergé de la Tamise, vous voulez dire ?

Quelqu'un voulait peut-être l'empêcher de quitter la ville. À moins que cela n'ait rien à voir avec elle, qu'elle se soit simplement trouvée au mauvais endroit au mauvais moment.

Je ne sais pas, William. Peut-être ne s'agit-il même pas d'elle au bout du compte.

Vous le pensez sérieusement ?

Peut-être attendait-elle un enfant, monsieur, intervint l'agent.

Shore passa la main dans ses cheveux clairsemés, regarda la porte de la salle puis les restes de la femme sur la table. Qu'est-ce que vous nous racontez là ?

Comme dans l'affaire Tabitha l'été dernier à Brighton, monsieur. La domestique qui avait été tuée par sa patronne.

William regarda l'agent qui se tenait en retrait derrière l'inspecteur, son casque à la main. Où est le Dr Breck ? demanda-t-il. Pourquoi ne lui demandez-vous pas de disséquer ce corps ? S'il y a de l'eau dans les poumons, le crime se présentera sous un angle entièrement différent.

Shore se renfrogna. Merci, mais je mène mon enquête comme je l'entends.

Bien entendu.

Mr Stone, aboya Shore à l'intention du jeune agent, assurez-vous que le Dr Breck l'examine de près. Il se tourna ensuite vers William. Vous ne pensez tout de même pas qu'elle ait pu être enceinte ?

Non.

Si elle avait été enceinte, cela impliquerait la présence d'un homme.

Indéniablement.

Que pensiez-vous d'elle ? De sa personnalité, je veux dire ?

Il fronça les sourcils et détourna les yeux. Tout se passait toujours bien avec Charlotte Reckitt tant que vous aviez vingt dollars à lui donner. Simplement cela ne durait jamais très longtemps. Il s'avança, effleura son poignet glacé. La chair avait la consistance d'une éponge. Il murmura : Comment une femme peut-elle sauter en pleine nuit du haut d'un pont et se retrouver découpée en morceaux dans divers endroits de la ville le lendemain matin ?

Votre père aurait sans doute eu une théorie à ce sujet.

William ignora la remarque. Où sont les jambes ? dit-il. Et que sont devenus ses cheveux ?

L'agent Stone s'éclaircit la gorge. Peut-être les a-t-elle coupés elle-même pour qu'on ne la reconnaisse pas, monsieur.

Et pourquoi aurait-elle eu une idée pareille ?

L'agent fronça les sourcils.

Pourquoi n'y a-t-il aucune trace de blessure sur ses bras ni sur ses mains ? Si elle avait été agressée, elle aurait au moins essayé de se défendre.

Peut-être était-elle endormie, monsieur.

Formidable. Et où ça ? Dans son lit ?

L'agent opina.

Vous croyez qu'elle a sauté dans la Tamise et gagné la berge à la nage, qu'elle est rentrée chez elle pour se couper les cheveux avant d'aller se coucher, puis que son assassin l'a découpée en morceaux et a passé la fin de la nuit à transporter ses restes jusqu'au fleuve depuis Edgware Road ?

L'agent rougit jusqu'aux oreilles.

Peut-être n'a-t-elle pas lutté parce qu'elle connaissait son agresseur, intervint Shore.

Peut-être. William désigna une traînée bleuâtre au-dessus des poignets et sur ses avant-bras. Mais elle a plus vraisemblablement été ligotée. Je voudrais interroger à nouveau ce Malone. Il se tourna vers l'agent. Vous avez son adresse ?

L'agent Stone rougit à nouveau et tripota son casque. Les ouvriers des docks ne donnent pas leur adresse, monsieur. Pas à nous en tout cas. Mais je sais à quoi il ressemble.

C'est bon, intervint Shore, nous le retrouverons si besoin est.

Bien sûr. Combien y a-t-il d'Irlandais du nom de Malone qui travaillent sur les quais ? William se frotta la nuque d'un air las. Nous en avons terminé ici, John ?

Shore acquiesça.

William s'apprêtait à faire demi-tour mais l'inspecteur observait toujours les lèvres de la femme. Très lentement il se pencha et remonta la toile cirée pour recouvrir le torse puis la tête. Vous savez, dit-il, personne dans ce pays n'assassinera jamais une fille sous prétexte qu'elle est enceinte. On se contente le plus souvent de la répudier ou de l'envoyer chez des amis à la campagne. Et d'abandonner les pépites dans le froid après la naissance.

William regarda l'inspecteur dans les yeux. Les pépites ? demanda-t-il.

Oui.

Satanés Anglais, murmura-t-il.

QUATRE

Anglais ? lança le geôlier d'un air renfrogné.

C'était l'officier en charge des cellules du port et il fronça les sourcils par-dessus les petits verres carrés d'une antique paire de lunettes.

Oui, un Anglais, répéta Foole. Qui se trouvait à bord de l'*Aurania* en provenance de Boston. Un individu de grande taille et de forte carrure, avec une barbe noire. Il aurait agressé un passager à la sortie des premières classes.

Le geôlier se frotta les joues et se renversa dans sa chaise en faisant craquer le plancher. Il regarda Foole comme s'il avait affaire à un sauvage cherchant à se faire passer pour un Blanc. Les mains de Foole se crispèrent sur sa canne.

Je crois qu'il était blessé à la tête, précisa-t-il.

Et pourquoi vous intéressez-vous à cet individu en particulier ?

La lumière du jour passait à travers une longue rangée de fenêtres à petits carreaux et la fraîcheur de l'air marin pénétrait jusqu'ici. Foole coinça sa canne sous son bras, saisit une paire de gants vert pâle et les enfila lentement. Ce hangar faisait visiblement office de prison temporaire et le plafond bas était maculé par la fumée des lampes. Outre son obscurité et son étroitesse, il baignait dans les effluves des déchets de poissons en provenance des conserveries voisines. Foole ne quittait pas le geôlier des yeux, lui signifiant d'un regard froid mais dénué d'ambiguïté qu'il n'avait pas à se mêler de ses affaires.

L'homme finit par hausser les épaules. Comme vous voudrez, grommela-t-il en se levant avant d'entraîner Foole dans un couloir au fond duquel se profilaient les barreaux d'une cellule.

Le geôlier empoigna l'un des barreaux. Vous ne voulez tout de même pas parler de ce type ?

Le géant, affalé sur un banc en fer retenu au mur par des chaînes, ne releva pas la tête.

C'est bien lui, dit Foole.

Ne me dites pas que vous êtes à son service.

Foole esquissa un sourire. Pas vraiment. C'est moi qu'il a agressé.

Le geôlier fronça les sourcils, ôta ses lunettes, les essuya. Je ne sais pas comment les choses fonctionnent dans le pays d'où vous venez, dit-il, mais ici nous respectons la loi. Je ne peux pas fermer les yeux comme ça.

Il fallut quelques instants à Foole pour comprendre où il voulait en venir. Je ne lui veux aucun mal, dit-il. Je désire juste qu'il ne soit pas poursuivi.

Vous ne voulez pas porter plainte ? Le geôlier considéra d'un œil dubitatif la cellule du géant. Et vous voudriez que nous le relâchions.

Oui.

Et pour quelle raison ?

Disons que je suis sentimental.

Ce n'est pas le premier qualificatif qui me viendrait à l'esprit. Sauf votre respect.

Foole sortit un shilling de sa poche et le lui tendit. Pour le dérangement, dit-il.

Vous ne m'avez pas dérangé, répliqua le geôlier. Je me contente de faire mon travail. Mais cela ne l'empêcha pas de serrer la pièce dans sa main. Je ne vois pas pourquoi nous le garderions ici puisque vous ne comptez pas porter plainte.

Foole attendit.

Mais cet individu s'est rendu coupable d'esclandre et d'ivresse sur la voie publique. Cela lui vaudrait un autre shilling d'amende.

Foole retira la dernière pièce de sa poche et la considéra un instant entre ses doigts gantés avant de la tendre au geôlier.

Eh bien, lança-t-il par-dessus son épaule. Nous pouvons oublier à présent notre petit différend.

Le géant ne bougeait toujours pas, la tête plongée dans les mains.

Vous allez repartir avec ce monstre ? dit le geôlier. Vous ne voulez pas une escorte ?

Je me débrouillerai, ne vous inquiétez pas.

Le géant s'appelait Japheth Fludd. Foole remonta Walter Street en silence à ses côtés, longeant les bureaux de la compagnie Cunard avant de tourner dans Derby Square pour s'enfoncer dans la cohue de Lord Street où les marins titubaient, les mains dans les poches et la pipe au bec au milieu des carrioles. Sans avoir échangé un mot, ils s'engagèrent dans une étroite allée et descendirent une courte volée de marches avant de pénétrer dans une salle obscure et d'aller s'asseoir dans un coin devant une planche posée sur des tréteaux qui tenait lieu de table. Deux prostituées perchées sur leurs sièges à l'autre extrémité de la salle échangèrent un regard en apercevant le géant et quittèrent les lieux. Une gamine coiffée d'une casquette de garçon et vêtue d'une veste d'ouvrier abandonna sa place sous l'unique fenêtre de la pièce et s'approcha d'eux, une petite valise à la main et le sourire aux lèvres.

Vous en avez mis du temps tous les deux, dit-elle en se glissant à son tour sur le banc.

Foole lui adressa un petit clin d'œil. Salut, Molly.

Fludd était livide et ses bleus s'élargissaient sur son visage.

Foole éprouva un bref remords en le constatant, mais il savait que l'homme avait encaissé bien pire et que la violence était sa façon d'être au monde. Le père de Fludd avait été gardien de prison en Australie quand il était enfant et cela n'avait pas été sans lui laisser quelques traces. Il venait de passer six ans et trois mois dans un pénitencier fédéral non loin de New York pour tentative de meurtre après avoir défoncé le crâne d'un policier. Foole et Molly étaient allés en Amérique pour l'accueillir à sa sortie de prison et le ramener à Londres. Ces six années avaient imprimé d'autres traces et de nouvelles cicatrices sur le visage du géant, et Foole observait son vieil ami, étonné de constater à quel point il avait vieilli.

Eh bien, dit-il en posant la main sur la table. Que nous as-tu rapporté, Molly ?

Des tourtes. Et des patates frites.

Il parle du pognon, poulette.

Le sourire de Molly s'effaça et elle lança sur Fludd un regard froid, bien trop vieux pour son âge. Répète un peu, dit-elle.

Répéter quoi, poulette ?

Japheth, intervint Foole.

Molly se mordillait la lèvre de colère. C'était une pick-pocket extrêmement douée et elle s'était acoquinée avec Foole du temps où Fludd était en prison, mais ce dernier ne la connaissait que depuis trois semaines à peine. La rencontre avait eu lieu le 9 décembre 1884, à l'instant où Fludd émergeait du pénitencier, un baluchon de vêtements à l'épaule. Ses premiers mots ou presque à l'égard du géant avaient été pour lui dire de faire attention où il mettait les pieds, comme si c'était elle la plus expérimentée des deux. Elle l'avait également averti de ne jamais l'appeler poulette.

Elle se tourna vers Foole d'un air accablé. Il sait qu'il ne doit pas m'appeler ainsi, dit-elle. Il le sait très bien.

Bah, dit Fludd en souriant. Elle sait bien que je ne parle pas sérieusement.

S'agit-il d'une excuse ?

Pour sûr.

Molly avait l'air dégoûté. Dans ce cas, dis-le clairement, sinon ça ne compte pas.

Que veux-tu que je dise ?

Que tu t'excuses, espèce d'abruti diplômé.

Bon, ça suffit comme ça, intervint Foole. Vous me fatiguez tous les deux.

À cet instant le tenancier débarqua, trois pintes de bière à la main et deux assiettes calées tant bien que mal dans le creux de son bras. L'une contenait une tourte qui surnageait dans une vague sauce grise, l'autre des saucisses accompagnées de tranches de pommes de terre malaisément identifiables. Fludd s'empara de l'une des pintes.

Tu sais, dit Molly, maintenant que je regarde attentivement ton visage…

Eh bien.

On dirait qu'il est pourri. Là où Adam t'a frappé.

Fludd leva la main et caressa lentement ses bleus.

Tu devrais remercier Dieu, intervint Foole. J'aurais vraiment pu te faire mal.

Molly avait sorti un jeu de cartes et entreprit de les distribuer. Ils jouèrent une bonne heure ainsi avec l'argent que Molly avait dérobé aux passagers sur la passerelle de l'*Aurania*. Foole lançait de temps en temps un coup d'œil vers la porte, mais personne de sa connaissance ne se présenta et le tenancier ne jeta pas sa serviette sur son épaule, signe qu'il aurait fallu décamper.

Fludd avait déjà descendu trois pintes et faisait tourner son verre vide entre ses grosses mains. À quelle heure notre train part-il ?

À cinq heures et demie.

Et cela nous laisse encore combien de temps ?

Foole porta instinctivement la main à son gousset, puis se souvint du phrénologiste et suspendit son geste.

Molly lui fit un clin d'œil.

Elle glissa la main dans la poche de sa veste et en retira une montre en argent incrustée d'un œil en or. Elle l'ouvrit. Une inscription était gravée à l'intérieur. Voyons voir, murmura-t-elle, la grande aiguille indique…

Quelle enfant charmante, s'exclama Foole. Tu es une fille idéale.

Elle se mit à rire et referma le couvercle de la montre. Et toi tu es un père lamentable. Tu vas peut-être te décider maintenant à nous expliquer pourquoi nous sommes revenus en Angleterre ?

Foole leva les mains en l'air et les agita comme pour montrer qu'il n'avait rien dans les manches.

Et qu'est-ce que cela signifie ?

Qu'il vaut mieux que tu ne lui poses pas de question, lança Fludd, ça lui évitera de mentir. Tu ne tireras rien de lui, ma fille. On a encore le temps de s'en jeter un ?

C'est en rapport avec cette lettre ?

Foole continuait de sourire mais l'atmosphère s'était brusquement tendue entre eux. De quelle lettre parles-tu ? s'enquit-il d'un air faussement désinvolte.

Elle le regarda, mal à l'aise.

Une lettre ? dit Fludd en les dévisageant à tour de rôle d'un air ahuri. Alors j'ai le temps de boire une dernière pinte, oui ou non ?

Non, lança Foole sans le regarder. Il poursuivit à l'intention de Molly : une vieille amie à moi a des ennuis. Elle m'a écrit pour me demander de lui venir en aide.

Molly avait baissé les yeux.

De qui parles-tu à présent ? demanda Fludd. Je ne comprends rien à ce que tu racontes.

Foole regardait toujours Molly. Il faut que tu te changes, dit-il. Mon personnel doit être habillé un peu plus dignement.

Elle se mordit la langue mais ne put se retenir. Et Japheth, lança-t-elle, il va rester habillé comme ça ?

Ne t'occupe pas de lui.

Elle finit par extraire un paquet de vêtements de sa petite valise, se leva et traversa la salle. Le tenancier lui dit quelque chose et souleva une lourde trappe derrière le comptoir. Elle se faufila par-dessous et disparut.

Quelle drôle de gamine, dit Fludd. Elle n'a donc jamais été une enfant comme les autres ?

Pas depuis que je la connais.

Sérieusement ?

Je t'ai répondu, Japheth, lui dit Foole d'une voix calme.

Foole l'avait initialement engagée pour un délicat travail de diversion que nécessitait un vol à la tire dans Hyde Park durant l'année qui avait suivi l'arrestation de Fludd à New York. Elle s'était montrée si vive et si dégourdie à cette occasion qu'il avait eu de la peine à la croire lorsqu'elle lui avait dit son âge. Elle vivait alors en compagnie de sept autres enfants abandonnés au sein d'une bande de pickpockets dirigée par deux sœurs à moitié aveugles et aussi cruelles l'une que l'autre. L'aînée était une veuve qui se faisait appeler Sharper et qu'on soupçonnait d'avoir empoisonné son mari. Elles avaient surnommé Molly *poulette*, ce qui selon Foole devait être plutôt affectueux au départ. Son seul compagnon durant toutes ces années avait été un garçon de quatre ans prénommé Peter, qui vidait les pots de chambre de la maisonnée et se blottissait contre Molly pour s'endormir la nuit. Elle l'aimait comme un frère. Comme tous les pensionnaires des sœurs Sharper, on pouvait louer ses services à l'heure ou à la semaine selon les besoins des membres de la pègre. La vieille Sharper ne leur posait jamais la moindre question du moment que la marchandise lui était rendue en parfait état. Foole s'était empressé de la racheter le jour de son sixième anniversaire. Elle savait déjà se déguiser à la perfection, les pieds nus et vêtue de haillons, et imprégner ses doigts de graisse pour les glisser plus aisément dans les sacs à main des dames. Deux semaines après l'avoir achetée, il lui avait rendu sa liberté et elle était aussitôt partie dans les rues à la recherche de Peter. Elle était rentrée seule à l'aube le lendemain. Il y avait du sang sur son visage et sur ses manches mais elle n'était pas blessée, il ne lui avait pas posé de question à ce sujet et elle ne lui avait pas fait la moindre confidence. Elle suivait toujours les consignes à la lettre et vidait le contenu de son sac sur la table quand elle rentrait sans essayer de détourner quoi que ce soit à son profit. Foole lui avait donné quelques leçons et elle avait appris à lire en un rien de temps, comme si elle avait compris le bénéfice qu'elle pouvait en tirer. Elle s'habillait toujours en garçon sauf quand le travail exigeait d'autres tenues, et même alors c'était la croix et la bannière pour arriver à la convaincre. En dépit de leurs bisbilles, Fludd et elle s'étaient immédiatement entendus après la remise en liberté du géant et ils formaient désormais une étrange famille tous les trois. Foole l'avait entendue un soir réciter l'alphabet à l'envers pour s'endormir et, lorsqu'il observait son petit visage tout pâlichon quand elle rêvait, il y distinguait une étrange douceur. N'était-elle pas plus âgée qu'elle le prétendait? C'était fort possible. Avait-elle jamais été une enfant? Bien sûr que oui. Et elle l'était encore.

C'était bien ce qui lui serrait le cœur.

Après avoir quitté leur repaire de brigands, ils dirigèrent leurs pas vers la gare de Lime Street. Elle était entièrement construite en verre et en acier, et ce spectacle avait quelque chose de miraculeux aux yeux de Foole, comme une immense coulée d'eau figée à l'instant de son jaillissement et symbolisant une ère nouvelle. La sombre façade du North Western Hotel se dressait juste derrière. Le nouvel éclairage électrique venait d'être allumé et brillait étrangement dans la pénombre de l'après-midi finissant. Foole avait conscience de se rapprocher inexorablement du centre de l'empire moderne.

La gare était froide, vaste, bruyante. Des centaines de voix résonnaient dans sa gigantesque enceinte. La dernière fois qu'il était passé par ici, c'était un matin d'été dix-huit mois plus tôt, il n'avait pas un shilling en poche et la gare était nimbée d'une lumière qui lui conférait une étrange beauté. Aujourd'hui une fine pellicule de charbon recouvrait les comptoirs, des papiers froissés et de vieux billets traînaient dans tous les coins, et plusieurs échoppes le long d'une des parois vendaient des livres, des journaux ou de la nourriture à emporter. L'odeur chaude des tourtes se mêlait à la fumée des pipes des marins et aux effluves de goudron qui émanaient des quais. Le porteur à qui il montra leurs billets leur désigna l'endroit où l'on venait de hisser la pancarte du train de Londres sur le quai central. Molly les laissa pour aller surveiller leurs bagages. Foole la regarda disparaître au milieu de la foule avec ses vêtements de garçon et ses cheveux rentrés sous sa casquette, et sentit monter en lui l'irrépressible besoin de la protéger. Fludd grimaçait à ses côtés en portant sa malle à bout de bras. Lui aussi s'était changé et avait revêtu une redingote noire et un pantalon gris. Il avait taillé sa barbe et, malgré sa stature imposante, aucun passager de l'*Aurania* n'aurait pu le reconnaître. Foole fit halte devant le guichet du télégraphe et attendit dans la file. Lorsque son tour arriva, il griffonna un bref message et le tendit à l'employé afin qu'il parte au plus vite. Puis il acheta le *Times* et le glissa sous son bras avant d'ajuster son chapeau melon.

Il aperçut Molly qui discutait au milieu de la cohue avec un porteur et la vit lever les bras au ciel et secouer la tête avant de faire demi-tour. En se mordillant la lèvre elle plongea la main dans sa poche et en sortit un objet qu'elle jeta dans une poubelle. Elle l'aperçut à son tour et se dirigea vers lui.

Que se passe-t-il ? lui demanda-t-il.

Rien, dit-elle en rabattant sa casquette en arrière d'un air renfrogné. Ils veulent juste qu'on leur graisse la patte.

Et nos bagages ?

Ils sont à bord.

Foole acquiesça. La laissant repartir, il s'attarda un moment et contempla la lueur grise qui envahissait la gare. Il s'apprêtait à se mettre en route lorsque quelque chose retint son regard dans la poubelle. Une masse de tissu rouge évoquant la forme d'un corps. La courbe pâle d'une joue en porcelaine où la lumière se reflétait. C'était la poupée que Molly avait volée à la fille des Webster à bord du paquebot. Foole fronça les sourcils et regarda le quai envahi par des nuées de vapeur, mais Molly et Fludd étaient déjà montés à bord. Il regarda à nouveau la poupée. La tête avait été arrachée du corps et jetée par-dessus. Peinte avec finesse au départ, elle était à présent tout écaillée, même si ses cheveux blonds paraissaient encore souples et doux. Les yeux étaient en verre sous leurs lourdes paupières qui se seraient fermées au moindre mouvement de leur propriétaire.

Foole fixa la poupée qui lui rendit son regard, et le jour lui parut d'une tristesse lumineuse.

Lorsqu'il pénétra dans leur compartiment, une immense fatigue l'envahit soudain et il s'effondra sur son siège en poussant un grognement. Fludd se curait les dents, ses énormes genoux occupaient tout l'espace. Molly était appuyée contre la fenêtre comme si elle avait eu peur qu'il ne disparaisse.

Il s'assit en face d'elle et poussa un soupir. Sa cuisse toucha celle de Fludd et il s'écarta vivement.

Les sièges étaient en chêne et cirés comme des bancs d'église, mais munis de coussins en velours individuels maintenus par des tringles en cuivre. Foole croisa les jambes et ouvrit son journal. Ils avaient loué des places dans un compartiment chauffé et il sentait la chaleur monter à travers ses souliers. Sur le toit du wagon les porteurs se hâtaient de charger les derniers bagages puis un coup de sifflet strident retentit, le train cracha de la vapeur et s'ébranla lentement avant de se mettre en route. Des gens sur le quai saluaient de la main et des mouchoirs étaient agités aux fenêtres. Il considérait tout cela d'un regard vide, le journal déplié sur ses genoux.

Molly s'éclaircit la gorge. Qui est cette femme ? demanda-t-elle.

Il la regarda d'un air surpris.

Elle avait soulevé sa casquette et remettait une mèche de cheveux en place en se mordillant la lèvre.

Qu'est-ce que c'est encore que cette histoire ? dit Fludd d'une voix irritée en s'agitant sur son siège. De qui parles-tu ?

Foole resta silencieux.

Molly croisa son regard. Puis elle plongea la main dans sa poche et en sortit le daguerréotype qui les représentait Charlotte Reckitt et lui bien des années plus tôt à Port Elizabeth.

Donne-moi ça, lui dit-il.

Qui est cette femme ? répéta-t-elle. On dirait qu'elle est grosse. Et qu'est-ce qu'elle a sur l'œil ?

De quoi parles-tu ?

Regarde son œil.

Fludd se pencha lourdement et considéra le daguerréotype. Il doit s'agir de Charlotte Reckitt, dit-il.

Qui est Charlotte Reckitt ?

Donne-moi ça, répéta Foole en décroisant les jambes.

C'est une simple déchirure, dit Fludd en passant son doigt épais sur le visage de la jeune femme. Le papier s'est déchiré juste au niveau de l'œil.

Qui est cette foutue Charlotte Reckitt ? insista Molly tandis que Foole lui ôtait le daguerréotype des mains et se rejetait dans son siège d'un air irrité.

Charlotte Reckitt, intervint Fludd en grimaçant un sourire, était la chérie de Mr Adam il y a très longtemps. Tu ne lui as jamais parlé d'elle ? Une sacrée source d'ennuis, cette Charlotte Reckitt.

Où as-tu trouvé ça ? demanda Foole à Molly.

Elle haussa les épaules. Dans la cabine. Tu l'avais laissé tomber.

Il la dévisagea. Il était inconcevable qu'il ait pu faire une chose pareille.

Tu n'as jamais fait allusion à elle, murmura-t-elle.

Les sociétés ont les criminels qu'elles méritent*[1], dit-il.

Fludd se mit à rire.

Le visage de Molly se ferma.

C'est une expression de Lacassagne, dit-il en se frottant les yeux. Le train avait quitté la gare et longeait de hauts murs de brique luisants d'humidité dans la lumière déclinante. Il se tourna vers Fludd et ajouta : Lacassagne est un policier qui travaillait à la Sûreté de Paris. Un personnage intéressant. Il te plairait, Japheth.

Foole voyait bien que Molly se retenait de lui demander ce que cela signifiait et en ressentit une certaine satisfaction avant d'avoir brusquement honte de sa réaction.

Cela veut dire qu'on a ce qu'on mérite, poulette, dit Fludd à Molly.

Foole lissa de la main le journal étalé devant lui et dont il regardait les colonnes sans les lire. Charlotte Reckitt, reprit-il d'un air résigné, m'a écrit une lettre. Mrs Sykes me l'a fait suivre à New York. Charlotte faisait partie de l'équipe, Molly, et personne n'a jamais pu l'épingler. Tu n'étais même pas née quand elle était en activité. Son regard croisa celui de Fludd. Elle veut me voir.

Fludd grommela. Je croyais qu'elle s'était retirée.

Ce n'est apparemment pas le cas.

1. Les mots en italique suivis d'un astérisque sont en français dans le texte original *(N.d.T.)*.

Tu n'as tout de même pas oublié le tour qu'elle t'a joué ?

Je n'ai rien oublié.

Molly ne disait plus rien.

Mal à l'aise, Fludd lui jeta un coup d'œil, se racla la gorge, frotta ses énormes mains sur ses genoux. Cela se passait il y a bien longtemps, ma fille. À l'époque nous travaillions tous les deux, Mr Adam et moi. L'oncle de Charlotte Reckitt s'appelait Martin et c'était à vrai dire à peu près le seul type que nous redoutions. On l'appelait le prêtre, attendu qu'il avait été défroqué dans sa jeunesse. Pour suivre une voie supérieure, comme il aimait à dire. Les mains de Martin Reckitt étaient aussi sèches que la peau d'un lézard. Nous n'avions pas travaillé souvent avec lui mais il y avait un coup qui se préparait en Afrique du Sud dans lequel Mr Adam était impliqué et Reckitt l'a accompagné là-bas. C'est comme ça que Mr Adam a rencontré Charlotte. Moi je l'ai croisée une ou deux fois par la suite, alors que l'affaire avait mal tourné et que Mr Adam avait manqué son rendez-vous à Brindisi. Après cela nos routes se sont séparées et nous avons fait en sorte qu'elles ne se croisent plus jamais. Pas vrai ? Il se tourna vers Foole et attendit dans l'ombre un bon moment tandis que les roues cliquetaient en dessous sur les rails. Voyant que Foole ne réagissait pas, il continua à voix basse : Et que dit-elle dans sa lettre ?

Foole passa un doigt réticent sur le bord du journal. Il y a une affaire en perspective, dit-il. Cela fait six mois qu'elle la prépare mais elle est surveillée par un détective et a besoin d'un partenaire. Elle ne donne pas d'autre détail.

Le contraire serait étonnant. Est-ce que son salopard d'oncle est dans le coup ?

Martin est à Millbank.

Fludd lui lança un regard entendu. Toujours aux frais de Sa Majesté ?

Apparemment.

Il émit un petit sifflement. Es-tu bien certain de ne pas aller fourrer ta tête dans la gueule du loup?

Foole sentit la chaleur lui monter au visage. Je n'ai jamais dit que nous allions nous lancer là-dedans. Je considère cette affaire, un point c'est tout. Elle pourrait s'avérer profitable.

Ça nous changerait, murmura Molly.

Pas d'autre raison? demanda Fludd.

Le reste appartient au passé, Japheth.

Char-lotte Reck-itt, chantonna doucement Molly. Charlotte Reck-itt.

Le fait est que c'est épuisant, dit Fludd.

Quoi donc?

Le passé.

Pourquoi ne m'as-tu jamais parlé d'elle? dit Molly.

Foole haussa les épaules d'un air las.

La locomotive prenait de la vitesse à présent et le soir basculait dans les ténèbres. Liverpool n'était plus qu'un rêve trouble qui s'estompait déjà.

Molly donnait des coups de pied réguliers dans le siège de Fludd tout en chantonnant à voix basse.

Char-lotte Reck-itt. Char-lotte Reck-itt.

Les heures passèrent.

Ils voyageaient depuis déjà un bon moment dans la nuit quand Foole replia enfin le *Times*, le posa sur le siège vide à côté de lui et considéra son reflet sur la vitre. De l'autre côté défilait le décor hivernal. Il sentait les traverses résonner sous les roues, percevait le bruit que faisait leur wagon en épousant la courbe des virages. Une sorte de clarté l'envahit soudain. Il se rappelait ce dernier après-midi en compagnie de Charlotte à Port Elizabeth et l'insouciance avec laquelle

elle l'avait accueilli dans le hall de l'hôtel. La manière dont le soleil jouait dans les grandes feuilles vertes et le parfum qui émanait de sa peau. Il savait qu'il prenait un risque en revenant la voir. Qu'elle préférerait sans doute le souvenir qu'elle avait gardé de lui à l'homme qu'il était devenu. Il se frotta les yeux.

Molly était sortie un peu plus tôt et n'était pas revenue. Foole poussa un soupir, boutonna sa veste et fit coulisser la porte du compartiment, abandonnant Fludd qui ronflait la bouche ouverte, ses énormes mains ballottant entre ses jambes.

Le couloir était désert, les lampes jumelles à chaque extrémité étaient baissées au minimum et se reflétaient dans les portes vitrées. Foole le traversa à pas lents et dut s'y prendre à deux mains pour ouvrir la porte arrière du wagon.

Un rugissement atroce déchira les ténèbres. Il plissa les yeux à cause du froid et aperçut Molly qui était appuyée à la barre tel un ballot informe. Une lanterne solitaire brûlait au-dessus d'elle.

Tu n'arrivais pas à dormir ? lui cria-t-il pour couvrir le bruit des roues sur les rails.

C'est plus calme ici, hurla-t-elle.

Il opina et se rapprocha d'elle, les mains agrippées à la barre gelée. Ils restèrent ainsi un moment penchés l'un vers l'autre. Molly finit par lui dire quelque chose qu'il ne comprit pas et il se pencha vers elle.

Je disais : Tu n'éprouves jamais de regret à ce sujet, Adam ?

Il la regarda, surpris. À quel sujet ?

Elle haussa les épaules.

Écoute-moi bien, s'écria-t-il. Il la saisit par les épaules et l'obligea à lui faire face tandis que le vent balayait ses cheveux. Le monde nous donne et nous reprend ce qu'il veut. Cela ne signifie pas que nous soyons d'accord.

Elle se mordit la lèvre.

Nous essayons de préserver ce que nous pouvons dans la vie que nous menons. Quelque chose à quoi nous puissions nous raccrocher. Comme Peter et toi. Charlotte représente ça pour moi. Le froid lui brûlait les yeux. Qu'as-tu fait de cette poupée ? lança-t-il. Tu l'as perdue ?

Lorsqu'elle releva les yeux, les ombres altéraient son visage. Cette poupée n'était qu'un jouet, hurla-t-elle. Ce n'était pas la vie réelle.

La lanterne oscillait au-dessus de la porte, les rails se déroulaient à l'infini à la lueur du gaz.

Et si tu pouvais l'avoir à nouveau ? cria-t-il. La voudrais-tu ?

Il fouilla dans sa veste et sortit la tête en porcelaine de la poupée qui apparut dans le cercle de lumière. Il n'avait pas récupéré le corps en mousseline et le regrettait à présent en voyant le visage de Molly.

Arrange-toi pour que Japheth n'en sache rien, cria-t-il. Sinon tu en entendras parler jusqu'à la fin de tes jours.

Elle prit la tête de la poupée entre ses mains. Il ne voyait pas son visage dissimulé par ses cheveux. Il lui semblait que les ténèbres qu'ils traversaient ne concernaient pas uniquement l'espace mais le temps, que son siècle était déjà en train de disparaître. Et il imaginait cette enfant alors qu'elle serait devenue très vieille et qu'il aurait lui-même disparu depuis longtemps de la surface du globe. Le sentiment de solitude que cela impliquait avait quelque chose d'effroyable. Le passé est sans cesse en train de commencer, songea-t-il. Pour nous comme pour les autres. Il posa une main glacée sur l'épaule de la fillette mais il ne sentait pas son corps sous son épais manteau, et ils restèrent ainsi tandis qu'autour d'eux la nuit froide s'épaississait et défilait au loin.

CINQ

William sortit de la morgue profondément abattu. Il se demandait si Charlotte Reckitt avait mérité une fin pareille et se dit qu'il s'en fichait, mais ce n'était pas le cas. Il repensait à ses cheveux tondus et maculés de sang, à la manière dont son corps avait été découpé, à ses jambes qui n'avaient pas été retrouvées. Il ne pouvait s'empêcher de songer à Margaret et à ses filles qui l'attendaient à Chicago. Il jura entre ses dents et s'enfonça dans le brouillard.

Frith Street donnait une impression de désolation, les silhouettes des passants s'estompaient sitôt apparues et les cris plaintifs des marchands des quatre-saisons déchiraient la brume. Il entendait les roues d'un omnibus heurter les pavés, un croque-mort marteler ses planches quelques boutiques plus loin. Il distinguait vaguement les contours des arbres de Soho Square en direction du nord et son propre reflet surgissait tel un spectre dans les vitrines qu'il longeait. Il se fraya un chemin au milieu de la cohue à l'entrée d'un passage, se glissant entre les charrettes boueuses et les éventaires où s'empilaient des rouleaux de tissu, des rangées de lunettes, des tourtes encore fumantes, des stylos à encre, des ramettes de papier, des gants, des bonnets, des écharpes. Il avait l'impression d'être invisible, comme s'il ne s'était pas vraiment trouvé là. Des vendeurs aux cravates douteuses tentaient de l'alpaguer, des mains l'agrippaient et se refermaient sur ses poignets dont il se débarrassait d'un geste agacé.

Il sursauta soudain et porta la main au gousset de sa montre, saisissant dans le même élan le petit poignet qui s'insinuait par là.

C'était une petite voleuse vêtue d'un bonnet et d'un bustier verts dont les longs cheveux bruns dénoués retombaient en désordre sur la poitrine. Elle paraissait fourbue et ne mangeait probablement pas à sa faim. Il jeta un coup d'œil alentour mais si elle avait un complice dans les parages il ne l'aperçut pas. Sa main libre était crispée sur un minuscule gant d'enfant en cuir gris et son regard était terrorisé. Ses petits doigts gigotaient en essayant de se dégager comme les anguilles dans leurs seaux qu'il avait vues sur les marchés de La Nouvelle-Orléans pendant la guerre. Il lui lança un regard noir mais n'eut pas le cœur d'en faire plus et la relâcha.

Elle recula sans un mot et frotta son poignet rougi avant d'enfiler son petit gant gris d'un geste furieux. Puis elle leva les yeux vers lui en grimaçant avant de faire volte-face et de disparaître dans la foule.

Tout en fixant l'endroit où elle se tenait quelques instants plus tôt, il pensait à Charlotte Reckitt et une immense tristesse l'envahit.

Il était temps pour lui de quitter Londres. Il était venu en se disant que l'Agence tournerait bien sans lui pendant une quinzaine de jours, mais cela faisait maintenant six semaines qu'il était ici et il n'avait toujours pas recueilli le moindre indice au sujet de Shade. Sally Porter avait raison. Quel qu'ait été le rôle que Shade avait joué dans la vie de son père, il ne devait plus en aller de même aujourd'hui.

Il n'en quitta pas moins le passage et héla un coupé dans le brouillard en demandant au conducteur de l'emmener à Hampstead.

Si Charlotte Reckitt avait laissé le moindre indice concernant Edward Shade, c'était là qu'il le trouverait, dans la sinistre et haute demeure où elle avait vécu.

Arrivé New Oxford Street, il changea d'avis et pria le conducteur de bifurquer dans le Strand. Devant le siège du Télégraphe à Embankment, il descendit du coupé et régla sa course. L'édifice faisait penser à une banque avec ses colonnades de part et d'autre de l'entrée, ses grandes portes sculptées et l'immense comptoir le long du mur à l'intérieur, juste sous les fenêtres. Après avoir récupéré un formulaire, William rédigea un message à l'intention de sa femme à Chicago. Il disait simplement : TERMINÉ. ÉTAIT TEMPS. RENTRE BIENTÔT.

Il compta les lettres une à une dans leurs petites cases, reposa le crayon mis à la disposition des clients et alla faire la queue au comptoir. Des cordelettes en soie délimitaient la zone d'attente. L'employé du télégraphe était un jeune homme coiffé d'une visière verte qui rappelait à William les joueurs de poker dans les tripots qu'il fréquentait quelques années plus tôt, à ceci près que le visage de l'homme était trop lisse et ses ongles trop nets.

Il écrivit son adresse personnelle à Chicago. L'employé le dévisagea, regarda le nom de Pinkerton sur l'imprimé et le fixa à nouveau mais s'abstint de lui poser la moindre question. Ses affaires ne le regardaient pas. William ouvrit son portefeuille et en sortit un billet de cinq livres.

Lorsqu'il sortit, le coupé l'attendait un peu plus loin. Il jeta un coup d'œil de droite à gauche pour voir s'il n'apercevait pas un véhicule plus confortable à l'horizon pour affronter le brouillard, puis poussa un soupir et reprit place à bord.

On repart, patron ? lui lança le conducteur en grimaçant un sourire. Je vous ai attendu. Au cas où.

Formidable, murmura William.

Hampstead ?

Il opina avant de regarder les pavés puis les vieilles roues métalliques du coupé qui s'apprêtait à partir. Chauffeur, lança-t-il.

L'homme se tourna vers lui.

Je ne suis pas pressé, lui dit William.

Lorsqu'ils atteignirent New Street à Hampstead, il était moulu en descendant du coupé. Sa chaussure s'enfonça dans une épaisse flaque de boue et il dut batailler pour l'en extirper. Son manteau et son chapeau étaient gelés à cause de l'humidité du brouillard. Il paya le conducteur, grimpa les quelques marches et frappa à la porte.

La maison où avait vécu Charlotte Reckitt était une étroite bâtisse en brique rouge aux balustrades vertes précédée d'un bout de jardin auquel la froidure de l'hiver donnait un aspect particulièrement sinistre. La demeure paraissait vide, désolée, impression que William avait ressentie la première fois qu'il avait vu les lieux. On aurait dit une maison dont les propriétaires étaient morts. Les marches étaient à présent maculées de boue, les agents de John n'ayant cessé d'aller et venir pendant la matinée.

Il n'attendait pas de réponse et s'apprêtait à entrer par effraction. Son enquête n'avait aucun caractère officiel et nul ne songerait à lui reprocher ses méthodes. Mais la porte s'ouvrit brusquement et un inspecteur de police en civil vêtu d'un costume gris le dévisagea. La chaîne en argent de sa montre luisait dans l'obscurité. Il fallut quelques instants à William pour se rappeler son nom.

Blackwell, dit-il.

L'inspecteur acquiesça. Mr Shore s'est dit que vous auriez peut-être besoin d'un coup de main, monsieur.

William ôta son chapeau d'un geste irrité. Il n'avait pas dit à Shore qu'il comptait venir ici. John était donc ici ? demanda-t-il.

Non monsieur. Il doit s'occuper de ces extrémistes irlandais.

Quels extrémistes irlandais ?

Ceux qui ont commis cet attentat à la bombe, monsieur. Dans le métro. L'explosion a eu lieu vendredi dernier à Gower Street. Vous n'êtes pas au courant ?

William n'en avait pas entendu parler et ne savait pas trop quoi dire. Il y a eu des blessés? demanda-t-il.

Un certain nombre, monsieur.

Il fronça les sourcils et pénétra dans la maison dont Blackwell referma la porte derrière lui. Des guirlandes dorées et argentées installées pour les fêtes pendaient encore aux appliques murales. Vous êtes donc seul ici? demanda-t-il.

Avec le spectre de la morte, monsieur.

J'imagine que vous n'avez pas découvert un couperet couvert de sang dans les parages.

Non monsieur.

Une hache peut-être.

Blackwell avait des yeux gonflés et légèrement exorbités qui lui donnaient une expression un peu ébahie, comme s'il venait de s'apercevoir qu'on l'avait arnaqué lors d'une partie de cartes. Il n'y a rien ici, monsieur, répéta-t-il doucement. Je suis là pour surveiller les lieux. Si vous voyez ce que je veux dire.

William avait compris que Blackwell avait été dépêché pour l'attendre au cas où il se montrerait. Shore était un brave type à sa manière mais il était également jaloux de ses prérogatives, et l'idée que le fils d'Allan Pinkerton vienne rôder sur son territoire ne lui plaisait guère.

Rien d'intéressant au rez-de-chaussée? demanda-t-il.

À ceci près que c'est le seul endroit qui semble avoir été habité, monsieur. Le patron en a déduit que Charlotte Reckitt vivait là.

John est venu ici?

Ce matin, monsieur.

Il avait l'air embarrassé de l'admettre.

William traversa l'entrée, posa la main sur la rampe et leva les yeux dans les hauteurs de l'escalier. Il s'attendait presque à voir Charlotte Reckitt surgir de la pénombre et le fixer d'un air accusateur. Son regard suivait les moulures et les lambris sculptés dans le style géorgien qui disparaissaient sous une couche de poussière. Un tapis blanc pelucheux était fixé par des tringles sur l'escalier et on y distinguait les empreintes boueuses qu'avaient laissées les semelles des agents. William hocha la tête.

Il entreprit de monter et nota mentalement que la troisième marche grinçait sous son poids. À l'étage une horloge flambant neuve reproduisant un modèle ancien s'était arrêtée à 11 h 37, et deux portes de part et d'autre donnaient sur l'arrière de la maison. L'une était ouverte, à en juger par ses meubles massifs il devait s'agir d'un bureau. La pièce en face qui donnait sur la rue était de toute évidence un boudoir. Les tiroirs étaient grands ouverts, des robes, des crinolines, des cartons à chapeaux s'empilaient de toutes parts et des papiers jonchaient les tapis.

Vous l'avez trouvée dans cet état ? lança-t-il par-dessus son épaule.

Non monsieur. Les agents l'ont fouillée de fond en comble.

William grommela. La porte correspondant à la chambre qui donnait sur l'avant de la maison était à moitié fermée. Il la poussa et constata qu'elle était plongée dans l'obscurité. Fronçant les sourcils, il alla tirer les rideaux, soulevant du même coup un nuage de poussière et de particules qui se mirent à danser dans la lumière froide. C'était la chambre d'une femme, propre et bien rangée.

Blackwell l'avait rejoint.

Qu'y a-t-il au-dessus ?

Deux autres chambres, monsieur. Elles sont meublées mais nous ne pensons pas qu'elles aient été occupées.

Meublées.

Oui monsieur. La maison a dû être louée ainsi.

Il regagna le rez-de-chaussée et, selon sa méthode habituelle, fouilla méticuleusement le cellier, l'arrière-cuisine puis la cuisine elle-même, ouvrant les tiroirs, débouchant les pots, frappant la paroi du bout des doigts à la recherche d'éventuelles cachettes. Puis il sortit et se mit en quête des toilettes. Il ne savait pas trop ce qu'il cherchait au juste mais ne pouvait chasser de son esprit l'idée que cette femme avait dû laisser un indice révélateur. Il palpa de la main les coussins et les garnitures des fauteuils, écarta les guirlandes de Noël et les œufs peints afin d'examiner un à un tous les livres de la bibliothèque. Il remettait chaque objet à sa place derrière lui et l'inspecteur le suivait à la trace.

Pourquoi une femme qui vivait seule s'est-elle donné la peine de faire toutes ces décorations ?

Je ne saurais dire, monsieur.

Il remonta au premier et inspecta également le bureau sans rien y trouver d'intéressant, avant de se diriger vers la chambre.

Il semble me souvenir que John juge discourtois de fouiller la chambre d'une femme, dit-il.

Blackwell fronça les sourcils. Je crois pourtant qu'il a examiné cette pièce lui-même, monsieur.

William avait chaud à présent, il ôta son manteau et le posa sur le lit. Deux bougies se dressaient dans des chandeliers en argent sur le manteau de la cheminée. Dans un coin sous une chaise longue, il distingua plusieurs cartons contenant des vêtements qui n'avaient pas été défaits. L'examen de la coiffeuse ne lui apprit rien de plus. Il s'assit sur la chaise et aperçut le reflet disproportionné et inquiétant de son œil dans le miroir grossissant. Il saisit et reposa tour à tour une brosse à cheveux en argent, un ouvre-gants, une pile d'enveloppes vierges. Pourquoi avait-elle besoin de ça ? demanda-t-il.

Pour expédier ses lettres, monsieur.

Et à qui pouvait-elle écrire ?

Blackwell poussa un petit cri et William le vit ramasser quelque chose derrière le chiffonnier.

Qu'est-ce que c'est ?

Votre carte, monsieur.

William fronça les sourcils. Il l'avait laissée devant sa porte le jour du nouvel an pour qu'elle sache à quoi s'en tenir. Il la reprit des mains de Blackwell et l'empocha. L'inspecteur le dévisagea mais ne fit aucun commentaire. William se retourna et ouvrit les tiroirs de la coiffeuse sans rien y découvrir. Il se mit à quatre pattes et passa la main le long de la plinthe. Il n'y a rien d'intéressant ici, finit-il par dire.

Non monsieur.

Il se redressa, toujours à genoux. C'est ridicule, dit-il. Puis-je vous poser une question, inspecteur ? Avez-vous repéré les traces d'une lutte quelconque ?

Blackwell s'éclaircit la gorge. J'ai cru comprendre qu'on l'avait attachée, monsieur.

Peut-être.

Le regard de Blackwell était fixé sur lui. Vous n'en êtes pas convaincu, monsieur ?

Convaincu ? répéta-t-il. Pourquoi est-elle revenue ici ? Qui l'a coupée en morceaux ? Et pourquoi lui a-t-on tailladé les cheveux, bon sang ?

Peut-être pensait-elle avoir le temps de prendre la fuite et a-t-elle été surprise au dernier moment, monsieur.

Ils restèrent tous les deux silencieux pendant quelques instants.

Peut-être que tout n'est pas lié dans cette affaire, monsieur. Qu'un détail nous abuse et vient embrouiller les choses.

Par exemple ?

Je ne sais pas, monsieur. Si elle était parvenue à sortir de la Tamise, peut-être a-t-elle éprouvé le besoin de se changer. Et de changer d'allure par la même occasion. En se coupant les cheveux, par exemple. Et peut-être a-t-elle ensuite été tuée dans des circonstances plus banales.

Bon sang, vous trouvez cela banal ?

Blackwell fronça les sourcils. Et s'il s'agissait d'un crime passionnel ? D'un amant éconduit ? Cela expliquerait qu'on lui ait fait subir un tel traitement.

Mais pas qu'on l'ait tondue. J'essaie de mettre un peu d'ordre dans tout ça. Charlotte Reckitt coupée en morceaux, ses cheveux tailladés, les restes de son corps déposés dans deux endroits différents. Sans parler des jambes qu'on n'a pas encore retrouvées. Quelqu'un était sur sa piste, quelqu'un dont je n'ai pas perçu la présence. Elle s'est jetée du haut de ce pont parce qu'elle voulait qu'on la croie morte.

Il s'agissait donc d'une mise en scène, monsieur.

Mais qui ne m'était pas destinée.

Comment pouvez-vous en avoir la certitude ?

Cela n'aurait aucun sens, dit-il. Il revoyait la scène lorsqu'il l'avait surprise à la sortie du théâtre et que ses mains s'étaient refermées sur ses petits poignets. Un éclair de frayeur avait traversé son regard mais je n'étais pas en mesure de l'arrêter et elle le savait fort bien. Elle était dans le métier depuis trop longtemps, elle connaissait la loi et savait que je n'avais pas le moindre pouvoir sur le sol anglais. C'était à autre chose, à quelqu'un d'autre qu'elle cherchait à échapper.

À ses assassins.

Pourquoi s'est-elle précipitée à Blackfriars ? Qu'allait-elle chercher sur ce pont ? Ou sur l'autre rive ?

Peut-être voulait-elle rejoindre quelqu'un, monsieur. Un complice ou un associé.

Et si elle avait moins cherché à m'entraîner sur ce pont qu'à m'éloigner d'autre chose ?

Il y a une autre possibilité, monsieur.

William considéra l'inspecteur.

À condition bien sûr qu'il ne s'agisse pas d'un accident. Car nous retirons tout de même des dizaines de cadavres de la Tamise toutes les semaines, monsieur. Mais si l'on considère que cette femme a bel et bien été assassinée…

Vous pensez qu'elle aurait été tuée par erreur.

Oui monsieur. Peut-être le ou les meurtriers n'avaient-ils pas l'intention de la tuer. Que quelque chose a mal tourné.

Si elle avait été confrontée à une telle menace, j'imagine qu'elle aurait essayé au contraire de se faire arrêter.

Blackwell opina. C'est encore en prison qu'on est le plus en sécurité, monsieur.

Comme disait mon père, un mur reste un mur quel que soit le côté derrière lequel on se trouve.

Nous avons tous été désolés d'apprendre sa disparition, monsieur.

William dévisagea Blackwell pendant un bon moment avant de quitter la pièce et de monter au dernier étage. Les deux petites chambres étaient en ordre, les draps et les couvertures bien tirées, un vase en porcelaine blanche luisait sous chacun des lits. Il y avait de la poussière sur le sol et des empreintes humides dans la poussière. En ouvrant l'armoire de la deuxième chambre, il découvrit toute une garde-robe masculine, de coûteux costumes et des vestes pliées avec soin sur les étagères. Une odeur de naphtaline émanait d'une boîte qu'on avait laissée ouverte. Ces vêtements un peu démodés n'avaient visiblement pas été portés depuis longtemps.

Ils doivent appartenir à son oncle, lança Blackwell depuis le seuil de la pièce.

Martin Reckitt est en tôle, dit William. Et n'en sortira que les pieds devant, si je ne m'abuse.

Oui monsieur, à Millbank. Mais c'est une prison militaire à présent et j'ai cru comprendre qu'il était question de le transférer dans le sud lorsqu'elle fermera l'an prochain.

J'ignorais qu'elle devait fermer, dit William en fronçant les sourcils.

Pénurie budgétaire, monsieur.

William traversa la pièce et posa la main sur la vitre glacée. J'aimerais lui parler, dit-il. Il était prêtre autrefois, n'est-ce pas?

C'est ce que j'ai entendu dire, monsieur.

William se retourna et aperçut dans l'angle de la pièce une grande cage à oiseaux recouverte d'un tissu blanc qu'il retira lentement. La cage était vide. Où sont passées les alouettes? demanda-t-il.

Blackwell était penché au-dessus d'un petit lavabo serti dans un meuble en bois. Les alouettes? répéta-t-il en se redressant.

William ouvrit la petite porte de la cage et ramassa une minuscule plume grise. Pourquoi a-t-on pris ses oiseaux?

Peut-être ont-ils été témoins d'une scène qu'ils ne devaient pas voir.

Des oiseaux?

Je ne sais pas, monsieur. Blackwell marqua une pause. De toute façon cela ne doit pas avoir une grande importance.

Cette nuit-là il ne parvint pas à trouver le sommeil. Il quitta à regret le lit chauffé par la brique brûlante enveloppée de feutre qu'avait laissée la femme de chambre. Après s'être muni d'une couverture, et pour tuer le temps, il sortit de leur tiroir les documents qu'il avait rapportés de chez Ben Porter. Il avait toujours à l'esprit l'image du corps de Charlotte Reckitt. Assis dans une bergère près de la cheminée, il croisa les jambes et étala les papiers sur ses genoux. Les lampes diffusaient une lueur si faible qu'il arrivait à peine à lire malgré sa bonne vue. Il savait que, s'il ne se rendormait pas au plus vite, il ne serait plus bon à rien.

Il se frotta les yeux.

Les rapports de Ben remontaient à quatorze ans pour les plus anciens, et William les parcourut en proie à une irritation croissante. Il avait cru que Ben Porter avait occasionnellement servi d'informateur à son père lorsque certains criminels venaient trouver refuge en Angleterre, mais ce n'était visiblement pas le cas. Pendant plus de vingt ans et de manière exclusive durant la dernière décennie, Porter avait consacré tous ses efforts à la figure obsessionnelle d'Edward Shade.

À en croire ces documents, Porter avait commencé ses recherches dans l'East End de Londres en 1869, suite à l'apparition dans ce secteur d'un voleur d'origine américaine. Il s'était fait engager comme docker dans un entrepôt de Surrey Docks afin de surveiller les parages. Cela n'avait rien donné. Puis la rumeur avait couru qu'un Américain du nom de Donald Rolson s'était installé à Piccadilly, et Porter avait déniché un emploi de facteur afin de pouvoir arpenter ce secteur. Rolson était censé avoir monté un tripot clandestin dans le West End, mais Porter n'en avait pas trouvé la preuve et cette piste elle aussi avait tourné court. Ce qui se dégageait des rapports de Porter et des réponses que lui faisait le père de William était moins la figure tangible de l'insaisissable Shade que l'écho lointain d'un homme qui n'avait peut-être jamais existé. Tantôt il mesurait un mètre quatre-vingts, avait de longs bras et une carrure athlétique ; tantôt un mètre soixante-cinq, une forte corpulence et les bras courts ; le visage imberbe et les cheveux bruns coupés ras ; à moins qu'il ne fût chauve et n'arborât des favoris entretenus avec soin ; c'était un individu aux yeux gris et perçants, d'allure plutôt rébarbative ; ou à l'inverse un joyeux drille, toujours prêt à passer un bon moment ; un homme sans peur et sans patrie, que n'effrayaient ni Dieu ni la loi ; ou qui vivait au contraire dans la crainte constante des autres et de lui-même. Il pouvait s'appeler Edward Shade, Donald Rolson ou William Peter Mackenzie. Il était marié ou il était resté célibataire. Dans l'une de ses dernières lettres, le père de William suggérait que deux Edward Shade travaillaient peut-être de concert et que Porter devait garder l'hypothèse de cette double piste à l'esprit.

William pensait aux épaules massives de son père, à ses colères d'Écossais, à sa vertueuse indignation. Il sentait encore la morsure cinglante de sa ceinture sur ses cuisses d'enfant. Il considéra à nouveau les annotations portées dans les marges des rapports et le tissu d'hypothèses aberrantes que son père avait échafaudées.

C'était ridicule.

Il repoussa les papiers d'un air dégoûté.

SIX

La façade du 82 Half Moon Street émergea lentement du brouillard.

Foole éprouvait toujours le même pincement au cœur en revoyant la petite plaque qu'il avait fixée lui-même à l'entrée quelques années plus tôt : *Foole Import & Export. Objets précieux. Sur rendez-vous.*

Ils étaient venus directement en coche depuis la gare de Gower Street. Par la porte d'entrée grande ouverte, il apercevait Fludd qui cherchait son chemin à tâtons dans l'obscurité. Les fenêtres de la maison d'en face étaient sombres, les rideaux tirés, et le stuc conférait à l'ensemble un aspect sinistre. Des particules noirâtres et de la suie flottaient dans l'atmosphère autour de lui comme une neige en provenance de l'enfer. Il entendit les roues d'un cabriolet heurter les pavés et s'éloigner dans la brume. Un fantôme avançait vers lui sur les dalles blanches. C'était Molly. Puis la silhouette de Fludd apparut à nouveau et s'enfonça dans le brouillard pour aller récupérer le reste des bagages que déchargeait le conducteur du coche. Les bruits étaient étouffés et l'ambiance irréelle, presque cauchemardesque.

Le rez-de-chaussée de la maison était rempli à craquer d'articles et d'objets qui émanaient des quatre coins de l'Empire. On y apercevait pêle-mêle des vases d'Extrême-Orient, des miroirs australiens, des pierres précieuses et des cristaux d'Afrique de l'Est, des turbans indiens, un coffre chargé de sextants rouillés provenant des entrailles d'un navire qui avait fait naufrage dans les Caraïbes. Foole aimait le dédale obscur de son magasin. Ses clients étaient peu nombreux et les tarifs n'étaient jamais affichés.

Il avait loué cette vaste demeure proche de Green Park quatre ans plus tôt sans même l'avoir visitée et après avoir réglé d'avance six mois de loyer. Il avait précisé à l'agent immobilier de Chelsea auquel il s'était adressé qu'il cherchait une maison richement meublée et offrant toutes les commodités domestiques. Il avait engagé une femme et sa fille pour garder la maison en son absence après s'être assuré de leur discrétion et leur avoir proposé un salaire confortable. Les précédents occupants avaient quitté les lieux à la hâte, leur deuxième enfant étant mort à la naissance, et la demeure avait conservé jusqu'à aujourd'hui une atmosphère un peu malsaine. Foole traversait les pièces chargées d'humidité sur les talons de sa gardienne qui lui montrait ce qu'elle avait glané de droite à gauche.

Elle s'appelait Sykes et elle était veuve. Sa fille Hettie avait l'apparence d'un spectre mais elle-même était de constitution robuste pour ses quarante ans. Foole aimait la rudesse et l'austérité qui émanaient d'elle. Molly la tolérait à la manière d'un chat et cela lui suffisait. Mrs Sykes portait un tablier taché de graisse et un bonnet à frange qui enserrait ses cheveux gris. Il y avait une telle intelligence doublée d'une froideur si intense dans son regard qu'il se demandait parfois quels talents insoupçonnés elle dissimulait encore.

Mr Foole, lui dit-elle en se tournant vers lui. C'est une belle maison dont vous nous avez confié la charge à Hettie et moi, même lorsque les caisses sont vides. Combien de temps comptez-vous rester cette fois-ci ?

Elle se tenait au pied de l'escalier et s'essuyait les mains sur son tablier devant une série de vases chinois sagement alignés sur leurs étagères.

C'est bon de vous retrouver, lui dit Foole avec un sourire.

Fludd apparut dans l'encadrement de la porte et s'essuya bruyamment les pieds. Mrs Sykes, dit Foole en levant la main, je vous présente mon vieil ami Mr Fludd qui est venu nous rejoindre après un long séjour à l'étranger. J'ai pensé qu'il pourrait occuper la chambre qui donne à l'est, en face de celle de Molly.

Madame, lança Fludd en soulevant timidement son chapeau.

Japheth Fludd en chair et en os, dit-elle en scrutant le géant d'un regard étrange, comme si elle estimait le poids d'un quartier de viande. Ah, j'en ai entendu des histoires à votre sujet... Je vais préparer la chambre, Mr Foole. Mais il vaudrait mieux qu'il ôte ses chaussures avant de monter.

Ils considérèrent tous les trois en silence les chaussures de Fludd.

Peut-être était-ce dû au manque de lumière mais Foole eut bien l'impression que le géant avait rougi. Japheth, dit-il en se raclant la gorge, tu indiqueras à Mrs Sykes ce dont tu as besoin. C'est une vraie perle pour moi depuis qu'elle est à mon service. Il considéra sa gardienne d'un œil attendri en se demandant jusqu'à quel point il pouvait la mettre dans la confidence mais il n'y tenait plus. Nous aurons sans doute une autre visite prochainement, ajouta-t-il en souriant.

S'agira-t-il d'une femme cette fois-ci, monsieur ?

Qu'est-ce qui vous fait dire ça ?

Mrs Sykes se contenta de lui faire un clin d'œil. Et où est la petite ? reprit-elle. Elle doit mourir de faim.

Comme d'habitude, dit Foole en éclatant de rire. Vous la trouverez sans doute dans le garde-manger.

Il y eut beaucoup de choses à faire dans les jours qui suivirent leur retour. Il fallait aérer les pièces, vérifier les comptes, organiser les rendez-vous... Mrs Sykes avait tenu à répertorier pièce après pièce les articles ou les meubles qu'elle avait vendus en son absence. Tout était inscrit dans un grand registre dont Foole devait parapher chaque transaction, ne serait-ce que pour maintenir un semblant de légalité dans leurs affaires, lui expliquait-elle tout en protestant contre le coût élevé du charbon pendant les mois d'hiver. Si seulement vous étiez rentré en été, Mr Foole, nous aurions facilement économisé six shillings par tonne. La sonnette du sous-sol retentissait sans cesse, c'était un véritable défilé de chiffonniers, de blanchisseuses, d'apprentis bouchers et de colporteurs qui vendaient des lapins, des moules ou des bottes de cresson. Foole travaillait tard le soir dans un bureau dont le mobilier en acajou brillait à la lueur de l'éclairage au gaz. Aussi pâle que maigre, Hettie allait et venait en portant des bassines d'eau chaude ou des plateaux chargés de vaisselle. Foole lui souriait en lui désignant l'endroit où Fludd vérifiait ses comptes et où Molly examinait le résultat de ses larcins. La jeune fille rougissait d'un air timide en les apercevant.

Il sentait croître en lui au fil des jours une sorte d'insouciance ou de légèreté ainsi que cela lui arrivait certains soirs avant de se mettre à l'ouvrage, un imperceptible frémissement à l'extrémité des doigts comme lorsque, dans son enfance, le tonnerre éclatait dans le ciel de Boston. Quelle que soit son occupation – trier ses dossiers, déballer ses affaires, ranger ses cols amidonnés et ses costumes dans leurs cartons, demander à Hettie de lui faire bouillir de l'eau et de lui apporter une serviette fraîche lorsqu'il voulait se raser –, il avait Charlotte à l'esprit en accomplissant le moindre de ces gestes. Comme si un hameçon s'était planté dans son crâne. Dix ans s'étaient-ils vraiment écoulés ? Avait-il changé à ce point aujourd'hui ? Elle serait plus âgée, bien sûr, plus dure peut-être, comme lui-même l'était devenu. De toutes les femmes qu'il avait connues aucune n'aurait su le convaincre de renoncer à ses activités, d'abandonner le métier, de devenir un individu honnête et respectable. Une seule en aurait été capable. Et elle ne le lui avait pas demandé.

Il la revoyait à la terrasse de ce café qui surplombait la mer à Port Elizabeth. Elle lui avait parlé de la découverte par des aventuriers français de centaines de tablettes d'argile dans une grotte du Proche-Orient. L'histoire avait l'air de lui tenir à cœur, comme si elle avait cherché à lui dire autre chose derrière le discours qu'elle lui tenait. Ces tablettes étaient écrites dans une langue que personne ne connaissait et beaucoup de gens avaient pensé à l'époque qu'il s'agissait de poèmes, de chroniques historiques ou d'épopées royales. Mais lorsqu'on les avait enfin déchiffrées on s'était aperçu qu'il s'agissait de simples inventaires, de listes de marchandises, de registres commerciaux. Sur chaque vie s'étend l'ombre d'autres vies possibles, lui avait-elle dit. Il y a des histoires qui n'ont jamais été vécues mais qui auraient pu exister. Nous croyons être en train de tenir nos comptes mais en réalité nous disons : j'étais ici, cela m'est arrivé jadis, j'étais un être réel. Tout cela a bel et bien eu lieu.

Il gardait ses réflexions pour lui et n'y fit pas la moindre allusion tandis que s'écoulaient ces premières journées. La maison poursuivait son étrange routine domestique. Il se trouvait un matin dans l'escalier menant au sous-sol en compagnie de Mrs Sykes avec qui il était en train de vérifier la liste des provisions lorsqu'une voix rauque s'éleva soudain, fredonnant un air dans l'entrée. Ils s'interrompirent l'un et l'autre. Et Molly surgit brusquement, les pans de sa chemise flottant derrière elle et les mains sur les hanches, tout en agitant son popotin d'un air lascif.

Elle passa sans se douter qu'on la voyait. La porte du salon s'ouvrit, se referma.

Mrs Sykes se racla la gorge. Quel numéro celle-là, murmura-t-elle en triturant la serpillière qu'elle avait à la main.

À midi le troisième jour, un livreur sonna à la porte du sous-sol et après l'avoir introduit Mrs Sykes lui désigna l'escalier qui remontait jusqu'au magasin. Molly alla récupérer le petit carton qu'il apportait, mais il était trop lourd pour elle et Fludd dut l'aider à le déposer au beau milieu des étagères. Foole avait observé la scène depuis son bureau sans dire un mot.

Un feu brûlait doucement dans la cheminée sans dégager beaucoup de chaleur. Le carton contenait des échantillons de petites ammonites fossiles encore prises dans leur gangue de calcaire. Ils étaient expédiés de Genève et sous la paille qui les enveloppait, derrière un double fond, se trouvaient plusieurs pendentifs ornés de saphirs et de rubis qui avaient été dérobés chez un joaillier suisse. Molly examinait chaque pierre à la lumière qui tombait de la fenêtre sans manifester la moindre émotion avant de les tendre l'une après l'autre à Fludd qui les passait à son tour à Foole. Celui-ci finit par dire à Molly d'aller elle-même échanger les pendentifs au taux de 70 % chez leur revendeur habituel.

Ne me dis pas que c'est la gamine qui va se charger de ce travail ? lança Fludd d'un air scandalisé. Est-elle au moins au courant des marges ?

Des marges ? dit Foole en écarquillant les yeux.

Molly éclata de rire et hocha la tête d'un air compatissant. On ne parle plus de marges, dit-elle. Chacun prend son pourcentage de part et d'autre, mon pauvre Jappy. Des marges, dit-elle en hochant à nouveau la tête.

Il y a eu quelques changements depuis que tu as quitté le circuit, dit Foole. Tu t'y feras vite.

Pour sûr.

Des marges, répéta Molly en gloussant.

Molly ! Qu'est-ce qui te prend ?

Le sourire de la fillette se figea et elle le dévisagea. Elle remit le dernier fossile dans le carton, se rongea un ongle et le cracha dans la cheminée. Rien, dit-elle.

Foole grommela en tripotant ses favoris. Japheth, dit-il, j'aimerais que tu...

Je ne suis jamais au courant de rien, l'interrompit-elle. Sauf en ce qui concerne cette maudite Charlotte Reckitt et sa maudite lettre. Elle brandit une enveloppe froissée et en retira la missive de Charlotte tout en défiant Foole du regard.

Je ne te demande même pas où tu as déniché ça, dit-il.

Cher Mr Foole, commença-t-elle d'une voix suraiguë.

Molly.

Je vous écris en ayant conscience du temps qui s'est écoulé depuis notre dernière rencontre...

Foole se leva en renversant sa chaise, les mains appuyées sur le bureau. Ça suffit, Molly.

... et de l'opinion que vous devez nourrir à mon égard au bout de ces dix années...

Ah, ma petite, on ne fait pas des choses pareilles, intervint Fludd d'une voix rauque. Il tendit son immense bras et lui retira la lettre des mains. Où as-tu appris à lire aussi bien, d'ailleurs ?

C'est une excellente élève, lança Foole.

Molly rougit. Es-tu déjà allé voir ce Mr Utterson auquel elle fait allusion ? Et peux-tu nous dire à présent en quoi consiste ce boulot ?

Fludd se tourna vers Foole. Utterson ? L'avocat ?

Mmm, fit Molly.

Ne me dis pas qu'il te file encore des tuyaux.

Bon sang, s'exclama Foole, cela vous dérangerait de me laisser régler certaines affaires de mon côté sans venir y fourrer votre nez ?

Fludd ne tint aucun compte de sa remarque et se tourna vers Molly. Gabriel Utterson renseignait autrefois Mr Adam sur les faits et gestes de Charlotte. Nous le voyions régulièrement à une certaine époque. Mais cela remonte à bien des années.

Oh oh, lança Molly en se levant d'un air furieux. Il s'agit donc d'une authentique histoire d'amour ? Combien de temps comptes-tu me tenir à l'écart de tout ça ?

Fludd se mit à rire. La gamine est jalouse.

Je ne suis pas jalouse.

Je vais le voir cet après-midi, dit Foole. Assieds-toi, s'il te plaît. Il n'y a pas l'ombre d'un secret derrière tout ça. Charlotte a laissé des consignes à Gabriel au sujet de ce travail, je vais en prendre connaissance et si la chose m'intéresse j'irai la voir à Hampstead.

Quelle aubaine, s'exclama Molly les narines dilatées. Je n'avais justement rien à faire cet après-midi.

J'irai seul, Molly.

Pourquoi donc ? répliqua-t-elle en haussant le ton. Tu as peur que ta copine borgne assiste à la réunion ?

Foole regarda son vieil ami comme pour s'excuser. La lettre est on ne peut plus claire, Japheth. Je dois me rendre seul à Gaunt Street. Je vous dirai ce soir ce qu'il en est résulté.

Pour sûr, opina Fludd. Mais il y a quelque chose qui cloche là-dedans, ajouta-t-il en désignant l'enveloppe sur le bureau. Le ton de cette lettre correspond-il à l'extrait que Molly nous a lu ? Comme s'il n'y avait vraiment aucune ombre entre Charlotte et toi ?

Oh, c'est encore plus sirupeux après, lança Molly.

La gamine a rarement raison, reprit Fludd, mais ce pourrait bien être le cas aujourd'hui. Gabriel n'a jamais été l'un des nôtres, nous ne lui avons jamais fait confiance.

Mais il n'a jamais été dangereux non plus. Si je vais chez lui accompagné de quelqu'un, il refusera peut-être de me recevoir. Même s'il ne s'agit que de Molly.

Foole regarda par la fenêtre. Une charrette passait quelque part dans l'allée derrière le jardin et une ombre s'étendit un instant sur la pelouse. Il finit par céder. Il comprenait la préoccupation de Fludd et ne faisait pas entièrement confiance à cette lettre lui non plus, même s'il s'abstint de le reconnaître.

D'accord, dit-il en regardant fixement Molly. Mais tu garderas tes réflexions pour toi et tu te contenteras de faire ce que je te dis. C'est compris ?

Bien sûr, dit Molly en se fendant d'un large sourire. Cela va de soi.

Mr Adam parle sérieusement, Molly.

Le sourire de la fillette s'élargit. Elle se hâta de remettre en place la paille dans le carton et quitta la pièce en fredonnant. Après son départ, Fludd se leva et alla fermer la porte avant de revenir s'asseoir. Je ne te demanderai pas quel profit tu comptes tirer de cette affaire, dit-il à voix basse.

Je t'en remercie, acquiesça Foole.

Je sais ce que vous avez vécu Charlotte et toi.

Oui.

Mais il y a tout de même quelque chose qui m'échappe dans ton attitude. Il releva les yeux. Tu n'as pas oublié de quoi son oncle était capable ?

Martin n'a rien à voir là-dedans.

Martin Reckitt n'est pas fiable. L'Église elle-même n'a pas voulu de lui.

Il n'a jamais été prêtre.

Il a été défroqué.

Non. Il été ordonné mais n'a jamais été nommé dans la moindre paroisse. Il avait obéi entre-temps à un autre appel.

Tu sais pourtant ce qu'il a fait.

Il est parti, c'est tout.

En te laissant mourir.

Foole ne dit rien pendant quelques instants. Il m'a également sauvé la vie, reprit-il au bout d'un moment. Il aurait pu s'emparer du butin et m'abandonner. Il ne l'a pas fait.

Il aurait aussi bien pu te trancher la gorge. Le fait qu'il ait pris la décision inverse n'ôte rien à sa trahison.

Cela fait une grande différence à mes yeux, dit Foole. Du reste, Charlotte n'est pas responsable de son oncle.

Tu te trompes sur ce point, dit Fludd. Il lui lança un regard étrange et fit craquer ses énormes jointures. Il y a encore autre chose, dit-il. Je suis allé rendre une petite visite à notre copine de Bermondsey. En souvenir du bon vieux temps.

Je sais.

Fludd blêmit. Tu me fais suivre à présent ?

Je voulais juste m'assurer que tu ne t'attirais pas d'ennuis. Comment va-t-elle ?

Fludd secoua sa lourde tête. Elle m'a dit que si nous comptions sur Charlotte Reckitt nous risquions d'attendre un sacré bout de temps. Elle t'a dit dans sa lettre qu'elle avait quelqu'un sur les talons. Et sais-tu de qui il s'agissait ? De ce satané Pinkerton.

Foole releva les yeux. Pinkerton ?

Ouais.

Pinkerton est mort, Japheth.

Pas lui. Son fils. William.

Foole sentit son estomac se nouer. Il regarda le jardin, la brume qui s'enroulait autour du bosquet de bambous, les branches sans feuilles du pommier qui se dressait devant le mur de brique. Lorsqu'il se retourna, Fludd était en train de masser l'une de ses vastes épaules comme pour en chasser une douleur invisible.

Apparemment il serait sur la piste d'un type avec qui Charlotte travaillait jadis, dit-il. Elle ne m'a pas dit son nom mais nous savons tous les deux de qui il s'agit.

Edward Shade.

Fludd opina. Le fils suit la trace du père.

Foole se leva et marcha jusqu'à la fenêtre, regardant pendant quelques instants les volutes de brouillard qui s'éloignaient.

Tu veux que j'intervienne ?

Non, dit-il après quelques secondes de réflexion. Ou plutôt si. Gardons un œil sur Mr William Pinkerton. Mets un de nos espions sur sa piste, qu'il nous tienne au courant de ses faits et gestes. Au cas où il remettrait les pieds à Bermondsey. Foole ne quittait pas le brouillard des yeux. Crois-tu à l'enchaînement des causes et des effets, Japheth? demanda-t-il.

Pas du tout, répondit le géant. Je prends la vie comme elle vient.

Certains jours tu me fais peur.

Certains jours seulement?

Foole se tourna vers lui. Fludd lui souriait dans la pénombre.

Un peu plus tard dans l'après-midi, Molly et lui se rendirent chez Utterson. Ils marchèrent jusqu'à Piccadilly où ils hélèrent un cab, et Foole demanda au conducteur de les emmener à Gaunt Street dans le quartier de Bishopsgate. Molly lui adressa un regard étonné et ils roulèrent un moment en silence dans les rues envahies par le brouillard. Puis elle se tourna vers lui et lança: Bishopsgate? Quel genre d'avocat peut habiter dans ce quartier pourri?

Il lui adressa un sourire impénétrable et lui montra un fil qui pendait à la couture de son pantalon. Tu demanderas à Mrs Sykes de remédier à ça, dit-il.

La fillette croisa les bras et se tourna pour regarder la rue. Ils s'arrêtèrent devant une grande maison qui paraissait tomber en ruine. Les balustrades avaient perdu leurs couleurs, les murs en brique étaient noirs de crasse, le vieux heurtoir de la porte en bois rongé par l'humidité. Foole le souleva à deux reprises avant de se reculer en époussetant ses manches.

Il n'habite quand même pas tout seul? demanda Molly.

La maison appartient à sa sœur, il vit ici avec elle.

Elle éclata de rire.

Tiens ta langue, murmura Foole. Cela n'a rien de drôle. Cette femme occupait une position élevée en Inde avant de revenir en Angleterre et elle est dans le circuit depuis longtemps, bien avant l'apparition de ta première dent de lait. Tout ce que tu pourras dire devant elle restera à jamais gravé dans sa mémoire.

Oh, je sais me tenir.

Foole considéra longuement Molly. Elle serait tout à fait capable de te trancher la gorge avant que tu n'aies eu le temps de dire ouf, ajouta-t-il.

À cet instant la porte grinça sur ses gonds et s'ouvrit lentement. Un gigantesque sikh en livrée bleue coiffé d'un turban doré se profila dans l'embrasure et hocha la tête en silence. Foole s'inclina cérémonieusement devant lui et se présenta. Le domestique s'écarta et tendit ses mains gantées de blanc. Foole lui confia son chapeau, sa canne et ses propres gants. Puis le domestique passa derrière lui et le débarrassa de sa redingote avec un geste d'une grande délicatesse.

Mr Utterson est-il là ? demanda-t-il.

Le domestique lui désigna Molly mais ne répondit pas. Foole aperçut alors la silhouette d'une femme qui venait d'apparaître dans l'obscurité du vestibule.

Miss Utterson, dit-il en faisant une petite courbette.

Keshub est muet, Mr Foole. Il serait bien en peine de vous venir en aide.

Elle avait prononcé Fioulle.

Vous n'êtes pas venu seul, ajouta-t-elle.

Cela faisait des années qu'il n'avait pas entendu cette voix qui avait la douceur de la soie qu'on froisse. Outre une épaisse couche de fard, elle avait souligné ses yeux au khôl comme une concubine orientale et sa longue gorge pâle luisait d'un éclat blanc dans la pénombre de l'après-midi. Elle s'écarta légèrement et il comprit qu'il devait la suivre. Le domestique les précéda dans un long corridor puis écarta des tentures que la femme franchit et qui donnaient accès au fumoir. Foole et elle avaient eu une brève liaison jadis avant que leur relation ne prenne un tour strictement amical, mais il émanait toujours d'elle la même grâce féline qu'autrefois. Elle sillonnait l'Empire des Indes à la recherche d'un mari au printemps 1857 et était revenue vivre seule en Angleterre une quinzaine d'années plus tard. D'après les informations de Foole, elle n'était toujours pas mariée. L'Inde l'avait immédiatement conquise avec ses salves rouges, roses, orangées, ses saris jaunes striés de bleu, ses odeurs épicées de gingembre, de clou de girofle, de curcuma, ses effluves de bois de santal et de bouse séchée, le tintement de ses clochettes et le cliquetis de ses charrettes dans ses rues en terre battue. Elle lui avait confié tout cela en laissant doucement courir sa main sur son dos au cours d'un lointain après-midi, des années plus tôt, et il l'avait écoutée les yeux mi-clos en songeant à ses propres souvenirs d'Afrique. Elle devait avoir dépassé la cinquantaine à présent.

Il s'immobilisa au seuil de la pièce.

Des appliques éclairées au gaz étaient fixées aux murs. Un bassin où flottaient des lotus était aménagé à l'intérieur, entouré de coussins écarlates, et le plafond se perdait dans les hauteurs. Les murs étaient couverts d'un papier peint damassé représentant des oiseaux et un paravent japonais se profilait dans un angle de la pièce. Un gigantesque narguilé se dressait de l'autre côté, dont le tuyau enroulé évoquait un serpent lové au sol. Foole percevait les bruits de la rue à travers les lourdes tentures.

Qu'est-ce que c'est que ça ? demanda-t-il en souriant. Molly l'avait suivi et il posa la main sur son épaule pour la retenir.

Cela ne vous plaît pas ?

C'est une pure merveille.

Les paupières de la femme restèrent closes un instant tandis qu'elle savourait le compliment.

Le domestique avait disparu dans l'obscurité. Elle se dirigea vers un buffet, saisit une carafe en cristal et remplit deux verres de porto avant de se tourner vers Molly, comme pour soupeser la question. Puis elle alla s'asseoir sur un coussin en repliant les jambes sur le côté et en étalant sa jupe autour d'elle.

Cela fait un bout de temps, dit-elle.

Pas tant que ça, répondit-il en souriant.

Vous étiez en voyage pour le plaisir ?

Non, pour affaires.

Quelle différence cela fait-il ? Elle croisa ses longues jambes avec cette grâce féline qui la caractérisait jadis. Mon frère n'est pas à la maison, reprit-elle. Pourquoi ne pas m'exposer ce qui vous amène, je lui transmettrai votre message. De quoi s'agit-il au juste ?

De Charlotte Reckitt.

La femme attendit la suite.

Elle a laissé des consignes à Gabriel à mon intention.

Charlotte Reckitt. Non, je ne pense pas la connaître. Ne s'agit-il pas de cette prostituée qui…

Rose, l'interrompit-il. Molly émit un gloussement dans l'ombre derrière eux.

Oui ?

Charlotte est la plus habile cambrioleuse qui sévisse à Londres en ce moment. Son oncle a été enfermé à Millbank en 1874.

Ah oui. Le fameux Martin Reckitt.

Vous vous souvenez donc de lui.

Bien sûr. Gabriel s'occupe toujours de ses affaires.

Foole marqua une pause et la considéra d'un air interrogateur. J'avais cru comprendre que Gabriel n'avait plus tout à fait la même clientèle.

Il a conservé certains de ses meilleurs clients.

Martin est-il toujours dans le circuit ? demanda Foole en se penchant vers elle.

Martin Reckitt est un détenu modèle à Millbank, Mr Foole. Son comportement exemplaire témoigne à lui seul de sa reconversion. Et rien ne sort jamais de Millbank sinon par les canaux officiels.

Est-il toujours dans le circuit, Rose ?

Je me souviens à présent qu'il avait une nièce, oui. Ses yeux se portèrent d'un air languide vers Molly qui se tenait devant la tapisserie de l'entrée dans ses vêtements de garçon. Une très belle femme, ajouta-t-elle en tapotant le coussin à côté d'elle comme pour inviter Molly à venir s'y asseoir.

Le garçon peut rester où il est, dit Foole.

Le garçon ?

Molly ne fit pas un geste. Foole l'entendait respirer dans son dos mais ne se retourna pas.

Rose, dit-il en se raclant la gorge.

Oui, dit-elle enfin. Je vous écoute.

Charlotte a contacté Gabriel et lui a laissé des instructions à mon intention concernant une affaire qu'elle est en train de monter. Je devais rencontrer votre frère aujourd'hui. Il n'est donc pas ici ?

Vous étiez censé venir seul.

Foole fronça les sourcils.

Cela me rappelle la manière dont les choses se sont passées à Madrid, dit-elle.

Cela n'a rien à voir avec Madrid.

Vous éprouvez toujours une certaine difficulté à respecter les consignes, Mr Foole.

Mais elle avait dit cela gentiment et Foole but une gorgée de porto en souriant tristement.

Et vous éprouvez toujours un certain penchant pour elle, selon moi. Pour cette fameuse nièce, je veux dire.

Le sourire de Foole se figea et il détourna les yeux. Cela fait des années que je n'ai pas revu Charlotte, dit-il calmement. Mais cela joue, bien sûr. Cela a toujours joué.

Mon cher, cher ami, murmura-t-elle en se penchant vers lui. Je me suis souvent demandé dans quelle entreprise mon cher Mr Foole avait bien pu s'embarquer. Il n'écrit pas, il ne passe jamais. Quelle surprise de le voir de retour à Londres.

Nous avons tous nos occupations, Rose. Et je pense très souvent à vous. Ainsi qu'à votre frère. Il va bien, j'espère ?

Mon frère ne vous recevra pas, murmura-t-elle. Depuis l'affaire Asperton il préfère garder ses distances avec le milieu.

Mais la lettre de Charlotte était claire.

Votre Charlotte est devenue une alliée encombrante. Et dangereuse.

Que voulez-vous dire ? demanda Foole en s'humectant les lèvres.

Vous seriez bien avisé de garder vos distances, Mr Foole.

Vous faites allusion à Pinkerton ?

Elle soutint son regard. Mr Pinkerton est en effet à Londres depuis plusieurs semaines sur la piste de votre miss Reckitt. Et il est venu pour son propre compte, pas pour celui de l'Agence. La dernière fois que nous l'avons vue, elle nous a dit qu'il se renseignait au sujet d'un de ses anciens associés, un homme que son père avait déjà poursuivi. Elle ne nous a pas dit de qui il s'agissait. Elle était visiblement inquiète. Puis elle a disparu.

Disparu.

Oui, jeudi dernier. Vous avez dû en entendre parler. Nous avons cru comprendre que le Yard s'attend à ce que son cadavre refasse bientôt surface, mais vous savez aussi bien que moi ce que vaut ce genre d'information. Gabriel a mené sa propre enquête. La seule chose dont il ait la certitude c'est qu'elle n'a pas quitté Londres. Pas par les circuits habituels en tout cas. Miss Utterson vit l'effet que ses mots produisaient sur son interlocuteur et s'interrompit brusquement. Puis elle tendit la main derrière elle et saisit une petite enveloppe parfumée en papier de riz. Miss Reckitt nous a demandé de vous remettre ceci.

L'enveloppe était vide. Une simple adresse à Hampstead y était inscrite.

C'est la sienne ? demanda Foole d'une voix rauque.

Miss Utterson fronça les sourcils dans la pénombre. Je ne vous conseille pas d'y aller, dit-elle. J'ai cru comprendre que la police avait investi les lieux.

L'affaire a donc tourné court, dit-il lentement. Et Gabriel s'en lave les mains. Croit-il que Charlotte est toujours en ville ? Et vous, qu'en pensez-vous ?

Miss Utterson le dévisagea. Vous vous souvenez de ce qui s'est passé en Espagne, Mr Foole ? Il ne s'agissait pas d'un simple accident. Il semble que j'aie réellement un don.

Rose, dit-il en secouant la tête. Durant leur dernière opération à Madrid elle avait très précisément vu en rêve ce qui allait se produire le lendemain, y compris le traquenard que leur avait tendu la police et la mort de leur associé. Il s'était moqué d'elle, quelques heures avant l'échec du hold-up, mais n'avait pas osé affronter son regard le soir même.

Les esprits se manifestent à travers moi, dit-elle.

Les esprits.

Oui. Les esprits des morts.

Vous êtes une médium.

Je suis réceptive, ce n'est pas la même chose.

Foole avait entendu dire que Gabriel s'intéressait à ce genre de choses mais ne s'attendait pas à une telle révélation. Il avait vu des publicités pour des séances de spiritisme dans les journaux au cours des années qui avaient suivi la guerre de Sécession, mais n'avait jamais pris cela au sérieux. Cela avait toutes les apparences de l'arnaque. Il regarda à nouveau Rose, puis l'étrange décor exotique qui l'entourait et posa brusquement son verre à ses pieds. Il pensait à Charlotte et à Hampstead.

Une certaine confusion semble régner dans l'autre monde, reprit Rose. J'espère que cela ne repose sur rien mais le nom de Charlotte est revenu sur le tapis à plusieurs reprises.

Rose, dit-il, j'espère que tout ceci n'est pas un simple bluff. Vous savez que je n'aime pas être roulé dans la farine.

Elle posa une main fraîche sur son bras. Lorsque j'étais à Calcutta, ma cuisinière disait souvent : Quand une voix qui est restée longtemps silencieuse se met à parler, il est normal de l'écouter. C'est cette voix qui vous parle à présent.

Je ne comprends rien à ce que vous dites.

Mais si, vous comprenez fort bien, dit-elle. Les esprits ne s'adressent pas à moi, ils parlent à travers moi. C'est Gabriel qui dirige les séances et c'est seulement lorsqu'elles sont terminées que j'apprends ce qui a été dit. Je suis endormie lorsque le phénomène se produit. Et ce que je vous ai dit au sujet de miss Reckitt n'est que la stricte vérité.

Vous prétendez que les morts parlent d'elle.

La mort est un simple commencement, dit-elle en soutenant son regard.

Il jeta un coup d'œil à Molly qui les écoutait dans son coin, la main crispée sur son poignet. Vous direz à Gabriel que je suis passé, dit-il en se relevant. Merci pour le porto.

Alors qu'ils s'apprêtaient à partir, miss Utterson se pencha et saisit le menton de Molly dans sa main couverte de bagues, l'obligeant à relever la tête. Foole vit la colère briller dans les yeux de la fillette. Je sais ce que tu éprouves au fond de ton cœur, ma petite, lui dit-elle. J'ai été traumatisée moi aussi dans mon enfance. Le monde n'est pas tendre avec les innocents.

Molly cligna des yeux.

Miss Utterson la relâcha et passa la main dans ses cheveux. Le gigantesque sikh se dressait derrière eux et leur ouvrit la porte, le regard dans le vide.

Mr Foole, dit-elle, j'espère que vous reviendrez nous voir.

Pour toute réponse il se contenta de porter son poignet à ses lèvres.

Molly aurait pu cesser d'exister. Mais la vieille fille lui murmura : Ne donne surtout pas ton cœur à cet homme, ma petite. Et elle ne quitta pas Foole des yeux en disant cela.

Une fois dans la rue, il éprouva un sentiment étrange, comme s'il émanait de lui une sourde menace et que les passants devaient l'éviter et protéger leurs yeux pour ne pas être aveuglés. Il laissa Molly à une station de cabs de Bishopsgate avec une bourse bien garnie, enfila ses gants et s'enfonça dans le brouillard en direction de Finsbury Circus. Une pluie fine s'était mise à tomber, plus un grésil d'ailleurs que de la pluie, et Foole marchait sans y prêter attention en laissant les gouttelettes imbiber sa redingote. Il s'arrêta devant l'étal d'un fleuriste et acheta un bouquet d'iris bleus comme pour conjurer les déclarations de Rose Utterson. Puis il changea d'avis et les jeta dans le caniveau, changea à nouveau d'avis et alla les ramasser.

La pluie s'intensifiait et il prit un cab, vérifiant à plusieurs reprises l'adresse de Hampstead qu'on lui avait donnée. Le véhicule quitta bientôt la ville, franchit une colline et s'engagea dans une artère où se dressaient une rangée d'imposantes maisons en brique de construction récente avant de s'immobiliser devant l'une d'entre elles.

Foole considéra un moment la façade avant de descendre du cab. Son cœur battait à tout rompre dans sa poitrine. Il sentait la pluie s'égoutter du bord de son chapeau et se demandait quelle allure elle aurait lorsqu'elle viendrait ouvrir la porte, quelle odeur émanerait de ses cheveux dans l'humidité ambiante.

Lorsqu'il aperçut les multiples empreintes de bottes qui maculaient les marches blanches du perron, il comprit que quelque chose allait de travers. Il frappa et tendit l'oreille mais ne perçut aucun bruit à l'intérieur de la maison. Aucune lumière n'était allumée aux fenêtres.

Il triturait maladroitement son bouquet et entendit au bout d'un moment le bruit des verrous qu'on tirait de l'autre côté.

La porte s'ouvrit.

Un inconnu en costume gris se tenait devant lui et fixait son bouquet dans l'obscurité de ses yeux tristes et exorbités. L'individu avait la raideur caractéristique d'un inspecteur de police en civil et Foole sentit quelque chose d'acéré, de déchirant s'insinuer en lui, une sorte de pressentiment du désastre qui l'attendait, semblable aux contours des meubles recouverts de housses dans une maison depuis longtemps fermée.

Miss Reckitt n'est pas chez elle ? demanda-t-il.

L'inspecteur se racla la gorge, regarda par-dessus l'épaule de Foole le cab qui stationnait un peu plus loin dans la rue, baissa les yeux sur le bouquet d'iris qu'il tenait toujours à la main. Je suis au regret de vous dire, monsieur, commença-t-il.

Une porte battit et se referma en claquant dans le cœur de Foole.

TOUS LES MATINS
DU MONDE

AFRIQUE DU SUD
1874

On venait de les présenter sur la terrasse ensoleillée d'un hôtel à Port Elizabeth et ils s'étaient immédiatement déplu. Il l'avait trouvée sournoise, sur la défensive. Elle l'avait trouvé froid. Lorsqu'il lui avait serré la main sa peau lui avait paru sèche, et elle avait pour sa part esquissé une grimace parce qu'il lui faisait mal. Elle lui avait paru bien pâle, théâtrale, peu naturelle dans son attitude. Et elle l'avait trouvé plutôt rude, brutal même comme le sont souvent les Américains. Un client regagnait lentement le bar et la musique feutrée du piano-forte leur parvenait des fenêtres garnies de stores devant lesquelles ils étaient assis tous les trois. Il croisa les jambes. Elle lissa sa robe. L'homme qui leur tenait compagnie était de vingt-huit ans leur aîné et faisait tourner les glaçons dans son verre en souriant, en souriant, en souriant sans cesse dans l'ombre treillissée des stores en osier.

Il y avait des moutons sur la crête des vagues et des mouettes tournoyaient dans les embruns. Adam Foole devait se rappeler longtemps le soleil de cet après-midi et la plage de sable blanc étirée vers l'orient en dessinant une courbe qui évoquait une immense paupière.

Elle lui avait dit qu'elle s'appelait Charlotte. Et qu'elle était actrice à Londres.

Il lui avait répondu que le théâtre ne l'intéressait pas davantage aujourd'hui que lorsqu'il était enfant.

S'il avait été avisé et plus instruit dans les émois du cœur et de la chair, il aurait pu entrevoir dès cet instant ce qui se tramait, le tour que risquait de prendre sa vie. Mais il n'avait jamais vécu ce qui était en train de lui arriver et n'était donc pas en mesure de lui donner un nom.

Il était encore jeune à l'époque. Il était venu seul ici en transitant par Le Cap et en se faisant passer pour un négociant prêt à investir dans le commerce des plumes d'autruche. Puis il avait rejoint Port Elizabeth, un peu plus à l'est, et était descendu dans l'hôtel le plus cher de la ville en attendant l'arrivée de son associé. L'établissement était situé sur le port et avait prospéré grâce aux diamants que l'on extrayait depuis peu à cette extrémité du monde. Il partait fréquemment pour de longues équipées à l'intérieur des terres, au cours desquelles il achetait d'énormes quantités de plumes qu'il emballait et expédiait ensuite par bateau dans un entrepôt loué à cet effet dans le sud-est de Londres. On était alors à l'apogée de la mode des plumes d'autruche et n'importe quelle femme se serait sentie humiliée si elle n'en avait pas arboré une à son chapeau. Il avait ouvert un bureau près des docks, engagé un employé et fait paraître des annonces dans la presse locale indiquant qu'il recherchait des agents pour le seconder à l'intérieur du pays. Il avait soin de protester à grand bruit dans le salon de l'hôtel, dans les restaurants de la ville et au bureau de poste lui-même contre les tarifs prohibitifs de ces expéditions. Il se montrait amical, enjoué, jouait au whist, fumait tard le soir, mangeait seul à sa table en consultant ses registres comme n'importe quel homme d'affaires consciencieux, et avait réussi en bref à être bien vite apprécié de tous.

Bien que naturellement porté vers les cols amidonnés et les costumes sur mesure, l'inconfort et les ornières de la vie aventureuse ne lui étaient pas inconnus. Et il savait que les champs diamantifères de Kimberley avaient attiré dans la région la lie de la société. Il n'en était pas moins surpris par l'atmosphère qui régnait dans cette ville-champignon d'Afrique et qui lui rappelait celle de la frontière américaine après la guerre de Sécession. Il voyait débarquer des cohortes d'aventuriers pleins d'espoir et arpentait l'artère principale baignée de chaleur et de poussière en s'émerveillant du spectacle de cette foule bigarrée au sein de laquelle on apercevait aussi bien des rabbins aux longues barbes charriant sur leur dos leurs casseroles et leur literie que des révolutionnaires ayant fui la Pologne ou la Russie. D'anciens détenus des terres australes couverts de tatouages côtoyaient des vétérans de la guerre de Crimée amputés d'un bras ou clopinant sur leurs béquilles, des bandits originaires des pays Baltes, le fusil en bandoulière, et des femmes plus ou moins dévêtues qui se penchaient aux balustrades en bois des saloons. Tout ce beau monde était armé, y compris les prêcheurs imbibés d'alcool qui vacillaient sur leurs cagettes en haranguant la foule et en brandissant le poing. Seuls les représentants de la loi demeuraient invisibles.

Il attendait. Écoutait. Se renseignait. Apparemment les diamants n'étaient pas acheminés jusqu'ici par la nouvelle voie ferrée mais chargés dans des caisses chez De Beers et dans diverses mines autour de Kimberley avant d'être transportés à bord de diligences armées jusqu'aux dents qui traversaient à toute allure ces régions désertiques. Elles franchissaient en cours de route six rivières de largeur variable et ne s'arrêtaient que pour faire boire leurs chevaux. Les convois voyageaient de nuit, ne faisaient jamais halte plus de trois minutes et respectaient un horaire précis qui leur permettait d'arriver à Port Elizabeth juste avant le départ des bateaux à vapeur à destination de l'Angleterre.

Il était convenu que Foole retrouverait son complice à l'hôtel de Port Elizabeth cinq semaines après son arrivée. Fludd était resté à Londres pour s'occuper de la marchandise lorsqu'elle arriverait. Du reste sa formidable stature ne serait pas passée inaperçue dans un tel contexte. Ce qu'il fallait, lui avait expliqué Foole, c'était quelqu'un qui pouvait se fondre dans le décor sans se faire remarquer. Ils avaient entendu dire que Martin Reckitt correspondait justement à ce profil. Un cambrioleur anglais d'un certain âge, réputé dans le milieu pour sa discrétion, sa sobriété, son élégance. Et particulièrement habile de ses doigts. Il avait failli être ordonné prêtre dans sa jeunesse mais avait finalement obéi à une autre vocation, et les péchés dont il se rendait coupable devaient sans doute trouver grâce auprès de son nouveau dieu. Bien qu'implacable en affaires et peu digne de confiance, Reckitt était un vrai professionnel. Et il avait une réputation à défendre qu'il ne pouvait se permettre d'entacher.

Aussi Foole blêmit-il lorsque Reckitt lui apprit qu'il était venu en compagnie de cette fille.

Ce n'est pas ce que vous croyez, dit le vieux cambrioleur en rajustant les manches de sa veste en lin. Ils avaient pris place dans des fauteuils en rotin sur la véranda de l'hôtel, à l'ombre d'un palmier et à l'abri de la chaleur. Il s'agit de ma nièce.

C'est un lourd handicap.

C'est un atout supplémentaire, au contraire. Vous ne tarderez pas à vous en apercevoir.

Foole suivit son regard. À l'intérieur, sous les fenêtres, une jeune femme vêtue d'un bustier vert était assise sur un sofa et tenait négligemment un verre à la main. Elle releva son visage à la peau très blanche et les fixa droit dans les yeux.

Non, dit Foole. Je n'en crois rien.

Avec ses vingt-six ans il était de loin le plus jeune des deux mais possédait déjà cette force intérieure, cette âme d'acier qui devait impressionner par la suite bien des individus plus âgés. Débarrassez-vous d'elle, dit-il sans se départir de son calme. Par la fenêtre dont les stores étaient relevés, il apercevait dans la lumière du soir les jardins aménagés sur les terrasses des maisons. Et des femmes en robes blanches et aux chapeaux couverts de fleurs sous les parasols. Il ferma les yeux. L'air sentait la sève et la rose.

Mon cher Mr Bentley, disait Reckitt, vous découvrirez vite qu'elle possède des talents insoupçonnés.

Foole rouvrit les yeux. La jeune femme s'était levée et se dirigeait vers eux en souriant à son oncle. Elle avait une grande bouche, de larges dents blanches. Un grain de beauté entre les sourcils qui donnait un air un peu fourbe à son regard. Des yeux verts trop distants l'un de l'autre, un nez étroit que le soleil avait bruni.

Ses doigts crispés sur son verre lui firent penser à de petites pattes de crabe et il détourna les yeux.

Par la suite il devait voir en elle une tout autre créature, empreinte de grâce et de sensualité. Reckitt était déjà reparti à ce moment-là, au terme de ce long mois où les Boers en armes avaient fouillé le port de fond en comble, éventrant les sacs et éjectant les marins de leurs cabines. Foole était étendu dans la fraîcheur des draps et caressait de la main la hanche douce et blanche de Charlotte. Un broc d'eau froide se dressait sur la table de toilette à l'autre bout de la chambre. Des mouches allaient et venaient sur l'émail bleu. La mousseline des rideaux se soulevait nonchalamment dans la chaleur de la mi-journée. Il laissa courir la main le long de sa cuisse, s'émerveillant de la rougeur de sa propre peau, du doux repli de son sexe à elle, pareil à un sillon de velours. Ses yeux verts étaient fermés comme si elle dormait.

Mais elle ne dormait pas. Il restait allongé à ses côtés sans dire un mot. Jamais il n'était rassasié d'elle. Le désir qu'il éprouvait était d'une telle force, d'une telle intensité que cela l'effrayait presque. Il ignorait jusqu'alors qu'une telle chose était possible. Certains jours il la regardait se dévêtir d'un air languide et mystérieux, comme si elle réfléchissait à chacun de ses gestes avant de l'exécuter, défaisant un bouton, marquant une pause, défaisant un autre bouton, aussi lentement que si elle remuait dans son sommeil, jusqu'à s'être débarrassée couche après couche de tous ses vêtements dont la carcasse vide gisait éparse autour d'elle tel un affreux squelette.

Il laissa courir sa paume de sa hanche à sa poitrine, la sentit remuer. Se pencha, embrassa sa clavicule. Tu es réveillée ? chuchota-t-il.

Mmm, murmura-t-elle. Elle posa les lèvres sur les poils blonds de son avant-bras. Tu as un goût de sel, dit-elle. Elle se redressa au milieu des draps, colla son dos à son torse et il l'enlaça. Ils restèrent assis de la sorte à regarder par la fenêtre grande ouverte ce port impossible dont le bleu s'étendait bien au-delà et un frisson de crainte le traversa soudain à la pensée de son oncle.

Nous aurions dû nous montrer plus raisonnables, dit-il. Nous avons commis une erreur.

Un voleur qui a des scrupules, dit-elle. Ça me plaît.

Tout le monde a des scrupules.

Tu le crois vraiment ?

Mais pas toujours de la manière qu'on imagine.

Tout le monde n'est pas ainsi, dit-elle.

Il sentait ses côtes fines se soulever au rythme de sa respiration. Il faisait si chaud que la sueur s'était mise à couler à l'endroit où leurs peaux se touchaient.

Elle tendit la main et la posa sur sa poitrine. Tu ne dois pas te sentir coupable, dit-elle. Tu n'es pour rien dans cette affaire.

Il sourit. Avec ses cheveux défaits et son visage démaquillé elle paraissait brusquement très jeune.

Vraiment ? dit-il.

Elle effleura sa paupière d'un doigt léger. Tu sais que tu as de très beaux yeux, dit-elle. Presque aussi beaux que ceux d'une fille.

Il ferma les yeux et se rallongea. Encore plus beaux, dit-il.

Tout cela était encore à venir, invisible et imprévisible devant eux et pourtant on ne peut plus réel. Reckitt considérait Foole du haut de son grand âge comme il l'aurait fait d'un neveu indiscipliné. Foole fronça les sourcils mais ne dit rien. Bien plus tard il devait apprendre que cet homme n'avait alors guère plus d'une cinquantaine d'années, alors qu'il lui en aurait bien donné une quinzaine de plus. Mais il avait senti que Reckitt était dangereux, indépendamment du cadre dans lequel il l'avait engagé. Et que sa nièce ne l'était pas moins.

Il revit Charlotte le lendemain soir à l'heure du dîner. Il avait pris place à une table ronde en bois sombre en compagnie de Reckitt et d'un Français plus âgé. Un autre gentleman aux cheveux filasse et rasé d'aussi près qu'un pasteur protestant complétait leur tablée.

Charlotte était assise entre les deux hommes, les épaules dénudées, et leur souriait à tour de rôle d'un air enjôleur. Foole observait la scène. Il y avait quelque chose de froid et de déplaisant chez ce Français. Il riait trop bruyamment aux plaisanteries de Charlotte, acquiesçait avec trop d'empressement à chacun de ses propos.

Et que faites-vous au juste, monsieur ? lui demanda-t-elle. Sa robe en soie bleue scintillait à la lueur de l'éclairage au gaz.

Ah, dit-il, je suis ici pour le compte d'un diamantaire de Marseille, mademoiselle.

Merveilleux, rétorqua-t-elle avec un sourire. Ce doit être assez excitant j'imagine, ajouta-t-elle en posant la main sur le poignet du Français.

C'est le pays lui-même qui est excitant, ma chère, intervint Reckitt.

Le Français sourit derrière sa moustache cirée. Mais il est bien petit à l'échelle du monde, n'est-ce pas ? Il inclina la tête comme s'il voulait confier un secret à Charlotte mais s'adressait en fait à l'ensemble de la tablée. Tout est affaire, comment dire, de qualité. La pierre est la pierre, c'est entendu, mais elle n'est pas que cela. Il prit la main de Charlotte dans la sienne et ajouta : À Paris la beauté est toujours très recherchée.

Foole leva les yeux au ciel.

Que cela ne vous fasse pas perdre la tête pour autant, intervint Reckitt. Ce qui vous arrive facilement, à vous autres Français.

Que voulez-vous dire, monsieur?

Dès qu'il s'agit de beauté, je veux dire.

Charlotte considéra son oncle. Cela doit être dangereux de faire ce genre de transactions dans un contexte pareil. La police ne vous fournit vraiment aucune protection?

Foole se rembrunit. La conversation prenait un tour qui ne lui plaisait guère. Mais le Français ne semblait pas l'avoir remarqué.

Ah, mademoiselle, *les sauvages** ne s'intéressent pas aux diamants. Et nous disposons du plus fidèle allié qui soit, *n'est-ce pas? L'argent, mademoiselle**, ajouta-t-il avec un clin d'œil.

Ah, formidable! dit Charlotte en applaudissant des deux mains.

Je ne pense pas qu'il y ait jamais eu le moindre vol de diamants en Afrique du Sud, intervint le gentleman à sa gauche. Charlotte le dévisagea et il rougit jusqu'aux oreilles avant de baisser les yeux sur son verre de vin.

Est-ce exact, monsieur? demanda-t-elle.

Il faudrait poser la question à un Sud-Africain, murmura Foole.

Un Sud-Africain? s'exclama Reckitt en riant. Quelle drôle d'idée.

Cela existe-t-il au moins? demanda Charlotte.

Le Français sourit. La contrée est encore vierge, je vous assure. Mais vous avez les mains d'une comtesse, poursuivit-il avec emphase. *Très jolies. Non, parfaites!**

Charlotte baissa les yeux. Mon oncle estimait qu'il n'était pas très raisonnable que je me retrouve ainsi dans la compagnie de tous ces hommes. Mais je lui ai répondu qu'il n'y avait rien à craindre de la part de parfaits gentlemen. Surtout au fin fond de l'Afrique.

Oui, dit Foole d'un air caustique, j'oubliais que nous étions en Afrique.

Certains pourraient estimer que ce n'est pas un endroit très fréquentable pour une femme qui n'est pas mariée, poursuivit Charlotte.

Ah, mais nous sommes enchantés au contraire de votre présence, rétorqua le Français en tapotant la nappe comme s'il lui caressait le genou.

Vous me flattez, monsieur.

Non, c'est vrai*.

Foole baissa les yeux et regarda son assiette.

Et vous, monsieur? Que faites-vous donc qui ait pu à ce point séduire mon oncle?

Foole la regarda, surpris. Moi? dit-il. Vous nous avez sûrement entendus discuter entre nous, miss Reckitt. Nous prenons des contacts en vue de développer notre réseau commercial à Londres. J'importe des plumes d'autruche.

Ah oui*, dit le Français en souriant de l'autre côté de la table. Il y avait une grosse demande dans ce secteur à Paris voici quatre ou cinq ans. Ce doit être un commerce rentable.

Les Anglais ne peuvent s'empêcher d'emboîter le pas aux Français, intervint le gentleman réservé.

Y compris jusqu'à Waterloo, murmura Reckitt.

J'ai entendu dire que les autruches étaient des animaux redoutables, dit Charlotte.

Les autruches sont des oiseaux, répondit Foole avec une certaine humeur. Ce ne sont pas des bêtes sauvages.

Mais elles ont de terribles griffes, *oui**. Vous ne vous trompez donc pas, mademoiselle.

À ma connaissance aucune autruche n'a jamais voulu se coiffer du scalp d'un être humain, dit Foole en regardant

Charlotte. Mais du moment que des femmes telles que vous désirent orner leur chapeau de leurs plumes pour paraître plus belles... ma foi, il nous faut bien répondre à la demande. Et les autruches suivent le mouvement.

Monsieur ! s'exclama le Français en s'empourprant.

Charlotte n'avait pas quitté Foole des yeux.

Voulez-vous en savoir davantage sur les autruches, miss Reckitt ? Il faut voyager pendant des semaines dans le veld pour en rencontrer. Elles sont aussi hautes que des chevaux et lorsqu'elles se mettent à courir on les entend à cent mètres car elles émettent un bruit qui ressemble au sifflement du vent. Savez-vous que ce sont les seules créatures sauvages qu'on ait vu pleurer à la mort de leur progéniture ? Elles ont de beaux yeux, ajouta-t-il, des yeux tristes aux cils immenses. Et lorsqu'elles sont heureuses elles se mettent à danser comme des enragées en soulevant des nuages de poussière. Elles ont de redoutables griffes à l'extrémité de leurs pattes, en effet, mais qui leur servent à arracher les écorces des arbres pour y dénicher les larves dont elles se nourrissent. Je n'en ai jamais vu une seule se battre, même pour se défendre. Que vous dire d'autre ? Ah oui, quand elles ont peur elles plongent leur tête dans le sable en tremblant de tous leurs membres, le derrière en l'air. C'est un spectacle assez comique, vous pouvez m'en croire. Les chasseurs n'ont plus qu'à s'approcher et à leur trancher la tête d'un coup de hache.

Bon sang, monsieur, intervint Reckitt. Un peu de retenue.

Foole le dévisagea.

Charlotte serra sa serviette dans sa main. Je ne porterai plus jamais une seule plume d'autruche à compter d'aujourd'hui, lança-t-elle. Mais pourquoi vous obstinez-vous à exercer une aussi cruelle profession ?

Foole l'observa, impressionné malgré lui. Elle jouait son personnage avec une telle assurance et une telle grâce...

Ah, monsieur, intervint le Français, vous ne devriez pas parler de la sorte.

Mon jeune associé exagère, intervint Reckitt à l'intention de toute la tablée.

Foole baissa les yeux avant de reprendre avec raideur. Excusez-moi, miss Reckitt. Et vous aussi, messieurs. J'ai séjourné trop longtemps à l'intérieur des terres et j'en oublie les délicatesses qu'impose la vie civilisée.

Oh, Mr Bentley, dit-elle en minaudant, j'ai déjà oublié cet incident.

Foole s'inclina d'un air reconnaissant.

C'était un plaisir pour moi de vous rencontrer, messieurs, reprit-elle. J'admire votre intrépidité et votre ingéniosité, aux uns et aux autres. Ce n'est pas rien de venir chercher fortune dans un pays aussi dangereux, aussi peu civilisé. Elle leur sourit à tour de rôle puis replia sa serviette et la posa soigneusement à côté de son assiette comme si elle s'apprêtait à partir.

La tablée retint son souffle.

Quant à moi, lança soudain le gentleman assis à sa gauche, je suis dans le commerce des boutons.

Les jours passèrent. Foole l'apercevait parfois au milieu de la foule dans la galerie commerçante, penchée sur un présentoir où étaient exposés des colliers de diamants. Lorsqu'il donna ses consignes à Martin le troisième soir concernant le lieu où ils devaient se retrouver avec les chevaux, il ne fit aucune allusion à la jeune femme. Mais il l'aperçut dans le jardin sur la terrasse à la fin de la journée, assise seule devant un verre de vin auquel elle n'avait pas touché, et se dirigea aussitôt vers elle sans comprendre ce qui le poussait à agir ainsi.

Mr Bentley, dit-elle en levant les yeux vers lui. Quelle agréable surprise. Asseyez-vous, je vous en prie. Mon oncle avait l'impression que vous cherchiez à m'éviter.

J'ai été occupé.

Occupé à m'éviter.

Je vous assure, dit-il en hochant la tête.

Vous ne m'avez rien dit au sujet de mon petit numéro l'autre soir. Non, ne le niez pas, l'interrompit-elle en levant sa main gantée.

Foole s'assit en face d'elle dans la lumière du soir. Êtes-vous vraiment sa nièce ?

Vous en doutez.

Il haussa les épaules.

Elle tendit la main et saisit le pied de son verre de vin en ayant l'air de réfléchir à quelque chose. Puis elle esquissa un sourire. Je ne suis pas sa nièce par le sang, si c'est ce que vous voulez dire. Mais je le considère bel et bien comme mon oncle.

Il la dévisagea pendant un bon moment. De toute façon, finit-il par dire, cela ne me regarde pas.

Vous vous comportez comme si vous étiez en colère contre moi.

Je ne suis pas en colère contre vous.

Je le sais bien.

Il fronça les sourcils, irrité.

Elle reposa son verre sur la nappe. Martin m'a recueillie quand j'avais onze ans, finit-elle par dire en soutenant le regard de Foole. J'étais dans un orphelinat, il est apparu un jour dans l'encadrement de la porte, très bien habillé, m'a montrée à la surveillante en lui disant qu'il avait obtenu ma garde et qu'il était venu pour m'emmener. Je ne l'avais jamais vu auparavant.

Je ne comprends pas.

Moi non plus je n'ai pas compris sur le moment. Et je ne comprends toujours pas très bien. J'ai cru à une époque qu'il avait connu ma mère mais j'en doute fort à présent. Elle a été emportée par le choléra quand j'avais six ans. Charlotte le regarda avec une expression d'une totale franchise, d'une troublante pureté, et Foole sentit pour la première fois s'insinuer en lui une forme d'attirance à son égard. Martin m'a prise sous sa protection, reprit-elle. Il m'a enseigné ce que je sais. Je lui dois absolument tout.

Foole haussa un sourcil.

Vous ne le croyez pas capable de se comporter de la sorte.

Il haussa les épaules.

Je ferais n'importe quoi pour lui, Mr Bentley. N'importe quoi.

Foole acquiesça.

Vous êtes en train de vous demander si vous pouvez me croire ou non, dit-elle.

Il sourit malgré lui. Le reconnaître serait une injure à votre égard, dit-il. Vous êtes une femme énigmatique, miss Reckitt.

Elle émit un petit rire. Cela sonne comme une menace, monsieur.

Une dame âgée vêtue de dentelle s'approchait d'eux, à la recherche d'un siège.

La difficulté bien sûr consiste à ne pas dépasser le budget initialement fixé, lança brusquement Foole. Entre les frais de stockage, le transport de la marchandise, les taxes d'importation, tout doit être prévu au centime près.

Oui, sinon on peut faire une croix sur les bénéfices.

La dame s'arrêta, esquissa un sourire et s'éloigna.

C'est pourquoi je suis venu me rendre compte en personne de la situation, ajouta Foole d'une voix forte en regardant la dame s'arrêter à la table voisine. L'agent du diamantaire français y était assis. Foole le vit se lever galamment et tirer une chaise afin que la dame puisse s'asseoir auprès de lui. Son regard croisa celui de Foole et il lui adressa un petit hochement de tête auquel Foole répondit.

Croyez-vous qu'il soit vraiment dans le commerce des diamants ? lui demanda Charlotte à voix basse.

Je ne crois même pas qu'il soit français, lui répondit Foole en souriant.

À mesure que les jours passaient, Foole sentait l'excitation le gagner. Son plan était relativement simple. Ils se rendraient à cheval dans une zone déserte et reculée du veld et tendraient une corde en travers de la piste pour faire culbuter l'attelage. La diligence se renverserait, ils maîtriseraient le conducteur, désarmeraient le garde boer. Il expliquait tout cela à Reckitt un après-midi dans un saloon non loin du port. Croyez-moi, lui dit-il, c'est ainsi que nous opérons dans le Midwest depuis la guerre. Cela marche à tous les coups.

Nous ne sommes pas des gangsters, rétorqua Reckitt. Nous ne procédons pas ainsi.

Foole se contenta de sourire et de confier ses instructions à son complice plus âgé. Ils devaient se retrouver au pied d'un ravin à la sortie de la ville la nuit de la nouvelle lune, équipés pour une longue chevauchée. Il insista bien sur le fait qu'ils devaient se munir de fusils et de revolvers, même s'il était peu vraisemblable qu'ils aient à en faire usage. Il est hors de question d'abattre un seul de ces hommes, précisa-t-il. Il s'agit simplement de les tenir en joue. Mais lorsqu'il se présenta cette nuit-là sur le lieu du rendez-vous, deux cavaliers l'attendaient dans l'obscurité. Il dégaina aussitôt son arme, avant d'entendre Reckitt qui disait d'une voix rauque : On dirait que Mr Bentley est arrivé, Charlotte.

Foole jura entre ses dents.

Ils se mirent en route les uns derrière les autres sous le ciel constellé d'étoiles. Si quelqu'un les avait aperçus, ils auraient aisément pu passer pour une petite troupe de mineurs poursuivant leur chemin sur la piste déserte. Leurs sacoches étaient pleines, leurs casseroles fixées derrière leurs selles et leurs couvertures arrimées au flanc de leurs montures squelettiques. Foole ne pouvait s'empêcher de penser aux implacables guerriers Xhosa qui les guettaient peut-être depuis les hauteurs des collines environnantes, se souvenant des histoires qu'on lui avait racontées au sujet de leurs fréquents soulèvements, des lames effilées de leurs lances et de leur froide cruauté. Redoutez-les, l'avait prévenu un négociant en ville, car ils sont pires que des bêtes sauvages lorsqu'ils se mettent en chasse.

Il arrêta brusquement son cheval après avoir aperçu la lueur orangée d'un feu qui brûlait plusieurs miles en dessous à l'extrémité de la piste.

Charlotte le rejoignit. Elles brillent avec une telle intensité, dit-elle.

Il leva les yeux vers le ciel et suivit son regard. Oui, dit-il, il va falloir faire attention.

Ce n'est pas ce que je voulais dire.

Il la regarda.

Les premiers diamants de la soirée, murmura-t-elle.

Espérons que ce ne seront pas les derniers, dit Reckitt qui les avait rejoints et gardait la main gauche repliée sous son aisselle.

Votre poignet vous fait toujours mal ?

Non.

Ils restèrent assis tous les trois sur leurs selles tandis que leurs chevaux s'ébrouaient.

Alors, où se trouve cette fameuse faille ? demanda Charlotte.

Ils comptaient rejoindre une anfractuosité creusée dans le calcaire par un ancien glacier et connue dans la région sous le nom de crevasse du Chinois. Le passage ne formait qu'un étroit goulet à son extrémité et était bordé sur toute son étendue par une imposante paroi rocheuse qui s'élevait de part et d'autre. Foole se remit lentement en route, suivit le terrain en pente douce et s'engagea à travers la plaine en laissant la piste derrière eux. Il y avait une longue descente sept miles plus loin puis une rivière à traverser avant qu'ils n'atteignent la crevasse elle-même. Et Foole préférait éviter de croiser le chemin d'autres voyageurs si jamais il s'en présentait.

Le ciel pâlissait. Avant que l'aube ne se lève, ils mirent pied à terre et laissèrent leurs chevaux se reposer au bord d'un petit cours d'eau. La silhouette d'un homme vêtu d'un pagne et armé d'une lance émergea soudain dans la pénombre. Il conduisait un troupeau de moutons dans la lumière grise et fit un écart pour les éviter tout en les surveillant du coin de l'œil. Foole s'était accroupi dans l'herbe aussi sèche que de la paille, le fusil de Reckitt posé sur ses genoux, écoutant tinter la clochette retenue par une lanière de cuir que le berger portait autour du cou. Puis l'homme s'éloigna suivi par son troupeau sur le sol caillouteux et fut bientôt hors de vue.

Arrivés devant la crevasse du Chinois, ils mirent pied à terre, prirent le rouleau de corde suspendu à la selle de Foole et le tendirent à l'entrée de l'étroit défilé, à peu près à la hauteur du poitrail d'un cheval. Solidement fixée de part et d'autre, la corde était aussi résistante qu'un filin d'acier et presque invisible dans la lumière incertaine de l'aube. Tous ces gestes avaient été accomplis en silence, seul le bruit de leurs bottes résonnait sur le sol rocheux. Foole envoya Charlotte se cacher dans les broussailles une centaine de mètres plus loin avec les trois chevaux. Reckitt protesta lorsqu'il s'en aperçut mais Foole refusa de revenir sur sa décision. Pour rien au monde il n'aurait accepté que la fille soit à leurs côtés. De part et d'autre de la crevasse s'élevaient de gros rochers et la silhouette fantomatique d'un arbre solitaire se découpait sur l'une des pentes, agitée par le vent. Foole alla se placer de ce côté-là, ses deux pistolets posés devant lui sur une pierre plate. Reckitt s'installa quelques mètres plus loin entre deux rochers d'où il pouvait voir arriver la diligence.

Ils attendirent. Foole sentait la froideur du sable sous ses genoux. Il percevait aussi autre chose, un roulement qui montait des profondeurs du sol comme si une locomotive avait traversé la terre beaucoup plus bas. Il s'essuya les mains sur son pantalon et arma ses pistolets. Son cœur battait sourdement dans sa poitrine. Et il perçut brusquement le cliquetis des roues ferrées et le martèlement étouffé des sabots sur la piste sablonneuse. Il se redressa en s'abritant derrière l'arbre.

La diligence apparut soudain, entraînée par les chevaux au galop qui fonçaient dans l'étroit défilé et se rapprochaient à vive allure. Foole eut l'impression qu'un silence inhumain s'était abattu sur l'ensemble du décor et qu'il n'y avait plus autour d'eux que cette lueur diffuse et calme dans le clair-obscur précédant l'aube.

Puis il y eut un crissement, un grésillement plutôt, pareil à celui d'un fer rougi plongé dans l'eau.

Un choc violent dans l'air gris.

Des hennissements de chevaux.

La corde céda, tranchée net, et siffla comme une balle à son oreille tandis que la diligence versait sur le côté dans un nuage de poussière et que des cris s'élevaient dans la mêlée. Foole avait remonté le foulard qui lui masquait le bas du visage et se tenait prêt, un pistolet dans chaque main. Il en brandit un et tira un coup en l'air.

Trois des chevaux se débattaient dans le sable, coincés dans leurs harnais. Un homme était étendu entre eux, le visage dans la poussière, mais Foole n'aurait su dire s'il s'agissait du conducteur ou du garde boer. Une seconde détonation retentit et il crut pendant une fraction de seconde que Reckitt avait tiré à son tour. Mais un troisième puis un quatrième tir éclatèrent aussitôt, faisant gicler des morceaux d'écorce et de branches au-dessus de lui. Foole se retourna et distingua deux hommes agenouillés derrière la diligence couchée en travers de la piste et qui tiraient dans tous les sens à l'aide de Winchester à répétition, avec une violence et une sauvagerie qui l'obligèrent à se mettre à l'abri.

Il tira à son tour, la tête penchée et les yeux mi-clos, et entendit enfin le fusil de Reckitt répondre à leurs adversaires. Il rampa sur le côté et aperçut le vieux cambrioleur accroupi dans le sable la tête entre les mains. Son chapeau avait volé à ses pieds. Mais Foole entendait toujours les détonations du fusil et ne comprenait pas ce qui se passait.

Et tout à coup il vit Charlotte adossée à l'un des rochers qui tirait, rechargeait son arme et tirait à nouveau avec un calme souverain, comme si elle avait fait ça toute sa vie.

Ils prirent la fuite, agrippés au col de leurs chevaux terrorisés. Ils ralentirent l'allure au bout de quelques miles et poursuivirent leur route sous le ciel rougeoyant dans un silence de plomb. Reckitt avait plaqué un mouchoir contre sa tempe, à l'endroit où une balle l'avait effleuré avant de l'envoyer rouler dans la poussière. Un peu plus loin ils changèrent de tenue et se dispersèrent pour regagner Port Elizabeth séparément. Ils arrivèrent plusieurs heures avant la diligence mais craignaient d'être ensuite reconnus. Foole laissa sa monture dans l'étable de l'hôtel, ôta sa selle et rejoignit sa chambre. Une lampe était allumée, les stores en bois avaient été relevés à cause de la chaleur. Charlotte était effondrée sur la chaise du bureau, la poussière de la piste maculait encore son visage.

Debout devant la fenêtre, Reckitt se tourna vers lui d'un air calme. Foole sentit qu'une décision avait été prise en son absence et ses sens furent aussitôt en alerte.

Il faudra dissimuler ça, dit-il d'une voix douce en désignant la tempe ensanglantée de son associé.

Reckitt regarda sa nièce d'un air mécontent.

Qu'y a-t-il ?

Mon oncle estime que vous ne lui aviez pas présenté les choses sous cet angle à Londres, dit Charlotte en baissant la voix.

J'avais entendu dire que vous étiez méthodique, murmura Reckitt. Et que vous aviez du talent.

Et moi j'avais entendu dire qu'on pouvait compter sur vous.

Ce qui signifie ?

Foole refoula la bouffée de colère qui montait en lui. Une porte s'ouvrit dans le couloir et ils se turent tous les trois.

Deux voix d'hommes s'approchèrent de la chambre avant de s'éloigner. Foole reprit à mi-voix : Cela signifie que, si vous aviez tenu votre position et utilisé votre arme à bon escient, nous n'en serions pas là.

Nous ne nous servons pas de fusils à Londres, monsieur, répliqua Reckitt d'un air offensé. Ce n'est pas ainsi que nous travaillons. Nous ne sommes pas des voleurs de grands chemins.

Il faut savoir s'adapter à la situation. Je vous croyais capable de comprendre ce genre de principes.

Ne me parlez pas de principes.

Foole baissa encore la voix. Si vous aviez agi comme vous étiez censé le faire, les gardes auraient abandonné la partie et le butin ne nous aurait pas échappé. Notre opération ne se serait pas soldée par un échec.

Charlotte s'agita sur son siège. Mais il y avait deux gardes, Mr Foole. C'est cela le point important.

Reckitt la regarda d'un air froid et n'ajouta rien.

Foole détourna les yeux. Pensez au bénéfice que nous en aurions tiré, Martin. Personne n'a jamais tenté cela avant nous. Nous aurions été les premiers.

Avec vous à la tête nous ne risquions pas de réussir.

Foole portait toujours ses sacoches au bras. Je comprends qu'elle veuille se retirer, dit-il, mais si vous désertez vous aussi…

Nous ne désertons pas, le coupa sèchement Reckitt. Nous nous retirons d'un projet insensé. Ce n'est pas la même chose. Quant à vous, monsieur, estimez-vous heureux de ne pas vous en tirer plus mal. Savez-vous le sort que les Boers réservent aux voleurs de grands chemins ?

Nous n'avions pas toutes les données en main, c'est tout.

J'ai failli recevoir une balle en pleine tête. Et vous avez risqué la vie de ma nièce.

C'est vous qui l'avez risquée, rétorqua Foole. Je n'ai jamais souhaité sa présence ici. Si vous laissez tout en plan, ne venez pas me dire que c'est pour le bien de votre nièce.

Charlotte se releva dans un froissement de taffetas. Foole comprit que cette interminable nuit tirait à sa fin.

J'aurai ces diamants, Martin.

Charlotte se racla la gorge.

C'est peu probable, monsieur, dit Reckitt en le regardant d'un air triste.

Je vais rester, dit Charlotte.

Foole crut avoir mal entendu. Reckitt et lui se tournèrent d'un même élan et la dévisagèrent.

Je vais rester, répéta-t-elle. Il faut bien que quelqu'un se dévoue, mon oncle. Nous n'allons pas laisser Mr Foole se débrouiller tout seul.

Une lueur mauvaise brilla un instant dans les yeux de Reckitt mais elle disparut aussitôt.

Il devait comprendre beaucoup plus tard que ce n'était pas elle la fautive. N'empêche qu'il aurait dû se méfier, percevoir dès cet instant l'esquive, le traquenard, le coup monté.

À quoi l'amour se réduit, une fois qu'on est piégé.

Reckitt les quitta dans la matinée. Aucun argument n'avait pu le convaincre de rester. Foole n'était guère enchanté de le voir rejoindre avant lui les cercles londoniens et donner du même coup la version des faits qui lui conviendrait. Ils avaient passé la fin de la nuit à peser le pour et le contre et à examiner les diverses options qui s'offraient à eux pour décider au bout du compte de s'en tenir à leur plan initial. Foole devait regagner Brindisi seul avec les diamants et y retrouver son complice. À ceci près qu'il avait maintenant exigé que ce soit Charlotte et non pas Martin qui aille l'attendre là-bas.

À la gare, Reckitt tenait sa petite valise à la main, sa malle ayant déjà été enregistrée, parfaite silhouette du gentleman cambrioleur en redingote et coiffé d'un chapeau de soie sous lequel brillaient ses cheveux argentés.

Les nouvelles iront plus vite que nous, murmura Foole. Dès qu'elles vous parviendront...

Je prendrai le billet de Charlotte pour Brindisi, oui.

Foole opina.

Le vieux cambrioleur prit les mains gantées de Charlotte dans les siennes. Si tu changes d'avis ou si quelque chose tourne mal, lui dit-il, je te câblerai l'argent nécessaire à ton retour. Il adressa à Foole un regard froid. Je vous la confie, monsieur. Je compte sur vous pour prendre soin d'elle. Le contrôleur arpentait le quai, invitant les gens à monter à bord. Des jets de vapeur jaillissaient en sifflant des chaudières, des passagers criaient de tous les côtés. En relevant les yeux, Foole aperçut les fumées qui se découpaient sur le ciel au-dessus des maisons et un Boer en armes qui l'observait depuis une passerelle.

Vas-y, dit Charlotte à son oncle.

Foole avait déjà commencé à élaborer un nouveau plan. Le matin même il avait vu la diligence arriver en ville alors que le bateau avait déjà quitté le port. Les gardes boers surveillaient la foule de près tandis qu'ils transportaient leur chargement jusqu'au bureau de poste afin de le mettre en sécurité dans un coffre-fort où il attendrait le départ du prochain bateau. Les journaux du soir se faisaient l'écho de nombreuses rumeurs. Certains prétendaient que la diligence avait été attaquée par des gangsters américains du Midwest. D'autres par des évadés australiens. Mais il n'avait pas échappé à Foole que le receveur du bureau de poste était un vieil homme au dos voûté et aux mains tremblotantes qui voyait d'un air inquiet ces diamants arriver dans son établissement.

Les journées passèrent après le départ de Reckitt. Charlotte et lui se croisaient fréquemment. Un après-midi elle lui prit le bras sur la terrasse de l'hôtel et ils descendirent ensemble jusqu'au port dans leurs légers vêtements de coton. Ils allèrent manger au restaurant comme s'ils étaient mari et femme. Il avait de la peine à se la représenter telle qu'il l'avait vue, tirant et rechargeant son arme avec calme dans la grisaille du désert. Il songeait qu'elle était censée être actrice et tout cela lui paraissait invraisemblable.

Vous avez déjà participé à ce genre d'opération, lui dit-il.

Une ou deux fois, répondit-elle en souriant.

Qui êtes-vous ?

Charlotte Reckitt. Enchantée de faire votre connaissance, ajouta-t-elle en lui tendant la main.

Ce n'était pas le sens de ma question.

Vous savez ce qu'il en est, dit-elle avec un sourire. Le banditisme, c'est comme la boisson. Passé le premier verre, on ne peut plus s'arrêter.

À mesure que son plan prenait forme, Foole commençait à le mettre à exécution. Il s'écrivit plusieurs lettres et les posta depuis une ville voisine. En allant les chercher, il engagea la conversation et lia connaissance avec le vieux postier. Un après-midi, il était en train d'écrire quand Charlotte s'approcha de lui et regarda la lettre par-dessus son épaule.

Vous m'espionnez, dit-il en reposant sa plume.

Pas du tout, répliqua-t-elle d'un air offensé. Mais je vous signale qu'il n'y a qu'un *n* à canon.

Il aperçut pour la première fois ses chevilles ce soir-là tandis qu'elle descendait l'escalier pour se rendre à la salle à manger. Il avait bu. Il contempla la soie bleue de sa robe et les boucles serrées de ses cheveux noirs en sentant une joie inattendue l'envahir. Et cela ne tenait pas qu'au vin.

Que se passe-t-il ? lui demanda-t-elle

Plus tard, tandis qu'elle remontait, il ne put s'empêcher d'observer le mouvement de sa jupe qui balayait les marches devant lui. Une fois dans sa chambre il se sentit un peu emprunté, ne sachant pas trop quoi faire de sa langue tandis que ses lèvres rejoignaient les siennes. Elle posa ses mains brûlantes sur sa poitrine en le poussant lentement vers le lit et il la vit dans l'obscurité ôter les épingles qui retenaient ses cheveux.

Ils se retrouvèrent à nouveau le lendemain matin. Puis l'après-midi. Les choses n'auraient pas pu se passer de cette façon dans une autre ville, sauf peut-être à Paris. Foole sortait du lit et traversait la chambre en costume d'Adam et elle le regardait en silence. Il aurait voulu lui faire vivre quelque chose qu'elle n'avait connu avec aucun autre homme mais ignorait en quoi cela pouvait consister. Durant ces premiers jours il se sentait comblé et tellement vidé qu'une brusque faiblesse l'envahissait dès qu'il se mettait debout. Une sorte de pureté, de clarté concentrée semblait irradier de l'intérieur de son corps. Il lui parlait des cargaisons qui quittaient les mines, évoquait et soupesait les failles du système. Observait les bateaux à vapeur dans le port, les Boers qui surveillaient les opérations sur les quais le fusil à la main tandis qu'on chargeait les caisses à bord. Elle laissait courir sa main sur la manche de sa veste, chassant un fil qui y traînait. Il essayait de ne pas penser à son oncle et à la réaction qu'il aurait eue s'il avait pu les voir. Il savait qu'il s'agissait d'une sorte de trahison, d'un manque de professionnalisme qu'il n'aurait jamais pardonné lui-même à un complice. Et pourtant la situation perdurait.

Mais le plan n'en continuait pas moins de prendre forme dans son esprit, d'une simplicité qui en faisait toute l'élégance. Il y avait bel et bien deux Foole : celui qu'on voyait vivre, manger, dormir et faire l'amour ; et l'autre qui se tenait dans l'ombre, attentif et véloce, sauvage et mal rasé.

Et cet autre était le plus vrai des deux.

Au bout du compte, la méthode s'imposa d'elle-même. Il savait que les convois des Boers arrivaient au port à la minute près, juste à temps pour décharger leur cargaison de diamants à bord des bateaux qui rejoignaient l'Angleterre. Ces diligences étaient accompagnées de gardes armés jusqu'aux dents et traversaient le veld sans s'arrêter sinon pour changer de chevaux. Elles arrivaient sur le quai hérissées de fusils en soulevant des nuages de poussière. Mais à la suite de son hold-up manqué il avait compris où était la faille du système : s'ils arrivaient trop tard au port les diamants étaient stockés jusqu'au lendemain dans le coffre-fort de la poste. Il avait vu ce coffre et savait qu'il pouvait être aisément forcé. Il savait aussi que les bacs permettant aux diligences de traverser les cours d'eau sur la route de Kimberley n'étaient pas gardés et qu'il suffisait de trancher l'un des câbles pour retarder de plusieurs heures l'arrivée du convoi. Mais cela ne pouvait se faire sans alerter les Boers qui ne manqueraient pas de renforcer leur dispositif à la suite d'un tel sabotage.

Il va falloir que Dieu nous vienne en aide, lui dit Charlotte un soir.

Tu comptes prier pour lui demander de trancher ce câble à notre place ?

Elle leva les yeux au ciel et l'embrassa sur les paupières. Ne sois pas ridicule. Il est inutile de saboter le bac. L'essentiel est qu'il soit immobilisé.

Tu veux dire qu'il suffit d'attendre qu'une tempête se déchaîne ?

Oui. Attendons donc, murmura-t-elle, cela laissera aux Boers le temps d'oublier notre tentative avortée.

Mais la saison des pluies ne commencera pas avant plusieurs semaines.

Mmmoui. D'innombrables semaines.

Il saisit ses poignets et l'attira contre lui.

Comment allons-nous pouvoir occuper tout ce temps ? lui chuchota-t-elle à l'oreille.

Au cours de la deuxième semaine il se rendit seul en train jusqu'au Cap et expédia deux paquets estampillés « Urgent » à sa boîte postale de Port Elizabeth. Quelques jours plus tard il débarqua au bureau de poste à l'heure de la fermeture et frappa au carreau avec insistance. Le vieux receveur était originaire du Midwest et Foole avait déjà perdu plusieurs parties de whist contre lui. Le postier lui adressa donc un large sourire et le fit entrer. Ce n'était pas comme dans une banque, il n'y avait pas le moindre garde. Le receveur s'appelait Holloway et Foole avait un peu honte de le mener ainsi en bateau. Mais cela ne l'empêcha pas, dès qu'il eut le dos tourné, de s'emparer du trousseau fixé à un clou derrière le comptoir et de réaliser à toute vitesse une empreinte de chacune des clefs grâce à la cire qu'il avait apportée. Il remit ensuite le trousseau à sa place juste avant le retour du vieil homme.

Il avait ainsi pu se procurer un double des clefs du bureau de poste et les confia à Charlotte qui les rangea dans une petite boîte. Il était étonné de voir à quel point il lui faisait confiance. Il déambulait parfois sans elle dans les galeries marchandes en regardant les vitrines, les mains croisées derrière le dos, et lui rapportait des paquets entourés de rubans contenant de petites statuettes, des tasses en porcelaine, un collier en perles de bois polies. Le port grouillait d'une activité trépidante. Chaque jour de nouveaux arrivants débarquaient remplis d'espoir tandis que d'autres remontaient à bord des navires en ayant tout perdu. Certains s'exprimaient dans des langues qu'il ne devait plus jamais entendre parler par la suite et il s'immobilisait parfois sur le trottoir pour regarder passer ces cohortes de chariots en éprouvant au fond de lui l'étreinte du glorieux destin qui était secrètement le sien.

Me considères-tu comme une femme perdue ? lui demandat-elle un soir.

Il ne répondit pas et caressa ses cheveux du bout des doigts.

Je m'attends sans cesse à le voir surgir au coin de la rue, reprit-elle. Et à m'adresser l'un de ces regards dont il a le secret.

Il est à Londres, Charlotte. Comment pourrait-il être au courant ?

Elle le dévisagea un long moment. Tu n'es pas comme lui, murmura-t-elle enfin.

Je l'espère bien.

Elle eut un petit sourire et détourna les yeux. Tu es comme une pierre qui est restée trop longtemps dans l'eau et dont les couleurs se sont estompées.

Un peu plus tard ce soir-là elle lui dit : J'ai une question à te poser, à propos de quelque chose que je dois absolument savoir.

Mais il sombrait déjà dans le sommeil. Il entendait sa voix comme si elle s'était trouvée très, très loin et s'endormit brusquement. Et le lendemain matin, au réveil, il avait oublié la question.

Ils déménagèrent et allèrent s'installer dans un petit hôtel, un immeuble situé à l'angle d'une rue et dont le nom était peint à la chaux sur sa façade bleue. Foole traversa le hall au plancher fatigué, Charlotte à son bras, et signa le registre pour eux deux à la réception. Le soleil tombait par les carreaux salis des fenêtres, faisant miroiter les grains de poussière en suspens dans l'atmosphère. L'escalier craqua sous leurs pas tandis qu'ils rejoignaient leur chambre à l'étage. La pièce donnait sur la rue et le bureau de poste se trouvait juste en face. Lorsque Foole ouvrit la fenêtre pour l'aérer, il entendit le lit grincer sous le poids de Charlotte et cela résonnait comme un adieu.

Ils attendaient toujours qu'une tempête se déclenche mais le temps ne se décidait pas à changer. Entre-temps ils se montraient aimables envers tout le monde et furent bientôt connus comme le loup blanc dans les environs. Ils se promenaient le soir sur le front de mer, mangeaient ensemble dans les restaurants du port. Il avait connu d'autres femmes avant elle mais le sentiment qu'il éprouvait à présent était nouveau pour lui, loin de la simple pulsion animale. Le matin elle était allongée sur le lit, les draps rejetés par terre, et il la pénétrait très lentement, s'enfonçant de plus en plus profondément en elle. La blancheur de sa peau le stupéfiait, on aurait dit qu'elle rayonnait, éclairée de l'intérieur. Le soir elle se mettait à califourchon sur lui, les cheveux encore noués, les mains sur les fesses et le dos cambré. Et plus tard il sentait le goût de sa propre peau sur ses lèvres à elle. Il était jeune, pour lui le corps de cette femme représentait le monde. Et il le voulait en entier.

Elle pouvait aussi bien se montrer acerbe et caustique que versatile et tendre. Elle n'avait pas toujours envie qu'on la touche. Un soir elle s'écarta brusquement de lui et le repoussa.

Il se souleva sur un coude. Je croyais que tu aimais ça.

Tu n'es pas ici, dit-elle en se levant et en se rhabillant. Tu me regardes comme si j'étais transparente. Tu penses à l'expédition.

Non.

Si.

Je t'aime, dit-il. À peine l'avait-il dit qu'il sut que c'était la vérité.

Elle le dévisagea avec une expression impénétrable puis parut tout à coup très en colère. Il ne comprenait pas ce qui se passait. Elle se pencha pour ramasser ses affaires et ses cheveux tombèrent devant son visage comme un rideau de pluie.

Garde ta pitié pour toi. Tu crois peut-être que tu es le premier.

Charlotte...

Garde ta pitié pour toi, répéta-t-elle.

Charlotte, où vas-tu ? Attends.

Regarde-toi dans la glace, lança-t-elle d'un air sauvage. Et baise ton reflet tant que tu y es.

Le lendemain matin elle était assise à leur table habituelle. Il s'approcha d'elle avec appréhension mais elle se contenta de lui sourire comme si de rien n'était.

Regarde le gros rougeaud là-bas, chuchota-t-elle en lui désignant des yeux une table à l'autre bout de la pièce.

Il crut tout d'abord qu'elle voulait faire allusion à la scène de la veille. Un couple âgé prenait son petit déjeuner dans un silence qui évoquait de longues années de mariage. Avec son visage écarlate et ses énormes favoris, l'homme avait l'allure d'un gouverneur colonial. À côté de lui, les mains sous la table, sa femme avait les lèvres pincées et un regard franchement désapprobateur. L'homme feuilletait d'un air distrait l'édition matinale du quotidien local.

Ce n'est pas son épouse, glissa Charlotte avec un sourire. Elle s'appelle Mrs Picquet et dirige le meilleur bordel de Kimberley.

Non, dit-il en souriant à son tour.

Je t'assure. Elle est assez connue. Quant à lui, il s'appelle Sweeney et possède en ville une boutique d'articles pour dames. *Très cher**.

Comment sais-tu tout ça?

Elle lui fit un clin d'œil.

Je suis sûr qu'il s'agit d'un rendez-vous d'affaires, dit-il.

Bien sûr, répondit-elle avec un large sourire. Je te laisse imaginer à quoi sont occupées ses mains sous la table en ce moment même...

Voilà comment les choses se passaient. Inattendues, inexplicables, aussi soudaines qu'intenses. Ce matin-là il avait voulu lui demander où elle avait passé la nuit mais s'en était finalement senti incapable. Il avait l'impression d'être très jeune en sa présence. Et ne comprenait strictement rien, il s'en rendait compte, à ce qui leur arrivait.

Ils attendaient. Les semaines s'écoulaient et aucune tempête ne se profilait à l'horizon. D'énormes insectes à carapace qui semblaient sortir en droite ligne du jurassique venaient se cogner aux lampes ou se prendre dans les rideaux. Il les libérait le matin avant de les relâcher dans la nature. Le vol de diamants commençait à perdre son aspect tangible, si ce n'est sa réalité. Foole n'avait pas imaginé que le bonheur puisse avoir ce caractère exclusif et prendre ainsi toute la place jour après jour, nuit après nuit.

Ils se promenaient le long du front de mer et louaient à un marchand hongrois des vélocipèdes munis d'énormes roues avant. Ils faisaient la queue dans les parcs pour acheter des glaces à la papaye dont ils jetaient les petites cuillères en bois pour les manger avec les doigts comme des gamins. Foole emmena un jour Charlotte dans le bureau qu'il avait loué et la présenta à l'employé qui s'occupait de l'expédition des plumes d'autruche. Il essayait de ne pas trop suivre des yeux le balancement de ses hanches en vérifiant avec lui le livre de comptes. La troisième semaine il retourna dans le veld pour acheter un nouveau lot mais ne discuta ni le prix ni la qualité des plumes. Les responsables des tribus locales prirent son argent et le regardèrent partir d'un air compatissant. Êtes-vous malade ? lui avaient-ils demandé, et il se dit que tel était peut-être bien le cas. Il comprit que le jeune et enjoué Mr Bentley n'existait déjà plus et qu'il allait bientôt falloir tirer un trait sur sa fausse identité.

Et puis un beau matin en se réveillant il aperçut Charlotte qui regardait par la fenêtre. Le ciel derrière elle était d'une noirceur d'encre. Avec ce visage très pâle où seuls brillaient ses yeux d'ébène, enveloppée dans les plis d'un drap qui prenait presque l'apparence d'un suaire, elle était d'une beauté troublante.

L'heure a sonné, lui dit-elle.

La tempête souleva les toits des entrepôts à l'est du port. Le vent chaud s'abattit en éparpillant les tuiles des bureaux du centre et des pluies diluviennes vinrent frapper de plein fouet les fenêtres de l'hôtel. Dans le port les gros navires à vapeur oscillaient, ballottés le long des quais. Un énorme rideau de pluie se déversa jusque dans le centre de la ville, charriant les débris de porches et de barrières arrachés le long des routes, des cadavres de chiens, des branches d'acacia, des vêtements déchirés et gorgés d'eau, des caisses et des roues de charrette brisées par la force du courant. Mais dès la nuit suivante le plus gros de la tempête était passé. Foole et Charlotte quittèrent tranquillement la ville à cheval en suivant le même itinéraire que la fois précédente.

Tandis que la nuit cédait lentement place à une aube rougeâtre, ils aperçurent enfin les contours et les clôtures branlantes d'un poste de relais qui paraissait désert mais ne l'était évidemment pas. Ils contournèrent la propriété malgré l'état d'épuisement de leurs chevaux et rejoignirent la route principale environ deux miles plus loin. L'herbe jaune du veld s'étendait de toutes parts autour d'eux. Un baobab solitaire se découpait à l'est dans la brume grise. Ils perçurent le bruit de la rivière avant même qu'elle n'apparaisse à leurs yeux.

Le câble qui permettait de la franchir semblait ne pas avoir servi depuis des années, les poteaux qui le soutenaient penchaient sur le côté et le filin d'acier se balançait en frôlant l'eau. On distinguait sur l'autre rive le bac à fond plat qui oscillait, soulevé et secoué par le courant de la rivière en crue.

Tu crois qu'ils arriveront à passer après une telle tempête ? demanda Charlotte.

Foole descendit de cheval et marcha jusqu'au pylône en bois qui maintenait le câble en place. Il avait le dos trempé, la chaleur s'installait déjà. Il posa la main sur le pylône et examina le câble qui rejoignait l'autre rive par-dessus le flux des eaux boueuses. Il fit demi-tour, rejoignit son cheval et sortit de l'une des sacoches un couteau acéré qui lui avait été offert jadis par un pêcheur de La Nouvelle-Orléans.

Ma foi, dit-il, nous verrons bien.

Il regagna le pylône, posa le pied sur le câble qui y était fixé et pesa de tout son poids avant de l'attaquer du tranchant de son couteau. Les fibres d'acier cédèrent une à une. Il perçut soudain un craquement sourd semblable à celui du bois vert éclatant dans le feu. Il sentait la traction qu'exerçait le bac de l'autre côté de la rivière et Charlotte devait calmer les chevaux qui s'agitaient. Lorsqu'il en vint à bout, le câble céda et glissa sous la semelle de sa botte en émettant un sifflement aigu. Sur l'autre rive, il vit le bac tournoyer sur lui-même avant d'être emporté par le courant, puis de s'échouer une trentaine de mètres plus loin sur un banc de sable. Il tangua un peu, soulevé par le courant, mais ne se renversa pas.

Il effaça les empreintes qu'ils avaient laissées dans la poussière. La terre était déjà aussi sèche que s'il n'avait pas plu. Il alla remplir leurs gourdes dans la rivière, les reboucha et remonta la pente. Entre-temps Charlotte avait emmené leurs chevaux un peu plus loin. Il considéra les ornières de la piste, puis le ciel.

Moins d'une heure plus tard, trois diligences jaillirent l'une après l'autre au milieu des jacarandas en soulevant un nuage blanc de poussière dans la chaleur du petit matin. Un Boer était juché à l'arrière de chaque véhicule, une Winchester à répétition à la main. Les diligences étaient secouées au gré des ornières et les conducteurs avaient les mains crispées sur les rênes. Lorsqu'elles s'approchèrent du point d'embarquement, elles ralentirent l'allure et les gardes jetèrent des regards inquiets autour d'eux. Il était encore tôt et ils avaient le soleil dans le dos. Le premier descendit, donna un coup de pied dans l'énorme câble lové dans la poussière et regarda un peu plus bas, à l'endroit où le bac s'était échoué sur un méandre de la rivière. La porte de la première diligence s'ouvrit et un blondinet en descendit en se tenant le dos. Un colt dans son étui brillait à sa ceinture.

Foole et Charlotte contemplaient la scène à l'abri d'une dune herbeuse deux cent cinquante mètres plus loin. Ils avaient attaché leurs chevaux un peu plus bas.

Tu en as assez vu ? demanda Foole.

Charlotte se retourna et se laissa glisser sur le dos jusqu'au bas de la dune. Puis elle se releva et épousseta le sable blanc qui s'était collé à son pantalon. Elle releva les yeux et adressa à Foole un regard d'une étrange intensité.

Oui, dit-elle, je crois que cela suffira.

Le crépuscule tombait déjà lorsque les diligences arrivèrent sur le port devant le bassin vide. Les conducteurs descendirent et secouèrent leurs chapeaux pour chasser la poussière qui s'y était accumulée. Les gardes quittèrent leur poste à l'arrière et se dirigèrent vers les bureaux de la compagnie maritime. Il y avait six heures que leur navire était parti pour l'Angleterre et plus rien ne les pressait. Beaucoup de monde déambulait encore dans les rues et Foole se tenait devant la boutique d'un coiffeur à l'angle d'une allée, un chapeau en soie sur la tête, observant les gardes qui se dirigeaient d'un air épuisé vers le bureau de poste. Il fit demi-tour et se hâta de regagner l'hôtel.

Ils prirent leur repas en silence. Foole n'éprouvait pas ce frisson délicieux qu'il ressentait généralement lorsqu'une opération allait être couronnée de succès. Il regardait les doigts fins de Charlotte manipulant son couteau et coupant délicatement son steak en se disant que leur histoire allait bientôt prendre fin. Il avait compris dès le début qu'elle allait se dérouler tel un rêve éveillé et se dissiper un beau matin, comme tous les rêves. Mais il n'avait pas pensé que ce jour arriverait aussi vite. Charlotte gardait les yeux baissés, mâchait sa viande sans enthousiasme. Ils n'avaient ni l'un ni l'autre touché à leur verre de vin.

Ils se retirèrent de bonne heure dans leur chambre, éteignirent les lumières et firent les cent pas dans la pièce en attendant que les heures passent et en s'en tenant à des questions d'ordre pratique. Quelle compagnie prendrait-elle pour regagner Londres. Quel pourboire fallait-il laisser au chauffeur du cab lorsqu'elle aurait rejoint Le Cap.

Tous les gens qui quitteront le pays ces jours-ci seront forcément suspects, lui rappela-t-il. Si l'on te pose la question au port, reconnais que tu as entendu parler de ce cambriolage. Montre-toi aimable quand on fouillera tes bagages.

Je sais gérer ce genre de situation.

Il opina dans l'obscurité.

Tu vas rentrer par l'intérieur des terres ?

Oui, dit-il. Je suis dans le commerce des plumes d'autruche, après tout. Si j'arrive à passer la frontière nord du pays je rejoindrai la côte orientale et remonterai la mer Rouge par bateau jusqu'à Suez. Puis je poursuivrai jusqu'à l'Adriatique. Avec un peu de chance nous nous retrouverons à Brindisi et rentrerons en faisant le tour de l'Espagne, le temps que les choses se soient tassées. Je voyagerai bien sûr avec un chargement de plumes.

· Cela n'avait pas l'air de la réjouir. Combien de temps mettras-tu ?

Il haussa les épaules. Il aurait voulu qu'elle lui dise des mots qu'elle se gardait bien de prononcer mais ne comprenait pas pourquoi. Ils ne s'étaient pas fait la moindre promesse, il le savait. Cela a-t-il de l'importance ? demanda-t-il.

J'imagine que non.

Il la contempla et son regard croisa le sien. Ils restèrent immobiles et silencieux l'un et l'autre.

Accorde-moi trois mois, dit-il enfin. Tu seras à Brindisi avant moi. Sois patiente. Et retrouve-moi à l'Adelphi.

L'Adelphi.

L'hôtel se trouve sur le front de mer. C'est là que je descendrai.

Elle tendit la main et la posa sur sa joue dans l'obscurité. Il y avait quelque chose à l'intérieur et lorsqu'il s'en empara il vit qu'il s'agissait d'une petite broche en opale.

Elle appartenait à ma mère, dit-elle doucement. Martin me l'a donnée quand il m'a retirée de l'orphelinat. Je lui ai demandé comment elle était arrivée en sa possession et il m'a dit qu'elle la lui avait confiée jadis comme une marque de confiance. Et qu'il avait lui-même promis de me la remettre.

Foole referma sa main.

Viens ici, dit-il.

Plus tard cette nuit-là il se rhabilla, récupéra les fausses clefs et se faufila par la fenêtre tandis que Charlotte maintenait le châssis. Il rampa le long du toit et se laissa glisser jusqu'au tonneau qui recueillait l'eau de pluie dans l'allée en ayant soin de rester dans l'ombre. Puis il s'introduisit dans le bureau de poste et referma la porte derrière lui. Le coffre-fort se trouvait derrière le comptoir. Une lueur grise tombait par la fenêtre qui donnait sur la rue. Le coffre était un modèle récent en acier blindé fabriqué par une respectable firme de Baltimore et qui n'avait aucun secret pour lui. Il l'ouvrit en moins de cinq minutes et resta un moment assis en contemplant les étagères à l'intérieur, les mains sur les genoux. Il pensait à Charlotte et comprit qu'elle lui avait déjà fait ses adieux. La situation serait étrange le lendemain matin après son départ, lorsque le soleil se lèverait comme n'importe quel autre jour. Un bruit de pas retentit soudain et quelqu'un essaya d'ouvrir la porte avant de s'éloigner le long du trottoir en bois. Le gardien de nuit qui faisait sa ronde. Il n'attendit pas davantage, sortit les trois sacoches en feutre noir et vérifia le contenu de chacune d'elles. Pour faire bon poids il fit également main basse sur les quelques titres et le peu d'argent qui étaient déposés dans le coffre qu'il referma ensuite soigneusement. Puis il ressortit, verrouilla la porte derrière lui et regagna discrètement sa chambre d'hôtel en passant par le toit.

Le lendemain matin ses malles n'étaient plus là.

Le butin était toujours planqué dans sa taie d'oreiller et n'avait pas été dérobé. Il resta un long moment étendu dans le lit à fixer les moulures du plafond. Il s'attendait encore à la voir revenir, soulever le drap et glisser ses longues jambes à ses côtés. Au bout d'un moment il entendit des exclamations qui montaient du trottoir en bois, des pas qui résonnaient, des chevaux qui partaient au galop. Un coup de sifflet retentit.

Il se leva, enroula le drap autour de lui et s'approcha de la fenêtre. Le ciel était encore rose, la vapeur montait déjà dans la chaleur de l'aube au-dessus des toits de la ville. Les eaux du port étaient encore immobiles et sombres. Des hommes en uniforme rouge se rassemblaient devant le bureau de poste et le vieux receveur franchit la porte, les cheveux en bataille. Foole fit volte-face.

Il aperçut sur le bureau la broche en opale qu'elle lui avait laissée et la ramassa. Elle était chaude dans le creux de sa main. Il resta un moment immobile tandis que le soleil se levait à l'extrémité du monde, serrant le bijou dans sa paume comme s'il s'agissait de sa main à elle et que la chaleur dégagée par la pierre était la sienne.

LA NOYÉE DE LA TAMISE

(Seconde partie)

LONDRES

1885

SEPT

Adam Foole se tenait sur le porche de la maison de Charlotte à Hampstead, son bouquet d'iris déjà flétri et ruisselant de pluie à la main. Il dévisagea l'inspecteur de police puis détourna les yeux. *Vous êtes peut-être un associé de miss Reckitt, monsieur ?* Non, absolument pas. Il ôta son chapeau, sentit le grésil imprégner ses cheveux, remit son couvre-chef. Il n'arrivait pas à mettre de l'ordre dans ses idées. *Depuis combien de temps connaissiez-vous cette dame ?* Mais qu'est-ce que cela signifie au fond, connaître ? Foole recula d'un pas, releva les yeux, acquiesça poliment. *Je suis au regret, monsieur, de vous annoncer que son corps a été découvert il y a trois jours.* Oui. *Nous ne sommes pas autorisés à.* Oui, oui.

Il sentit une sourde colère monter en lui et comprit qu'il allait devoir se raccrocher à quelque chose, peu importait quoi. Il ne pénétra pas dans la maison, fit demi-tour et rejoignit le cab qui s'était garé un peu plus loin dans le virage. Il y grimpa sans même y prêter attention.

Ce n'était plus une jeune femme, telle fut la première pensée qui le traversa. Il se dit ensuite qu'il devait s'agir d'une erreur. S'il était revenu une semaine plus tôt, peut-être serait-elle encore en vie. Il revoyait la courbe blanche du soleil africain qui s'étendait comme une faux voluptueuse sur la peau de son bras dans leur chambre d'hôtel. Ses jambes luisantes de sueur et couvertes d'un léger duvet. Le mouvement langoureux du ventilateur en bois dont les pales tournaient au plafond. Et les stores aux fenêtres, la poussière accablante des rues.

Le cab s'ébranla et se mit en route.

Il ne lui avait pas reparlé depuis dix ans, c'était exact, mais il avait suivi son parcours et l'avait surveillée à distance. Pendant six ans Utterson lui avait transmis tous les renseignements qu'il avait pu recueillir à son sujet, tant que Foole avait eu les moyens de rémunérer ses services. Malgré les avertissements de Fludd il avait fini par faire confiance à l'avocat au fil des ans. Utterson lui avait donc appris la liaison de Charlotte avec un banquier de Lisbonne. Il s'était rendu là-bas en octobre cette année-là et avait monté une opération périlleuse dans le seul but de ruiner la réputation de cet homme. Mais au lieu de revendre les titres qu'il lui avait volés il les avait jetés au feu, à la stupéfaction de Fludd et à sa propre surprise. Il avait également su par Utterson qu'elle avait organisé un hold-up à San Francisco en 1879 dont le butin s'élevait à 50 000 dollars. Quelques jours plus tard, il avait appris qu'elle s'était mariée et cela l'avait plongé dans une colère folle qui avait duré plus d'une semaine et que Fludd lui-même n'avait pas essayé de calmer. Mais malgré cette surveillance à distance il n'avait jamais tenté de l'approcher et s'était peu à peu rendu compte qu'il ne le souhaitait pas. Il n'en avait pas moins su qu'elle était revenue à Londres et il lui arrivait de guetter son apparition au milieu de la foule qui se pressait dans les rues. Avait-il moins pensé à elle ces derniers temps ? Tous les ans en septembre, le jour anniversaire de leur braquage à Port Elizabeth, il achetait un bouquet d'iris et longeait la Tamise en égrenant leurs souvenirs. Puis il jetait le bouquet dans le fleuve et regardait les fleurs s'éparpiller et dériver un moment avant de sombrer dans les profondeurs de l'eau.

Elle lui avait confié que son plus ancien souvenir était lié à l'eau. Une eau chaude et argentée qui s'écoulait entre les mains ouvertes de sa mère au milieu de la verdure.

Il était étrange que cela lui revienne maintenant à l'esprit. Avant la mort de sa mère et son entrée à l'orphelinat, elles allaient se promener toutes les deux à Hyde Park en été, s'asseyant au bord du lac et regardant passer les cygnes. Elle devait avoir quatre ou cinq ans et ces moments de bonheur fugitifs étaient restés gravés en elle. Foole l'avait écoutée évoquer cette époque lointaine avec une tristesse qui lui serrait le cœur. Ils étaient assis sur une terrasse et mangeaient des glaces à l'ombre de la gare de Port Elizabeth. Il lui avait ensuite demandé non sans hésitation quel souvenir elle gardait de ses années à l'orphelinat de Whitechapel.

Elle avait six ans quand sa mère était morte et deux semaines après l'enterrement elle avait été conduite dans cet établissement par une dame très bien habillée qui portait des gants blancs en soie et un coûteux chapeau vert. Elles avaient fait halte dans une pâtisserie au coin de la rue et Charlotte avait encore à la main le beignet tout chaud qu'on lui avait acheté. La directrice apparut soudain à l'entrée de l'orphelinat, une énorme femme aux bras rougeauds qui s'empara aussitôt de son beignet et l'entraîna dans un couloir interminable. Sans manifester d'émotion, Charlotte raconta à Foole que la directrice l'avait entièrement dévêtue, avait déversé sur elle plusieurs seaux d'eau glacée et l'avait vigoureusement frottée avec une brosse qui devait servir à étriller les chevaux. Ainsi débuta ma nouvelle vie, résuma-t-elle. Les filles dormaient dans une longue salle, à quatre dans le même lit. La nuit on entendait les rats s'agiter sous leurs sommiers et venir grignoter leurs chaussures. Elles passaient leurs journées à ramasser de l'étoupe tandis qu'une religieuse leur lisait la Bible à voix haute. Il était interdit de parler pendant les repas. On les frappait à coups de ceinture lorsqu'elles commettaient des fautes avant de les enfermer dans le noir au fond d'un placard sous l'escalier. Certains soirs on les réveillait et on les obligeait à marcher en file indienne, un panier d'osier en équilibre sur la tête. Si l'une seule d'entre elles faisait tomber le sien, elles étaient toutes battues. Dans la cour certains jours elles restaient le front collé aux barreaux de la grille et regardaient avec envie le monde extérieur. Nous attendions qu'il se passe quelque chose. Et que cette existence prenne fin.

Tu n'aurais pas pu t'enfuir ? lui avait-il demandé.

Certaines filles le faisaient.

Mais là-dessus ton oncle est arrivé.

Oui, dit-elle. Mon oncle est arrivé.

La nuit n'était pas encore tombée. Il avait oublié la manière dont le brouillard pouvait s'étendre d'un coup certains soirs, aussi épais qu'inquiétant.

L'éclairage au gaz brillait faiblement aux devantures des boutiques. Foole descendit du cab à Piccadilly, il n'arrivait pas à retrouver son souffle. Des gamins brandissant des torches passaient dans la brume épaisse, tels d'horribles monstres aux contours rougeoyants. Il percevait le grésillement des pommes de terre en train de cuire dans une échoppe voisine et l'odeur des marrons qui grillaient, sans parvenir à les distinguer. Lorsqu'il tendait sa main gantée devant lui il n'apercevait qu'un halo flou dans la grisaille.

Il toussa et poursuivit son chemin d'un pas mal assuré. Il s'adossa un moment à un lampadaire, mais un allumeur de réverbères vint y poser son échelle et l'obligea à se remettre en route dans le brouillard. Un peu plus tard, une silhouette le heurta violemment avant de disparaître. Il ne savait plus trop dans quelle rue il se trouvait et se dit qu'il ferait mieux d'aller se réfugier quelque part en attendant que le brouillard se dissipe. Il entrevit un vaste perron et grimpa les marches, balayant de sa main gantée la balustrade de granite.

Il se retrouva bientôt dans la brusque chaleur et les lumières éblouissantes d'une galerie d'art. Des femmes élégamment vêtues étaient assises au fond et buvaient du thé dans des tasses en porcelaine. Des hommes en imperméable discutaient entre eux devant la desserte, appuyés sur leur canne. Préférant ignorer leurs bavardages, Foole pénétra dans la pièce adjacente où étaient exposées les peintures. Plus tard, bien plus tard, il devait s'émerveiller du hasard improbable qui avait conduit ses pas jusqu'ici et lui avait permis de découvrir ce tableau, ce jour-là précisément. Peut-être avait-il lu un article à ce sujet dans le *Times* pendant le trajet qui le ramenait à Londres. Ou entendu des gens en parler dans la rue. Toujours est-il qu'aussitôt entré il traversa la pièce et, comme aimanté par elle, marcha droit vers la toile, devant laquelle un groupe de visiteurs s'était rassemblé. Une fenêtre surplombait la rue et le brouillard jaunâtre s'écoulait en dessous comme un lent fleuve épais. Il sentait le sang vibrer à ses tempes et s'immobilisa en regardant les gens qui l'entouraient. Puis la foule parut s'écarter devant lui et il s'avança avant de lever les yeux et d'apercevoir enfin le tableau.

Charlotte.

Il s'approcha encore. Bien sûr il ne s'agissait pas d'elle, il le savait parfaitement. Il examina la couche de peinture jaune que le pinceau avait étalée en travers de sa gorge, la coulée d'un noir de suie dans laquelle ses cheveux se perdaient. En se penchant de plus près il distingua les infimes touches de rouge qui soulignaient ses yeux. Le monde de l'art lui était étranger mais il sentait la chair de poule courir le long de ses bras. La femme sur le tableau le fixait avec le visage et les yeux de Charlotte dans une sorte de halo indécis, brumeux, comme si elle attendait depuis toujours qu'il réponde à une question cruciale. Mais cette question n'avait pas été posée et il n'était donc pas en mesure de le faire. Il ne pouvait que s'incliner, impuissant, avant de s'éloigner comme cela, semble-t-il, avait toujours été son lot.

Il l'avait à vrai dire manquée à Brindisi, bien des années plus tôt. Telle était la stricte vérité. Il avait quitté Port Elizabeth trois semaines après le vol des diamants et avait pris la direction du nord, traversant l'Afrique par l'intérieur des terres. Les pierres brutes étaient cachées sous les plumes d'autruche dans le double fond de sa malle. Il avait suivi la route de l'est, plus lente mais plus sûre, sans cesser de penser à Charlotte qui devait aller l'attendre à Brindisi avant la fin du mois.

Et c'était vers elle qu'il dirigeait ses pas. Puis il était tombé malade. À Maputo il avait compris qu'il ne pourrait pas continuer de la sorte et s'était embarqué à bord d'un cargo belge qui remontait la côte vers le nord à partir de Zanzibar. À Djibouti il avait trouvé un navire en partance pour l'Italie. Mais, le temps qu'il débarque à Brindisi, il s'était tellement affaibli qu'il parvenait à peine à tenir debout. Cela faisait pratiquement sept semaines qu'il était parti.

Il était arrivé à temps à son rendez-vous mais Charlotte n'était pas à l'Adelphi lorsqu'il s'y présenta, rongé par la fièvre. Il craignait qu'il ne lui soit arrivé malheur. Il avait interrogé le personnel dans son mauvais français, personne ne l'avait vue. Aucun paquet, aucun argent, aucun télégramme ne l'attendait. En dépit de son épuisement, Foole comprit que Martin Reckitt avait dû être informé de leur aventure et interdire à Charlotte de venir le rejoindre, quitte à renoncer aux diamants. La tête lui tournait et il mourait de faim. Il ne s'était pas lavé ni rasé depuis des jours et la note de l'hôtel ne cessait de grimper. Il envoya un télégramme confus à Fludd mais se trompa d'adresse et le pli n'arriva jamais. Les semaines passèrent. Un jour en traversant le port il heurta un bollard et ne réussit pas à se relever. Le marbre chauffé par le soleil était brûlant, le ciel d'un bleu étincelant. Des chiens, des ânes, des charrettes se mêlaient à la foule qui se pressait autour de lui. Il sentit alors une main se poser sur son épaule, leva les yeux et aperçut dans la brume de la fièvre le visage de Martin Reckitt.

Il ne s'agissait pas d'une illusion. Le vieux cambrioleur le souleva et le soutint jusqu'à son hôtel. Il s'occupa de lui, le soigna et l'aida à reprendre des forces. Dès le lendemain Reckitt alla récupérer les sacoches en feutre contenant les diamants que Foole avait jugé préférable de laisser au bureau des douanes. Mais il resta auprès de lui, le nourrit, le lava, lui tint compagnie dans cette misérable chambre d'hôtel où régnait une chaleur étouffante. Ce qui ne l'empêchait pas de grommeler entre ses dents en lui reprochant d'avoir trahi sa confiance et séduit sa nièce. Il aurait aussi bien pu lui trancher la gorge et l'abandonner au fond d'une allée.

Mais Reckitt avait failli être prêtre autrefois et peut-être un reste de pitié chrétienne le poussa-t-elle à se montrer clément. Foole avait pratiquement tout oublié de ces quelques jours. Il se souvenait avoir demandé des nouvelles de Charlotte. Était-elle malade elle aussi ? Avait-elle des ennuis ? Les Boers l'avaient-ils interrogée au Cap ?

Reckitt s'était penché vers lui dans la chaleur oppressante. Charlotte est en Angleterre, Mr Foole, et se porte à merveille. J'imagine qu'elle ne vous a rien dit, ajouta-t-il en lui tendant un verre d'eau.

À propos de quoi ? demanda Foole en essayant de se redresser.

De son mariage. Au début de l'année prochaine.

Foole retomba sur le dos, essaya de parler, se rendormit. Le lendemain, quand il ouvrit les yeux, Reckitt avait empoché les diamants, réglé la note de l'hôtel et disparu. Le même jour à midi le personnel mit Foole à la porte, encore affaibli et sans un sou en poche. Reckitt avait déjà repris le bateau pour l'Angleterre et voguait vers son propre destin. On devait découvrir les diamants dans ses bagages, il allait être arrêté à son arrivée et envoyé pour vingt ans au pénitencier de Millbank.

Mais dans la nuit qui suivit le départ de Reckitt, Foole était resté assis encore fébrile au pied de la colonne qui marque la fin de la via Appia, sans rien savoir de tout cela. Il avait contemplé un café encore ouvert au milieu des collines malgré l'heure tardive, jusqu'à ce que ses lumières se soient éteintes. Puis il s'était mis à errer au milieu des petites barques de pêche dont les coques étaient retournées sur la plage, sentant le sable dur et froid crisser sous ses pieds. Le lendemain matin il avait traîné dans les ruelles étroites au milieu des boutiques et des ateliers d'artisans, se nourrissant des gâteaux de la veille que les marchands jetaient par dizaines en fin de journée et se disant que, s'il l'attendait assez longtemps, Charlotte finirait peut-être par se montrer. Ce qui était évidemment absurde. La créature versatile dont il était tombé amoureux vivait sa vie quelque part dans le monde et il n'arrivait pas à accepter que l'avenir dont il avait rêvé pour eux dans la poussière et la fièvre pendant sa longue traversée de l'Afrique se révèle finalement impossible.

HUIT

Dans l'après-midi du troisième jour, alors que le brouillard s'était éclairci sans se dissiper vraiment, William Pinkerton se rendit une nouvelle fois à Blackfriars. Il posa la main sur la rambarde à l'endroit où Charlotte Reckitt avait sauté du pont, s'accroupit dans la gadoue pour examiner les bollards, cherchant dans l'air glacé ne serait-ce que l'ombre d'une preuve de sa disparition. Un lambeau de vêtement, un éclat de boue sur une pierre – n'importe quelle trace si infime soit-elle aurait fait l'affaire.

Les eaux du fleuve étaient hautes, sombres, incandescentes. Il regardait les bateaux à vapeur qui passaient et s'enfonçaient dans la brume sans parvenir à chasser de son esprit l'idée qui s'était formée en lui. Il savait bien que le corps de Charlotte Reckitt gisait découpé en morceaux à la morgue de Frith Street. Mais il savait aussi qu'on ne voit souvent que ce que l'on a envie de voir. Au diable, finit-il par se dire en serrant le poing. Cette femme est bel et bien morte.

Que s'était-il passé au juste ? Il se concentra malgré la froidure ambiante en essayant de rassembler ses souvenirs. Il faisait un froid glacial ce soir-là, le sol gelé crissait sous ses pas. Des veilleurs de nuit lançaient des coups de sifflet dans son dos mais il ignorait si c'était lui ou Charlotte Reckitt qu'ils poursuivaient. Il revoyait la jeune femme se précipiter vers la rambarde et l'enjamber avant de se retourner, le souffle court, en le regardant droit dans les yeux. Le vent soulevait sa jupe, révélant ses bottines et les bas qui couvraient ses chevilles. Ses cheveux étaient rabattus sur son visage et il ne distinguait pas ses traits. Il s'était avancé et elle s'était penchée avant de plonger dans les ténèbres, les bras tendus devant elle.

Il se réveilla le lendemain avant l'aube en proie à une horrible migraine qui lui vrillait l'œil gauche. Il s'habilla en s'appuyant sur le porte-serviettes pour ne pas perdre l'équilibre et descendit prendre ses œufs au bacon accompagnés de deux tasses de café bien noir sans relever une seule fois la tête. Puis il régla sa note, sortit et héla un cab pour se faire conduire dans la brume et la cohue matinale jusqu'aux docks de Wapping.

Un brouillard grisâtre s'étendait sur la ville telle une fine pellicule de charbon, et il remonta le col de son pardessus. Wapping était un endroit sinistre avec ses cours accidentées et ses petites boutiques aux façades de guingois. Une odeur de poissons éventrés et de légumes pourris imprégnait l'atmosphère. Au milieu de la foule, les gamins qui vendaient des journaux passaient en criant les dernières nouvelles concernant l'attentat à la bombe de la veille, et William entendit le conducteur du cab se racler la gorge avant de cracher dans le caniveau d'un air méprisant.

Qu'on les foute tous dehors, lança-t-il. L'Australie n'est même pas assez loin pour des salopards pareils.

William ne répondit pas.

Il se frotta la tempe pour essayer de chasser la migraine qui le tenaillait toujours. Il aperçut plusieurs filles tête nue qui aguichaient les passants dans les rues malgré l'heure matinale. Des matelots allaient et venaient. Il y avait aussi des employés des douanes reconnaissables à leur veste bleue aux boutons en cuivre, des marins tatoués arborant un anneau à l'oreille. Des gamins efflanqués, pieds nus malgré le froid, se faufilaient entre les charrettes en portant leur chargement. Voyant que le cab était bloqué au milieu de la circulation, William en descendit. Le conducteur lui désigna du bout de son fouet les hautes grilles des docks londoniens qui se profilaient un peu plus au sud. Des centaines de mâts se dressaient au-delà dans la grisaille, tels les derniers vestiges d'une forêt incendiée.

Ça fera un shilling et demi, grommela le conducteur.

William le regarda. Combien dites-vous ? rétorqua-t-il d'une voix douce.

Le conducteur se racla la gorge et leva les yeux au ciel comme s'il redoutait l'arrivée de la pluie. Disons un shilling, patron. Mais c'est bien parce que c'est vous.

William opina et lui donna un shilling et demi. Pour la peine, ajouta-t-il.

De plus en plus souvent désormais, en se regardant dans la glace, William apercevait le visage de son père. Même si celui-ci mesurait un mètre soixante-dix-huit et pesait à peine quatre-vingts kilos lorsqu'il avait quarante ans, alors que lui-même en faisait bien cent dix aujourd'hui. Écossais jusqu'au bout des ongles, il ne croyait que ce qu'il avait vu de ses propres yeux, soupesé de ses propres mains. Il buvait huit verres d'eau par jour et obligeait l'ensemble de sa famille à faire de même. N'avait jamais ingurgité une seule goutte d'alcool, pas même un verre de bière glacée en plein été. Mangeait des pommes de terre en robe des champs avec délectation. Pendant treize ans il avait conduit ses enfants en voiture à la messe sur vingt-cinq kilomètres de routes défoncées sans que jamais un sourire n'éclaire son visage. Mais, un dimanche où le pasteur au cours de son sermon avait défendu l'esclavage, il s'était levé et avait quitté l'église pour ne plus jamais y remettre les pieds. William l'aimait et le redoutait à la fois. Il n'avait cessé de le maudire et pourtant pas un jour ne s'était écoulé sans qu'il n'ait rêvé de lui ressembler. Son père n'avait rien d'un Adonis mais pouvait terrasser n'importe qui à la seule force de ses poings. Il était tonnelier lorsqu'il était arrivé en Amérique, puis s'était fait avocat avant de devenir détective privé, un métier qui n'existait même pas, et à partir de là rien n'avait pu l'arrêter.

Sa vie durant, son père avait été sujet à une maladie qui lui laissait certains matins les narines en feu. Il avait les yeux injectés de sang ces jours-là et ne desserrait pas les dents. En bon Écossais, il ne faisait pas confiance aux médecins et s'en remettait à ses propres potions à base de myrte, de radis, de céleri et de lait chaud. Il avait accroché un miroir à un clou près de l'entrée de la grange et se rasait là tous les matins, par n'importe quel temps. Il se couchait quand le soir tombait et se levait avec le jour pour faire sa promenade quotidienne, que le soleil brille ou qu'il neige. Dans la maison qui n'était pas chauffée, dès qu'il entendait la porte claquer William se levait à la hâte, réveillait son petit frère et se mettait à l'ouvrage. Son père avait pris des cours de pugilat dans les bas-fonds de Glasgow et avait emmené William le jour de son huitième anniversaire dans un entrepôt sur les quais de Chicago pour assister à un combat entre Tom Heenan et Johnny Roberts. Heenan était encore jeune et inexpérimenté à l'époque, il avait pourtant étendu Roberts au sol dès le quatrième round.

Son père parlait rarement de ses origines. Mais, lorsque son épouse se mettait à chanter des ballades écossaises le soir à la veillée, il avait les larmes aux yeux. Un après-midi, alors que William avait neuf ans, il lui avait parlé de son propre père mort à Glasgow en lui disant qu'il avait un regard d'acier avec des reflets argentés et qu'en Écosse on racontait dans sa jeunesse que les anciens guerriers des Highlands avaient justement ce regard-là. Le grand-père de William et ses frères avaient tous les mêmes yeux, ils avaient tous été forgerons et, comme pour donner corps à la légende, chacun d'entre eux avait tué un homme à mains nues avant d'avoir dix-huit ans. Les Anglais les avaient tous abattus, l'un après l'autre.

D'un geste hésitant, William avait passé la main sur son visage. Est-ce que j'ai ces yeux-là moi aussi, papa ?

Oh toi, avait grommelé son père. Tu as hérité de ta mère.

En s'approchant des grilles de l'entrepôt, il perçut le grondement sourd et les vibrations qui parcouraient le dallage comme si une énorme machine s'était activée dans les profondeurs du sol.

Puis il tourna à l'angle du bâtiment et les aperçut. Des centaines d'hommes qui soufflaient dans leurs mains et battaient la semelle pour résister au froid. Des agents armés de matraques et des officiers des docks maintenaient à distance la foule des travailleurs aux vêtements en loques, mal rasés, malpropres, la cigarette aux lèvres et les mains plongées dans les poches de leurs pantalons pour se réchauffer. Il était tout juste sept heures et demie. À cet instant précis, une vague parcourut la foule tandis que les visages se relevaient et que les lourdes grilles en fer s'ouvraient en grinçant. Le flot des hommes s'y engouffra, tassés les uns contre les autres, tel un troupeau qu'on aurait conduit dans un enclos, les yeux empreints du désespoir propre à tous ceux qui cherchent du travail.

Au milieu de cette cohue se trouvait Malone, l'Irlandais qui avait découvert la tête de Charlotte Reckitt.

William jura à voix basse en se rendant compte qu'il avait bien peu de chances de mettre la main sur cet homme. Il ne baissa pas les bras pour autant et longea lentement les différents bassins où les navires étaient amarrés. Il percevait l'odeur des poissons qui scintillaient dans leurs casiers, les effluves des ballots de tabac qui se mêlaient à la cannelle et au rhum. Il longeait les baraquements, des toits bas d'où émergeaient des roues grinçantes comme celles des bateaux à vapeur du Mississippi. L'eau brune du fleuve ondulait paresseusement sous les berges tandis qu'il se frayait un chemin au milieu des cuves de soufre et des caisses remplies de liège. Des tonneaux vides raclaient le sol en résonnant sur les pavés et de lourdes chaînes cliquetaient en soulevant leurs charges dans des giclées d'écume. À la lueur orangée des lanternes ancrées à leurs anneaux d'acier, il s'engagea sous la voûte d'un vaste entrepôt dont la puanteur le prit à la gorge, mélange de pourriture, de moisissure et de vin répandu. Partout où il allait, les hommes le regardaient d'un air soupçonneux mais sans interrompre leur tâche. Il s'arrêtait de bassin en bassin pour les interroger mais personne ne semblait connaître l'individu qu'il cherchait.

Finalement, au lieu de lui tourner le dos un contremaître cracha sur le quai un jet de salive mêlé de tabac à chiquer et écouta sa requête. William sentait la migraine lui vriller le crâne. L'équipe que dirigeait l'homme déchargeait le charbon d'une péniche amarrée sur le fleuve en contrebas.

Qui ça ? Malone ? Le contremaître s'essuya le front du revers du poignet. Un certain Molloy est parfois employé chez nous. Un petit bonhomme trapu, avec des mains épaisses. Un Irlandais. Mais d'habitude il ne travaille pas sur les péniches. C'est plutôt un débardeur.

A-t-il déchargé un cargo qui transportait des bulbes vendredi dernier ?

Le contremaître haussa les épaules et fit rouler sa chique d'une joue à l'autre.

C'est au sujet de la tête, reprit William.

Quelle tête ?

N'a-t-on pas repêché la tête d'une femme à cet endroit vendredi dernier ?

Si je l'avais su je m'en souviendrais.

William fronça les sourcils. On n'a pas retrouvé les restes d'un cadavre de femme dans ce secteur vendredi ?

Écoutez, je demande aux hommes de rejeter toutes les saletés qu'ils peuvent retirer du fleuve, sinon on y passerait la journée et on ne s'en sortirait pas.

Les saletés ?

Le contremaître émit un nouveau jet de salive.

Y a-t-il d'autres quais où l'on aurait pu décharger des bulbes ce jour-là ?

Ma foi, je ne tiens pas les registres du port.

Je m'en doute.

Regardez-moi ces tire-au-flanc, marmonna le contremaître en désignant un groupe d'ouvriers adossés à un pilier devant un chaudron éteint qui oscillait au bout d'une chaîne. On se demande pourquoi on les engage. Mais on n'a pas trop le choix, entre les bouchers au chômage et les anciens de la guerre de Crimée. Allez les gars, lança-t-il, on se remet au boulot.

Les hommes opinèrent mollement de la tête.

Ils ne sont pas tous bons à rien, dit le contremaître. Mais presque.

William acquiesça.

Le contremaître ne lui tendit pas la main avant de s'éloigner mais au bout de quelques pas il se retourna et lança par-dessus son épaule : Tentez votre chance sur le quai St. Katharine. Ils sont assez givrés par là-bas pour repêcher la tête d'une bonne femme.

William porta la main à son chapeau pour le remercier mais l'homme était déjà reparti au turbin.

Voici les questions qu'il aurait voulu poser.

À quel endroit précis cette tête a-t-elle été repêchée. Quelle apparence avait-elle. Se trouvait-elle dans un sac. Ficelé ou non. Combien de temps était-elle restée exposée sur le quai et qui l'avait manipulée. Un autre tissu l'enveloppait-elle. Quelque chose était-il tombé du paquet pendant qu'on le sortait de l'eau. Où était la gaffe qui avait permis de la récupérer. Pourquoi l'avait-on repêchée plutôt que de la rejeter dans le fleuve. D'où venaient les courants qui l'avaient charriée jusqu'ici. Combien d'autres cadavres avait-on retirés des eaux cette semaine. Le mois passé. L'année dernière. Et qu'était-il arrivé aux cheveux de cette femme.

Oui. Que leur était-il arrivé.

Ah, et qui était l'enfoiré qui l'avait repêchée. Et où habitait-il.

Les locaux de Scotland Yard, établis à l'origine dans un ancien hôtel particulier au 4 Whitehall Place, avaient peu à peu gagné comme un cancer l'ensemble des édifices environnants. Et pourtant la place y faisait toujours défaut. Son père lui avait dit qu'à une époque le vieux bâtiment suffisait largement à son office, mais William avait de la peine à le croire. L'entrée du public était située sur la façade arrière et il la franchit en laissant derrière lui l'étroite ruelle pavée. Il s'arrêta devant le bureau d'accueil et se présenta à l'officier de garde. Perché sur un tabouret, un crayon à la main, l'homme avait une stature imposante, un cou de taureau et une épaisse moustache grise qui faisait vaguement penser à un morse mais lui conférait une sorte de dignité un peu canaille. William lui dit qu'il souhaitait voir John Shore, et l'officier le dévisagea du haut de son siège, considérant d'un air dubitatif ses cheveux ébouriffés et les relents poisseux des docks qui émanaient encore de sa personne. Après quoi il se pencha et attrapa par le col un petit coursier qui passait par là.

Conduis donc ce monsieur au bureau de John Blunt, mon garçon. Et ne traîne pas en route. Nous n'avons pas tant de détectives américains que ça parmi nos relations, nous ne pouvons pas nous permettre de les traiter par-dessus la jambe.

William fit la grimace. Sa tête lui faisait toujours mal et il ferma un instant les yeux. C'est Shore que je veux voir, dit-il. Pas Blunt.

Oui, je sais, opina l'officier d'un air irrité.

Le coursier gravit l'escalier et William le suivit, surpris par la brusque raideur de sa jambe. Le bureau de Shore était un réduit exigu et bas de plafond, encombré par une bibliothèque en bois sombre, deux gros fauteuils jumeaux et le bureau lui-même qui occupait un bon quart de la pièce. La lumière provenait d'une haute fenêtre et William reconnut l'inspecteur Blackwell debout près des rideaux. Ses cheveux étaient gominés et une vague odeur mentholée émanait de ses vêtements.

Shore se leva à moitié pour l'accueillir.

Ravi de vous rencontrer, Mr Blunt.

C'est un simple surnom, répondit Shore avec un sourire las.

Il se rassit. Il avait le visage congestionné et ses épaules débordaient de son gilet fripé. Ses manches de chemise étaient retroussées et il se fichait visiblement de son apparence. Des cartons remplis de dossiers étaient empilés sur le sol, et William souleva une boîte qui trônait sur l'un des fauteuils, la posa à ses pieds et s'assit sans y avoir été invité. L'inspecteur principal se frotta le menton.

Ces satanés Fenians… Expliquez-moi en quoi l'explosion d'une bombe dans le métro peut aider les Irlandais à se libérer de la domination anglaise. Et en quoi cela concerne le pauvre diable qui y a laissé la peau.

Il lui tendit un rapport qui traînait sur le bureau. William le prit sans le regarder.

Shore ôta ses lunettes. C'était un mercier, bon Dieu. Qui se rendait à son travail.

Au bout de quelques instants William répondit. Mon père a quitté Édimbourg pour vous échapper, à vous autres Anglais. Il disait souvent qu'on peut avoir les rênes en main ou être sous le harnais et aller dans la même direction mais qu'on ne peut pas tenir les deux rôles à la fois.

Votre père était un homme sensé.

William se renfrogna légèrement. D'une certaine façon la remarque de Shore l'horripilait. Cette histoire de Fenians dure déjà depuis un bout de temps, dit-il pour changer de sujet.

Oui. Nous subissons une terrible pression. Le gouvernement et Gladstone en tête exigent que cela cesse. Nous devons éradiquer le mouvement. Il regarda William et fronça les sourcils. Quel est le but de votre visite ?

J'ai mené mon enquête du côté des docks mais n'ai pas découvert le moindre Malone.

Shore poussa un soupir et se rejeta dans son siège. Il se tourna vers Blackwell puis son regard revint sur William. Le Dr Breck ne devrait pas tarder, dit-il. Il a été très occupé en raison de l'attentat de Gower Street, mais vous pourrez l'interroger au sujet de votre Charlotte Reckitt.

Je n'y manquerai pas. Le tissu dans lequel son corps a été retrouvé devrait nous fournir un début de piste.

Le tissu. Oui.

Blackwell se racla la gorge. Il se tenait de profil devant la fenêtre comme s'il posait pour son portrait. Maria Marten s'était coupé les cheveux lorsqu'elle était allée rejoindre Corder, monsieur. Afin qu'on ne la reconnaisse pas.

Maria Marten ? rétorqua William. S'agit-il d'une affaire récente ?

Maria Marten a été assassinée par le boucher de Red Barn, grommela Shore. Il y a plus de cinquante ans.

Nous pouvons donc le mettre hors de cause, dit William en hochant la tête.

Shore avait ouvert une boîte contenant du tabac et entreprit de bourrer sa pipe. C'était à l'époque de Jack Ketch, poursuivit-il. Il n'y avait pas encore de police au sens strict du terme. Corder était un riche fermier qui avait eu une liaison avec miss Marten. Il lui avait donné rendez-vous un soir dans une grange et l'avait poignardée à deux reprises avant de lui tirer une balle dans le crâne pour faire bonne mesure. Puis il l'avait enterrée sur place et avait quitté la région, écrivant aux parents de la jeune fille en se faisant passer pour elle et en prétendant avoir pris la fuite avec lui. On raconte que la mère de Marten rêva un jour que sa fille avait été assassinée et que son père se rendit jusqu'à la grange. Il inspecta le sol au peigne fin et son râteau heurta soudain une masse noirâtre et pourrie. C'était le corps de sa fille.

J'imagine que Corder a été pendu par la suite.

Oui, dit Shore en écartant les mains. Son corps a été disséqué un peu plus tard au cours d'une leçon d'anatomie et les morceaux ont été vendus dans tout le pays. Un maroquinier d'Oxford Street expose encore son scalp dans un bocal en verre.

Je serais curieux de voir ça.

Oui, cela vous rappellerait sans doute votre pays.

La plupart des gens en Amérique exposent en effet avec fierté leur collection de scalps dans leur salon.

On frappa soudain à la porte.

Entrez, aboya Shore.

Un individu pénétra dans la pièce, appuyé sur une canne à pommeau doré. Aussi effilé qu'une lame de couteau, il portait un chapeau en soie à large bord qui assombrissait les verres de ses lunettes. Sa cravate pourpre était nouée de traviole et sa tête oscillait à l'extrémité de son cou d'une manière grotesque, comme celle d'un serpent.

Ah, Dr Breck, s'exclama Shore en se levant de son bureau pour l'accueillir. Vous avez sans doute entendu parler de Mr Pinkerton, qui nous arrive de Chicago. Mr Pinkerton, je vous présente le Dr Breck. Et vous connaissez déjà Mr Blackwell.

William se leva. Les doigts du médecin légiste étaient rouges et maculés de taches comme s'il avait l'habitude de manipuler des produits chimiques sans gants de protection. Sa main était chaude lorsque William la saisit mais il la retira aussitôt, comme si le contact des vivants avait pour lui quelque chose de répugnant.

Enchanté, docteur, dit William en glissant le pouce dans la poche de son gilet. Mr Shore m'a dit que vous aviez examiné la tête.

Breck se tourna vers Shore. Il fait allusion à celle qui a été repêchée dans la Tamise ?

Pourquoi ? demanda William. Il y en a d'autres ?

Plus que vous ne l'imaginez, monsieur, répondit Breck d'une voix sourde. Il déposa sa canne, ôta ses lunettes et sortit un mouchoir de sa poche afin d'en essuyer les verres. Le geste n'était pas aussi cruel qu'on aurait pu l'imaginer, reprit-il.

William considéra un instant cette déclaration. Elle était donc morte avant qu'on ne la décapite, dit-il.

C'est exact.

Ses bras étaient attachés ?

Qui vous a dit cela, Mr Pinkerton ?

Mr Pinkerton a plusieurs théories, Dr Breck, intervint Shore. Il a vu avec moi la tête et le torse de la victime.

Breck se renfrogna. Vivante, la victime devait mesurer approximativement un mètre soixante-quatre. Ses cheveux étaient noirs et elle n'avait pas mangé depuis plusieurs jours. Elle a des bleus sur les bras comme si on l'avait empoignée sans ménagement. Et vraisemblablement ligotée. Les coups de couteau qu'elle a reçus dans la poitrine ne semblent pas avoir été donnés avec une grande violence. Ils sont très nets, très propres, comme si le corps n'avait pas réagi en les recevant. Les blessures occasionnées par cette arme ne sont pas assez profondes pour avoir provoqué la mort, et l'inertie de la victime est corroborée par la quantité de poison qu'on a retrouvée dans son corps. Elle n'était pas consciente lorsque ces coups de couteau lui ont été administrés.

Du poison, dites-vous, grommela Shore.

De l'arsenic ? intervint William.

On dirait que vous ne connaissez que l'arsenic en Amérique, marmonna Breck. Non, il s'agit de chloroforme.

Elle a donc été droguée, dit lentement Shore. Droguée, puis ligotée, poignardée et pour finir décapitée, avant que son corps ne soit éparpillé en plusieurs morceaux à travers la ville. C'est bien ce que vous nous dites, docteur ?

Sacrément compliqué, murmura William.

Un peu trop compliqué, même.

Les faits sont ce qu'ils sont. Je me contente de les rapporter.

Mais leur interprétation est une autre affaire, dit William. On l'aurait donc droguée, sans doute afin de la maîtriser. Mais pourquoi l'avoir ligotée ?

Peut-être craignait-on qu'elle ne se réveille.

Sauf que ce n'a pas été le cas. Elle était inconsciente lorsqu'on l'a poignardée.

La dose de chloroforme devait être trop forte, dit Shore. Cela peut-il entraîner la mort ?

Apparemment.

Breck empoigna des deux mains le pommeau de sa canne.

Pourquoi lui avoir donné autant de coups de couteau ? demanda Shore. Puisqu'elle était inconsciente et ne résistait pas ?

Combien y en a-t-il au juste, docteur ?

Deux dans le bras gauche. Trois dans la poitrine. Dont l'un tout près du cœur. Les coups ont tous été administrés du bas vers le haut.

William réfléchit quelques instants. À quoi était-elle attachée ? Pas à une chaise, en tout cas. Est-il possible qu'on l'ait ligotée debout contre un poteau ? Tel que vous nous le décrivez, l'angle des coups semble indiquer qu'elle dominait légèrement son agresseur.

L'hypothèse de la chaise est peu probable, l'interrompit Breck. À moins que son agresseur n'ait été d'assez petite taille. Qu'il s'agisse d'une femme par exemple.

C'est impossible, s'exclama Shore, que cette suggestion paraissait choquer. Jamais une femme ne ferait une chose pareille.

J'aimerais comprendre pourquoi on lui a porté autant de coups, dit William. Et aussi superficiels.

Peut-être son agresseur était-il faible ? suggéra Shore.

C'était pour la réveiller, monsieur, intervint Blackwell d'une voix posée.

Tout le monde resta silencieux. William considéra le jeune inspecteur en se palpant la joue.

Puisqu'on l'avait droguée et ligotée, monsieur, les coups de couteau étaient peut-être destinés à lui faire reprendre connaissance.

Intéressant, commenta William. On n'aurait donc pas voulu la tuer. Du moins, pas immédiatement.

Peut-être voulaient-ils l'interroger, monsieur, poursuivit Blackwell. La faire parler. Vous disiez qu'elle avait trempé dans de sombres affaires.

J'ai simplement dit qu'elle faisait partie du milieu, rétorqua William. J'ignore quel genre d'ennemis elle pouvait avoir.

Breck s'agitait dans son coin comme s'il s'apprêtait déjà à partir.

Un moment, docteur, lui lança William. Avez-vous entendu parler de la méthode de Bertillon ?

Breck adressa à William un regard dénué d'aménité. Je connais en effet M. Bertillon. Et ses théories. Nous avons correspondu à propos d'une affaire au printemps dernier.

Si l'on prend les mesures d'une femme...

C'est bien sûr plus difficile quand certains morceaux font défaut, Mr Pinkerton. Mais j'ai déjà effectué ce relevé. Du mieux que je pouvais.

J'aimerais que vous envoyiez une copie de votre rapport à nos bureaux de Chicago, dit William. Je demanderai à l'un de mes subordonnés de vérifier si cela correspond à une fiche que nous aurions dans nos dossiers sous une autre identité.

Mes rapports sont la propriété de Scotland Yard, Mr Pinkerton. Je ne saurais en disposer.

Envoyez-moi votre compte rendu, Dr Breck, intervint Shore. Et je veillerai à ce qu'il soit transmis à Chicago, William. Maintenant, docteur, venons-en à cet attentat...

Le médecin se frotta les mains sans paraître troublé. Quand vous m'envoyez un cadavre, dit-il, je puis en tirer quelque chose. Mais que vouliez-vous que je fasse de ce tas de débris ?

Nous n'avions malheureusement rien d'autre à vous offrir, dit Shore.

Breck s'humecta les lèvres. Tout ce que je peux vous dire, c'est qu'une bombe a effectivement explosé et que votre infortuné mercier se trouvait juste à côté. À moins qu'il ne l'ait portée lui-même. Ce qui est sûr c'est qu'il était tout près lorsque l'explosion a eu lieu.

Shore le regarda avec une évidente exaspération. Merveilleux, commenta-t-il.

Mr Blackwell, reprit Breck, auriez-vous la bonté de me montrer les effets personnels de ce mercier ?

Une dernière chose, docteur, lança William. Charlotte Reckitt attendait-elle un enfant ?

Breck s'immobilisa, la main sur la poignée de porte. Si elle avait été enceinte, Mr Pinkerton, je l'aurais évidemment mentionné. Maintenant, messieurs, si vous voulez bien m'excuser…

Les deux hommes quittèrent la pièce, et Shore considéra la porte pendant quelques instants avant de demander d'une voix prudente : Eh bien, que pensez-vous de notre bon docteur ?

William se contenta de hocher la tête d'un air las.

Shore se leva et alla chercher dans une armoire deux verres et une flasque en argent. Votre père ne l'aimait pas beaucoup lui non plus, poursuivit-il. Et pourtant Breck n'a pas son pareil pour faire parler un cadavre. Comment buvez-vous votre whisky ?

Au goulot.

Ce sera dans un verre cette fois-ci. Shore se rassit et poussa un grognement. Et notre Mr Blackwell ? On peut compter sur lui, n'est-ce pas ?

On peut formuler les choses ainsi.

Il a remporté un championnat de boxe amateur l'an dernier.

Blackwell ? Je ne vous crois pas.

Mais si. Et c'est un amateur de romans à sensation. Comme ceux qu'écrivent Wilkie Collins et ses semblables. Son bureau en est rempli. Je n'avais encore jamais vu un détective qui ait le nez plongé dans les livres.

William fit tourner le verre dans sa main.

Shore haussa un sourcil. Qu'y a-t-il encore ?

Charlotte Reckitt avait un oncle qui est emprisonné à Millbank, dit William. Un prêtre défroqué. J'aimerais lui parler. Pouvez-vous arranger ça ?

Vous voulez rencontrer Martin Reckitt.

Oui, avant de repartir. Simplement pour m'assurer que je n'ai rien laissé de côté. Peut-être est-il au courant des affaires de Charlotte, de ses projets et des gens avec lesquels elle travaillait. Je dois boucler ce dossier. Vous connaissez cet homme ? ajouta-t-il en relevant les yeux.

Oui, je le connais.

Et alors ?

Et alors rien. Je ne vois pas ce que vous pourriez tirer de Martin Reckitt concernant cette affaire. Si ce n'est de fieffés mensonges. Cela fait des années qu'il est en prison.

Vous n'avez jamais fait allusion à lui, dit William en se calant dans son fauteuil. Le corps de sa nièce est éparpillé aux quatre coins de la ville et vous ne m'avez même pas dit que vous connaissiez son oncle.

Shore lui adressa un regard excédé. Le dossier de ce type figure dans vos archives. Il n'y a là aucune conspiration de notre part. Que voulez-vous qu'il ait à voir avec ça ? Shore saisit une petite photo encadrée et la tendit à William. C'était le portrait d'une fillette en robe blanche devant une pierre tombale, le visage grave. Il y avait une inscription au pied de la tombe que William ne parvint pas à déchiffrer.

Ne redoutez pas ceux qui peuvent annihiler le corps sans annihiler l'âme, récita Shore. *Redoutez plutôt celui qui annihilera les corps et les âmes en enfer.*

Réjouissant, commenta William.

C'est la tombe de Fanny Adams. Elle a été assassinée voici plus de vingt ans à Alton dans le nord du pays. Découpée en morceaux par une belle journée ensoleillée, et son meurtrier n'a jamais été retrouvé. Elle avait dix ans.

Bon Dieu, murmura William. Qu'est-ce qui ne tourne pas rond dans ce pays ?

Cette photo est un rappel, poursuivit Shore en ignorant sa question. Les instruments de la vengeance, William : voilà ce que nous sommes.

William finit par reposer la photo devant lui sur le bureau. A-t-il su qu'elle était morte ? demanda-t-il.

Qui donc ?

L'oncle de Charlotte Reckitt, bon sang.

La chaise de Shore racla le plancher tandis qu'il se rapprochait du bureau. Vous vous êtes rendu à New Street vendredi dernier et qu'avez-vous trouvé ? Comme William ne répondait pas, il reprit : Évidemment rien, parce que nous avions déjà passé les lieux au peigne fin et qu'il n'y avait rien à découvrir. Selon toute vraisemblance, Charlotte Reckitt a été victime d'une mesure de représailles comme cela arrive souvent entre gens du milieu. Vous devriez rentrer à Chicago, William. Shore marqua une pause tandis que son visage se découpait dans la lueur blafarde de la fenêtre, avant d'ajouter : Ce n'est pas en restant ici que vous mettrez la main sur votre Edward Shade.

William leva vivement les yeux vers lui. Edward Shade ?

Vous croyez peut-être que je ne suis pas au courant ? Vous avez traîné vos guêtres dans tous les endroits louches de Londres en posant des questions. On ne peut pas dire que vous ayez fait preuve d'une grande discrétion.

Vous m'avez fait suivre.

Je vous en prie. Ne dramatisez pas.

William se pencha sur son siège en faisant tourner le verre entre ses doigts. Edward Shade est un fantôme, John. Il n'existe pas.

Oh, Shade a bel et bien existé. Il est mort pendant votre guerre de Sécession.

De quoi parlez-vous donc?

Votre père ne vous a jamais raconté cette histoire?

William sentit le sang lui monter au visage. Quelle histoire?

Ma foi, répondit Shore, je ne sais que ce que votre père m'en a dit. Shade était un agent qui travaillait pour lui pendant la guerre. Un espion, pour être bref. Il s'était porté volontaire pour aller glaner des informations dans le Sud et quelque chose se produisit au cours de sa mission. Je ne sais pas exactement quoi, mais il fut capturé et les confédérés le torturèrent. Ce furent les dernières nouvelles que votre père eut de lui. Je suppose que Shade est mort en prison ou qu'il a été fusillé comme espion. J'ai cru comprendre qu'on en avait eu la preuve par la suite. Qu'on avait retrouvé deux tombes dont l'une portait le nom d'un autre espion. Mais après la fin de la guerre votre père avait le sentiment que Shade était toujours en vie. J'ignore pourquoi il a changé d'avis. Peut-être s'estimait-il responsable de l'échec de sa mission. Il ne vous a donc jamais parlé de ça.

William secoua la tête. Vous faisiez allusion à une tombe.

Oui. En Virginie.

Pourquoi mon père aurait-il brusquement pensé qu'il n'était pas mort? Cela ne tient pas debout.

Je me suis fait la même réflexion.

William regarda Shore. J'ai découvert des documents, dit-il. Dans un dossier que mon père conservait dans son coffre-fort personnel. Des rapports concernant diverses affaires auxquelles Shade avait participé. Elles étaient toutes postérieures à la guerre.

Vous voulez dire, de rumeurs concernant ces affaires ? Sans qu'on n'ait jamais eu la preuve qu'il y avait effectivement pris part ? Je me trompe ?

William fronça les sourcils.

Allez interroger le vieux Benjamin Porter si vous ne me croyez pas, dit Shore. Sally et lui étaient aux côtés de Shade lorsque celui-ci a franchi la frontière. Ils sont les derniers à l'avoir vu en vie.

Sally Porter ?

Oui. Et Benjamin.

J'étais avec Ben en Virginie, dit lentement William. En 1862.

Shore le dévisagea d'un air étrange. Votre père a demandé aux vieux Porter de traquer ce Shade pendant des années, William. J'imagine donc qu'ils le connaissaient de vue. Ils habitent toujours quelque part en ville, à mon avis.

William plongea son visage dans ses mains. Il pensait à Sally Porter dans son garni miteux et se demandait pourquoi elle ne lui avait pas raconté tout ça.

William ? Vous vous sentez bien ?

Au bout d'un moment il se releva, boutonna sa redingote et considéra l'inspecteur en chef d'un air lugubre. Arrangez-vous pour que je puisse rencontrer l'oncle de Charlotte Reckitt, John. Laissez-moi terminer ce boulot et rentrer à Chicago. Je n'ai pas l'intention de m'éterniser ici.

Shore fixa William de ses petits yeux.

J'ai l'impression que c'est déjà le cas, dit-il.

Il quitta Whitehall les mains tremblantes et les traits décomposés. Il avait toujours redouté la violence qui émanait de son père mais que sa mort avait un peu dissipée, le laissant seul avec ses regrets. Il ne pouvait pas expliquer à sa femme qu'il ne savait pas quoi faire du souvenir de cet homme. Ils n'avaient jamais été proches, il n'y avait jamais eu la moindre intimité entre eux. Son père avait dirigé un réseau d'espionnage pendant toute la durée de la guerre mais avait tenu son fils à l'écart de tout ça. Il avait parlé d'Edward Shade à des étrangers du Yard sans jamais y faire allusion devant ses propres enfants.

La mort de son père avait représenté un seuil que William avait dû franchir lui aussi. Telle était la stricte vérité et cela l'avait profondément surpris. Le terme d'amour convenait mal pour désigner le sentiment qu'il vouait à son père. Il savait qu'une part de lui-même gisait à présent et se désagrégeait dans la terre humide d'un cimetière de Chicago. Il posa la main sur le fer gelé d'un lampadaire devant Scotland Yard et s'immobilisa en regardant le brouillard qui s'étendait autour de lui.

NEUF

William Pinkerton. Qui était le fils aîné du célèbre détective sinon une sorte de spectre, une créature de cauchemar hantant le monde de la pègre et semant la terreur sur son passage ? La plupart de ceux qui avaient croisé sa route croupissaient à présent dans les profondeurs d'une geôle. Foole pour sa part n'avait jamais eu ce privilège. Il avait entendu raconter de terribles histoires à son sujet, il est vrai. Celles d'un homme capable de ne pas dormir plusieurs jours d'affilée, de survivre sans manger ni boire en épuisant ses montures dans les étendues désertiques de l'Ouest ou d'errer en toute impunité le long des docks de New York rongés par l'humidité. L'homme avait trente ou quarante ou cinquante ans, nul ne le savait exactement. On prétendait qu'il devinait sur-le-champ lorsqu'on lui mentait. Il pouvait faire voler en éclats un gros bock de bière d'une simple pression de la main sans même s'entailler les doigts. À Chicago il fréquentait les tripots des bas-fonds lorsqu'il était dans les parages et allait tranquillement s'accouder au comptoir sans être inquiété, buvant lentement son verre de cidre en dévisageant la foule des truands qui l'observaient en silence. Certains prétendaient qu'il pouvait obliger un taureau à s'agenouiller devant lui à la seule force de son regard. D'autres qu'il avait eu les paupières brûlées dans son enfance et que c'était pour cette raison qu'il ne clignait jamais des yeux. En Virginie, on l'avait vu sauter d'un train en marche sur un cheval qui courait le long du wagon et abattre du premier coup l'homme qu'il poursuivait avant que celui-ci ait pu réagir. Plus encore que la pègre, Foole avait entendu dire qu'il détestait les tribunaux et les représentants de la

Loi. Certains disaient que ses enfants n'étaient pas les siens. D'autres repoussaient cette accusation et juraient au contraire qu'il avait de nombreux enfants illégitimes, y compris ceux de son propre frère. Tous s'accordaient néanmoins à reconnaître que l'individu était hors du commun et n'obéissait pas aux mêmes règles, aux mêmes lois ni aux mêmes élans que le reste des hommes. Que la faiblesse, l'indulgence et la pitié lui étaient étrangères. Au fil des années, Foole avait écouté ces histoires et vu croître le mythe qui entourait cet homme en se demandant quelle apparence pouvait bien présenter en chair et en os le fils d'Allan Pinkerton.

Tel était l'individu qui avait traqué Charlotte jusqu'à son trépas.

Fludd estimait qu'ils n'avaient pas de chance. Il avait mené son enquête et était revenu en hochant la tête d'un air dubitatif. Bon sang, marmonna-t-il en s'asseyant à la table de la cuisine, je viens à peine de sortir du trou et je n'ai aucune envie d'y retourner. Pas avant un bon bout de temps en tout cas.

Parle-moi de lui, lui dit Foole d'une voix douce. Dis-moi ce qu'on t'a raconté.

Fludd lui adressa un regard implorant.

Parle-moi de lui, répéta Foole.

Tandis qu'aux matinées succédaient les après-midi et aux après-midi les soirées, il lui arrivait de fermer les yeux, la main appuyée contre le mur, et de revoir le tableau qu'il avait aperçu dans cette galerie. Le travail du pinceau, la lueur qui brillait dans ce regard. Et cela ravivait en lui le souvenir de Charlotte avec une violence qui le laissait sans voix. Il dormait, se levait, mangeait dans un état d'hébétude qui inquiétait aussi bien Molly et Fludd que Mrs Sykes. Il n'aimait pas l'idée que William Pinkerton ait été la dernière personne à s'être trouvée en présence de Charlotte à l'instant de sa mort, mais l'enquête qu'avait menée Fludd ne lui avait pas appris grand-chose en dehors d'une vague rumeur concernant la mutilation dont son corps aurait été victime. C'est Gabriel que tu devrais interroger, lui déclara le géant non sans réticence le lendemain soir. Non, répondit-il, je n'irai pas le voir. Mais il savait au fond de lui que son vieil ami avait raison. Lorsqu'il quitta Half Moon Street il sentit que celui-ci le suivait des yeux depuis la fenêtre du premier étage. Une fois à Piccadilly, il héla un cab et se laissa conduire, plongé dans ses pensées, sans regarder la route.

Gabriel Utterson avait survécu dans ce monde interlope en découvrant à la fois ce que les autres cherchaient à savoir et ce qu'ils redoutaient de voir étalé au grand jour. Foole l'avait considéré comme un complice puis comme un ami durant les longues années au cours desquelles il avait bénéficié de ses informations, avant de revenir sur ce sentiment puis de changer encore une fois d'avis. En songeant aux dizaines de lettres que l'avocat lui avait écrites au sujet de Charlotte et de sa vie amoureuse, il hocha la tête d'un air dégoûté. Il traversa une étendue de boue gelée le menton enfoui dans le col de son manteau et se retrouva au fond d'une cour devant une épaisse porte en bois dont le loquet céda sous sa pression. Il la franchit et monta au deuxième étage. Le nom d'Utterson était gravé sur une plaque en bronze au-dessus d'une sonnette. Il hésita mais renonça finalement à appuyer sur le bouton. Il ouvrit la porte en silence et se glissa à l'intérieur.

Le bureau au plafond élevé n'avait pas changé, bien qu'un peu plus miteux que dans son souvenir. À la lueur d'un unique bec de gaz, deux portes grandes ouvertes donnaient au fond sur le bureau du secrétaire de l'avocat. Mais l'individu qui était penché dans son fauteuil et étudiait un dossier n'était nullement un secrétaire, et Foole le dévisagea un moment avant de s'éclaircir la gorge.

Qu'avez-vous fait de votre assistant ? lança-t-il.

Utterson se redressa et le fixa d'un air inquiet. Il avait de petits yeux aussi perçants que des pointes de clou mais de grandes poches rouges les soulignaient désormais et il s'était visiblement empâté depuis l'année précédente.

Mr Adam Foole, dit Utterson en posant son crayon.

Bonjour, Gabriel.

Aucun des deux hommes ne souriait. L'avocat jeta un regard irrité vers la porte et lança : Je me demande bien à quoi servent les sonnettes si on ne se donne pas la peine d'appuyer dessus. Puis il se rejeta dans son siège et poussa un soupir. J'ai dû renvoyer trois assistants ces six derniers mois, dit-il. Imaginez un peu.

Il fit passer Foole dans le bureau adjacent dont il referma la porte derrière eux. Il alla tirer les rideaux avant de lui faire signe de s'asseoir dans un canapé dressé contre le mur. Foole s'y dirigea mais sa main empoignait sa canne dans un geste qui n'avait rien d'amical. Utterson avait tiré un tabouret au siège arrondi de derrière son bureau. Laissez-moi vous examiner un peu, dit-il. Comment vont les affaires ? Toujours aussi incertaines ? Et ce cher Mr Fludd ? J'espère que son séjour en Amérique ne l'a pas trop affecté ?

Charlotte est morte, dit Foole.

Les yeux d'Utterson s'étrécirent.

Vous le saviez ?

L'avocat s'humecta les lèvres. J'en ai entendu parler, oui. Il resta un moment silencieux puis se leva et alla remplir deux verres de cognac dans le buffet. Foole accepta le verre avec réticence mais n'y toucha pas. Que savez-vous au juste ? demanda Utterson.

Simplement qu'une enquête est en cours.

Une enquête, rétorqua Utterson en fronçant les sourcils. Une lueur jaunâtre filtrait de la cour à travers les rideaux et Foole finit par s'asseoir. Utterson reprit : Une partie de son corps a été découverte dans Edgware Road. Une autre a été… repêchée dans la Tamise, ajouta-t-il après un éclat de toux sèche.

Foole ferma les yeux.

Il s'agissait de la tête, précisa l'avocat. C'est un employé des docks qui l'a découverte il y a maintenant cinq jours. Mais j'ai cru comprendre qu'il manquait encore certains morceaux.

Certains morceaux.

Les jambes.

Foole digéra cette information en silence. Je croyais qu'elle s'était noyée, dit-il enfin. Comment est-ce possible ?

Nous sommes à Londres, monsieur. Tout est possible.

Mais si elle a sauté du haut de ce pont à Blackfriars…

Cela paraît peu probable, l'interrompit Utterson, étant donné l'état dans lequel on a retrouvé son corps. L'avocat baissa la voix. Et cela me déplaît de devoir vous le dire mais une rumeur circule…

Sur qui est-elle tombée, Gabriel ?

Je n'en ai pas la certitude évidemment…

Qui ?

Le fils de Pinkerton. William.

Foole fronça les sourcils. Il but une longue gorgée de cognac et regarda le sol avant de hocher la tête. Ce n'est pas William Pinkerton qui a débité Charlotte en morceaux, dit-il.

Vous ne le pensez pas ?

Non.

Puisque vous le dites.

C'est ridicule. Pourquoi aurait-il fait ça ?

Utterson haussa les épaules. En tout cas elle avait peur de lui, je peux vous le certifier. Elle prétendait que son comportement devenait inquiétant. Elle m'a dit qu'il en savait davantage sur elle qu'elle ne l'aurait imaginé. À propos de ses anciens associés, des projets qu'elle avait montés, du séjour qu'elle avait fait à Philadelphie l'an dernier. Certains faits remontaient à plusieurs années. Elle pensait que quelqu'un avait rancardé Pinkerton à son sujet. Mais qui aurait pu faire une chose pareille ? Je n'en ai pas la moindre idée. Seul William Pinkerton connaît la réponse. Mais nous ne sommes pas assez fous l'un et l'autre pour enquêter directement à son sujet.

Qu'attendait-il d'elle au juste ? Pourquoi Pinkerton est-il à Londres ?

Mr Foole…

Mais l'avocat ne poursuivit pas. Foole reposa son verre et se cala dans son siège, le dos bien droit et les mains à plat sur les genoux. Au bout d'un long silence il reprit : Charlotte vous avait demandé de me transmettre certaines instructions.

Elles ne sont plus d'actualité à présent.

Vous auriez tout de même pu m'en faire part.

Utterson se racla la gorge et eut l'air de considérer la question. Elle voulait faire évader son oncle de Millbank, murmura-t-il enfin. Tel était son plan dont j'ignore les détails exacts. Mais lorsqu'elle est venue me demander mon avis pour constituer son équipe je lui ai conseillé de faire appel à vous. Elle m'a évidemment rétorqué que vous n'accepteriez jamais une telle proposition de sa part étant donné ce que vous aviez vécu ensemble. Ainsi qu'avec Mr Reckitt.

Évidemment.

Je l'ai assurée du contraire.

Foole opina lentement.

Le pénitencier de Millbank va fermer ses portes, Mr Foole. Les cellules sont évacuées les unes après les autres. Mr Reckitt doit être transféré dans le sud du pays en mars prochain. D'après ce que j'ai compris, un complice à l'intérieur travaillait avec miss Reckitt afin que son oncle puisse s'évader pendant son transfert. Utterson s'humecta les lèvres. Il n'y avait bien sûr aucun profit à tirer d'une telle opération, financièrement parlant. Et c'est l'une des raisons pour lesquelles elle avait de la peine à constituer son équipe. Je lui ai dit…

Pourquoi Rose ne m'a-t-elle pas parlé de tout cela hier ?

L'avocat resta un moment silencieux. Ce n'était pas à Rose de divulguer ce genre d'informations, monsieur. Miss Reckitt m'avait confié un message à votre intention. Elle m'avait bien sûr également demandé de vous donner son adresse. Mais elle voulait aussi que vous sachiez que son oncle lui avait finalement avoué la vérité concernant ce qui s'était passé jadis à Brindisi. Elle en éprouvait du remords et tenait à ce que vous le sachiez. Je crois qu'elle envisageait la possibilité d'un avenir commun entre vous deux. Utterson donnait l'impression de vouloir en dire davantage mais se retint finalement. Quand l'avez-vous vue pour la dernière fois, Mr Foole ?

Et vous ?

La nuit où elle a disparu, monsieur. Elle était comme je vous l'ai dit très inquiète.

Pour ma part je ne l'ai pas revue depuis cette soirée à l'Albert Hall, dit Foole. Vous étiez d'ailleurs avec moi.

Je m'en souviens.

Elle m'a regardé comme si j'avais été un spectre.

Vous n'avez pas desserré les dents, il faut dire.

Non.

Charlotte avait, disons… beaucoup changé ces dernières années. Peut-être n'avait-elle plus grand-chose à voir avec la femme dont vous avez gardé le souvenir.

Nous avons tous changé, Gabriel.

Vous ne seriez pas assis devant moi si vous aviez tant changé que ça.

Foole ne répondit pas.

Après l'arrestation de Mr Reckitt, Charlotte est devenue plus froide, plus distante. Pendant quelque temps j'ai même cru qu'elle avait décidé de tourner le dos à son ancien milieu. Je sais qu'elle a vécu un moment à Stratford en se faisant passer pour veuve. Puis qu'elle est allée sur le continent, en Suisse, me semble-t-il. Cela remonte à quatre ou cinq ans.

Lorsqu'elle est réapparue en août dernier, j'ai bien vu qu'elle avait vieilli. Je ne parle pas de son visage, monsieur, mais de son regard. C'était un peu déconcertant.

Foole ne savait pas quoi répondre. La lettre de Charlotte ne témoignait en rien d'une telle métamorphose. L'arrestation de son oncle avait dû la hanter. Il releva soudain les yeux. Martin est-il au courant ? demanda-t-il. A-t-il appris la nouvelle ?

J'imagine que le Yard est allé lui rendre visite. Ou s'apprête à le faire. Ils vont mener leur enquête.

Mais vous ne l'avez pas vu ?

Comment l'aurais-je pu ? Il est incarcéré, monsieur. Sans espoir de libération.

Foole posa sa canne en travers de ses genoux. Vous devriez aller le voir. Il mérite d'apprendre une telle nouvelle de la bouche d'un ami.

Un ami, rétorqua Utterson avec un léger rictus.

Je parle sincèrement.

Les regards des deux hommes se croisèrent par-dessus l'énorme bureau de l'avocat.

Je trouve votre prévenance à l'égard de Mr Reckitt un peu surprenante, monsieur. Peut-être devriez-vous vous charger de cette mission en personne.

Foole observait la lumière ténue qui faisait luire la peau grasse et grêlée de l'avocat. Il pensa à l'aversion que Fludd avait toujours éprouvée pour cet homme.

Puis-je vous demander la raison d'une telle sollicitude ?

Vous connaissez la réponse.

Ah, c'est vrai, il vous a sauvé la vie à Brindisi. Vous semblez prendre cette dette plus au sérieux aujourd'hui qu'autrefois. Je me souviens d'une époque où vous aviez plutôt l'impression qu'il l'avait détruite. Utterson le considéra pendant un long moment. Vous feriez mieux d'aller saluer une dernière fois miss Reckitt. Ses restes sont conservés à Pitchcott, si j'ai bien compris.

Foole releva les yeux. Pitchcott ?

La morgue de Frith Street. Je connais quelqu'un qui travaille là-bas, je pourrais sans doute obtenir qu'il vous laisse entrer si vous le souhaitez. Bien qu'il s'agisse probablement d'une expérience redoutable.

Frith Street, répéta Foole sans lui répondre directement.

Elle est mieux là où elle est à présent.

Ce sont les esprits de Rose qui vous ont raconté ça ? répliqua Foole un peu sèchement. Il n'avait pas eu l'intention d'évoquer ces histoires de spiritisme et fut surpris par la violence de sa réaction.

Les yeux verts d'Utterson brillèrent intensément tandis qu'il cherchait visiblement sa repartie. Je n'y croyais pas moi non plus au début, Mr Foole. Mais ce n'est pas ce que vous imaginez. La mort n'est pas un événement qu'il faille redouter. Certains sombrent directement dans les sphères inférieures. Et d'autres ne comprennent pas tout de suite qu'ils sont désormais des esprits et mettent un certain temps à s'y faire. Mais ils ne souffrent pas. Cela est conforme à l'enseignement de la Bible, monsieur. Il n'y a rien d'hérétique là-dedans.

Foole se leva.

Vous avez dû apprendre que notre mère avait rejoint le monde des esprits il y a deux ans, poursuivit Utterson. Cela nous a été d'un grand réconfort à l'un comme à l'autre de savoir qu'elle était désormais en paix. Le chagrin est notre lot à tous, monsieur. Il n'épargne personne et nul ne sait comment l'affronter.

Foole ne répondit pas.

Non monsieur, reprit Utterson. Nous devons considérer le chagrin comme une sorte de don. Nous mesurons grâce à lui à quel point nous aimions ceux qui nous ont quittés.

Il était plus de minuit lorsqu'il quitta le bureau d'Utterson et il se mit à arpenter les rues désertes, heurtant les pavés de sa canne sans apercevoir âme qui vive. Une obscurité plus dense commençait à remonter des berges du fleuve et à s'insinuer dans la ville, s'ajoutant aux fumées grisâtres qui s'élevaient des cheminées et s'étendaient avec un calme inquiétant au-dessus des maisons comme une gigantesque toile d'araignée. Il avait oublié ses gants et son chapeau sur le canapé d'Utterson et marchait donc nu-tête, laissant l'air froid imprégner ses cheveux. Une douleur commençait de naître en lui et il savait qu'elle n'avait rien à voir avec Gabriel ou sa sœur mais n'en était pas moins là. Lorsqu'il rejoignit le Strand, il ne chercha pas la station de cabs la plus proche et prit la direction du nord, traversant un parc plongé dans l'obscurité. Après avoir débouché sur une petite place pavée, il s'arrêta et leva les yeux en s'appuyant contre une balustrade en pierre. De l'autre côté de la rue se dressait la façade illuminée du Grand Metropolitan, aussi imposante que celle d'un palais.

William Pinkerton devait dormir quelque part à l'intérieur. Foole posa les mains sur le granite froid souillé par les pigeons, observant l'alignement des fenêtres éteintes, les colonnes de marbre qui s'élevaient et se perdaient dans la nuit. Il ne parvenait pas à croire qu'un tel homme ait pu précipiter Charlotte du haut d'un pont. Jamais Pinkerton n'aurait fait une chose pareille, quelle que soit la violence dont il avait été capable par le passé et qui était toujours présente en lui. Foole apercevait alentour les silhouettes des miséreux en haillons qui dormaient sur les trottoirs, secoués de quintes de toux, et pendant un long moment il eut l'impression de faire partie de leur tribu dépenaillée, tel un visiteur perdu parmi les ombres. Puis il entendit quelqu'un siffloter, des pas crisser sur les pavés gelés. Trois hommes surgirent bientôt du brouillard en tenue de soirée, leurs hauts-de-forme de traviole. Ils marchaient bras dessus bras dessous et empestaient le gin à vingt pas. L'un d'eux fit tournoyer sa canne en faisant mine de frapper les pieds des mendiants assoupis. Le plus grand des trois souleva son chapeau et adressa un clin d'œil à Foole en passant.

Celui-ci les regarda s'éloigner en exhalant un souffle de vapeur. Puis il émergea de l'obscurité, fit demi-tour et s'éloigna lentement.

DIX

Shade avait donc bel et bien existé.

William regardait le brouillard depuis Great Scotland Yard en méditant ces mots. Une sourde colère montait en lui. Si Sally Porter avait connu Shade pendant la guerre de Sécession et l'avait conduit dans un chariot brinquebalant à travers les forêts de Virginie, cela signifiait qu'elle lui avait délibérément menti. Elle lui avait affirmé que Shade était une pure invention, un nom qui ne recouvrait rien. Peut-être avait-elle voulu lui épargner une cruelle déception. À moins qu'elle n'ait voulu préserver un secret que son père avait lui aussi gardé. William attendit tandis que les omnibus et les charrettes passaient dans la brume humide, puis il traversa la rue et poursuivit son chemin. Non, songea-t-il. Son père avait eu la certitude autrefois que Shade était mort et s'il avait changé d'avis Sally en avait forcément eu vent. William s'immobilisa soudain les yeux fixés sur ses chaussures tandis que le souvenir refaisait surface en lui. Lors du premier Noël qui avait suivi la défaite des confédérés, son père s'était levé au bout de la tablée et avait porté un toast tandis que la dinde refroidissait dans leurs assiettes. La grande table en acajou luisait, les assiettes étincelaient à la lueur des chandelles. C'était la première fois que William voyait son père boire un verre de vin.

Le toast était en l'honneur de tous ceux qui avaient disparu au cours de la guerre. Et la liste était longue. William était assis, sa jambe lui faisait mal et il regardait son père. Ces noms ne lui disaient rien, il ne connaissait pas la plupart de ces gens et n'en identifia que quelques-uns. Le président Lincoln évidemment. Pryce Lewis. L'espion Timothy Webster.

Et à la fin de cette litanie, William s'en souvint brusquement en regardant un chariot qui passait en cahotant dans le brouillard, figurait un jeune homme, un garçon du nom d'Edward.

Il longea Haymarket sous la pluie et rejoignit un restaurant indien miteux situé au-dessus de la boutique d'un tailleur. Arrivé sur le seuil, il observa le hall d'entrée et l'escalier de guingois à la rampe vermoulue qui menait à l'étage avant de passer la main sur son visage et d'entreprendre l'ascension. Il avait déniché cet endroit durant la deuxième semaine de son séjour à Londres et alla s'asseoir près de la fenêtre avant de commander un plat au curry et une pinte de bitter. Sur la table trônait une vieille lampe à huile qui n'avait visiblement pas été nettoyée depuis des lustres. En levant la tête il vit la lumière de l'après-midi se refléter en tremblotant dans le miroir situé derrière le bar, maculé d'empreintes de doigts et constellé de graisse. Il détourna les yeux.

Il repensait à cette nuit d'automne, l'année de ses douze ans, durant laquelle il avait vu Sally Porter pour la première fois. La lanterne projetait sa lueur inquiétante dans la cuisine et sa mère déroulait lentement les bandages maculés de sang qui entouraient le visage de Sally. Elle avait été prise dans des fils barbelés douze jours plus tôt en fuyant la meute de chiens qui la pourchassait et avait eu la peau du front et une partie de la joue arrachées. William entendait encore sa mère fredonner tout en refaisant son pansement. Il revoyait les bandages souillés de sang enroulés sur la chaise comme des pelures d'oignon. Le calme qui imprégnait le regard de Sally. Ses yeux qui ne cillaient pas. Tandis que son père fouillait la maison à la recherche de couvertures pour les autres fugitifs qui s'étaient réfugiés dans la grange.

Sally ne lui avait donc rien dit au sujet du véritable Edward Shade. Celui qui était mort durant la guerre. À en croire

Shore il s'agissait d'une omission délibérée. William savait qu'elle ne lui devait rien et que la dette que Ben et elle avaient contractée à l'égard de son père avait été remboursée au centuple. Il avait néanmoins toujours pensé que les Porter considéraient son père comme un ami et n'avait pas changé d'avis. Il se demandait à quel genre de colère avait pu obéir Sally et se dit brusquement que la colère n'avait rien à voir là-dedans. Si elle lui avait dit que son père avait pourchassé un fantôme, c'était probablement pour l'épargner. Par gentillesse en quelque sorte. Ou est-ce simplement ce que tu as envie de croire ? n'aurait pas manqué de lui rétorquer Margaret. Dans la rue en contrebas, il aperçut soudain dans le brouillard un homme en redingote coiffé d'un chapeau melon qui marchait à vive allure sous le crachin. Ce fut cela qui retint son attention. Le fait qu'il marchait vite, s'arrêtait en regardant autour de lui et se remettait en route sans ralentir l'allure.

En tournant à l'angle du bâtiment, l'homme croisa une femme élancée qui serrait autour de son visage le col en fourrure de son manteau. William se figea et se pencha pour la regarder plus attentivement. Elle s'était immobilisée au coin de la rue, la tête penchée et ses mains gantées croisées devant elle. Son large chapeau surmonté d'une composition florale dans les tons bleus cachait en partie ses traits. Par la vitre du restaurant il la vit ramener une mèche de cheveux noirs sous son chapeau. Puis elle releva la tête et le fixa droit dans les yeux. Même à une telle distance, il l'avait reconnue.

Nom de Dieu, murmura-t-il.

C'était Charlotte Reckitt.

Elle soutint son regard pendant un instant suspendu, éternel, puis détourna les yeux et disparut en un éclair au coin de la rue. Il sentit le sang battre à ses oreilles et se dit que c'était impossible. Il avait mal dormi et il devait s'agir d'une illusion, d'une apparition spectrale. Il n'en quitta pas moins précipitamment sa place, jeta une poignée de pièces sur la table et descendit l'escalier quatre à quatre avant de plonger dans le froid.

Elle avait pris la direction du nord du côté de Haymarket. Il s'y engagea à son tour mais ne l'aperçut pas à la jonction de Jermyn Street. Un marchand des quatre-saisons qui installait des pommes sur son étal poussa un cri en le voyant jaillir du brouillard.

William l'attrapa violemment par le bras. Une femme portant une cape, lança-t-il. Et un grand chapeau bleu. Par où est-elle partie ?

Le marchand se dégagea et hocha la tête, ahuri.

William était passé devant une allée quelques mètres plus tôt. Il revint sur ses pas en courant. Une mendiante était accroupie juste à l'angle, drapée dans plusieurs couches de haillons. William glissa une piécette entre ses doigts noueux.

Une femme avec un chapeau bleu, dit-il en haletant.

La mendiante considéra la pièce d'un air hébété et opina du menton. Une eau saumâtre s'écoulait d'une gouttière à côté de sa tête.

Une fille un peu bizarre ? Aux cheveux noirs ? marmonna-t-elle en refermant les doigts sur la pièce avant de la faire disparaître dans ses haillons. Elle désigna du menton le fond de l'allée qui bifurquait à angle droit. Des gamins étaient agglutinés sur les marches à l'arrière des maisons, la plupart étaient pieds nus et grelottaient visiblement de froid.

Ils suivirent William des yeux tandis qu'il passait devant eux. Après avoir tourné il longea sur sa gauche une cour grillagée, et un chien au pelage roux se jeta sur les barreaux en aboyant. L'allée débouchait sur Panton Street. William s'arrêta un instant au milieu du brouillard puis aperçut un petit éboueur qui passait en traînant son balai de paille. Il n'avait pas de chaussures et avait enveloppé ses pieds dans de vieux journaux retenus par une ficelle autour des chevilles. Il prit le penny que William lui tendait et lui montra une autre allée, de l'autre côté de la rue.

Où cela conduit-il ? demanda William.

À Coventry Street, monsieur.

À quelle hauteur précisément ?

Le gamin fut pris d'une quinte de toux. Ses yeux étaient vitreux à cause du froid. Près de la confiserie, monsieur.

William fouilla dans sa poche et lui tendit une livre. Le gamin fixa le billet d'un air ahuri.

Il héla un cab qui passait et demanda au conducteur de le conduire de l'autre côté du bloc jusqu'à la confiserie de Coventry Street.

Vous voulez parler de la boutique de Mme Froissard ? Celle qui vend des éléphants en chocolat ?

Je suppose.

C'est comme si vous y étiez, patron.

Faites vite.

Arrivé devant la vitrine aux stores jaunes et mauves de Mme Froissard, William regarda de tous les côtés mais la femme n'était nulle part en vue. Il descendit à l'endroit où l'allée débouchait et demanda au conducteur de l'attendre.

Deux vendeurs de journaux se querellaient sur le trottoir et un petit groupe s'était formé autour d'eux. William saisit par l'épaule un vieillard qui n'avait plus une seule dent de devant.

Une femme au chapeau bleu vient de sortir de cette allée, dit-il. Elle a des cheveux noirs, une cape, un col en fourrure.

Le vieux opina et lui désigna du menton le bout de la rue.

William marmonna un vague remerciement, traversa la rue au milieu de la circulation et rejoignit son cab en demandant au chauffeur de rouler lentement. Il savait qu'elle n'était plus très loin à présent. Tout en inspectant des yeux les vitrines et les magasins qu'ils longeaient, il expliqua au chauffeur que la femme avait un chapeau bleu.

Elle vous a plaqué, c'est ça ? lança le conducteur.

Plus ou moins.

Si ma gonzesse me faisait un coup pareil, grommela le chauffeur, je lui briserais les doigts un à un. Jusqu'au dernier.

À l'angle de Leicester Square il descendit à nouveau, s'approcha d'un arrêt d'omnibus et demanda à une dame abritée sous un parapluie si elle l'avait aperçue.

Je viens de rater l'omnibus, lui dit-elle. Peut-être votre amie est-elle montée dedans.

William réfléchit un instant puis rejoignit son cab et demanda au chauffeur de rattraper l'omnibus. Ils partirent aussitôt à vive allure en se frayant un chemin au milieu des charrettes. La silhouette haute et massive de l'omnibus ne tarda pas à se profiler devant eux. Il aperçut distinctement la silhouette d'une femme assise sur l'impériale.

Restez derrière, dit-il au conducteur. Mais ne le lâchez pas.

L'omnibus s'engagea dans Long Acre et atteignit Drury Lane. Puis il bifurqua vers le sud et ils le perdirent quelques instants de vue. Lorsque le cab le rattrapa, la femme au chapeau bleu était en train de descendre. Ses bottines glissaient sur le tapis mouillé qui recouvrait les marches. Elle prit son élan et franchit d'un saut le caniveau boueux puis rajusta son chapeau avant de remonter Wych Street.

Après s'être assuré de la direction qu'elle prenait, William demanda au conducteur de le déposer un peu plus loin après l'avoir dépassée et lui laissa un pourboire plus que généreux.

Le chauffeur lui adressa un large sourire et le salua en lui lançant : Collez-lui une beigne de ma part, patron.

William alla se planquer derrière l'entrée d'un immeuble et attendit. Il sentait le sang battre à ses tempes. Une minute s'écoula, puis deux. Et soudain la femme apparut à l'angle de l'immeuble. William surgit devant elle.

Bonjour, Charlotte, lui lança-t-il.

La femme leva les yeux, sur la défensive.

Ce n'était pas elle.

La peau de son cou était flasque, ses joues grêlées. Il secoua la tête, embarrassé.

Excusez-moi, dit-il. Je croyais pourtant bien… Vous ressemblez à quelqu'un que…

Il ne termina pas sa phrase. Il voyait bien que cette femme avait été belle autrefois. Elle avait de longs cils, des yeux noirs et brillants d'intelligence. Cette poursuite l'avait déstabilisé, le sang battait toujours dans ses veines, l'onde du choc qu'il avait ressenti un peu plus tôt se répercutait encore en lui. Le brouillard de Londres, son fleuve gris, la solitude glaciale de ses rues, tout ce décor urbain lui apparaissait enfin et il sentait quelque chose, une obscurité familière remonter peu à peu en lui.

Au diable tout ceci, murmura-t-il.

Quelque chose clochait dans l'erreur qu'il venait de commettre. Il se faisait cette remarque tandis que la circulation s'écoulait devant lui et que des chevaux s'ébrouaient bruyamment dans le froid en agitant leur queue. Il comprit tout à coup de quoi il s'agissait. La raison qui l'avait poussé à suivre cette femme innocente dans la cohue londonienne. Et qui l'empêchait de dormir depuis un certain temps.

Charlotte Reckitt n'était pas morte.

Cette affirmation n'avait aucun sens. Elle dénotait même une sorte de folie, de même nature que l'obsession que son père avait nourrie à l'égard d'Edward Shade. Il avait néanmoins la conviction qu'elle était fondée. Il faisait confiance à son instinct depuis des années, c'était grâce à lui qu'il avait survécu. Mais il se trouvait à présent dans un autre pays, un tout autre univers. Les coupe-gorge et le brouillard de Londres lui mettaient les nerfs à vif et finissaient par le faire douter de lui-même. Avec tout ça il n'avait toujours rien dans le ventre. Il rebroussa chemin dans la brume et rejoignit un café devant lequel il était passé tout à l'heure. Il alla s'asseoir à une table du fond sur l'une de ces petites chaises métalliques inventées à l'intention des Françaises et se mit à réfléchir. À l'intérieur de l'établissement, une lumière bleutée tombait des panneaux vitrés en cette fin d'après-midi, mais il faisait chaud et William sentit que ses orteils engourdis par le froid commençaient à se dégeler. Si Charlotte Reckitt était encore en vie, il devait y avoir un indice, une piste quelque part.

Il mangeait lentement, s'essuyant la moustache entre deux bouchées. Peut-être une forme de folie affectait-elle les Pinkerton de père en fils. Une lubie qui les poussait à se lancer à la poursuite illusoire des morts. Edward Shade dans le cas de son père. Charlotte Reckitt dans le sien. Il ferma les yeux, se frotta les tempes, eut un sourire amer. Son père devait avoir à peu près l'âge qui était aujourd'hui le sien lorsqu'il s'était lancé sur la piste de Shade.

Tandis qu'il finissait de manger, une sorte de colosse sanglé dans une redingote trop étroite pour lui traversa la salle au milieu de la fumée des cigares et s'approcha de sa table.

Vous devez être Mr Pinkerton, lui lança-t-il d'une voix rude.

William se raidit, aussitôt en alerte, et reposa ses couverts.

Le géant cligna lentement des yeux et une lueur mauvaise passa dans son regard. C'était de toute évidence le regard de quelqu'un qui avait connu la prison. Une horrible cicatrice s'étirait en travers de son cou, comme s'il avait été pendu jadis et avait survécu contre toute logique. Le haut de son oreille gauche avait visiblement été tranché dans un passé plus ou moins lointain. Il tenait un chapeau cabossé à l'extrémité de l'un de ses énormes poings.

Je vous ai vu assis là-bas, monsieur, dit le géant, et je me suis dit qu'un gentleman tel que vous accepterait peut-être la proposition que j'avais à lui faire.

Nous nous connaissons ?

Comment auriez-vous entendu parler d'un citoyen aussi respectueux des lois que moi ? répondit le géant en souriant.

William ne put s'empêcher de sourire à son tour.

Ce n'est pas moi qui souhaite vous parler, poursuivit le géant. C'est mon employeur. Puis-je m'asseoir ?

Non.

Mais le géant avait déjà tiré une chaise et pris place devant lui, adoptant l'attitude pacifique d'un homme accomplissant une mission pacifique. Il reprit la parole d'une voix basse et mesurée. Trouvez-vous bien raisonnable de me renvoyer sans même savoir de quoi il retourne, Mr Pinkerton ?

William pensait à la poursuite qu'il venait d'effectuer dans les ruelles du quartier. Personne n'aurait pu le suivre au rythme où il allait. Comment m'avez-vous trouvé ? demanda-t-il.

Oh, c'est une pure coïncidence, dit le géant. Le hasard fait parfois bien les choses.

Le hasard, répéta William d'une voix impassible. Depuis combien de temps me suivez-vous ?

Le géant haussa un sourcil.

Vous n'êtes pas anglais, dit William.

Peu importe qui je suis. Mon employeur aimerait vraiment vous rencontrer. Il aurait une proposition à vous faire.

Pourquoi n'est-il pas venu en personne ?

Il est en deuil. Et il ne sait pas encore s'il peut vous faire confiance.

William considéra le visage couvert de cicatrices du géant et grommela : Il a probablement raison. En deuil de qui ?

De Charlotte Reckitt.

William se pencha, brusquement intéressé. Il repoussa son assiette et laissa quelques pièces sur la nappe. Quel est votre nom ? demanda-t-il.

Mon employeur s'appelle Foole, dit le géant. Vous ne le connaissez probablement pas lui non plus.

Ce n'est pas ce que je vous ai demandé.

Mon nom n'a aucune importance.

Le géant était toujours assis, son énorme main posée sur sa cuisse, mais William l'avait à l'œil car il pouvait fort bien avoir dissimulé une arme à l'intérieur de son manteau.

Je ne suis pas intéressé pour l'instant, déclara-t-il en se levant. Vous pouvez le dire à votre Mr Foole.

Pour l'instant ?

Oui. William traversa la salle et franchit les portes vitrées. L'air glacé et le brouhaha de la rue le frappèrent de plein fouet.

Le géant le rattrapa à la station de cabs voisine.

Mr Pinkerton.

William lui tourna le dos et cracha dans une flaque de boue saumâtre. Il lui était arrivé par le passé d'être ainsi approché par des escrocs, et même par d'authentiques assassins prêts à lui proposer une sorte d'arrangement. Il ne leur avait pas fait confiance autrefois et n'était pas plus enclin à le faire aujourd'hui. Un cheval aux sabots gris attelé à un cab tourna la tête et les fixa longuement. Le conducteur qui les avait aperçus sortit d'un pub sur le trottoir d'en face et se précipita vers eux.

Il y a des bruits qui circulent, reprit le géant. Au sujet de ce qui s'est passé ce soir-là à Blackfriars.

Cela ne m'étonne pas.

Selon lesquels, par exemple, elle n'aurait pas sauté de ce pont.

Je me contrefiche des rumeurs que la pègre colporte, répondit William. Il se hissa dans le cab, dont il claqua sèchement la portière. N'essayez pas de me recontacter.

Mais le géant ne se laissait pas décontenancer. Il agrippa la portière du cab et ses énormes doigts s'imprimèrent dans la bordure en velours. Le véhicule craqua sous sa traction. Votre chambre est payée au Grand Metropolitan jusqu'à la fin du mois, murmura le géant à voix basse. Et ce n'est pas l'Agence qui règle la facture. Vous êtes venu à Londres de votre propre chef pour interroger Charlotte Reckitt au sujet d'Edward Shade. Nous n'avons nullement l'intention de mettre le nez dans vos affaires mais...

Eh bien, patron ? lança le conducteur qui sentait son véhicule osciller dangereusement.

... mais Mr Shore vous a appelé lorsque la tête d'une femme a été repêchée dans la bouillasse. Et vous l'avez vue de vos propres yeux.

Écartez-vous, lança William. Chauffeur, en avant.

Vous feriez mieux de m'écouter.

Chauffeur !

Mon patron a les moyens de vous payer.

Mes services ne sont pas à vendre. Si votre employeur veut engager un détective, dites-lui de faire appel à un Anglais. William donna un coup de pied dans la portière du cab comme s'il avait voulu chasser un chien. Allez, dégagez. Fichez-moi le camp.

Le géant cligna des yeux mais ne lâcha pas prise. Mr Foole possède certaines informations au sujet de Charlotte Reckitt. Des informations qui ne manqueraient pas de vous intéresser.

Vraiment ?

Oui.

Quel genre d'informations ?

Vous devriez lui poser vous-même la question.

Et que demande-t-il en retour ?

Ma foi, il s'attend évidemment à ce que vous fassiez un petit geste en échange. Acceptez-vous de le rencontrer à présent ?

William tourna la tête puis son regard revint se poser sur le colosse. Dites à votre patron que lorsque j'aurai envie de lui parler je saurai bien le trouver. Et ne vous avisez plus de me suivre, murmura-t-il d'une voix presque douce.

Le géant relâcha la portière du cab.

Ce qu'il avait voulu dire et que le colosse avait parfaitement compris c'était : *Dites-moi lequel de vos doigts je dois briser en premier, tout le plaisir sera pour moi.*

ONZE

Foole vit Fludd ouvrir la porte d'un geste brusque et débouler dans la cuisine avant d'aller s'asseoir à califourchon sur une chaise à côté de Molly qui lui tapota affectueusement l'épaule. Mais le géant lui lança un regard noir et elle s'arrêta aussitôt.

Ça ne s'est pas bien passé ? lui demanda-t-elle.

Oh si, marmonna Fludd. Un peu comme si j'étais descendu dans la fosse aux ours pour botter le train à ces brutes et que je m'en sois tiré sans une égratignure. Il avait une allure pitoyable, les coudes posés sur le dossier de la chaise et le menton par-dessus. Pinkerton n'a pas vraiment apprécié qu'on l'ait suivi, Adam. À mon avis tu ferais bien d'avoir un couteau à portée de la main si tu as toujours l'intention d'aller le voir.

Molly renifla.

Il a donc accepté de me rencontrer ? dit Foole en fixant le géant dont le nez s'était mis à couler.

Fludd sortit un mouchoir et s'essuya. Puis il prit un biscuit dans une assiette, le fourra dans sa bouche, en attrapa un autre et se leva. Oh oui, tu finiras par le rencontrer, dit-il. Ce n'est pas le problème.

Une fois le géant remonté à l'étage, Molly se tourna vers Foole en souriant. Pauvre vieux Jappy, murmura-t-elle. Pour ma part, William Pinkerton ne me fait pas peur.

Foole dévisagea la fillette qui balançait ses jambes sous la table.

Tu as tort, rétorqua-t-il sèchement.

Il rejoignit Fludd dans le cabinet de toilette du premier étage et le découvrit assis dans un tub en fonte. Foole alla prendre place sur une chaise. Un feu achevait de se consumer dans l'âtre. Il regarda Fludd verser le contenu d'un broc d'eau chaude sur ses épaules, la tête tournée de l'autre côté. Foole croisa les jambes et attendit.

Fludd finit par pousser un juron et se retourna vers lui. Vas-y. Dis-moi ce que tu as sur le cœur.

Tu ne crois donc pas qu'il puisse nous être utile ? demanda Foole.

Tu parles de Pinkerton ?

Bien sûr que je parle de Pinkerton.

Il est dangereux, dit Fludd.

Bien sûr qu'il est dangereux.

Fludd le dévisagea d'un air méfiant et essuya de la main l'eau qui lui coulait dans les yeux. Cesse d'approuver tout ce que je dis, grommela-t-il. Il remua et l'eau déborda du tub pour se répandre sur le carrelage. C'est une idée insensée, de vouloir engager un type pareil. C'est peut-être un détective de première bourre mais il ira fouiner dans toutes les affaires auxquelles tu as été mêlé avant de travailler pour toi.

Je n'ai pas l'intention de l'engager.

C'est une idée insensée.

Je n'ai pas l'intention de l'engager, répéta Foole en haussant le ton. Il sentait l'odeur crasseuse de son associé se mélanger à l'eau du tub. Mais Pinkerton ne s'arrêtera pas en si bon chemin, reprit-il. S'il s'est mis dans la tête de retrouver l'assassin de Charlotte, il le retrouvera. Et il a toutes les ressources du Yard à sa disposition.

Je ne vois pas comment nous pourrions l'éliminer.

L'éliminer ? rétorqua Foole d'un air peiné. Nous ne sommes pas des assassins, Japheth. J'ai compris depuis bien longtemps que la violence n'était pas au nombre de mes talents.

Contrairement à Pinkerton ?

Foole considéra son vieil ami. Oui, dit-il doucement. Contrairement à lui.

Fludd émergea de l'eau grisâtre, le corps ruisselant. Sa stature était presque inquiétante dans la pénombre. Un tapis de poils recouvrait son ventre, des cicatrices de fouet sillonnaient ses jambes, une énorme queue rouge ballottait entre ses cuisses. Ses épaules arboraient des tatouages que Foole ne connaissait pas et qu'il avait ramenés de son dernier séjour en prison. Le géant saisit la serviette que Foole lui tendait et se mit à se frotter avec vigueur sans quitter son ami des yeux.

J'ai quelques talents de mon côté, grogna-t-il.

Je sais.

Tu finiras par être victime de ces Pinkerton, dit Fludd. Il ne croira pas un traître mot de ce que tu lui raconteras, tu le sais aussi bien que moi.

Ma foi...

Et dis-moi un peu comment tu espères le convaincre de travailler pour toi ? Il est hors de question de lui graisser la patte, il a été on ne peut plus clair sur ce point.

Foole se frotta les paupières. Je lui proposerai quelque chose qui l'intéressera davantage.

Et de quoi s'agit-il ?

De quoi avons-nous envie, tous autant que nous sommes ?

Fludd inclina la tête en s'épongeant l'oreille. Ce n'est pas compliqué, dit-il. De tout ce qui est hors de notre portée.

Tu as déjà entendu parler du Sarrasin ? demanda Fludd un peu plus tard, assis devant un bon feu dans l'arrière-boutique de l'Emporium. Les rideaux étaient tirés, la pièce plongée dans la pénombre.

Foole but une gorgée de thé en réfléchissant. Il n'habitait pas à Wapping ?

Si, dans les tunnels et les égouts du quartier. Cela remonte à six ou sept ans. Un grand type au visage affreux, complètement défiguré, qui n'avait plus qu'un trou à la place du nez. On prétendait qu'il était revenu amoché de la sorte de la guerre de Crimée. Les femmes tombaient dans les pommes rien qu'en l'apercevant. Fludd adressa à Foole un regard sombre. C'était une sorte de spécialiste qui travaillait en solitaire, à sa façon. Il ne te regardait jamais dans les yeux, il examinait plutôt ce qui se trouvait autour comme s'il avait voulu jauger la forme et les dimensions de ton crâne. Pinkerton procède de la même manière. Tu ne l'as jamais rencontré ? Le Sarrasin, je veux dire.

Foole hocha négativement la tête.

Je n'ai plus repensé à lui pendant des années mais écoute-moi bien. C'était justement sa carte de visite, à ce type. De trancher les têtes de ses victimes et de les balancer ensuite dans la flotte.

Il n'est pas le seul à avoir jeté des cadavres dans la Tamise.

C'est vrai. Mais le problème c'est que Charlotte Reckitt connaissait cet enfoiré.

Foole s'immobilisa, la tasse au bord des lèvres.

Je les ai aperçus ensemble un jour chez Finchie, il y a des années de ça. On racontait alors que le Sarrasin faisait régulièrement partie de l'équipe de Charlotte, qu'il lui arrivait même d'être engagé plusieurs mois d'affilée. Et quand je pense à ce qui lui est arrivé…

Tu crois que le coupable est quelqu'un du milieu.

Je suis convaincu que Charlotte connaissait celui qui l'a tuée.

Foole fronça les sourcils. Le Sarrasin n'avait pas l'habitude de débiter ses victimes en morceaux. À moins que ma mémoire ne me joue des tours.

On n'a jamais retrouvé les corps de ses victimes. Fludd s'éclaircit la gorge. Quand nous étions à New York, Molly m'a parlé d'une histoire que Mrs Sharper et sa sœur racontaient jadis à leurs pensionnaires. Sans doute pour les faire marcher droit. Cela concernait l'un de leurs clients réguliers dont la vieille Sharper elle-même avait peur. Tout cela se passait avant la naissance de Molly. Ce type débarquait chez les Sharper au beau milieu de la nuit en rasant les murs. Il réclamait toujours les services de la même fille, une certaine Anne la Française ou surnommée telle, plus âgée que les autres gamines et qui lui a planté un couteau dans la joue lorsqu'elle s'est aperçue qu'il fricotait avec une autre fille.

Et tu crois qu'il s'agit du Sarrasin.

Je ne suis pas le seul à le croire. La rumeur prétend que Charlotte Reckitt a fini par entuber le Sarrasin et qu'ils s'étaient quittés en très mauvais termes.

Foole considéra longuement son associé. Quel âge peut avoir ce type à présent ? Soixante, soixante-cinq ans ? Est-il seulement encore en vie ?

Le géant haussa les épaules.

Tu prends cette hypothèse au sérieux.

Elle ne me paraît pas si improbable que ça, à bien y réfléchir.

Foole but une longue gorgée de thé. Je t'écoute, dit-il.

Fludd baissa les yeux. Il y a des gens qui mijotent très longtemps leur vengeance, tu le sais bien. Et après ce que ce type semble avoir enduré…

Foole caressa du doigt le bord de sa tasse. Cette affaire remonte à plusieurs années, dit-il. Pourquoi aurait-il attendu si longtemps ?

On t'a roulé toi aussi il y a bien longtemps et tu ne l'as pas oublié. Mais ce que je voulais dire c'est que tu n'as pas besoin de ce fichu Pinkerton. Si tu arrivais à mettre la main sur quelqu'un qui a connu le Sarrasin autrefois…

Tu veux parler de cette prostituée.

Anne la Française, oui. Je me disais que Molly pourrait aller poser quelques questions aux sœurs Sharper. Pour voir si elles savent ce que cette fille est devenue.

Foole dévisagea son ami. Je ne peux pas demander à Molly de faire une chose pareille.

Bien sûr que si.

Tu ne comprends pas. Elles ne se sont pas vraiment quittées en très bons termes.

Fludd haussa ses massives épaules. Fais comme tu l'entends.

Foole regarda la cheminée où les braises rougeoyaient, tout en tournant sa tasse entre ses mains. Il y avait un petit garçon, murmura-t-il. Un certain Peter. Âgé de quatre ans à l'époque. Molly et lui travaillaient ensemble, il était comme un frère pour elle. Lorsqu'elle est retournée le chercher il n'était plus là-bas, les deux sœurs l'avaient mis à la porte. Sans doute était-il déjà mort à ce moment-là.

Des pas se rapprochèrent dans le couloir, passèrent, s'éloignèrent.

Jamais elle ne retournera chez les sœurs Sharper.

Bien sûr que si, grommela Fludd. Si c'est toi qui le lui demandes.

Plus tard dans la soirée il s'approcha de sa chambre, dont la porte était entrebâillée. C'était une pièce étroite au plafond à moulures et aux murs couverts de papier peint. Molly était allongée à plat ventre sous les couvertures, un livre ouvert devant elle. Une petite lampe à huile diffusait une lueur verte sur la table de chevet. Foole considéra un moment cette gamine au passé broyé, inconsciente de la beauté qui germait déjà en elle. Au milieu des draps il aperçut la tête décapitée de la poupée qu'elle avait volée à cette petite fille sur le paquebot et dont les yeux de verre fixaient le plafond. Lorsqu'elle leva la tête, il perçut toute l'énergie qui émanait d'elle.

Tu vas continuer à faire le guet encore longtemps? lança-t-elle.

La main sur l'encadrement de la porte, il voulut poser sa question mais n'y parvint pas. Je dois sortir ce soir, dit-il à la place.

Pour aller chez les sœurs Sharper ? dit-elle en se redressant sur le coude.

Il la dévisagea.

Ta langue pend, on dirait une bande de papier tue-mouche, ironisa-t-elle.

J'imagine que c'est Japheth qui t'a mise au courant.

Il a dû y faire allusion, répondit-elle en souriant. Mais c'est d'accord. Il y a longtemps que je n'ai plus peur des sœurs Sharper, Adam.

Bon.

En plus tu as de la chance, je n'avais rien de prévu ce soir, ajouta-t-elle en le fixant de ses yeux perçants.

Je n'avais pas l'intention de te le proposer, dit Foole.

J'avais compris, répondit-elle.

C'étaient les deux dernières rescapées d'une lignée de cinq sœurs à moitié aveugles mais qui avaient été d'une grande beauté dans leur jeunesse. Aucun de leurs maris n'avait survécu à leurs nuits de noces. Les deux cadettes avaient été pendues en 1862 après avoir été convaincues d'empoisonnement et une autre avait été emportée par le choléra auparavant. Mrs Sharper avait eu les doigts tranchés dans son enfance à la suite d'une condamnation pour vol et s'était fait fabriquer pour une somme faramineuse des prothèses en bois qu'on avait vissé dans ses moignons et qu'elle arborait sans se soucier de mettre des gants. Ces sœurs sans scrupule avaient surgi comme une nichée de rats noirs dans les bas-fonds de Wapping l'année de la Grande Exposition, et leur nom était toujours redouté trente ans plus tard parmi la faune interlope des va-nu-pieds et des miséreux. Elles avaient été à la tête de toute une tribu d'enfants spécialisés dans le vol à la tire mais, leur vue baissant, elles avaient dû se résoudre peu à peu à cette fatalité et étaient à présent retirées des affaires.

Dans l'année qui avait suivi son rachat, Molly se réveillait parfois en pleurant et venait se réfugier dans le lit de Foole. Elle avait six ans à l'époque et rêvait qu'elle perdait son chemin au sein du labyrinthe qu'il lui fallait traverser pour regagner la maison des deux sœurs. Tu veux retourner chez elles ? lui demandait Foole en lui caressant les cheveux. Elles te manquent ? Mais Molly se retournait, déjà rendormie, et n'en avait plus le moindre souvenir en se réveillant le lendemain matin.

Foole l'observait à présent en se rappelant ces scènes anciennes. Lorsque leur cab ne fut plus en mesure d'avancer, ils descendirent et s'enfoncèrent dans un dédale de ruelles, de passages voûtés et de cours intérieures avant de s'arrêter devant une porte que rien ne distinguait des autres et dont la peinture blanche était écaillée depuis belle lurette. Foole s'avança et frappa à la porte.

Celle-ci s'ouvrit aussitôt. Un ancien marin aux épaules massives et aux mains tatouées apparut dans l'encadrement. Il avait une béquille calée sous l'aisselle et sa jambe gauche s'interrompait à la hauteur du genou où son pantalon était retroussé, retenu par une grosse épingle. Lorsqu'il aperçut Molly, son visage luisant parut brusquement s'éclairer.

C'est toi, ma poulette ? murmura-t-il. Que viens-tu faire ici ?

Nous sommes venus parler avec Mrs Sharper, rétorqua Foole.

Laisse-nous entrer, Curtains, lança Molly.

L'unijambiste s'écarta pour les laisser passer. Il referma la porte derrière eux, jeta un dernier regard par le judas puis les précéda de sa démarche claudicante. La maison était plongée dans la pénombre, le froid, les courants d'air. Un escalier se perdait dans les ténèbres, une porte se profilait au sommet et un éclat de rire lointain parvint jusqu'à eux. Arrivé dans le salon, le dénommé Curtains annonça leur arrivée d'une voix de stentor avant de se retirer. Une lampe unique diffusait une vague lueur et Foole attendit que sa vue s'accoutume à cette semi-obscurité. Une odeur de sueur et de harengs au vinaigre régnait dans la pièce. Il distingua peu à peu les contours des meubles, des rideaux, d'un piano-forte recouvert d'une housse en feutre. Sur une ottomane au pied d'une horloge une fille d'une quinzaine d'années était négligemment allongée et fixait Foole d'un air languide. Puis une silhouette plus massive et plus âgée remua dans l'ombre à l'autre bout de la pièce et la fille se tourna vers elle.

Laisse-nous, murmura une voix.

La fille se leva et la porte ne tarda pas à se refermer derrière elle. Un lourd silence retomba dans la pièce.

Nos invités devront nous excuser, ma sœur, lança soudain une autre voix. Nous n'avons rien à leur offrir.

Une silhouette assise un peu plus loin se matérialisa lentement et Foole vit émerger de la pénombre un visage aux joues cadavéreuses, les mains plantées comme des serres dans les accoudoirs.

Ils sont surpris, ma sœur, reprit la voix. Ils voient combien nous avons souffert.

Ils ne croyaient pas que le mal se serait propagé aussi vite.

Non, ma sœur, ils ne le croyaient pas.

La silhouette remua à l'autre bout de la pièce et la lueur de la lampe révéla dans toute son horreur la cécité qui l'affligeait. Les paupières étaient sillonnées de cicatrices rougeâtres, traces de l'opération qui avait échoué. La peau du visage était poudrée, les cheveux coiffés dans un savant désordre. Elle était vêtue d'un chemisier démodé dont le col était boutonné jusqu'au menton et une couverture était étalée sur ses jambes. Elle était en train de faire une partie de solitaire lorsqu'ils étaient arrivés et Foole la reconnut aussitôt.

Tu nous as amené ton Mr Foole, ma poulette, murmura Mrs Sharper en faisant tourner une carte entre ses doigts. À moins que ce ne soit lui qui t'ait amenée jusqu'ici ? Il ne souhaite tout de même pas que tu reviennes travailler pour nous ?

Non, répondit Molly, il ne le souhaite pas.

C'étaient les premiers mots qu'elle prononçait et les deux sœurs se tournèrent d'un même mouvement vers elle. Mrs Sharper reposa ses cartes.

Ah, tu es là, ma poulette.

Foole sentit la chair de poule monter le long de son échine. Molly se raidit à ses côtés et il posa la main sur ses cheveux. Nous sommes venus vous interroger au sujet d'un de vos anciens clients, dit-il. Nous sommes désolés de vous déranger mais nous vous dédommagerons bien sûr pour le souci que nous vous causons.

Il souhaite nous interroger au sujet d'un client, ma sœur.

Qui est-il pour s'arroger ce droit ? Nous ne révélons pas ce genre de choses.

Pas à des individus comme lui.

Nous les réservons à nos proches. Aux membres de notre famille.

Je ne faisais pas partie de votre famille, intervint Molly. Je vous appartenais. Vous m'avez vendue.

Pour que tu bénéficies d'une meilleure situation, mon enfant. N'es-tu pas heureuse à présent ? Comme Molly ne répondait pas la vieille femme murmura : Tu vois bien.

D'un geste agacé Molly écarta la main de Foole. Je suis venue vous interroger au sujet du Sarrasin, dit-elle.

Mrs Sharper leva son visage ravagé. Le Sarrasin, murmura-t-elle.

Il venait souvent retrouver l'une de vos pensionnaires, poursuivit Molly. On nous a dit que vous sauriez peut-être ce qu'elle est devenue.

Nous avons eu beaucoup de pensionnaires, mon enfant.

On l'appelait Anne la Française. Vous devez vous souvenir d'elle. Vous lui avez tailladé le visage pour qu'elle ne puisse plus travailler avant de l'envoyer sur les quais.

La plus mince des deux sœurs remua dans l'ombre comme si elle cherchait à capter une odeur. C'est toi qui viens nous faire ces reproches, mon enfant. Après avoir largué ce pauvre garçon.

Quel garçon ?

Peter.

Je n'ai jamais largué Peter. Je l'aimais.

Et pourtant tu l'as abandonné. Tu as suivi ton bon Mr Foole et tu l'as laissé seul ici. Pauvre Peter, pauvre petit voleur. Comme il a pleuré en voyant que tu ne revenais pas le chercher.

Peter n'était pas un voleur, dit Molly.

Bien sûr que si, mon enfant.

Ce n'était pas un voleur. Vous l'avez mis à la porte en sachant pertinemment qu'il ne s'en sortirait pas. Il n'avait même pas six ans.

Nous lui avons demandé de nous rendre ce qu'il nous avait volé, répondit la plus mince des sœurs. Il a refusé.

Il nous a quittées pour aller te rejoindre, intervint Mrs Sharper. En nous disant qu'il saurait te retrouver et que tu prendrais soin de lui. Que pouvions-nous faire ?

Il ne t'a donc pas retrouvée, mon enfant ?

Molly resta silencieuse.

Viens par ici, ma poulette, dit Mrs Sharper en tendant sa main amputée. Même dans la quasi-obscurité, Foole distinguait ses doigts en bois vissés aux moignons. Molly s'avança vers elle.

Molly ! lança sèchement Foole.

Mais elle ne lui accorda qu'un regard distrait et rejoignit la vieille. Foole comprit qu'il était témoin d'une histoire enfouie, très ancienne, pleine de douleur et de rage et sans doute même d'amour, d'une certaine façon. Molly s'agenouilla au pied de la vieille et leva les yeux vers elle. Mrs Sharper passa lentement, méthodiquement la main sur le visage de la fillette. Ses doigts gris rampaient comme des araignées sur ses paupières.

Comme tu as grandi, ma poulette, murmura-t-elle. Tu as des traits si délicats. Tu seras bientôt très belle.

Molly ouvrit les yeux. Son expression n'avait pas changé.

Deux longs doigts soulevèrent son menton. Et pourquoi ton Mr Foole veut-il retrouver Jonathan Cooper, mon enfant ?

Foole retint son souffle. Cooper, répéta-t-il doucement. Jonathan Cooper.

Que lui as-tu raconté, ma poulette ? Que Cooper n'avait plus de visage ? Ton Mr Foole aurait-il besoin de ses talents particuliers ? À moins qu'il ne lui ait causé du tort ? Ou qu'il ne t'en ait causé à toi ? Les mains de Mrs Sharper s'immobilisèrent. Ce que tu as entendu dire est vrai, ma poulette. Nos yeux voyaient encore un peu à l'époque où il venait chez nous, nous nous souvenons de lui. On voyait ses dents à travers le trou qui déchirait sa joue. Il ricanait toujours comme si tout cela l'amusait mais il avait un regard affreux, d'une noirceur épouvantable. Il était aussi grand qu'un cheval mais il avait le dos tordu et ne pouvait pas se tenir droit. Il venait voir Anne aux premières heures de l'aube. Il aimait lui chuchoter des choses à l'oreille dans son mauvais italien.

Italien ? intervint Foole.

Mrs Sharper l'ignora.

Il n'a jamais commis la moindre violence ici, ma sœur, lança la plus mince de l'autre bout de la pièce. Ni à son égard ni envers une seule de nos pensionnaires. Mais Anne et lui ont fini par se quereller.

Anne était violente, il faut dire. Et d'une telle jalousie.

Une putain jalouse, ma sœur.

Foole essuya sa paume humide sur son pantalon et se tourna vers Molly. Demande-leur donc…

Que voulez-vous nous demander ?

Foole se racla la gorge.

Nous avons toujours su la vérité concernant la nature profonde de Mr Cooper.

Oh, nous savions fort bien à qui nous avions affaire, ma sœur.

Tout comme Anne.

Tout comme Anne. C'est pourquoi elle nous a quittées, ma sœur.

Elle ne vous a pas quittées, intervint Molly qui contemplait la vieille femme avec une fascination que Foole n'appréciait guère. Ce n'est pas elle qui est partie. C'est vous qui l'avez mise dehors.

Nous l'avons surprise en train de nous voler, ma poulette. Nous n'avions pas le choix, nous ne pouvions pas garder une voleuse dans nos murs.

Foole sortit deux billets de cinq livres de sa poche et alla les déposer sur la table où Mrs Sharper avait disposé ses cartes. J'aimerais beaucoup retrouver Anne la Française, dit-il froidement. Et avoir une petite conversation avec elle.

Les billets disparurent dans la main droite de Mrs Sharper, qui les serra contre sa poitrine avant de les glisser à l'intérieur de son chemisier.

Vous voulez retrouver Anne la Française, Mr Foole ? Vous allez devoir chercher six pieds sous terre.

Elle est donc morte ?

Mrs Sharper lui adressa un regard vide. Anne la Française est morte et enterrée, oui. Mais la femme qui portait ce nom est toujours en vie.

Foole considéra les pupilles laiteuses de la vieille femme qui le dévisagea soudain et planta ses yeux dans les siens. Il sentit les poils se dresser sur son cou. Elle le regardait. C'était impossible et pourtant c'était bien le cas.

Elle travaille à l'embouchure des égouts de Blackfriars, lâcha Mrs Sharper. Elle vit dans la rue, on l'appelle Anne la Gadoue désormais. Elle ne quitte jamais le quartier des tunnels, c'est du moins ce qu'on nous a dit. La vieille femme marmonna et Foole entendit le bruit de ses doigts en bois qui heurtaient l'accoudoir. Ce monde des égouts est d'une grande cruauté, Mr Foole. Personne n'y survit très longtemps. C'est aujourd'hui le repaire d'une bande de fous furieux, la police elle-même n'ose pas y mettre les pieds. Ces individus sont capables de taillader quelqu'un en pièces et de l'abandonner aux rats rien que pour le plaisir.

Foole serra instinctivement le pommeau de sa canne entre ses doigts. Comment la reconnaîtrai-je? demanda-t-il.

À ses cicatrices. Mrs Sharper leva sa main mutilée dans l'obscurité. Ici. Et là, dit-elle en traçant deux lignes qui traversaient ses joues de la commissure des lèvres à la base des oreilles.

Et ce Cooper? Est-il toujours avec elle?

La plus mince des deux sœurs haussa à son tour les épaules. Tout cela remonte à une quinzaine d'années, Mr Foole. Dans cette vie les perdants s'en sortent rarement. Et Mr Cooper avait toujours été de leur côté.

Les morts ne refont pas surface, ma sœur.

N'est-ce pas, mon enfant?

Les deux aveugles avaient relevé leur visage en même temps et scrutaient les ténèbres de leurs yeux laiteux.

N'est-ce pas?

Mon enfant?

Ma poulette?

Le lendemain il s'endormit en plein après-midi et rêva qu'un cil lumineux dansait à côté de son lit puis s'étirait s'allongeait grandissait se penchait vers lui et il s'apercevait alors qu'il s'agissait d'un enfant arborant des ailes d'une luminosité aveuglante mais dont le visage restait dans l'ombre et qu'il n'osait pas regarder. *De quoi s'agit-il?* lui demandait-il, mais l'enfant se contentait de tendre la main en désignant son cœur.

Il s'éveilla en sursaut. Sa chemise était trempée, son bras droit engourdi, et il se releva, encore sous le coup de ce qui lui était apparu en rêve. Il s'aspergea le visage au-dessus de la bassine d'eau froide, descendit l'escalier, traversa l'Emporium et héla un cab. Le véhicule se mit lentement en route et Foole avait l'impression qu'il s'enfonçait dans un brouillard sans fin.

Un assistant affligé d'un léger bégaiement l'attendait à l'entrée de la morgue et l'introduisit à l'intérieur. Sans échanger un mot, ils s'engagèrent dans un interminable couloir puis franchirent une porte massive qui donnait accès au sous-sol. Lorsque l'assistant se pencha pour maintenir la porte, Foole sentit les effluves de gin qui imprégnaient son haleine. L'homme lui tendit une lanterne et lui indiqua d'un geste la salle qui se perdait dans les profondeurs du sol.

Puis il fit demi-tour et disparut par le même chemin.

Des cadavres étaient étendus sur des tables métalliques de part et d'autre des murs. Foole traversa cette funèbre allée sans leur accorder un regard. À la lueur de sa lanterne des formes se dressaient et refluaient dans l'ombre. Il marchait avec calme, ce n'était pas le premier voyage qu'il accomplissait au pays des morts.

À l'extrémité de la salle il découvrit contre un mur de brique ruisselant d'humidité une rangée de meubles métalliques. Il posa sa lanterne sur une table constellée de taches et s'approcha de la plus grande armoire. Elle n'était pas fermée à clef et ses portes claquèrent bruyamment lorsqu'il les rabattit. Le bruit résonna et alla se perdre dans les ténèbres. L'étagère supérieure était remplie de dossiers sagement alignés. Les deux suivantes contenaient des bocaux de tailles diverses dont le contenu indécis semblait avoir servi de modèle aux figures de cire de Mme Tussaud. Sur l'étagère inférieure il aperçut enfin l'objet qui avait motivé sa venue.

C'était un grand coffre trop lourd pour qu'il puisse le déplacer et empli d'une masse visqueuse qui dégageait un indicible sentiment d'horreur. Il ne comprit pas au début ce qu'il entrevoyait au juste mais les contours se précisèrent peu à peu dans leur housse délavée, tel un objet infect et inidentifiable retiré des profondeurs de l'océan. Les blessures s'étaient refermées, cautérisées par le formol, comme autant de bouches minuscules. Mais il s'agissait bien du torse d'une femme.

Il resta un long moment à contempler ce sinistre spectacle puis finit par se pencher pour saisir un bocal plus petit qu'il déposa sur la table à côté de la lanterne. Il se pencha. Une étiquette avait été collée sur la paroi où figuraient une série de chiffres et de lettres destinés à identifier son contenu. Mais comme il était incapable de les déchiffrer cela ne lui apprit rien. En faisant pivoter le bocal, il distingua des fragments en suspens qui tournoyaient dans le liquide opaque et comprit qu'il devait s'agir d'infimes débris qui s'étaient détachés de la chair et flottaient à présent dans le formol. Et puis doucement, lentement, avec une sorte de langueur, la tête pivota dans le liquide et se présenta face à lui.

Il ne la reconnut pas. Le visage était flasque, les joues flottaient et ballottaient dans le formol, les yeux étaient vitreux, laiteux. En raison du poids du cerveau, le crâne était légèrement penché en arrière comme pour contempler l'épais couvercle qui scellait le bocal. L'une des tempes heurta soudain la paroi de verre et il vit la tête osciller, incapable de mettre un nom sur ce qu'il était en train d'éprouver.

La tête continua son lent mouvement de pendule dans le liquide jaune et trouble qui la conservait.

Charlotte, murmura-t-il. Oh, Charlotte.

Et il ferma les yeux.

DOUZE

William ouvrit les yeux.

Il avait mal au crâne, et il était déjà midi. Il s'était emberlificoté en dormant, ses draps l'enveloppaient comme un linceul. Il les rejeta d'un geste rageur, se leva, s'habilla et resta un long moment immobile à fumer devant la fenêtre. Il savait qu'il aurait dû se rendre une nouvelle fois au domicile de Sally Porter mais n'en avait pas la moindre envie. Le brouillard était épais à l'extérieur, la lumière du jour indécise, et la femme de chambre avait allumé les lampes à gaz pendant qu'il dormait avant de venir les éteindre, mais leurs parois de verre étaient encore chaudes. Il repensa au géant qui l'avait accosté deux jours plus tôt ainsi qu'à l'allusion que celui-ci avait faite au fantomatique Edward Shade. William fronça les sourcils et ses dents se serrèrent sur l'embout de sa pipe.

Il alla s'asseoir devant l'étroit bureau, saisit une feuille à l'en-tête de l'hôtel, ouvrit son flacon d'encre et se mit à écrire.

Individu de sexe masculin, 45 ans environ, accent d'origine incertaine (anglais ? australien ?). Yeux marron foncé au point de paraître noirs, cheveux noirs, barbe noire. 1,95 mètre et 125 kg environ. Prétend agir au nom d'un certain Mr Fool (vérifier s'il figure dans nos archives) mais il s'agit sans doute d'un pseudonyme. S'exprime avec rudesse, d'une manière presque menaçante. Plusieurs signes particuliers : longue cicatrice en travers de la gorge, comme s'il avait été pendu. Extrémité de l'oreille gauche arrachée. Cicatrices sur le dos des mains et traces de brûlures autour du poignet gauche. Cicatrice en forme d'étoile au-dessus de l'œil droit. L'allure générale est celle d'un criminel endurci. A probablement fait de la prison. Vérifier dans le fichier de l'identité judiciaire. Envoyer toutes les informations possibles.

Il souffla sur la feuille pour faire sécher l'encre avant de la plier et de la glisser dans une enveloppe où il inscrivit l'adresse de l'Agence Pinkerton à Chicago. Il saisit ensuite une nouvelle feuille à en-tête, plongea sa plume dans l'encrier et rédigea plus hâtivement une seconde missive.

Ma chère Margaret

Oui, les journées sont froides ici mais je ne me soucie guère du brouillard. Tu lui trouverais probablement du charme, comme à ces tableaux que tu admirais tant à New York au printemps dernier. Dis aux filles que les poneys en Angleterre ne sont pas aussi beaux que chez nous, l'atmosphère enfumée de la ville ne leur réussit pas. On dirait que l'enquête que je suis venu mener ici touche à sa fin. Il ne me reste plus qu'à boucler le dossier et tu sais qu'il est difficile de savoir combien de temps cela prendra. J'ai vu Sally Porter la semaine dernière, elle n'était pas en très bonne forme. Benjamin Porter est mort à la fin de l'année dernière. Écris-moi quand tu le pourras. Je dors mal sans ta présence et celle des filles à mes côtés. Margaret si je

Il s'interrompit et considéra la lettre tandis que l'encre commençait à sécher. Ce n'était pas ce qu'il avait voulu écrire mais il en allait toujours ainsi. Il y avait des gens qui avaient le don d'exprimer ce qu'ils ressentaient ou ce qui leur passait par la tête, mais il n'en avait jamais fait partie.

Il pensait à Isabelle, sa fille aînée, et à la longue maladie dont elle avait souffert à l'automne, aux craintes qu'ils avaient eues à son sujet Margaret et lui. Elle aurait dix-huit ans cette année. Elle avait toujours été d'une constitution fragile et ses poignets étaient tellement maigres qu'on devinait la forme de ses os sous la peau. Il se rappelait encore l'odeur qui imprégnait sa chambre de malade, la manière dont il la regardait sur son lit au milieu de ses couvertures, le sentiment d'impuissance qu'il avait éprouvé.

Il aurait voulu écrire tout cela mais ne savait pas comment s'y prendre. Au bout d'un moment il ratura la fin de la lettre et écrivit à la place :

Tu avais raison. Je n'aurais pas dû venir.

Puis il se cala dans son siège et regarda par la fenêtre. Il finit par plier la feuille mais ne cacheta pas l'enveloppe. Il ouvrit le tiroir inférieur du bureau et la déposa au sommet d'une pile de missives identiques qu'il avait rédigées et n'avait jamais envoyées.

La journée était déjà bien avancée. Il savait qu'il allait devoir se mettre en route et franchir la Tamise afin d'avoir une nouvelle discussion avec Sally Porter. Il voulait lui rapporter les propos de Shore concernant la mort d'Edward Shade pendant la guerre de Sécession et entendre ses explications à ce sujet. Cela n'avait guère de sens, il le savait bien mais ne voyait pas quoi faire d'autre. Il n'aurait jamais dû se lever aussi tard.

Il ferma sa porte avec soin et alla appeler l'ascenseur après avoir glissé son colt Navy dans la poche de son manteau. Il n'avait guère de sympathie pour la civilisation moderne mais appréciait ses armes à feu, ses chemins de fer et ses ascenseurs aux parois en acajou et aux sièges recouverts de velours. La grille de l'ascenseur s'ouvrit en grinçant et il salua l'employé de la tête, les mains dans les poches.

Au rez-de-chaussée, une silhouette familière l'attendait dans le hall sous les feuilles de palmier.

Bonjour, inspecteur, lança-t-il.

Blackwell sursauta et fit volte-face. Mr Pinkerton. Vous êtes donc réveillé.

En apparence à tout le moins.

Blackwell opina. Il paraissait agité et tripotait nerveusement son chapeau.

Que se passe-t-il ? John a-t-il déjà arrangé cette visite ?

Je vous demande pardon, monsieur ?

Ne vous excusez pas, c'est inconvenant. Il ne vous a pas demandé de me conduire à Millbank ?

À Millbank, monsieur ?

William le dévisagea. Blackwell, que faites-vous ici ?

C'est à cause des jambes, monsieur. On les a retrouvées dans un sac près de Southwark Park. À Bermondsey.

Les deux ?

La question avait quelque chose d'incongru, il s'en rendit compte en la posant.

Oui monsieur, répondit Blackwell. Les deux.

Ils franchirent les portes vitrées et se retrouvèrent dans la grisaille de l'après-midi. Tout paraissait calme, étrangement vide. On avait beau être samedi, William se demandait où était passée la circulation. Blackwell réapparut, perché dans un cab. Il lui tendit la main et William se hissa à son tour à bord du véhicule.

Ils traversèrent le pont de Westminster, franchirent le poste de péage et s'engagèrent dans le dédale insalubre de Bermondsey. Une écume savonneuse croupissait le long des caniveaux, des piliers en bois rongés par l'humidité émergeaient de l'eau verte. Des hommes en haillons touillaient avec de longues perches les peaux gorgées d'eau dans les fosses puantes des tanneries et des enfants à moitié nus couraient le long des entrepôts branlants.

William étouffa un bâillement et jeta un coup d'œil sur l'homme qui était assis à ses côtés. Vous ne plaisantez pas aujourd'hui, Blackwell ?

Non monsieur.

Vous préférez traiter cette affaire par-dessus la jambe, c'est ça ?

Blackwell détourna les yeux.

La cruauté de sa repartie le surprit lui-même et il retomba dans le silence. La puanteur semblait s'être accrue depuis la dernière fois qu'il avait mis les pieds dans le secteur. Il pensait à Sally Porter dans sa chambre sordide, et son estomac se crispa sous l'effet d'une brusque douleur. Il se rendait compte que Sally avait travaillé pour son père sa vie durant et qu'elle détenait sans doute une bonne partie de ses secrets. Mais il aurait été malvenu de sa part de lui en tenir rigueur. William se dit que ce n'était pas son manque de franchise qui le dérangeait tout en sachant que ce n'était pas vrai. La peinture, blanche à l'origine, des rebords de fenêtres avait désormais la noirceur du goudron. La fange s'étendait sous les trottoirs en bois, des bulles méphitiques venaient crever à la surface de la boue. Çà et là, le corps gelé d'un chien gisait, emmêlé aux broussailles. De temps en temps le brouillard se dissipait fugacement et il entrevoyait l'un des puits rougeoyants où bouillonnait la teinture. Il imaginait Sally immobile dans la pénombre de sa chambre, l'écoutant s'éloigner à l'autre bout du couloir tout en pensant au jeune Edward Shade du temps de la guerre de Sécession. Une invention. Un spectre. Un prête-nom. Ils tournèrent dans Jamaica Road puis remontèrent Drummond avant de longer les immenses cheminées de l'usine Peek, Frean and Co, dont les fours déversaient une odeur nauséabonde et sucrée dans les rues du quartier.

Les habitants l'ont surnommée la cité du Biscuit, monsieur, murmura Blackwell.

Il y avait une telle douleur dans sa voix que William ne sut quoi lui répondre et resta silencieux.

Le cab s'arrêta au bord d'un terrain vague qui s'étendait devant une usine aux vitres brisées et à la cheminée branlante. William crut tout d'abord qu'elle était désaffectée mais aperçut bientôt des visages blafards amassés derrière les fenêtres et qui contemplaient la scène d'un air intéressé.

Un agent était planté à l'angle du terrain. Une matraque pendait à son poignet mais les curieux se gardaient bien d'approcher et se tenaient à bonne distance, de l'autre côté de la rue. Des commerçants sortaient sur le seuil de leurs boutiques, les manches retroussées et le ventre ceint d'un grand tablier. L'atmosphère était lourde, épaisse, délétère. Et le brouillard d'une densité complète. William aperçut néanmoins la silhouette accroupie de Breck qui se redressait lentement dans ce halo grisâtre.

La découverte de la tête a été annoncée dans les journaux du soir, chuchota Shore tandis qu'ils s'approchaient.

Montrez-moi ça.

Shore se frappait la cuisse avec le cylindre du journal qu'il tenait à la main. On parle également de vous, ajouta-t-il.

J'ai horreur de ça. La plupart des choses qu'ils impriment n'ont rien à voir avec la réalité. Il saisit néanmoins le journal et le déplia, scrutant les colonnes tandis que le brouillard s'insinuait entre leurs pieds. *Scotland Yard bénéficie pour cette enquête du concours de William Pinkerton, actuellement à la tête de l'agence de directives Pinkerton basée à New York et Chicago.* Il releva les yeux. Directives ?

Oui, répondit Shore avec un grand sourire.

Vous n'avez pas de correcteurs dans ce pays ? William se dirigea vers le sac à moitié dissimulé par les broussailles du talus. Quelqu'un l'a-t-il déjà touché ?

Oui. Le Dr Breck. Ainsi que les policiers arrivés en premier sur les lieux.

William s'agenouilla auprès du sac et l'ouvrit précautionneusement. Les pieds avaient été introduits en premier et il distinguait la blancheur de l'os qui pointait des moignons au sommet des cuisses. Il avait souvent eu l'occasion de traverser les abattoirs de Chicago pour son travail et il revoyait les quartiers de viande qui oscillaient en défilant suspendus à leurs chaînes dans les grandes salles frigorifiques. Il ressentait toujours le même frisson, l'écho de la même violence et des mêmes douleurs lorsqu'il mettait les pieds là-bas. Il referma le sac. Imbibée de sang, la toile avait durci et crissait légèrement sous ses doigts.

Entre les nappes de brouillard il distinguait les silhouettes des policiers qui inspectaient le sol défoncé.

Eh bien ? demanda Shore. Qu'en pensez-vous ?

William se releva et ne répondit pas.

En tout cas, grommela Shore, le coupable s'est donné un mal de chien pour enterrer ce truc. Il aurait été plus simple de balancer les jambes dans la Tamise comme il l'avait fait pour la tête.

J'imagine que personne n'a rien vu.

Personne ne voit jamais rien à Bermondsey.

Vous avez interrogé les habitants du quartier ?

Oui.

William réfléchit un moment en regardant le sac. Depuis combien de temps est-il là ?

Depuis ce matin, d'après le Dr Breck, répondit Shore en hochant la tête. Le sang a séché, ce qui indique que les jambes ont été placées dans le sac peu après avoir été séparées du corps. Mais la toile ne présente aucune trace d'humidité, ce qui prouve qu'elle n'était pas enterrée ici la nuit où il a plu.

Et personne n'a rien vu.

Comme je vous le disais. Pauvre femme.

Des pas s'approchèrent sur le sol boueux et Breck émergea de la brume en s'essuyant les mains dans un mouchoir d'un geste désinvolte. Il n'y avait aucune empreinte de pas autour des restes, lança-t-il sèchement.

Il y en a maintenant, marmonna William.

J'ai toutefois relevé plusieurs traces indistinctes sur le chemin qui remonte vers le parc. Elles ont vraisemblablement été laissées par quelqu'un qui avait pris la peine d'envelopper ses chaussures dans une étoffe.

Et qu'est-ce que cela nous apprend ? demanda Shore.

Que le sac a été déposé ici par une seule personne, dit doucement William.

Et qu'il ou elle a eu l'intelligence de dissimuler ses empreintes, poursuivit Breck. À moins qu'elle n'ait voulu se protéger de la boue.

Elle ? lança William.

Se protéger ? intervint Shore. Vous voulez dire que le coupable aurait porté des chaussures de luxe ?

Breck haussa les épaules.

Elle ? répéta William.

Breck était penché sur sa mallette dont il ouvrit le couvercle et ne releva pas les yeux pour lui répondre. C'est une possibilité. Peut-être le cadavre a-t-il été découpé parce qu'il était trop lourd pour être transporté en entier. Et les empreintes auraient pu nous donner un indice important si elles avaient été laissées par des chaussures de femme.

C'est une possibilité, concéda William. Mais est-elle vraisemblable ?

C'est une possibilité, répéta Breck. Il sortit de sa mallette un étrange appareil, une sorte de lampe torche équipée d'une série de lentilles et munie d'une poignée. Lorsqu'il l'alluma, un puissant trait de lumière éclaira le sac. Le médecin légiste avait ôté son chapeau et son manteau, les avait déposés sur le couvercle de la mallette, et avait enfilé un masque de cuir dont les brides s'attachaient derrière la nuque. Le masque comportait un ensemble de loupes fixées à des tiges souples qu'il pouvait placer à sa guise devant ses yeux.

Messieurs, commença-t-il.

Inutile de faire tout ce cirque, lança Shore. On se croirait à la foire.

Le spectacle a déjà commencé, monsieur.

William regarda le médecin légiste travailler avec intérêt. Il promenait lentement son rayon lumineux sur le sac, pouce par pouce, soulevant les bords à l'aide d'un petit instrument en fer semblable à une fourchette. Puis il entrouvrit le sac et se pencha pour renifler le bord, sans toucher ce qui se trouvait à l'intérieur. Il inclina la tête et demanda : Mr Pinkerton, avez-vous entendu parler du collodion ?

William fronça les sourcils. C'était la première fois qu'il entendait ce mot.

Il y a une sacoche en cuir dans la mallette, reprit Breck. Vous y trouverez une série de plaques de verre. Passez-m'en une.

La plaque était couverte d'une substance adhésive que le médecin retira sans un mot avant de se remettre au travail.

Qu'avez-vous découvert ? demanda Shore.

Je n'en suis pas certain.

Breck tendit à William la plaque de collodion et la redressa avec soin. Deux petits insectes blancs apparurent, collés contre le verre.

Le sac n'était pas ouvert de la sorte tout à l'heure. Je vous avais bien demandé de ne laisser personne s'en approcher. Dois-je constamment rappeler à vos agents le sens du mot contamination ?

Shore ne réagit pas. William non plus.

Breck émit un grognement guttural et se pencha plus avant. Les poils des jambes sont bruns, dit-il. Mais comme vous pouvez le voir, Mr Shore, ils paraissent gris à l'extrémité des follicules. Très intéressant. Une autre plaque, Mr Pinkerton.

William s'exécuta.

Shore lui adressa un regard entendu et ils s'éloignèrent tous les deux de quelques pas. Je me demande à quelle heure paraissent les éditions du soir.

À quoi pensez-vous ? demanda William en frappant dans ses mains pour se réchauffer.

Ce paquet a été déposé ici dans la matinée. Si la découverte de la tête était déjà connue du public, il est possible que ce geste ait été délibéré.

Que voulez-vous dire ?

Que le but n'était peut-être pas de dissimuler ce sac.

William resta silencieux.

Mais de nous permettre de le retrouver aujourd'hui.

Afin que la nouvelle figure demain dans les journaux.

Shore opina. Mais quelle est la finalité de tout ça ? Effrayer l'opinion publique ? Nous narguer ?

Nous adresser un message, peut-être.

Un message.

William haussa les épaules avant d'ajouter : Vous allez l'enterrer à présent ?

C'est comme ça que vous procédez à Chicago ?

En enterrant nos morts ?

En enterrant vos preuves.

Ma foi, sans doute sommes-nous assez givrés pour ça.

Elle n'avait apparemment aucune famille, en dehors de son oncle. Non, nous allons encore la laisser profiter un peu du grand air.

Jusqu'à ce que vous y voyiez un peu plus clair ?

Ou jusqu'à ce que quelqu'un se manifeste pour réclamer son corps. Shore chassa du pouce l'humidité qui s'était déposée sur son front. Je me permets d'insister, reprit-il, mais ma femme espérait vraiment vous avoir un soir à la maison. Notre cuisinière s'est fait une spécialité du pudding au sang.

Le pudding au sang.

Oui.

Je prendrai peut-être le risque si je reste assez longtemps, dit William. Sous la nappe de brouillard givrant la rue avait une allure fantomatique. J'ai une épouse et deux filles qui m'attendent, John. Et l'Agence a besoin de moi.

Vous faites allusion à votre agence de directives ?

William se fendit d'un sourire.

Vous en parlez comme si vous aviez deux épouses, dit Shore.

Margaret m'a fait la même réflexion.

Lorsque le Dr Breck en aura terminé, il faudra que vous dégagiez tout ça, les gars, lança brusquement Shore aux deux policiers qui fouillaient les broussailles. Et faites bien attention. Le moindre détail peut se révéler précieux. Il se retourna vers William. Pour ce qui est de Martin Reckitt, Blackwell vous accompagnera mercredi. Vous verrez ce que vous pouvez tirer de lui. Je vous ai obtenu un entretien.

William contempla les policiers qui poursuivaient leurs recherches dans le brouillard.

C'est entendu, dit-il.

Il finit tout de même par se rendre au domicile de Sally Porter de l'autre côté de Snow Fields.

Il appréhendait cette nouvelle visite mais tenait à connaître sa version des faits. Si l'histoire que Shore lui avait racontée concernant le rôle joué par les Porter dans l'évasion de Shade était exacte, cela signifiait que Sally lui avait menti. Et impliquait que son père lui avait également caché la vérité. Il semblait bien avoir cru autrefois qu'Edward Shade était mort. Ce qui l'avait amené à en douter par la suite demeurait un mystère, mais il était clair aux yeux de William qu'il l'avait pensé. Et quoi qu'on ait pu lui reprocher par ailleurs, son père était tout sauf un imbécile.

Les vitrines des boutiques qu'il longeait étaient couvertes de poussière et il distinguait vaguement les bandes de papier tue-mouches qui pendaient aux plafonds à côté des longues tranches de viande grise suspendues à des crocs. Le mensonge que lui avait raconté Sally selon lequel Shade n'avait jamais existé était peut-être lié au fait qu'elle connaissait au moins une partie de la vérité à son sujet. Et qu'elle pourrait ainsi lui dire pourquoi son père avait finalement acquis la conviction qu'Edward Shade avait survécu. Il traversait à grandes enjambées les trottoirs en bois sans desserrer les dents et en ignorant les gémissements des mendiants tassés le long du caniveau. La découverte de ces jambes l'avait secoué, il en éprouvait un vague malaise mêlé de tristesse. Au bout d'un moment il reprit ses esprits, tourna sur la gauche pour s'enfoncer dans une étroite allée et franchit une grille à moitié défoncée avant de rejoindre l'escalier rongé par les vers qui menait au domicile de Sally Porter. Les marches tremblèrent sous son poids mais il atteignit sain et sauf le deuxième étage. La porte était grande ouverte.

Il le voyait depuis le sommet des marches où il s'était immobilisé. Il attendit dans le couloir glacial, rajusta son chapeau et jeta un coup d'œil derrière lui en tendant l'oreille. Un bruit de voix s'élevait dans la pièce et il plongea la main dans la poche de son manteau pour s'assurer que son colt était bien là avant de s'approcher à pas de loup.

Une famille occupait la pièce.

Débraillée, sale, braillant dans l'anarchie la plus complète.

Décontenancé, il se figea un instant dans l'encadrement de la porte. Le vieux bureau des Porter avait été retourné et poussé contre un mur. L'éléphant trônait toujours sur le manteau de la cheminée, mais recouvert d'un vieux torchon qu'on avait mis à sécher.

La femme ou la jeune fille qui était apparemment à la tête de cette tribu dépenaillée poussa un cri perçant et ramassa un couteau sur la table en l'apercevant.

Bonjour, dit-il en sentant ses espoirs s'effondrer.

La fille fonça sur lui à une vitesse foudroyante et il recula d'un pas bien qu'il fût trop fois plus costaud qu'elle. Elle se dressa devant lui, serrant contre elle un gamin qui s'était réfugié dans ses jupes. Son visage crasseux était déformé par la colère.

Nous ne paierons pas deux fois, lança-t-elle. Et vous n'aurez pas un sou de plus.

Où est Sally ? demanda William en levant les mains.

Les yeux de la fille s'étrécirent. Vous ne venez pas pour le loyer ?

Non, je ne viens pas pour le loyer.

Une couverture verte suspendue sur une corde en travers de la pièce l'empêchait d'apercevoir le lit et une toux caverneuse en émana soudain, avant qu'une voix masculine ne lance : Qui est ce type, Maggs ? Que veut-il ?

T'as une langue, pose-lui toi-même la question.

La fille avait les épaules étroites et des mains aussi fines que celles d'un enfant. Ses cheveux roux étaient d'une saleté repoussante et un gamin dévoré par les puces était pendu à sa cuisse, le nez enfoui dans les plis de sa robe, le visage et les doigts noirs de crasse.

Que veut-il ? répéta l'homme.

Il n'est pas là pour le loyer, lança la fille avant de regarder William. Eh bien ? De quoi s'agit-il ?

Je cherche quelqu'un, répondit-il en piochant un shilling au fond de sa poche. La femme qui habitait ici. Une vieille négresse. Savez-vous où elle est partie ?

La fille s'empara de la pièce et la fit aussitôt disparaître avant de lui lancer un regard plus engageant. Il s'aperçut alors qu'elle ne devait guère avoir plus de seize ans.

Vous voulez entrer un moment, monsieur ?

Je suis venu ici la semaine dernière, dit-il en jetant un coup d'œil derrière lui dans le couloir. Je lui ai parlé il y a moins d'une semaine. À cet endroit même.

La semaine dernière, vous dites.

Elle ne m'a pas dit qu'elle comptait partir.

Bon Dieu, Maggs, lança l'homme planqué derrière la couverture. Ferme cette fichue porte.

Attends un peu, aboya-t-elle par-dessus son épaule avant de se tourner vers William. La semaine dernière, ça fait un sacré bout de temps, dit-elle. Tout ce qu'on nous a dit c'est que l'appartement était libre et que personne n'y avait été assassiné récemment. On n'a pas cherché à en savoir plus. Une négresse, vous dites ?

William opina.

Ma foi, elle ne se cache pas dans la cheminée et nous ne l'avons pas fait cuire pour la manger, ajouta la fille en hochant la tête et en refermant la porte.

Elle n'a tout de même pas disparu, dit-il en retenant le battant.

La fille haussa les épaules d'un air maussade.

Ça arrive à des tas de gens, dit-elle.

Il avait la chair de poule en sortant du bâtiment comme si une ombre l'avait épié dans la brume, mais il n'y avait personne en vue. Il s'avança dans la rue envahie par la boue et chercha des yeux la fenêtre de Sally. Il savait qu'il arrive bel et bien que des gens disparaissent, aussi ne comprenait-il pas l'étonnement qu'il ressentait. Quoi qu'il ait pu arriver à Sally, elle avait laissé ses affaires derrière elle, et il se demanda si cela signifiait qu'elle était morte ou si elle possédait un autre point de chute. Au diable, se dit-il brusquement. Il ne l'avait pas vue pendant des années et, quel que soit l'amour qu'elle avait porté à son père, elle ne devait rien à William. Des silhouettes allaient et venaient à présent le long des façades mais il ne distinguait pas leurs traits. Il n'arrivait pas à chasser l'idée un peu inquiétante qu'une présence le suivait. Il bifurqua vers une petite place et la traversa rapidement, ses semelles dérapant dans la boue. Il déboucha bientôt dans Pickle Herring Street et aperçut le kiosque en fer forgé qui surmontait l'entrée du passage souterrain, telle une sentinelle en armure dressée au bord du fleuve. Les ponts étaient encore ouverts aux piétons mais le tunnel de la Tour serait plus calme et lui permettrait de distancer un éventuel poursuivant. Il jeta un coup d'œil derrière lui, paya un demi-penny à l'entrée et s'engouffra dans l'escalier en bois.

L'escalier en colimaçon craquait sous ses pas. Les parois en brique étaient couvertes d'une pellicule graisseuse, les globes bleus des lampes à gaz diffusaient une lueur malsaine et de plus en plus ténue à mesure qu'il s'enfonçait dans les entrailles du sous-sol. Il finit par déboucher dans une vaste crypte à une quinzaine de mètres sous la berge du fleuve et contempla l'entrée du tunnel aux parois métalliques comme s'il s'agissait du seuil d'un autre monde. Des ampoules nues étaient fixées à intervalles réguliers le long du tunnel mais dès qu'il s'y engagea et entama sa lente traversée l'atmosphère s'épaissit, cédant la place à un halo diffus, opaque, oppressant.

Le tunnel s'étendait dans sa solitude indécise. Des rampes se profilaient de part et d'autre des parois, installées jadis pour un omnibus à câble depuis longtemps hors d'usage. Il ne parvenait pas à chasser l'impression qu'il avait de s'enfoncer de plus en plus dans les profondeurs du sol. Le plancher du tunnel semblait basculer sous ses pieds comme le pont d'un navire englouti par les flots. Derrière les parois métalliques il percevait le vrombissement d'un bateau à vapeur qui passait sur le fleuve au-dessus de sa tête. En regardant d'un bout à l'autre du tunnel, il ne distinguait pas plus le point d'où il était parti que celui vers lequel il se dirigeait, perdu dans une immensité grise qui paraissait s'étendre à l'infini.

Il les entendit avant de les voir. Leurs pas qui résonnaient dans son dos, le froissement de leurs vêtements, une toux dont l'écho se répercuta longuement. Il se retourna, les poings serrés, et attendit. Et il les vit peu à peu surgir du halo grisâtre : deux silhouettes monstrueuses, déformées et indistinctes dans l'obscurité.

Il ne bougea pas et les deux ombres s'immobilisèrent à quelques mètres de lui. Il sentait le sang battre dans ses oreilles, le poids du fleuve qui s'écoulait un peu plus haut à travers les strates d'argile.

Montrez-vous, leur lança-t-il.

Sa voix résonna dans les profondeurs du tunnel.

Les deux silhouettes aux contours encore flous ne bougeaient pas et l'observaient dans le halo opaque. Puis des pas crissèrent sur les dalles et William sentit ses cheveux se dresser sur sa tête. Il recula d'un pas, plia les jambes et serra encore plus fort les poings.

Montrez-vous, nom de Dieu.

Mr Pinkerton, dit une voix.

William sortit son colt et l'arma délibérément afin que le bruit se répercute dans le silence du tunnel.

Vous n'avez aucune violence à redouter de notre part, reprit doucement la voix en s'avançant dans la lumière. Je peux vous l'assurer, monsieur.

L'individu qui se tenait devant lui était de petite taille, étroit d'épaules, ses longs favoris blancs tranchaient sur la peau mate de son visage. Il tenait une canne à pommeau d'argent visiblement onéreuse et avait glissé le pouce de son autre main dans la poche de son gilet. Sa bouche affichait une expression amère, un peu douloureuse. William sentit un vague trouble s'insinuer en lui mais ne relâcha pas son arme.

Je m'appelle Adam Foole, dit le petit homme. Je crois que mon assistant a déjà eu l'occasion de s'entretenir avec vous. J'espère que vous ne m'en voudrez pas de vous harceler de la sorte.

Que voulez-vous ?

La même chose que vous, Mr Pinkerton. Retrouver l'assassin de Charlotte Reckitt.

Le regard de William se porta sur l'autre silhouette, massive et corpulente, dont le chapeau melon frôlait le plafond du tunnel. Il le reconnut sur-le-champ, c'était l'ancien détenu qui l'avait abordé au café. Dites à votre comparse d'avancer lui aussi dans la lumière, que je puisse le voir.

C'est inutile.

Qu'il s'avance, répéta William.

Le géant ne bougea pas.

Il ne vous veut aucun mal, Mr Pinkerton. Le visage du petit homme ne trahissait aucune émotion, ses mains ne tremblaient pas et pourtant il émanait de lui une étrange tension que William mit sur le compte d'une véritable douleur. Je sais que vous êtes quelqu'un de sérieux, d'efficace. C'est pourquoi je suis venu vous trouver. Pour vous demander votre aide.

Mes services ne sont pas à vendre.

Je n'ambitionne pas d'être votre client, Mr Pinkerton. J'aimerais juste bénéficier de votre concours. À titre privé.

Le regard de William allait de l'un à l'autre des deux hommes. Il n'avait toujours pas rengainé son revolver.

Pourquoi vous intéressez-vous à Charlotte Reckitt ?

Je vous demande pardon ?

Pourquoi vous intéressez-vous à Charlotte Reckitt ?

C'est son assassin qui m'intéresse. Le petit homme marqua une pause et releva les yeux. Je m'intéressais à Charlotte autrefois, mais nos existences ont divergé. J'ai toujours regretté qu'elle ait choisi de suivre cette voie. Ce n'était pas une mauvaise femme, Mr Pinkerton. Quelles qu'aient pu être ses relations.

William fronça les sourcils. Elle et vous, vous aviez…

Une liaison, oui, je n'ai pas honte de le dire.

Tout en parlant, William tendait l'oreille, à l'affût d'autres sons dans les profondeurs du tunnel. Mais il n'entendit rien. S'ils avaient d'autres complices embusqués quelque part, ils n'étaient pas tout près. Il s'avança d'un pas.

Mr Pinkerton, lança le géant. N'approchez pas davantage.

Le petit homme n'y prêta pas attention. Il existe un individu du nom de Jonathan Cooper, reprit-il à la place. Qui se fait appeler le Sarrasin. Il était célèbre à une époque pour l'art avec lequel il décapitait ses victimes avant de balancer leur tête dans la Tamise. Peut-être avez-vous entendu parler de lui ? Il a travaillé avec Charlotte autrefois et quand leurs chemins se sont séparés il a disparu de la circulation. On prétend qu'elle l'avait trahi. Ce torse mutilé, cette tête décapitée, c'est l'œuvre de Cooper, Mr Pinkerton.

Il n'est pas le seul assassin à traiter ses victimes de la sorte.

Mais il connaissait Charlotte.

C'est ce que vous prétendez.

Adam Foole eut un sourire fatigué. La seule manière de dénicher ce Sarrasin, dit-il, c'est de retrouver la femme pour laquelle il avait un faible. Une fille du ruisseau surnommée Anne la Gadoue. Elle vit dans les bas-fonds, au sud de Blackfriars.

Vous voulez m'envoyer dans les bas-fonds ?

Oui.

Puisque vous savez où elle se trouve, allez-y donc vous-même.

Et que pourrais-je bien faire si jamais cette fille me conduisait jusqu'au Sarrasin ? Vous avez vu ma corpulence ? Tandis que vous, monsieur, vous êtes le redouté William Pinkerton. Vous pouvez arrêter quelqu'un et l'obliger par n'importe quel moyen à confesser son crime.

Il me semble que votre assistant a la carrure nécessaire pour ce genre de besogne.

Mais il ne représente pas la loi, Mr Pinkerton. Et il n'est pas le plus grand détective du moment.

William cracha sur le côté. Je ne représente pas la loi moi non plus.

Ma foi, dit le petit homme, c'est peut-être encore mieux.

Ça ne marchera pas, murmura William en se rapprochant un peu plus. Je connais les individus de votre espèce. Nous n'avons pas le même but dans cette affaire.

Et quel est mon but d'après vous, Mr Pinkerton ?

La vengeance, répondit William.

Pas la justice ?

Non, pas la justice. Et ne me dites pas que c'est la même chose.

C'est pourtant parfois le cas, Mr Pinkerton. Vous le savez fort bien.

William ressentit une brusque bouffée de colère.

Considérez simplement ma proposition, reprit le petit homme. C'est tout ce que je vous demande.

Cela ne m'intéresse pas.

Le dénommé Foole fronça les sourcils et hocha imperceptiblement la tête. J'ai fait une promesse à miss Reckitt il y a dix ans de cela, dit-il, une promesse que j'ai bien l'intention d'honorer. Je sais que vous me comprendrez. J'ai suivi votre carrière avec intérêt et vous n'êtes pas de ceux qui trahissent leur parole. Nous ne sommes pas si différents l'un de l'autre vous et moi, ajouta-t-il en frappant de sa canne le rail métallique. Il y a un jeune garçon qui travaille à Waterloo Place, un apprenti forgeron du nom d'Albert. Si vous reconsidériez votre position vous pourrez me joindre en vous adressant à lui. Il saura où me trouver.

Qu'est-ce qui vous fait croire que j'aurais confiance en vous ?

Oh, je ne vous demande pas de me faire confiance, dit le petit homme en traçant un demi-cercle du bout de sa canne sur le sol du tunnel. Son regard croisa soudain celui de William et il était si dur qu'un frisson parcourut le détective.

Elle ne méritait pas de mourir ainsi, Mr Pinkerton. Je sais que vous lui avez fait peur. Mais vous n'êtes pas responsable de sa mort.

William resta un long moment silencieux. Il ne voyait pas comment le petit homme pouvait savoir cela. Il avait suivi Charlotte Reckitt pendant des semaines sans jamais l'apercevoir dans les parages.

Bien évidemment, continua l'homme, je suis prêt à vous offrir quelque chose de substantiel en retour. Un acompte susceptible de vous intéresser. J'ai cru comprendre que vous aviez visité tous les tripots de la ville à la recherche d'un individu qui n'existe pas. Vous n'en avez d'ailleurs pas fait mystère.

William se frotta le cou et s'aperçut qu'il tremblait. Edward Shade, dit-il.

Oui.

Shade est mort, dit-il sèchement. Il a été tué pendant la guerre.

Qui vous a raconté ça ?

William s'interrompit et regarda son interlocuteur.

Adam Foole leva les yeux et le fixa dans l'obscurité. Ce garçon n'est pas mort à la guerre, Mr Pinkerton. C'est votre père qui l'a tué.

LE TRAIN FANTÔME

OHIO
1868

La première fois que William Pinkerton entendit prononcer le nom d'Edward Shade il avait vingt-deux ans et se trouvait dans le saloon éclairé au gaz du Rand Hotel de Cincinnati. Il était en compagnie de son père et de George Bangs, et tous les trois avaient posé leurs chapeaux à large bord devant eux sur le comptoir. Dans son enfance, il était toujours resté dans l'ombre de son père et ne l'avait jamais vu commettre une seule erreur. Il lui avait appris aux alentours de Chicago à fixer une couverture sur une selle et à vider d'un simple coup de couteau les truites qu'ils pêchaient dans les rivières. Tous ces souvenirs étaient gravés en lui lorsqu'il partit en mission derrière les lignes ennemies pour le compte de son père durant la deuxième année du conflit. Mais on était à présent en pleine affaire Reno et trois hivers s'étaient déjà écoulés depuis la fin de la guerre de Sécession.

Tu n'aimes pas cette idée, dit son père en tournant son cou puissant vers Bangs.

Pas du tout.

Tu ne veux donc pas que je me lance à la poursuite de John Reno ?

Ce qui me préoccupe, c'est que tu t'intéresses d'aussi près à la ville de Seymour.

Une ombre passa dans le regard de son père. Il n'était pas aussi costaud que ses fils mais ses poings avaient la lourdeur d'une bible écossaise.

Seymour est un cancer au cœur de cette région, dit-il d'une voix douce. Cela fait des années qu'on aurait dû la raser.

Peut-être.

Son père but une gorgée d'eau et reposa son verre d'un geste brusque sur le comptoir.

Ce n'est pas là-bas que tu le trouveras, reprit brusquement Bangs. Shade n'est pas du genre à prendre la route de l'Ouest, Allan. À supposer qu'il soit encore de ce monde. Ou qu'il ait jamais existé.

William considéra les deux hommes. Je croyais que c'était John Reno que nous poursuivions, dit-il.

Bangs opina du menton et lança un coup d'œil à son père, comme s'il pesait le pour et le contre. Puis il répondit à William : Ton père pense que nous pouvons mettre la main sur quelqu'un d'autre à Seymour, en plus de John Reno et de ses frères. Edward Shade est une énigme depuis… quelle année déjà ? 1866 ?

Son père émit un vague grognement.

Allan ?

Nous prendrons John Reno par surprise, dit son père au lieu de répondre à sa question. Avec ou sans mandat. Il faut éradiquer le mal, trancher la tête du serpent. Nous verrons bien comment réagiront ses frères. William ?

Oui monsieur.

Va jeter un coup d'œil sur les chevaux.

William s'écarta du bar.

Ce que tu nous proposes est un enlèvement pur et simple, lança brusquement Bangs. Légalement, nous n'avons pas le droit d'intervenir dans l'Indiana.

C'est exact, répondit son père.

Bangs hocha la tête. La fin ne justifie pas les moyens, Allan. Dis-le-lui toi-même, William, il ne m'écoutera pas.

William enfonça son chapeau sur sa tête.

Elle les justifie parfois, Mr Bangs, répondit-il.

Les Reno étaient une bande de hors-la-loi composée de huit frères, John étant le deuxième. Durant la dernière année de la guerre il s'était enfui à cheval des plaines alluviales de la White River pour s'établir aux abords de Seymour, dans l'Indiana, un colt de chaque côté de la ceinture. C'était un individu de forte stature aux pommettes saillantes, aux bras longs et aux mains larges, doté d'une chevelure d'ébène et d'une beauté diabolique. Dans les semaines qui suivirent la campagne d'Appomattox il avait pillé et saccagé la ville voisine de Rockford. À l'automne 1865 il s'était lancé avec ses frères Simeon, William et Frank dans une équipée sanglante, dépouillant et assassinant tous les habitants de la région en se faisant passer pour une troupe de confédérés organisant des raids de représailles. Au printemps 1866 il avait attaqué la trésorerie du comté de Clinton en faisant sauter sa façade avec une charge d'explosifs. La même année les frères Reno défrayèrent la chronique en attaquant un convoi de l'Adams Express pour s'emparer d'un transport de fonds de 15 000 dollars alors que le train roulait encore. Ce fut cette nouvelle méthode d'attaque ferroviaire à main armée qui attira sur eux l'attention de l'Agence.

Au début de 1867 la bande déroba 20 068 dollars à la trésorerie du comté de Davies dans le Missouri. Cette fois-ci, les Pinkerton retroussèrent leurs manches et se mirent au travail.

Parle-moi de ce type, lui dit son père un peu plus tard d'une voix fatiguée, les traits tirés dans la pénombre de l'après-midi. Dis-moi ce que tu sais de ce Winscott.

William regarda par la fenêtre la pluie qui tombait. Le plancher craquait sous ses bottes, un piano jouait quelque part dans l'hôtel et une femme chantait d'une voix grave.

Une rafale souffla soudain au-dehors, ébranlant la façade en bois. Il contempla les notes qu'il avait prises dans les marges du dossier qu'il tenait à la main et revint à la première page. Dick Winscott, commença-t-il. Trente-six ans, cheveux noirs, une cicatrice au-dessus de l'œil gauche. Gérant du saloon de Seymour. Il travaille pour l'Agence depuis la fin de la guerre, sous les ordres du bureau de Denver. Jim McPartland se porte garant de lui.

Son père se mordillait la joue.

C'est un individu de grande taille, un mètre quatre-vingt-cinq environ, qui sait faire usage de ses poings. La peau aussi basanée qu'un Mexicain, c'est du moins ce qui est indiqué ici. Il lui manque une dent de devant. A toujours une lourde quincaillerie sur lui et sait parfaitement s'en servir. Prétend avoir été dans l'artillerie lors de la seconde bataille de Bull Run, assez chanceux ou suffisamment malin pour s'en être sorti indemne. Actif à Seymour depuis le printemps dernier, lorsque nous l'avons envoyé là-bas. McPartland s'est arrangé pour trafiquer son identité, une copie d'un rapport de police figure dans le dossier, il semble même qu'un faux avis de recherche le concernant ait été forgé de toutes pièces.

Très bien.

William avait croisé ce type à Denver deux ans plus tôt dans un escalier, un chapeau de cow-boy dissimulait en partie ses yeux mais il ressemblait à n'importe quel cavalier de retour de la frontière.

Il y a un problème ?

William se palpa le menton. Il ne s'était pas rasé ni lavé depuis plusieurs jours et la poussière des pistes lui collait à la peau. Les Reno ont l'air de lui faire confiance, dit-il. Le problème sera de capturer John sans qu'il se doute que Winscott travaille pour nous.

Pourquoi ?

Papa… Je ne suis pas né de la dernière pluie.

Pourquoi ?

Parce que nous devons encore arrêter ses putains de frères.

Bien, mais surveille ton langage. Quel est le problème majeur dans cette affaire ?

William contempla les quatre pistolets étalés sur le lit et la carabine Enfield qui était posée en travers. Il faudra agir rapidement, dit-il. Pour éviter de devoir l'abattre.

Et s'il n'était pas seul ?

William réfléchit un instant. Il le sera, répondit-il. Winscott affirme que s'il parvient à l'amener jusqu'au dépôt du fourgon postal nous devrions pouvoir lui mettre le grappin dessus avant qu'il n'ait le temps de dégainer son arme.

Son père ôta ses lunettes et se frotta les tempes. Avec ses cheveux gris coupés court et sa barbe tondue, il avait l'air d'un forçat. Cela m'étonnerait qu'il soit seul, murmura-t-il.

Tu as encore mal à la tête ?

Ne commence pas, grommela son père. Ta mère me casse assez les pieds avec ça. S'il n'est pas seul, nous poursuivrons tout de même l'opération, reprit-il. C'est notre seule chance de mettre la main sur lui. Quoi d'autre ?

Rien.

Son père remit ses lunettes et observa son fils. Eh bien, dis-moi ce que tu as sur le cœur.

Tu es sûr de vouloir procéder ainsi ?

Si l'affrontement doit avoir lieu, qu'il ait lieu. Et le plus tôt sera le mieux. Tu connais ma théorie.

Sortir ses poings le premier.

Sortir ses poings et frapper le plus fort possible pour que l'adversaire n'ait même pas la possibilité de se relever. Il n'y a que les imbéciles qui se soucient des bonnes manières. Son père semblait en avoir terminé mais murmura encore : Dieu sait que j'ai suffisamment de problèmes à résoudre sans encourir en plus des reproches de ta part.

Il ne s'agissait pas d'un reproche.

Je vais te dire quelque chose. Lorsque je serai mort et que l'herbe poussera sur ma tombe tu comprendras ce que cela signifie, de devoir s'occuper de tout.

Très bien.

Mais tant que je suis en vie j'entends mener cette agence à ma guise. Lorsque j'estime avoir raison, rien ni personne ne me fera changer d'avis. Tu pourras le dire à Mr Bangs.

Qu'est-ce qu'il vient faire là-dedans ?

À ma guise, tu m'entends ? répéta-t-il. Jusqu'à ce que la mort vienne réclamer son dû. Vous pourrez alors évacuer ma dépouille et procéder comme vous l'entendez. Je vous souhaite bien du plaisir.

William se mordit les lèvres.

Son père sortit une montre en argent de son gousset et la porta à son oreille pour vérifier qu'elle était bien remontée. Où est-il d'ailleurs passé, notre Mr Bangs ?

William reposa le dossier d'un air irrité, regarda son père et s'apprêtait à lui dire quelque chose mais se retint au dernier moment.

Le dispositif est-il prêt ? demanda son père.

Nos agents sont à leur poste à la gare. Ils sont au nombre de cinq. Et ce sont des brutes, ajouta-t-il avec une ombre de sourire. La locomotive est prête et nous attendons le signal. Je pense que Mr Bangs est allé prendre place dans le bureau du télégraphe. Au cas où.

Que leur a-t-on dit au juste ?

Rien pour l'instant.

Parfait.

William regarda l'obscurité qui s'étendait au-dehors. Ce ne serait sans doute pas pour aujourd'hui. À propos de ce Shade, lança-t-il à la place.

Son père se pencha et tripota ses chaussures.

Papa, que s'est-il passé en 1866 ?

Son père se redressa puis s'immobilisa. Quoi?

Cet Edward Shade. Dois-je m'inquiéter à son sujet?

Non, répondit son père.

Très bien.

Je parle sérieusement.

Très bien.

Son père le dévisageait intensément et William surprit dans son regard une lueur qu'il n'aimait pas mais dont il se savait lui-même porteur. Posant ses mains couvertes de cicatrices sur ses genoux, il lui dit d'un air renfrogné : Tu as vingt-deux ans. Quand j'avais ton âge on m'a fait monter à bord d'un bateau sur la Clyde à l'insu des Anglais et ta mère m'attendait dans l'entrepont. Elle m'aurait suivi en enfer si je le lui avais demandé. Tu prétends que tu veux connaître le monde, mon garçon. Mais tu es loin du compte.

William se sentit rougir jusqu'aux oreilles.

Lorsque le moment sera venu, ajouta calmement son père, je me ferai un plaisir de te raconter l'histoire d'Edward Shade.

L'hôtel était situé à six blocs de la voie ferrée. Le père et le fils partirent sous la pluie battante, la tête penchée et leurs capuches rabattues. Rejoindre la rivière en pataugeant dans la boue de Central Avenue n'était pas une mince affaire, d'autant qu'il s'agissait d'aller à la rencontre de truands chevronnés que la violence était loin d'effrayer. L'eau s'abattait par rafales et William regrettait d'avoir laissé ses gants dans sa malle à l'hôtel. Il avait protégé la carabine Enfield en l'enveloppant dans une toile cirée pour que la poudre ne prenne pas l'humidité et la portait à bout de bras le long de son corps.

Son père toussa, tourna la tête pour échapper aux rafales de pluie et cracha dans la boue avant de monter sur le trottoir en bois et de se diriger vers le dépôt. Ils étaient armés de deux pistolets chacun et gardaient leur sang-froid.

La pièce était de taille modeste, un feu brûlait au milieu dans un brasero et des bancs en bois étaient disposés le long des murs. L'endroit paraissait vide en dehors des cinq employés de l'Agence qui attendaient, la pipe au bec. Tous étaient grands et baraqués, mais en apercevant le père de William ils se levèrent comme un seul homme, l'air brusquement tendus.

C'est bon, les gars, leur dit son père en les regardant. Ce n'est pas encore l'heure.

Il ôta son chapeau et chassa la pluie qui l'imbibait avant de le remettre sur sa tête.

La pluie qui ruisselait du ciré de William ne tarda pas à former une flaque sur le plancher et il tapa du pied pour ôter la boue qui collait à ses semelles. Tout pouvait mal tourner le lendemain, et il savait que chacun de ces hommes risquait sa peau dans l'opération. Il se demanda une fois de plus quel genre d'individu il fallait être pour choisir un travail pareil et ce que la confiance pouvait bien signifier à leurs yeux.

Son père allait et venait parmi eux, tapant l'épaule de l'un, adressant un petit salut à un autre. Mr Bangs est-il déjà arrivé ? demanda-t-il.

Il était ici il y a cinq minutes à peine, Mr Pinkerton, répondit l'un des hommes dont les dents de traviole étaient aussi jaunes que des touches de piano.

Où est-il passé ? demanda William.

Les hommes le dévisagèrent avec autant de méfiance que de sévérité.

Il est retourné à la poste ? demanda son père.

Oui monsieur, répondit un autre homme.

Mr Pinkerton ? demanda le premier. Quelle est exactement notre mission ?

Willie ?

Le regard de William croisa celui de son père. Vous le saurez lorsque l'heure aura sonné, dit-il brièvement. Il est peu probable que cela ait lieu ce soir. Mais il vaut mieux se tenir prêt.

Les hommes murmurèrent entre eux en faisant craquer leurs jointures et en raclant le plancher de leurs semelles.

William regarda à nouveau son père, posa la carabine sur le banc et ressortit.

Il remonta la 4ᵉ et traversa Elm Street sous une pluie battante avant de déboucher à l'autre extrémité devant le bâtiment de la poste. Il tapa des pieds pour décoller la boue de ses bottes et ouvrit la porte. Il faisait chaud à l'intérieur, le feu était allumé et Bangs était assis sur un banc en dessous d'une affiche qui vantait les mérites du lait condensé. Il leva les yeux en voyant surgir William.

Rien à signaler ?

Bangs remit ses lunettes et désigna du regard l'employé qui faisait semblant d'examiner d'un air concentré un journal étalé devant lui, son crayon fiché derrière l'oreille. Bangs se leva et fit signe à William de le suivre sur le perron.

Tout le monde est à son poste ? demanda-t-il.

William opina.

À mon avis c'est fichu pour aujourd'hui, déclara Bangs. Il n'y a plus que l'express qui doit encore passer, d'ici une petite heure.

C'était un homme relativement petit et d'une remarquable laideur. Il marchait un pied en dedans, et sa main gauche déformée à la suite d'une blessure reçue durant la guerre évoquait une serre d'oiseau. William avait peur de lui quand il était enfant. Ses joues étaient grêlées, probablement à la suite d'une maladie infantile, et ses yeux verts brillaient d'un éclat dur derrière ses lunettes aux verres teintés. Il avait été journaliste autrefois, puis gardien au Crystal Palace de New York avant d'être embauché par l'Agence lorsque celle-ci avait été fondée, treize ans plus tôt.

Comment va Margaret ? demanda-t-il à William en regardant les lumières du dépôt.

Toujours aussi belle, répondit William.

Bangs sourit. Une femme comme elle voudrait avoir son époux auprès d'elle.

Et lui de même.

Bangs acquiesça. Nous en aurons bientôt terminé ici.

C'est l'attente que je déteste. La pluie s'était un peu calmée et le vent virait au sud. William s'accouda à la rambarde et battit des mains pour se réchauffer. De l'autre côté de la rue les éclairages au gaz dessinaient des cônes de lumière sur la façade en pierre de l'Opéra. On entendait le cours puissant de l'Ohio gronder au loin dans les ténèbres. Vous pensez que nous pouvons faire confiance à ce Winscott ? demanda-t-il.

Je le pense.

William réfléchit un instant. Parlez-moi un peu d'Edward Shade.

Tu ferais mieux de poser cette question à ton père.

C'est à vous que je la pose.

En dépit de son allure décrépite, le vieil homme avait son caractère et il était aussi têtu qu'un mulet. Il réfléchit un moment et finit par hausser les épaules, comme s'il avait pris sa décision. Que veux-tu savoir au juste ?

Que s'est-il passé en 1866 ?

Bangs rajusta ses lunettes. Un fourgon postal avait été attaqué à New York. Le garde s'était endormi, les voleurs avaient découpé une ouverture dans la portière et l'avaient assommé alors que le véhicule roulait encore. Puis ils avaient sauté et pris la fuite. Le garde gisait inconscient, l'écume aux lèvres. Il n'y avait pas grand-chose à se mettre sous la dent en fait d'indices mais il nous semblait que quelque chose ne tournait pas rond dans cette affaire. Le garde avait d'abord déclaré que l'attaque avait eu lieu au moment où le fourgon s'engageait dans un tunnel du Bronx. Mais puisqu'il s'était soi-disant assoupi dans un véhicule dénué de fenêtres, comment avait-il pu le savoir ? L'homme finit par craquer et reconnut avoir été de mèche avec les voleurs. Il s'était frotté du savon sur les lèvres pour imiter la bave. Les truands étaient deux types qu'il n'avait jamais vus auparavant, dénommés Crakes et Stone. Nous avons remonté leur piste jusqu'à Toronto où nous les avons arrêtés avant de les expédier à la prison de White Plains à New York. Le plus étrange c'est que tous les témoignages que nous avions recueillis faisaient état de la présence d'un troisième homme à Toronto, un individu à la peau mate avec une cicatrice sur le visage et qui se prénommait Edward.

William opina.

Mais il ne s'agissait pas d'Edward Shade, reprit Bangs. Rien ne permettait en tout cas de le penser.

Mais c'était ce que pensait mon père.

Tu as dû en entendre parler.

William secoua la tête. Vous avez poursuivi cet Edward ?

Bangs esquissa un sourire. Trois semaines après leur arrestation, quelqu'un creusa un tunnel sous la prison. Crakes et Stone s'évadèrent et s'évaporèrent dans la nature. Un mois plus tard des cambrioleurs s'introduisirent dans la Boylston Bank de Boston en utilisant le même genre de tunnel et s'emparèrent d'un million de dollars en valeurs et en titres. Il s'agissait évidemment de Crakes et Stone. Cette fois-ci ton père était fou de rage et envoya deux douzaines de détectives à leurs trousses. Mais le type qui avait monté l'opération et qui était peut-être ce mystérieux Edward se montra plus malin. Il rentra en contact avec le directeur de la banque par le biais d'un avocat véreux et proposa de lui restituer les titres contre une partie de leur valeur. La banque accepta, en se disant sans doute que cela leur reviendrait moins cher que de financer notre enquête. Nous ne pouvions absolument rien faire. D'après nous, c'était une équipe de quatre hommes qui avait dévalisé la banque de Boston. Outre Crakes et Stone, que nous connaissions, il y avait un Anglais et ce mystérieux Edward. Tous les quatre se sont embarqués pour l'Europe à partir du Canada et nous n'avons rien pu faire pour les arrêter.

Et les titres volés ?

Ils ont tous été restitués. Au centime près.

William était perplexe. Je ne comprends pas, dit-il doucement. Quel rapport cela a-t-il avec Shade ?

Banhs hocha la tête et chercha sa pipe au fond de sa poche. Mais lorsqu'il la retira il s'aperçut qu'elle était trempée et renonça à l'allumer.

Mr Bangs ?

Écoute, mon garçon. J'ai du respect et de l'admiration pour ton père, plus que pour n'importe qui au monde. Mais il arrive à tout le monde de se tromper. Voici ce qui s'est passé. Un témoin a vu un troisième homme s'échapper du fourgon, affirmant qu'il avait telle taille et telle allure, ainsi qu'une cicatrice en travers du visage. La peau mate, presque foncée, comme un Mexicain. Un individu correspondant à la même description a été aperçu à White Plains. Un informateur à New York nous a donné le prénom d'Edward. Et quand nous avons cuisiné le directeur de la banque de Boston il nous a appris qu'un riche Mexicain avec une cicatrice à la joue avait ouvert un compte chez lui deux semaines avant le hold-up.

D'accord.

Bangs le regarda du coin de l'œil. Tous les témoins ont mentionné cette cicatrice. Par la suite ils ont tous démenti ce point. Crakes et Stone ayant tous les deux de vastes barbes, il ne pouvait s'agir d'eux. Les gens croient parfois voir des choses qui finissent par se révéler…

Fausses.

Oui.

Mon père refuse de me parler de cette affaire.

J'imagine que cela l'embarrasse.

Les choses se sont vraiment mal passées ?

Ma foi, il a eu droit à quelques plaisanteries douteuses dans la *Gazette* de la police de New York. Mais les journaux n'en ont pas parlé, Dieu merci.

Cela aurait pu être pire.

C'est ce que tu crois.

Pas vous ?

Bangs s'écarta de la rambarde, le froid élançait son bras déformé. Ton père ne raisonne pas ainsi, mon garçon. Tu sais pourquoi nous sommes ici, n'est-ce pas ?

Pour capturer John Reno.

Bangs regarda la pluie qui continuait de tomber. C'est cela, murmura-t-il. Pour capturer John Reno.

Ils attendirent toute la soirée et dormirent mal, habillés de pied en cap, ayant tout juste ôté leurs bottes et posé leurs manteaux au pied des lits. Ils attendirent encore toute la matinée et l'après-midi du lendemain. William percevait l'impatience de son père. La pluie s'était éloignée durant la nuit et la ville était remplie d'employés qui se rendaient à leurs bureaux, de diligences qui se reflétaient dans les flaques et de dames qui relevaient le bas de leurs jupes d'un air dégoûté.

Il n'arrivait pas à se calmer et faisait les cent pas devant les grandes fenêtres de l'hôtel ainsi que de fréquents allers et retours jusqu'à la gare à mesure que l'après-midi avançait. Alors que la pénombre commençait à s'étendre, le télégramme tant attendu finit par arriver.

C'est bon ! lança-t-il à son père, tout excité.

Son père se contenta d'émettre un vague grognement.

Dick Winscott sera aux côtés de John Reno sur le quai de Seymour pour monter dans le train postal express de 4 h 10 aujourd'hui même. William et son père se précipitèrent dans la salle d'attente du Cincinnati/Indianapolis où les cinq hommes surveillaient le quai sous le regard désapprobateur de l'employé de service. La porte s'ouvrit à nouveau derrière eux et Bangs apparut à son tour, une grosse écharpe autour du cou et les yeux brillants.

Vous êtes prêts ? lança-t-il.

Son père regarda les hommes qui se tenaient derrière lui et William perçut son excitation. Le wagon est-il accroché? demanda-t-il.

Bangs acquiesça. Il serra la main de William sur le pas de la porte et lui souhaita bonne chance.

Ce n'est pas nous qui allons en avoir besoin, répondit William.

Il lui adressa un clin d'œil et sortit.

Les cheminots appelaient cela un train fantôme. Il était tapi dans le froid sur les rails, exhalant un nuage de vapeur comme une créature monstrueuse surgie d'une autre époque. L'énorme locomotive et son tender tiraient ordinairement de lourdes charges, la chaudière avait la taille d'une grange. Des pigeons voletaient dans les parages, essayant de grappiller des lambeaux de nourriture en dépit du froid. L'engin avait été construit par la Grant Locomotive Works et vendu à la B&O en 1867. Le père de William avait porté son choix sur ce modèle en raison de sa vitesse. Sa masse noire brillait dans l'obscurité tandis que les pistons cliquetaient dans un vacarme d'enfer, la chaudière chargée à bloc. Son père voulait éviter que John Reno ne soupçonne la nature du convoi, aussi un wagon de voyageurs avait-il été accroché au tender. Le conducteur leur adressa un petit hochement de tête avant qu'ils ne montent à bord.

Puis les freins furent desserrés, les roues libérées et les pistons s'activèrent. William grimpa dans le train qui se mettait en branle et jeta un dernier coup d'œil à la gare qui s'éloignait déjà.

C'était un vieux wagon aux parois tendues de velours qui sentait la sueur et la fumée. Les sièges étaient alignés contre les parois comme dans un omnibus, munis le long du sol de tringles métalliques où l'on pouvait caler ses bottes et surmontés d'un filet pour les bagages. Les lampes à gaz fixées à chaque angle du wagon diffusaient une lueur exsangue. William resta à l'avant à côté de son père tandis que les hommes allaient s'asseoir. Il fut le dernier à prendre place et aucun d'eux ne lui accorda plus d'un regard. Son père resta debout à l'entrée du wagon en observant ses hommes.

Si vous me connaissez, commença-t-il, vous savez que je ne tiens jamais de longs discours.

La grosse locomotive oscillait dans la nuit tandis qu'ils longeaient l'étendue grise de l'Ohio.

Ce soir, reprit son père, nous allons débarquer à Seymour, Indiana, et nous emparer de John Reno par la force. L'opération doit se dérouler rapidement et sans bavures. Vous me suivrez lorsque nous descendrons sur le quai et resterez près de moi. Ne faites rien tant que nous ne serons pas à notre poste, mais après ça ne tergiversez pas, vous connaissez la réputation de cet homme.

William percevait les mouvements du wagon sur les rails. Ils avançaient désormais à vive allure dans l'après-midi finissant.

Il y aura un homme avec lui. Un gérant de saloon du nom de Winscott, qui ne nous intéresse pas. Ce n'est pas un assassin, tous les témoignages convergent sur ce point. Mais si jamais il se met en travers de notre chemin...

Il laissa sa phrase en suspens. Les hommes opinèrent d'un air entendu.

Reno n'hésite jamais à abattre ses adversaires, il faut donc que vous soyez plus rapides que lui. J'ai demandé au conducteur de la locomotive de foncer lorsque nous arriverons et de repartir le plus vite possible. Nous serons sur le quai trois minutes avant l'arrivée du train postal. Vous voyez que cela ne nous laisse guère de temps.

Deux des hommes vérifiaient l'état de leurs armes. William les regardait manipuler leurs revolvers avec dextérité.

Avez-vous besoin d'une autre précision ? demanda son père. Mr Wyatt...

L'homme aux dents jaunes quitta la fenêtre des yeux et se tourna vers lui. Oui monsieur?

Je veux que vous gardiez l'œil sur sa quincaillerie. Il aura deux pistolets ainsi qu'un couteau caché dans sa botte, si nos renseignements sont exacts. Mr Mueller...

Un grand barbu à la carrure de bûcheron surmonté d'une tignasse rousse grommela en raclant ses semelles sur le plancher. Ses énormes cuisses s'étalaient sur deux sièges et son ventre débordait largement de son ceinturon.

Mr Mueller, c'est vous qui allez devoir neutraliser ce type. William lui rabattra les mains dans le dos et vous lui passerez les menottes.

Le grand barbu acquiesça.

Son père plongea la main dans son manteau. Voici une photo de John Reno prise à Seymour au printemps dernier.

L'homme le plus proche s'en empara sans un mot puis la passa à son voisin.

N'ayez pas la moindre faiblesse à l'égard de cet homme, poursuivit son père. Il a tué et volé plus d'honnêtes citoyens que je ne saurais vous le dire. Et il n'a pas hésité un seul instant à le faire.

William ne regarda pas la photo mais la tendit à l'homme qui se trouvait derrière lui.

Son père sortit sa montre de son gousset et la regarda dans le creux de sa main. Nous avons trente-quatre minutes devant nous, les gars. Occupez-vous comme vous l'entendez entre-temps.

Vingt-neuf minutes plus tard son père saisit son chapeau qu'il avait posé à côté de lui sur le siège et l'enfonça sur ses yeux. Puis il ajusta son ceinturon et se leva en vacillant légèrement.

Il se tourna pour regarder les champs clôturés qui défilaient derrière la vitre. William suivit le regard de son père. Le soleil était bas dans le ciel et embrasait d'une lueur rougeoyante les nuages qui s'étiraient au loin.

Bienvenue à Seymour, lança son père.

William percevait la tension qui régnait dans le wagon. Lorsqu'il fixa son propre reflet dans la fenêtre, il eut du mal à définir son expression à cet instant précis. Il devait comprendre des années plus tard que la terreur s'était emparée du jeune homme de vingt-deux ans qu'il était alors. Il pensait à sa femme dans leur maison, à la fille qu'ils venaient d'avoir, et se rendait compte qu'il n'avait aucune intention de mettre un terme à son séjour sur terre. Les hommes qu'ils espéraient capturer à la gare de Seymour étaient des tueurs, et comme son père il ne pensait pas que John Reno se présenterait sans complices sur le quai. Ce qui l'inquiétait c'était la part d'inconnu, le fait qu'un membre de la bande risquait de les repérer et de dégainer son arme avant qu'il s'en soit rendu compte.

Lorsqu'il releva les yeux il s'aperçut que son père le regardait.

Trois minutes, cria son père pour couvrir le bruit de la locomotive. Rappelez-vous : nous descendons sur le quai, nous nous emparons de lui et nous le ramenons ici. Inutile de faire des éclats si nous pouvons l'éviter.

La locomotive s'engagea dans une courbe et ralentit l'allure. Et tout à coup le quai fut en vue.

C'est bon, aboya son père. Mr Wyatt, Mr Mueller, William, vous sortirez par l'avant avec moi. Les autres descendront par l'arrière. Que chacun garde son calme.

William ressentit un vague pressentiment. Le quai était noir de monde, des hommes endimanchés et des femmes en tournure qui attendaient l'express de 4 h 10. Il contempla l'étendue de l'étroite plate-forme mais ne reconnut pas le moindre visage. Ils dépassèrent la citerne et une petite baraque en bois dont la peinture jadis bleue s'écaillait. Ils roulaient toujours à une telle vitesse que William crut pendant un instant qu'ils allaient dépasser la gare. Mais le wagon fut alors ébranlé par plusieurs coups de frein violents et s'immobilisa presque aussitôt au milieu de la foule.

Son père étudiait les visages des gens qui attendaient, sa photographie à la main, et s'écria brusquement : C'est lui là-bas, avec la veste bleue ! Tout au bout du quai.

William regarda dans cette direction mais ne l'aperçut pas.

Les hommes s'étaient déjà mis en marche et leurs lourdes bottes résonnaient sur les planches. William se glissa entre Mueller et Wyatt et ils traversèrent en file indienne la foule des badauds. Les plus curieux les dévisageaient d'un air intrigué. Une odeur de pluie et de chevaux mouillés imprégnait l'atmosphère. Il ne voyait pas où il allait et ne lâchait pas le grand barbu d'une semelle. Puis la foule s'écarta et il vit devant lui que le second groupe s'était rapproché en demi-cercle de deux individus qui discutaient d'un air concentré. Son père marcha vers eux et leur adressa quelques mots. Le plus grand des deux hommes releva les yeux et porta aussitôt la main à son revolver.

Tout alla ensuite très vite. William arriva par-derrière et ceintura Reno qui parvint à se dégager mais il était déjà trop tard. William rabattit dans son dos les bras du bandit et Mueller lui saisit aussitôt les poignets avant de lui passer les menottes. Reno gigotait dans tous les sens mais William ne le lâchait pas, le visage collé à sa nuque. Le hors-la-loi se pencha soudain en avant puis se redressa brutalement, son crâne heurta l'arcade sourcilière de William qui tituba un instant sous le choc mais ne desserra pas son étreinte. Wyatt s'avança alors et frappa à deux reprises Reno en plein visage de ses poings puissants, avant d'arracher d'un geste sec ses deux revolvers de leur ceinturon. Pendant ce temps William ôtait le chapeau du brigand et lui recouvrait la tête d'un sac en toile de jute.

La foule s'était reculée autour d'eux, dans un mouvement de panique. Reno se mit à beugler sous son sac. William scruta les individus qui l'entouraient à la recherche d'éventuels complices et n'aperçut qu'une série de visages déformés par la terreur. Winscott criait au meurtre et faisait mine de chercher de l'aide autour de lui, mais Wyatt s'avança et le repoussa d'une violente bourrade en pleine poitrine. L'homme s'effondra un peu plus loin. William enregistrait ces images à toute vitesse tout en tirant derrière lui son prisonnier qui se débattait toujours tandis que son complice était capturé à son tour et traîné parmi la foule comme un vulgaire sac de graines.

Bon Dieu, criait son père, accélérez le mouvement...

William crut voir un cow-boy foncer sur eux mais son père n'était plus là et le cow-boy fut brusquement abattu. Ils traînaient toujours Reno qui donnait des coups de pied dans tous les sens vers le wagon des passagers. En se retournant il vit à nouveau son père qui s'était approché de Winscott et brandissait au-dessus de lui un revolver qu'il tenait par le canon avant d'abattre sa crosse d'un coup sec sur son crâne. Les jambes de l'homme flageolèrent et il s'effondra, les yeux injectés de sang.

Puis son père se précipita vers le wagon et y grimpa prestement tout en faisant signe au conducteur et le convoi s'ébranla.

À bord les hommes poussèrent des cris de joie en agitant leurs chapeaux et en se donnant de grandes claques dans le dos. William se retourna et se pencha pour regarder par la fenêtre le quai qui s'éloignait et disparaissait au loin. Personne ne se lançait apparemment à leur poursuite.

Son cœur battait encore à tout rompre dans sa poitrine tandis qu'il rejoignait l'arrière du wagon dont la masse cahotait sur les rails.

John Reno en chair et en os. Les poignets menottés derrière le dos. Et ficelé de la tête aux pieds comme un gigot qu'on s'apprête à mettre au four. Il avait perdu son chapeau dans la mêlée. Ses longs cheveux noirs retombaient en mèches sales autour de son crâne, ses lèvres et ses yeux étaient enflés. Mueller le retenait pour l'empêcher de glisser sur le plancher.

William s'assit et hocha la tête à l'intention de Mueller. Le grand barbu lui sourit en retour. À l'avant du wagon les hommes riaient encore entre eux en se passant une bouteille. Au bout d'un moment son père les rejoignit.

Il brandit la photographie froissée sous les yeux du brigand. Puis il ôta son manteau et le plia sur le siège voisin avant de s'asseoir.

Vous ne vous rendez pas compte de ce que vous venez de faire, lança Reno. Ce n'est même pas légal.

Son père haussa les sourcils et se tourna vers son fils en souriant.

Regardez-moi ! aboya Reno.

Son père le regarda.

Le grand hors-la-loi prit tout à coup un air buté. Je suis John Reno. Rendez-moi mes revolvers et vous verrez que je ne crains personne ici-bas, pas plus que mes frères Frank et Simeon.

Formidable, rétorqua son père.

Reno tourna la tête et cracha. Ses gencives saignaient.

Le père de William se pencha. Sais-tu qui je suis, John ?

Reno eut un rictus sanguinolent. Un futur cadavre qui a encore ses bottes aux pieds.

À l'autre bout du wagon Wyatt s'écria : Quelle est ta taille, Johnny ? Le juge de Gallatin est impatient de t'offrir une belle cravate de chanvre.

Reno ne répondit pas.

Tu ne crains peut-être personne, dit doucement son père. Mais tu ne tarderas pas à me craindre, moi.

Le wagon oscillait en grinçant et William était ballotté sur son siège. Crispées sur les bras de Reno, les phalanges de Mueller étaient blanches.

Vous ne représentez pas la loi, dit Reno.

Non.

Son père ne souriait plus.

Reno détourna les yeux et regarda par la fenêtre. Derrière la vitre, les plaines du Midwest sombraient peu à peu dans les ténèbres, et William aperçut au loin la lueur orangée d'un campement.

L'obscurité s'étendit dans le wagon.

Je vais te décrire quelqu'un, reprit son père d'une voix douce. Et je veux que tu me dises si tu as entendu parler de lui.

Trois jours après avoir remis John Reno entre les mains du tribunal de Gallatin, dans le Missouri, William ouvrit le portail de sa maison à Chicago, traversa l'allée couverte de neige, s'immobilisa sur le porche sa valise entre les jambes et leva les yeux juste à temps pour apercevoir par les fenêtres éclairées du salon sa femme qui dansait en chemise de nuit dans les bras d'un autre homme.

Debout dans le froid, l'air glacé déchirait ses poumons.

L'homme était son beau-frère qui venait de débarquer de Californie. Il était au courant de son arrivée et pourtant le spectacle provoqua en lui une étrange douleur. Il resta un long moment dans l'obscurité de ce décor enneigé, surpris par l'intensité de la peine qu'il ressentait. Son visage était trempé, ses mains étaient trempées.

À la fin du morceau, il vit le frère de sa femme faire une courbette exagérée avant d'allumer une lampe à huile et de monter à l'étage. William attendit un moment. Le gel crissait dans ses cheveux et un souffle blanc émanait de ses lèvres avant de se perdre dans les ténèbres. Lorsque sa femme eut regagné la cuisine sur l'arrière de la maison, il ramassa sa valise, redescendit le porche et fit le tour du bâtiment.

Elle avait eu vingt ans cet hiver-là et il n'avait jamais vu une femme aussi belle. Elle avait des mains fortes et une longue gorge blanche, la couleur de ses cheveux évoquait les reflets du soleil à la surface d'une rivière. Sa voix était grave pour une femme et c'était une chose qui lui avait toujours plu. Cela faisait un an qu'ils étaient mariés et il était d'ores et déjà incapable d'imaginer la vie sans elle.

Lorsqu'il claqua la porte derrière lui elle le dévisagea d'un air ébahi, les mains crispées sur le dossier d'une chaise. Elle paraissait encore si jeune, si fragile, on aurait presque dit une enfant.

Surprise, lui lança-t-il.

Grand Dieu, William, tu m'as fait une de ces frayeurs, répondit-elle le souffle court. Elle s'approcha de lui et l'embrassa. Il s'écarta, chassa la neige qui recouvrait sa moustache et elle l'embrassa à nouveau. Seigneur, reprit-elle, que fais-tu donc ici? Tu m'avais dit que tu rentrerais demain. J'aurais préparé quelque chose pour toi si j'avais su. Je m'apprêtais à aller me coucher. David vient de monter. Il est ici, ajouta-t-elle en portant la main à ses lèvres.

Je sais.

Nous avons du ragoût si tu as faim. Elle s'interrompit et le regarda d'un drôle d'air. Depuis combien de temps étais-tu là?

Il haussa les épaules.

Laisse-moi te regarder un peu.

Il se figea d'un air complaisant.

Tu n'es pas blessé.

Non madame.

Tu as toutes tes dents.

Oui madame.

Elle resta silencieuse un long moment et s'exclama soudain: William, tu as l'air épuisé.

Il ne sut pas quoi répondre à cela.

Viens, assieds-toi. Elle lui enleva son chapeau et l'aida à se défaire de son ciré qu'elle plia et emporta dans le petit salon voisin. Une flaque s'était formée sous ses bottes et il alla les essuyer sur le paillasson à l'entrée de la cuisine. Je t'ai dit de t'asseoir, lança-t-elle depuis le vestibule.

Il s'assit.

Elle revint. David attendra, dit-elle en posant une casserole sur le poêle.

Comment va le bébé? demanda-t-il.

Elle sourit sans se retourner. Du moment qu'elle a de quoi manger elle est contente. Tu lui as manqué.

Il opina.

David a des projets, il compte ouvrir une pension à San Francisco, il t'en parlera demain. Je crois qu'il cherche des gens susceptibles d'investir dans son affaire.

Susceptibles d'investir.

Sois gentil avec lui, dit-elle. J'aime le voir ainsi, enthousiaste et plein d'espoir.

Il ne manque pas d'énergie.

Elle lui servit un verre de lait et le posa sur la table devant lui avant d'installer une assiette et des couverts. Puis elle le considéra longuement. L'affaire est donc terminée? dit-elle.

Il secoua la tête.

Il faut que tu repartes.

Il écarta les mains, répétant sans le vouloir un geste de son père. Le reste de la bande est toujours dans la nature, dit-il. À commencer par Frank, qui va sans doute prendre leur tête maintenant que son frère a été arrêté.

Essaieront-ils de le libérer?

S'ils ne le font pas, je passerai pour un idiot.

Ça m'étonnerait.

Bien sûr que si. J'ai dit à mon père que c'était le plus probable. William la dévisagea avant de poser ses grandes mains sur la table et de fermer les yeux. Ce ne sont pas les frères Reno qui m'inquiètent, dit-il. Mais tout le pays est sous pression. Il faudra bientôt une armée de policiers privés si le gouvernement n'agit pas.

Ce ne sera pas ton père qui s'en plaindra.

William rouvrit les yeux. Elle le rejoignit et repoussa la table d'un mouvement de hanche afin de pouvoir s'asseoir sur ses genoux. Puis elle passa les bras autour de son cou mais fronça aussitôt les narines.

Je ne me suis pas lavé, dit-il.

Il posa les mains sur ses hanches comme s'il avait voulu la soulever mais suspendit son geste.

Et qu'en pense Mr William Pinkerton? demanda-t-elle.

De quoi?

De cette police privée. Es-tu du même avis que ton père?

Il fronça les sourcils mais ne répondit pas. Voyant qu'elle attendait toujours, il finit par dire : Mon père est né dans un pays où la justice n'avait rien à voir avec la loi.

Tu crois que les choses sont différentes ici?

Elles devraient l'être.

C'est une bonne réponse, dit-elle en l'embrassant.

Il la regarda se lever et lisser sa jupe.

Viens un peu par ici, dit-il.

Elle lui donna un coup de torchon. Bas les pattes, lança-t-elle. Je suis mariée, figurez-vous.

Vous avez peut-être une sœur?

Je croyais que tu avais faim.

Je le croyais moi aussi.

Tu ne me demandes pas mon avis? demanda-t-elle.

À propos de quoi?

Elle lui jeta un regard noir.

D'accord, concéda-t-il. Que penseriez-vous, Mrs Pinkerton, d'une bande qui débarquerait dans un tribunal en traînant un type par les pieds et qui le ferait pendre sans autre forme de procès ?

Je suis heureuse que vous me posiez cette question. Je ne crois pas que cela me plairait beaucoup, monsieur.

William regarda le poêle où la casserole de ragoût mijotait mais Margaret n'en avait pas terminé. Sa voix redevint sérieuse et elle ajouta : Parfois dans ton sommeil, quand tu fais un cauchemar, tu émets un drôle de bruit, comme un roucoulement de pigeon.

De pigeon ?

Parfaitement. Je dois te secouer par l'épaule, cela ne te réveille pas mais tu te tournes de l'autre côté et ton rêve doit se transformer. En tout cas tu cesses de roucouler.

Je ne roucoule pas, dit-il. Elle était si belle lorsqu'elle souriait de la sorte, sa longue natte dans le dos.

Tout le pays est dans le même état en ce moment, reprit-elle. Et plus personne ne veut entendre parler de la justice. Nous sommes endormis et quand le roucoulement sera devenu trop fort quelque chose se produira, qui nous secouera et nous fera basculer dans un autre rêve.

À moins que cela ne nous réveille, dit William en se frottant la joue.

Personne ne se réveille vraiment. Tu as toujours envie de ce ragoût ?

William grommela.

Tu n'as pas faim ?

J'ai la mâchoire fatiguée, dit-il en souriant.

Elle posa la main sur sa nuque et ce geste lui parut d'une douceur infinie. Il posa sa propre main sur la sienne et ils restèrent un moment ainsi, tandis que la neige continuait à tourbillonner dans les ténèbres derrière les vitres.

Tu as l'air fatigué toi aussi, finit-il par dire.

Je le suis en effet.

Il la prit par la taille. La fatigue ne me dérange pas chez une fille, du moment qu'elle a les yeux verts. Est-ce le cas ? As-tu les yeux verts ?

Tu sais très bien de quelle couleur ils sont.

Il plongea le visage dans son cou, respira l'odeur de ses cheveux. Il était encore jeune. Il avait la vie devant lui. La maison craqua dans l'obscurité.

Ça ne fait rien, dit-il. Ils n'ont pas besoin d'être verts.

L'INVENTION DU DIABLE

LONDRES
1885

TREIZE

William se réveilla en cherchant sa femme à tâtons sous les draps froids. La lumière du jour filtrait faiblement à travers les rideaux et il rejeta ses couvertures, traversa la pénombre glacée de la chambre et versa l'eau du broc dans la bassine avant de faire ses ablutions. Selon toute vraisemblance et quelle qu'en ait été la cause, Shade devait être mort à présent. C'était ce que pensait Shore et ce que lui avait affirmé ce Foole, même si leurs versions différaient du tout au tout. Margaret lui aurait conseillé d'écouter ce que lui disait son cœur. Il avait appris au fil des années à lui faire confiance et à tenir compte de ses conseils. Il revoyait la tristesse qui se peignait sur le visage d'Adam Foole lorsqu'il avait porté cette accusation contre le père de William. Au diable tout cela. Que lui disait donc son cœur ? Que le Sarrasin existait bel et bien, même s'il n'avait aucune raison objective de le penser et si le corps de la malheureuse Annie la Gadoue se décomposait probablement depuis belle lurette dans les profondeurs d'une fosse commune.

Était-il possible que son père ait tué Edward Shade ? Il savait ce que Margaret lui aurait répondu. J'aimais ton père moi aussi, Willie. Mais cet homme était capable de tout.

Il attendait en pianotant sur le comptoir à la réception de l'hôtel, mais après vérification l'employé lui déclara qu'il n'avait pas reçu le moindre télégramme en provenance de Chicago. William fronça les sourcils. Plus que jamais il était curieux de savoir si la description de l'acolyte d'Adam Foole correspondait à un individu figurant dans le fichier de l'Agence et s'ils possédaient dans leurs archives le moindre élément relatif à Foole lui-même. Il revoyait la silhouette fluette de cet homme, sa peau basanée, ses yeux semblables à des améthystes enfoncées dans de la cire. Le portier lui ouvrit l'immense porte vitrée et le grondement de la rue le frappa de plein fouet. Il boutonna son pardessus, courba les épaules et s'enfonça dans la brume. Il avait beau être dans le métier depuis vingt ans, sa nature profonde continuait de lui jouer des tours. Il confessait volontiers la fascination que lui inspiraient la pègre et les escrocs de tout poil, bien qu'il fût tout aussi déterminé à les remettre entre les mains de la justice et à les voir se balancer au bout d'une corde. Margaret estimait que son intrépidité, sa nervosité et son caractère introverti provenaient du même et obscur foyer : l'amour éprouvé pour un père qui, selon lui, ne l'avait jamais aimé en retour.

William traversa la rue et pénétra dans la chaleur du restaurant aux vitres embuées par la vapeur dont les moulures dataient de l'époque des Stuart. Un feu brûlait dans la vaste cheminée située au fond de la salle. Ce qu'il aurait voulu, c'était parler à Margaret de cet Adam Foole, éprouver le poids du silence qu'elle lui aurait opposé. Il s'était assis tout au bout, tournant le dos à la cheminée et surveillant la porte des yeux par la force de l'habitude. Le serveur vint prendre sa commande mais il n'arrivait pas à chasser de son esprit la déclaration que Foole lui avait faite au sujet de son père et d'Edward Shade. Selon toute vraisemblance, cet homme cherchait à le manipuler. Mais d'un autre côté il prétendait avoir été dans l'intimité de Charlotte Reckitt et il n'était pas impossible, bien au contraire, que celle-ci ait connu la vérité concernant la mort de Shade. William se renfrogna. Il faisait davantage confiance à son instinct qu'à sa raison. Les faits restaient les faits, quoi qu'il advienne. Et comme son père aimait à le dire : si vous n'avez que du pique en main, inutile de vouloir ouvrir à trèfle.

Il déplia sa serviette sur ses genoux et fixa la nappe en se demandant, comme il avait passé sa vie à le faire, ce que son père aurait fait à sa place.

Le ciel était blanc, un soleil livide embrasait une trouée invisible dans la brume. Il aperçut John Shore qui sortait de l'étroite allée et s'apprêtait à quitter Great Scotland Yard. Un vent froid tourbillonnait autour d'eux, agitant le paquet de feuilles que Shore avait glissé sous son bras. L'inspecteur en chef hocha la tête et jeta un coup d'œil inquiet derrière lui.

Jonathan Cooper? murmura-t-il. Oui, je me souviens de lui. On racontait des tas d'histoires à son sujet, à l'époque où ma génération est entrée au Yard. On le surnommait le Sarrasin. Pourquoi vous intéressez-vous à lui?

William haussa les épaules. Probablement pour rien.

Je suis en retard, pour tout vous dire. Accompagnez-moi donc un instant. Shore accéléra le pas et William dut courir pour le rattraper. Il y a dix ou quinze ans, reprit-il, la Tamise nous a livré un nombre impressionnant de têtes décapitées. Dix-neuf, pour être précis : il n'en manquait plus qu'une pour faire un compte rond. La plupart de ces cas n'ont jamais été éclaircis. Mais le plus curieux dans cette affaire c'est que les corps qui correspondaient à ces têtes n'ont jamais été retrouvés, eux non plus. Et les têtes avaient toutes été tranchées de manière assez rudimentaire, à coups de hachoir. Ce qui semble-t-il est plutôt rare.

Comme dans le cas de Charlotte Reckitt?

Shore ralentit l'allure. C'est donc pour ça que l'affaire vous intéresse.

Une charrette passa en cahotant et en semant derrière elle des débris de choux. Deux garnements en haillons la suivaient et se faufilaient entre les pattes des chevaux pour ramasser ces restes dans le froid.

Cooper a donc bel et bien existé, dit William.

Mais ce n'est pas lui qui a tué Charlotte Reckitt, William. Ce type a disparu de la circulation depuis au moins dix ans. Il est mort et enterré à présent.

En a-t-on eu la preuve ?

Shore héla un cab qui passait mais ne s'arrêta pas. Je n'ai pas vu son cadavre de mes propres yeux, si c'est ce que vous voulez savoir. Mais j'en mettrais ma main au feu. Ce genre de meurtrier ne s'arrête jamais. Qu'est-ce que vous cherchez au juste, William ?

William ne répondit pas. Que pouvez-vous me dire à son sujet ? demanda-t-il à la place.

Pas grand-chose. C'était un fieffé salopard. Il s'était engagé pendant la guerre de Crimée dans une unité de bachi-bouzouks envoyée en avant-poste qui brûlait les villages des Russes, décapitait les chrétiens – les femmes et les enfants, sans distinction – et balançait leurs têtes dans le Danube. Ces macabres dépouilles descendaient au fil de l'eau jusqu'à Varna, où les Anglais et les Français avaient établi leurs camps et où nos gens les récupéraient à la pointe de leurs gaffes. Mais, lorsque cette troupe de choc regagna sa base, une épidémie de choléra s'était propagée et les Français avaient érigé des barricades pour maintenir les Anglais à distance. J'imagine que la plus grande pagaille régnait et que l'armée chercha à étouffer l'affaire. Cooper ne passa pas devant la cour martiale et prit place à bord d'un bateau lorsque l'armée fit route vers Alma. Un coup de mousquet lui emporta la moitié du visage dès le premier assaut, arrachant sa joue gauche, vingt-trois de ses dents et une bonne partie de sa langue dans la foulée. La scène avait lieu dans un champ de vignes et Cooper s'était juché au sommet d'un arbre pour guetter l'ennemi. On prétend qu'il est resté plusieurs heures durant pendu par les pieds avant de réussir à descendre et à dénicher un chirurgien. Curieusement, il devait survivre à ses blessures. Shore s'interrompit et lui lança un regard fatigué. Vous avez vraiment envie d'entendre cette histoire ?

Un cab s'arrêta devant eux et Shore y grimpa. Suivez mon conseil, William, lança-t-il par-dessus son épaule. Laissez tomber cette affaire.

Le conducteur se pencha et s'apprêtait à partir, ses rênes à la main, mais William s'avança brusquement et empoigna la portière du véhicule. Une dernière chose, dit-il en se penchant à l'intérieur. Avez-vous entendu parler d'un certain Adam Foole ?

Adam Foole ?

Lâchez cette porte, lança le conducteur d'un air furibond.

Oui, Foole.

Shore émit un grognement. Jamais entendu parler de lui. Qui est-ce ?

William s'apprêtait à répondre mais lâcha finalement la portière et recula d'un pas. Personne, lança-t-il.

Il repassa au Grand Metropolitan dans l'après-midi. Il pianota sur le comptoir en acajou tandis qu'à l'autre extrémité du hall un homme assis sous un palmier levait les yeux de son journal. L'employé à la réception lui déclara sur un ton déférent en rajustant ses manchettes : Non, Mr Pinkerton, aucun télégramme n'est encore arrivé. William se demanda si ce silence était prometteur ou non. Une fois dans sa chambre, il n'ôta pas son pardessus mais rassembla les dossiers relatifs à Shade et à Charlotte Reckitt et les emporta avec lui jusqu'au fumoir du premier étage : de hautes fenêtres, des tapis persans, de longs canapés inoccupés à cette heure en dehors de deux gentlemen qui discutaient à l'autre bout de la pièce, enveloppés d'un nuage de fumée bleue. William alla s'asseoir devant la cheminée. Il se mit à chercher dans l'un et l'autre dossiers une allusion susceptible de correspondre à Adam Foole ou d'étayer l'accusation que celui-ci avait portée contre son père. Mais au bout d'une heure il n'avait strictement rien trouvé. Foole pouvait-il être un complice de Shade ? La chose lui paraissait peu probable. C'était sans doute Charlotte Reckitt qui avait été son informatrice. Et pourtant, le fait que Foole ait employé le terme de *garçon* pour qualifier Shade avait l'accent

de la vérité. *Ce garçon n'est pas mort à la guerre, Mr Pinkerton.*
William étira les jambes et feuilleta une fois de plus les dossiers étalés devant lui. Il s'arrêta pour contempler la photo de Charlotte Reckitt fournie par l'identité judiciaire. Jeune, froide, cinglante. Les paupières lourdes, la bouche large, les cheveux d'un noir de jais. Il referma le dossier.

En tout cas il ne lui avait pas menti à propos du Sarrasin. À cet instant les deux gentlemen éclatèrent de rire à l'autre bout du fumoir et William fit la grimace. Il comprenait ce que devait ressentir ce Foole : dix ans avaient passé, le mariage ne s'était pas fait. Comment réagirait-il de son côté si Margaret était assassinée ? Son cœur résisterait-il à une telle épreuve, à un pareil désastre ? Le chagrin qui émanait de cet homme l'étonnait. Il revit brusquement son père dans la salle de lecture de la bibliothèque municipale de Chicago, tournant les pages d'un rapport qui ne retenait pas son attention : l'image datait de deux ans à peine et nul ne le verrait plus jamais en ce bas monde. William se mordilla la joue, ferma les yeux. Aucun homme ne sait rien de lui-même, songea-t-il, avant d'avoir subi une pareille épreuve.

Et ensuite ?

Il rouvrit les yeux. Ensuite c'est à la grâce de Dieu, quelle que soit la décision prise.

Les nuits étaient longues, épuisantes. Le mardi William se leva, se lava, s'habilla, déjeuna et se rendit à dix heures en cab à l'Office des eaux londonien. Le brouillard était d'un brun sale, épais, et se refermait peu à peu autour de lui.

Londres, songea-t-il avec dégoût en s'épongeant le cou avec son mouchoir.

La circulation était dense, le cab roulait au pas. Il descendit à Trafalgar Square et remonta le Mall à grandes enjambées avant d'atteindre Spring Gardens. Il se sentait déjà fatigué et irrité en pénétrant dans le bâtiment. Il donna sa carte à la réception et demanda à voir le responsable du réseau des égouts en expliquant à voix basse que cela concernait une enquête de police. L'employé le regarda d'un air sceptique avant de l'envoyer au bout d'un interminable couloir dans un service où il lui fallut encore montrer sa carte et expliquer le but de sa visite. Mais cette fois-ci l'employé tout aussi impavide lui demanda de s'asseoir et de patienter.

Une vieille femme était endormie sur une chaise devant lui, son léger ronflement avait quelque chose de rassurant et il ferma les yeux à son tour. Une heure passa, des employés allaient et venaient. Au bout de deux heures il se leva, alla s'enquérir une nouvelle fois auprès de l'employé qui lui répéta un peu sèchement qu'on viendrait le chercher en temps utile. Il se demanda s'il n'aurait pas dû demander à Shore d'appuyer sa démarche. À midi la vieille femme se réveilla en sursaut et sortit de son sac un petit pain et une saucisse qu'elle se mit à grignoter les yeux baissés à toute allure, comme un lapin. Lorsqu'elle eut terminé, elle se cala à nouveau dans sa chaise, croisa les bras et referma les yeux.

Un employé aux cheveux hirsutes apparut enfin en clignant des yeux, tenant la poignée de la porte qu'il venait d'ouvrir dans un geste étrangement féminin.

Mr Pinkerton ? lança-t-il en parcourant la pièce des yeux comme s'il y avait eu une foule autour de lui.

William se leva d'un bond. Oui, dit-il. Il s'avança et ajouta en baissant la voix : Je suis venu vous trouver au sujet des égouts.

Je sais pourquoi vous êtes ici, monsieur. C'est à propos de Bazalgette, n'est-ce pas ?

William ignorait de qui ou de quoi l'homme voulait parler.

Vous faisiez allusion à une enquête de police, c'est bien ça ?

William acquiesça. Quelque chose lui avait aussitôt déplu dans l'aspect tatillon de ce subalterne. C'est l'inspecteur en chef Shore qui m'envoie, mentit-il.

L'employé considéra sa stature, ses mains calleuses, ses longues moustaches noires, tout en tapotant du bout des doigts la carte de visite de William. Mais vous ne faites pas vous-même partie du Yard ?

Comme vous pouvez le voir, répondit William sur un ton où l'impatience commençait à poindre.

L'employé haussa les sourcils.

Je suis un détective américain, reprit William en se forçant à garder son calme. Mon agence travaille sur une affaire en collaboration avec le Yard. Ce petit bureaucrate suscitait en lui une irritation croissante. Bon sang, cela fait des heures que j'attends, tous ces préliminaires sont-ils absolument nécessaires ? Il suffit que vous me montriez une copie de ces plans ou que vous m'adressiez à votre supérieur. À votre guise.

L'employé lui répondit avec une certaine suffisance. Mr Shore doit savoir que les plans de l'Office des eaux ne se trouvent pas à Spring Gardens, Mr Pinkerton. Je ne vois pas ce qu'il avait en tête en vous envoyant ici.

Qu'est-ce que vous dites ?

Il faudrait vous adresser au département des Archives municipales sur Chancery Lane, monsieur. Une salle est ouverte au public qui souhaite les consulter.

William lui aurait volontiers envoyé son poing dans la figure.

Et il vaudrait mieux que vous vous présentiez avec des documents officiels, ajouta l'employé. En l'occurrence, une lettre de recommandation de Mr Shore devrait faire l'affaire.

Au diable ces papiers officiels, songea William qui bouillait intérieurement. Au diable cette satanée bureaucratie anglaise. Une heure plus tard, lorsqu'il se présenta au département des Archives, il était toujours d'une humeur exécrable et les lueurs de l'après-midi s'estompaient déjà derrière lui. Un vieil homme aux mains revêtues de mitaines et qui soufflait sur ses doigts pour se réchauffer leva vers lui des yeux aussi pâles qu'embués.

On a toujours froid ici, murmura-t-il. Impossible de se réchauffer, monsieur, je vous l'assure.

William crut d'abord avoir affaire à un fou, mais l'homme se racla la gorge et lui demanda d'une voix de fausset : Et que puis-je pour vous, monsieur ?

Je suis bien aux Archives municipales ? s'enquit prudemment William. Je voudrais consulter les plans des égouts.

Le vieil homme opina et le conduisit au bout d'un long couloir éclairé au gaz dans une pièce vide encombrée de tables et de chaises entassées dans le plus complet désordre. Vous êtes écrivain ? marmonna-t-il entre ses dents.

Écrivain ? Pourquoi ?

Ce Mr Dickens venait régulièrement, à une époque. Je me souviens fort bien de lui, nous avions de longues discussions sur le chant des oiseaux. Fascinant personnage, ce Mr Dickens. Mais ses livres ne m'intéressaient guère.

William hocha la tête, ôta son chapeau et le posa sur une table. Pourrais-je voir quelqu'un qui puisse me renseigner sur les plans des égouts ? demanda-t-il. C'est pour une enquête de police.

Ah, c'est toujours le cas dès qu'il s'agit des égouts, rétorqua mystérieusement le vieil homme.

Mais il s'éclipsa avec la carte de William. Peu après, un individu chauve et rondouillard affublé d'un gilet vert fit son apparition. William entreprit de lui expliquer les raisons de sa venue mais l'homme leva la main pour l'interrompre.

Je sais qui vous êtes, Mr Pinkerton. Que puis-je pour vous ?

L'homme plut aussitôt à William. Les plans qu'il alla chercher dans une pièce fermée à clef étaient enroulés et retenus par une ficelle. Il les étala sur une table inclinée avant de les fixer aux quatre coins et de les lisser du plat de la main. Ce sont les plans dessinés par Mr Bazalgette, tels qu'il les avait conçus au départ. Mais au moment de la construction il faut souvent procéder à des aménagements. Le terrain dans les profondeurs du sol ne correspond pas toujours à l'idée qu'on s'en fait. Ce n'est d'ailleurs la faute de personne, monsieur. Par exemple, il y avait des souterrains qui existaient déjà à certains endroits. On s'en est servi dans la mesure du possible après les avoir restaurés, tout en respectant l'idée du plan initial. Vous disiez que c'était pour une enquête de police ?

C'est exact.

L'employé fouilla parmi les plans jusqu'à ce qu'il ait retrouvé la feuille qu'il cherchait. Voici la section du tunnel qui part vers la Tamise sous le pont de Blackfriars, monsieur. Vous apercevez ici les deux bouches d'écoulement. J'ai pu constater de mes propres yeux que ce tunnel n'avait jamais été construit, monsieur.

De vos propres yeux ? Vous êtes descendu dans ces galeries ?

Il y a deux ans. Je travaillais à l'Office des eaux avant d'être muté ici. Nous avons effectué une mission de contrôle destinée à vérifier la sécurité des lieux. Ces tunnels sont épouvantables, je ne sais pas comment font les gens qui s'y rendent régulièrement.

J'ai entendu des histoires à ce sujet.

Oui, vous faites allusion à la tribu des fous.

À la quoi ?

L'employé lui lança un regard inquisiteur. La tribu des fous, monsieur. On dit qu'ils vivent dans ces tunnels et ne voient jamais la lumière du jour. Qu'ils sont entourés d'une armée de rats et qu'ils les lancent à l'assaut de ceux qui s'aventurent sur leur territoire. Les égoutiers racontent des histoires affreuses à leur sujet. Je ne les ai pour ma part jamais aperçus. Quant aux gamins qui hantent ces parages, c'est une autre affaire. Nous en apercevions parfois qui ramassaient par groupes de quatre ou cinq les ordures à l'entrée des égouts. Ils s'enfuyaient dès que la lueur de nos lanternes tombait sur eux. Non monsieur, le vrai danger quand on descend dans ces souterrains, c'est de s'égarer. On perd très vite ses repères et les bruits qui résonnent dans les galeries n'aident pas à s'orienter. Nous faisions des marques à la craie sur les parois pour retrouver notre chemin quand nous nous rendions là-bas. L'employé se tut un moment, plongé dans ses souvenirs. Il y a aussi le risque de perdre pied ou qu'une brique cède sous vos pas. Si jamais vous tombiez dans les eaux de ces égouts, vous seriez emporté et couleriez aussitôt, monsieur. Mais j'imagine que vous n'avez pas besoin de vous y rendre en personne ?

William considéra l'employé et fronça les sourcils. Votre aide m'a été précieuse, lui dit-il.

De retour à son hôtel, ce soir-là, il se mit torse nu et se débarbouilla devant le lavabo en réfléchissant à ce que l'employé lui avait dit. Il avait emporté une copie des plans du tunnel tout en sachant qu'elle ne lui serait probablement d'aucune utilité. Il pensait à son père, ainsi qu'au Sarrasin. Le lendemain matin il devait se rendre à Millbank afin de rencontrer l'oncle de Charlotte Reckitt. Il se dévisagea dans le miroir embué, considéra les poches qu'il avait sous les yeux.

Et Adam Foole ? se répéta-t-il pour la énième fois. Qui est-il ? Que cherche-t-il ?

Les mains de William se crispèrent sur le rebord du lavabo. Son regard meurtrier le fixait d'un air sombre, sans ciller.

À toi de le découvrir, lui disait-il.

QUATORZE

Il était né sur le carrelage d'une cuisine entouré de pleureuses dans une vaste maison de Calcutta en 1848.

Il ne s'appelait ni Adam ni Foole à l'époque. Par une porte ouverte on apercevait le soleil déclinant qui rejoignait l'horizon dans un halo de brume. Il était donc né au moment où l'obscurité s'apprêtait à s'étendre. Après l'avoir séparé de sa mère mourante et enveloppé d'un linge, on l'avait confié à une infirmière tandis que le sang s'égouttait et constellait le sol alentour. Tel était son univers, tel était son patrimoine. Et pourtant il avait été élevé avec amour malgré son statut de bâtard à l'ombre d'une jeune Bengalie et d'un père anglais, commerçant de son état, à la tête d'une flottille de six vaisseaux et d'une prospère compagnie maritime. Et qui adorait son fils. L'image de ce père émergeait parfois comme une nappe de fumée à la lisière de sa mémoire, et aucune autre figure n'avait une plus grande importance à ses yeux. De sa mère il n'avait pas le moindre souvenir, même s'il lui était arrivé des années plus tard de chercher dans le visage que lui renvoyait son miroir les traits de l'étrangère qui l'avait mis au monde.

Lorsqu'il repensait à présent aux premières années de son existence à Calcutta, il avait l'impression de traquer derrière les planches disjointes d'une palissade l'image d'un enfant qui lui ressemblait et qui jouait dans une cour, qui riait comme lui et s'amusait seul avec un cerceau sans entendre qu'on l'appelait. La Ville Blanche n'était qu'un décor flou dans sa mémoire, une allée écrasée de chaleur et encombrée de vieux cartons où se dressait le four de la boulangerie voisine. Il revoyait la masse monstrueuse des grands buffles noirs beuglant au bord du fleuve dans une chaleur accablante. Les cris des marchands en haillons. La main calleuse de son père posée sur son cou tandis qu'ils remontaient une colline en courant sous une pluie chaude et torrentielle.

Son père, oui. Le capitaine Edward Benlowes était un grand gaillard originaire du Yorkshire dont la barbe épaisse saillait de son menton comme celles des rois assyriens. Foole le revoyait ou croyait le revoir remontant la rue chaque soir le long des bureaux où siégeaient les compagnies coloniales, rajustant ses cheveux d'un geste de la main dans la lumière poussiéreuse. Les mains et les poignets de son père donnaient une telle impression de puissance. Le capitaine Benlowes avait commandé son premier navire pour la Compagnie des Indes orientales en 1841 et livré ses cargaisons d'opium tout le long de la côte au cours des dix années suivantes. Quelque part au fond de sa mémoire, Foole se revoyait en travers des épaules de son père qui le portait comme un sac de marchandises dans une atmosphère saturée d'humidité tandis que les insectes se cognaient à l'écran du porche et qu'une vieille femme les regardait en souriant, les bras croisés. Ce souvenir était-il réel? Il aimait à le croire.

Mais tout ce qu'il savait par ailleurs, il le tenait des récits qu'on lui avait faits. Il avait été un enfant timide et prudent. Il avait marché tard mais sans jamais tomber. Il avait parlé tard mais savait déjà faire des phrases. Il possédait encore quelque part une vieille plaque photographique prise lorsqu'il avait deux ans et qui le montrait le visage impavide, sans l'ombre d'un sourire, les cheveux noirs et les yeux clairs : un petit Anglais potelé des colonies suffoquant dans son costume blanc.

Tout cela concernait sa première existence, dont il se souvenait à peine et ne possédait plus que des images éparses, des éclats brisés. Il avait quatre ans lorsque son père avait décidé de l'emmener dans un voyage qui devait le conduire jusqu'à Baltimore. Il était déjà monté à bord de ses bateaux mais n'avait jamais navigué. N'était-il pas un peu étrange de l'embarquer dans une telle équipée alors qu'il était encore si jeune ? Toute sa vie il devait se demander quelle mouche avait piqué son père. La nourrice qui s'occupait de lui avait-elle donné son congé ? Son père voulait-il lui apprendre les rudiments du commerce dont il devait hériter ? Avait-il eu le vague pressentiment du drame qui l'attendait ?

Ils avaient appareillé à l'aube sous un ciel rougeâtre, les marins arpentaient le pont pieds nus avec assurance et déroulaient leurs cordages dans une chorégraphie limpide et silencieuse. Juché sur un carton devant le bastingage, le petit garçon regardait la terre s'éloigner dans un halo de brume tout en percevant le mouvement des vagues et le roulis qui agitait les flancs du navire. Les jours passèrent, les semaines passèrent sous la voûte céleste nimbée d'étoiles et le ciel aussi blanc que du sel en plein midi.

Ils firent escale au Cap. Il suivit son père d'un pas incertain, éprouvant l'étrangeté du contact avec la terre ferme après des semaines en mer. Ils dormirent côte à côte dans une chambre d'auberge et des draps propres. En fermant les yeux avant de s'endormir il percevait encore le roulis du navire. Et quand il se réveilla son père revenait du marché voisin où il avait acheté des fruits frais et des tranches de pain blanc. Le matin il l'accompagna dans les bureaux de diverses compagnies maritimes et l'attendit dans son coin en s'ennuyant ferme. L'après-midi ils se promenèrent dans les jardins de la ville, saluant de la main les oiseaux qui passaient et souriant aux nourrices noires intimidées qu'ils croisaient. Il y avait des landaus avec d'énormes roues en bois dans les allées et des femmes en robes blanches assises sur les bancs. Sous le ciel d'un bleu étincelant les arbres étaient d'un vert profond, la terre d'un rouge intense.

L'accident lorsqu'il survint était insignifiant et aurait aisément pu être évité. Ils avaient quitté Le Cap au milieu d'un océan déchaîné et la tempête les frappa deux jours plus tard. Elle ne devait plus les lâcher pendant des semaines. Il était malade, comme la plupart des matelots. Son père se tenait sur le pont inondé et battu par les vents avec un mélange de joie et d'énergie vibrante tandis que Foole était ballotté dans son hamac, blanc comme un linge, et que des flots de vomissures ruisselaient d'un bord à l'autre sur les planches. Le navire s'élevait jusqu'au sommet des vagues avant de retomber avec une violence inouïe dans l'eau noire en craquant de toutes ses fibres, au point que le garçon redoutait que ses mâts ne se brisent et que l'eau ne les recouvre avant de les engloutir. À un moment donné son père redescendit, l'eau ruisselait de sa barbe et sa main gauche était enveloppée dans une étoffe. Il avait été blessé par un éclat de bois, ce n'était rien, une simple esquille qui s'était plantée dans sa paume, entraînée par un cordage que le vent soulevait. Mais la fièvre le gagna bientôt, son bras s'affaiblit, la blessure s'infecta peu à peu et la gangrène s'installa. Tandis qu'ils approchaient des côtes américaines, son père se mêla de moins en moins à l'équipage, sa main était devenue noire et dégageait une odeur pestilentielle.

Ce fut le second qui prit les commandes lorsque le schooner arriva en vue de Baltimore, lui aussi qui transporta son père dans une auberge surplombant le port. Il sera au calme ici, lui dit-il avant d'ajouter en se raclant la gorge : Désolé pour toi, mon garçon. Il déposa sur le bureau une petite bourse remplie de pièces anglaises et referma soigneusement la porte derrière lui.

Son père était conscient puis se mit à délirer. Il dormait la plupart du temps, on aurait dit qu'il était mort. Son bras avait enflé, il était à présent de la taille d'un melon et d'un noir strié de vert. Il criait dès qu'on le touchait. Foole avait trop peur pour quitter son chevet et mangeait ce que la servante lui apportait, l'ayant pris en pitié. Au bout de deux jours le patron de l'auberge débarqua et regarda son père en fronçant les sourcils. Un peu plus tard un chirurgien se présenta, il sortit de sa sacoche toute une série d'instruments aux formes inquiétantes avant de plier sa redingote sur une chaise et de retrousser ses manches. Faites sortir l'enfant, lança-t-il sèchement. Ce furent les seuls mots qu'il prononça. On emmena Foole dans la cuisine d'un restaurant voisin et on le fit asseoir au milieu de la vapeur et des nègres qui lavaient la vaisselle. Il mangea de grosses tranches de pain tartinées de confiture à la fraise et en ingurgita plusieurs à la suite, bien que leur douceur sucrée lui donnât un peu mal au cœur. Quand on le reconduisit enfin à l'auberge, son père n'avait plus de bras et le médecin était penché au-dessus d'une bassine pour nettoyer l'écume rouge qui lui collait aux doigts. Des taches de sang constellaient ses manches. On entendait par la fenêtre un poissonnier vanter sa marchandise. Les rideaux tremblaient. Sur le lit dans un carré de lumière, l'homme qui était étendu la bouche ouverte, son père, dont la barbe avait inexplicablement été coupée, était mort depuis au moins une demi-heure.

Quelle était la part de vérité dans tout ça ?

Tout était vrai, devait-il dire par la suite. Et tout était faux.

Il franchit prudemment la porte en fer sur la rive nord de la Tamise juste avant minuit et s'engagea dans l'escalier. Fludd traînait des pieds trois mètres derrière lui. Ils avaient attendu dans la brume, adossés à la paroi du tunnel, pour laisser à Pinkerton le temps de s'en aller avant de suivre le même chemin que lui. Vingt minutes plus tard, le géant n'avait pas desserré les dents tandis qu'ils retraversaient le tunnel, et Foole savait que c'était sa manière de lui adresser ses reproches. Il y avait à la fois de la violence et une sobre efficacité dans le geste de l'Américain lorsqu'il avait sorti un revolver de sa poche, son chapeau rabattu sur les yeux. L'ombre paternelle était évidemment perceptible derrière son attitude. Mais il y avait aussi en lui une lassitude, une tristesse que son père n'aurait jamais tolérées.

Marche après marche, Foole remontait l'escalier en colimaçon, la main sur la rampe métallique et le cœur serré. Il revoyait Charlotte marchant en pleine lumière sur le sable chaud. Son visage dans l'éclairage verdâtre de la morgue. Cette matinée enneigée où il avait reçu sa lettre à New York.

Il atteignit enfin le sommet, déboucha dans la nuit froide. Au bout de quelques instants il entendit Fludd grommeler et sa silhouette massive apparut dans l'encadrement de la porte.

La Tour se dressait devant eux.

Qu'y a-t-il donc ? lança finalement Foole sans parvenir à cacher son irritation.

Les semelles du géant raclaient lourdement le sol.

Dis-le donc, Japheth.

Quoi donc.

Que tu trouves ma conduite imprudente.

C'est le moins qu'on puisse dire. Ce salopard va aller fourrer son nez dans tous les coins jusqu'à ce qu'il ait découvert la vérité. On ne fait pas confiance au diable, Adam.

Le diable, murmura Foole en faisant volte-face.

Le fleuve était sombre. Une famille de vagabonds s'était regroupée et dormait, tassés les uns sur les autres contre un banc de pierre aménagé dans la muraille. Foole alla déposer une pièce sur la jupe de la mère. Puis ils prirent la direction du nord et marchèrent en silence avant de déboucher dans Grace Church Street au sortir d'une allée obscure, comme s'ils émergeaient d'un rêve pour se mêler à la foule nocturne des passants.

Fludd frottait sa barbe constellée de cristaux gelés. D'ici demain soir Pinkerton aura découvert qui nous sommes, notre couverture londonienne et ce que nous mangeons à notre petit déjeuner. Nous ne pouvons pas engager un type comme lui pour ce genre de boulot.

Foole ralentit devant la vitrine d'un tailleur et contempla leurs reflets indistincts. La foule s'écoulait autour d'eux dans un ruissellement de lumières et un flot de paroles.

Et qui sommes-nous au juste, Japheth ? murmura-t-il.

Fludd le regarda avec une expression presque douloureuse et ne répondit pas.

Son père était enterré depuis six jours dans le cimetière de Baltimore lorsque l'homme en blanc fit son apparition. Un homme avec des dents pointues de renard, des sourcils épilés avec soin, de petites lunettes qui ramenaient ses yeux à deux fentes étroites. Le petit garçon d'alors était assis sur un banc dans la cour couverte de gravier d'un orphelinat catholique et regardait cet homme marcher dans sa direction aux côtés d'une religieuse au visage ridé. Les poils de ses bras se hérissèrent, il n'avait que quatre ans mais percevait toute la fausseté qui émanait de cet individu. Son père avait été abandonné dans la fosse commune sous une pelletée de boue et Foole était resté agrippé au genou du fossoyeur tandis qu'une femme membre d'une quelconque association de charité luttait auprès de lui pour retenir ses larmes. Sa vie durant, Baltimore devait rester associée à cette image : une ville de tombes béantes où soufflait un vent chaud et surplombée d'un ciel d'ébène.

L'homme en blanc ne se présenta pas. Il prit l'enfant par la main et l'emmena sous le regard des autres orphelins dans leurs chemises en laine grise. Il l'aida à ranger ses affaires dans la grosse sacoche de son père et ils quittèrent les lieux ensemble sans qu'il lui ait adressé la moindre parole, le moindre sourire. Il avait une lettre signée et estampillée d'un sceau qu'il présenta aux religieuses. Celles-ci hochèrent gravement la tête et considérèrent Foole d'un air entendu. Il fit ce qu'on lui demandait de faire et ne pleura pas, mais son père lui manquait et cela provoquait en lui une douleur physique qui l'étreignait au plus profond de son être. La mer lui manquait. Et les bras puissants de son père lorsqu'il le soulevait et le lançait en riant vers le ciel. Tout comme lui manquait Calcutta qui s'estompait peu à peu dans sa mémoire, la grande maison dans la Ville Blanche près de la boulangerie, la chaleur et le tumulte des processions bengalies sur les berges du fleuve au coucher du soleil. Par comparaison ce continent délaissé, cette Amérique lui paraissait froide et vaste et brutale, une terre où ceux que l'on aimait pouvaient être abandonnés dans les profondeurs du sol et perdus à jamais.

L'homme en blanc le fit monter dans un cabriolet qui les déposa devant une maison, ils montèrent quelques marches raides, longèrent un couloir bordé de fenêtres et pénétrèrent dans une pièce minuscule mais joliment meublée. Il y avait une fenêtre et Foole revoyait le long canapé placé en dessous, son siège doux et brun, les gestes méticuleux de l'homme qui portait une longue redingote crème dont il releva les pans avant de s'asseoir. Lorsqu'il ôta son haut-de-forme blanc, Foole s'aperçut qu'il était chauve.

L'homme prit la parole en le regardant par-dessus ses lunettes et lui dit qu'il s'appelait Fisk. Il était au service d'une dame qui avait jadis connu le père de Foole, lui apprit-il, et à qui son père avait écrit sur son lit de mort en la suppliant de prendre soin de son fils. Si sa patronne acceptait la mission qu'on lui avait confiée, il serait désormais élevé dans une ville du nom de Boston, dans l'extrême nord du pays. Tandis qu'ils avaient cette conversation, le schooner de son père était sur le point d'être revendu afin de couvrir les dettes occasionnées par son voyage inachevé. Sa grande maison de Calcutta et sa compagnie maritime seraient également mises en vente. N'étant pas son héritier en ligne directe, il n'avait pour sa part aucun droit sur les biens de son père. Fisk lui avait exposé tout cela d'une voix égale. Il ôta finalement ses lunettes, se frotta les yeux et ajouta d'un air de reproche : C'est dommage que tu aies la peau basanée, mon garçon. Avec un peu de chance on te prendra pour un Espagnol. Assis en face de lui, Foole l'écoutait et assimilait ce qu'on lui disait. Et soudain le sol s'ébranla, l'enfant tendit les bras pour ne pas perdre l'équilibre et regarda autour de lui d'un air horrifié : de manière incompréhensible, la petite pièce s'était mise à bouger.

C'était la première fois qu'il montait à bord d'un train. Tandis que le convoi prenait de la vitesse, il resta le nez collé contre la vitre à regarder défiler les champs et les forêts. Le wagon-restaurant était merveilleux, les wagons-lits imprégnés d'une odeur d'huile et de cire qui ne ressemblait à rien de ce qu'il connaissait. Le voyage se déroula, les jours passèrent. Lorsqu'ils arrivèrent, Boston lui parut plus calme et plus froid que Baltimore, avec ses grandes avenues étrangement propres. Fisk héla un cab sous un ciel rougeoyant et ils traversèrent la ville assis l'un en face de l'autre. L'homme avait les mains croisées sur la poignée de sa canne et sa tête ballottait de droite à gauche, mais il ne quittait pas le garçon des yeux.

La patronne de Fisk, la bienfaitrice de Foole, les attendait dans le vaste salon en marbre de sa propriété. Foole avait déjà vu de grandes demeures par le passé mais jamais rien d'aussi monumental ni d'aussi somptueux. D'une telle froideur et d'une telle propreté. Et plongé dans un tel silence. Le portail s'ouvrit, la longue allée était bordée de sycomores, de haies, d'immenses pelouses. Puis la maison se dressa devant lui telle une forteresse de pierre et il considéra avec une certaine frayeur ces longues rangées de fenêtres. Mais Fisk s'était penché vers lui en murmurant : Tu as intérêt à faire bonne impression, mon garçon, avant de gravir les marches du perron et de tirer d'un coup sec la sonnette de l'entrée.

Elle était vêtue d'une robe en soie grise et avait les cheveux coiffés en hauteur, ce qui soulignait la pâleur de ses tempes. Ses longues mains blanches croisées devant elle, elle baissa les yeux et considéra l'enfant qui se cramponnait toujours à la vieille sacoche de son père. Son regard était franc, curieux, concerné. Il aurait voulu dissimuler son visage mais n'osa pas le faire.

C'est donc lui ? murmura-t-elle d'une voix basse et étrangement douce. As-tu mangé, mon enfant ? Redresse-toi, n'aie pas peur. Ah oui, tu as les yeux de ton père.

Elle se tenait sur la première marche de l'escalier en marbre, ce qu'il n'avait pas remarqué, et lorsqu'elle en descendit pour s'avancer vers lui elle était plus petite qu'il ne l'avait cru tout d'abord.

Pauvre, pauvre petit bonhomme, dit-elle en s'agenouillant et en le prenant par le menton. Comment allons-nous t'appeler ? Il faudrait un prénom anglais en tout cas, qui te permette de faire ton chemin dans le monde. J'opterais volontiers pour Edward. Comme ton père.

Foole tremblait. La grande maison craquait autour de lui.

Au bout d'un moment, ayant compris qu'il ne desserrerait pas les dents, elle se releva et lissa sa robe de la main avant de se tourner vers Fisk qui attendait dans l'ombre. Mr Fisk va te faire visiter les lieux. Demain nous irons voir à la nursery comment aménager les choses. Pour ce soir la bibliothèque fera l'affaire. Mr Fisk?

L'homme en blanc s'inclina d'un air grave.

Veillez à ce que le jeune maître Edward soit bien installé. Et conduisez-le aux cuisines pour qu'il prenne son souper.

Fisk acquiesça. Tout sera fait selon votre volonté, Mrs Shade.

Il ramassa la sacoche esquintée de l'enfant, traversa avec lui le vestibule en marbre et lui fit franchir un étroit passage qui permettait d'accéder aux pièces plongées dans la pénombre où allait se dérouler la deuxième partie de son existence.

QUINZE

Une brume légère dérivait lentement sur le fleuve. Une horde de freux s'ébrouait dans un tourbillon sauvage au-dessus de la berge. William s'arrêta, se protégea les yeux de la main et contempla le cours métallique et sinueux de la Tamise, ponctué par les cris des mariniers dont les péniches dérivaient lentement. Les freux s'élevèrent en tournoyant dans la lumière froide et il y avait comme un avertissement, une menace latente dans leur envol groupé.

Mr Pinkerton, lança Blackwell. Il est presque onze heures.

William fit la grimace. Il avait insisté malgré le froid pour qu'ils se rendent à Millbank à pied afin de mettre un peu d'ordre dans ses pensées. Il se demandait notamment si Martin Reckitt avait entendu parler de ce dénommé Foole. On peut difficilement exiger d'un oncle qu'il se souvienne des aventures amoureuses de sa nièce dans leur moindre détail, surtout lorsqu'elles sont aussi anciennes. La nuit dernière, en sombrant lentement dans le sommeil, il avait décidé d'abandonner pour l'instant la piste du Sarrasin. Il avait ensuite plongé dans une série de rêves confus dont il ne lui restait que des lambeaux incohérents et d'où il était sorti épuisé.

Après avoir passé le pont de Lambeth, il s'arrêta devant la charrette d'un marchand qui vendait des tourtes. Il en acheta deux et en tendit une à l'inspecteur Blackwell. Il retira ses gants et saisit à main nue la pâtisserie encore fumante dans son papier brun. Sa chaleur lui brûla le palais lorsqu'il mordit dedans.

Je revois encore ce décor il y a cinq ans lorsque tout avait gelé, monsieur, dit Blackwell en soufflant sur sa tourte. On pouvait traverser le fleuve à pied, d'une rive à l'autre. C'était étrange de rester à la surface des flots alors qu'on aurait dû couler à pic.

William mit quelque temps à comprendre le sens de sa remarque. Il laissa son regard courir sur les eaux du fleuve qui brillaient d'un éclat métallique.

Il y a eu une histoire entre eux, monsieur, reprit Blackwell. Je veux dire, entre le patron et Mr Reckitt.

William sentit ses poils se dresser sur sa nuque. Il replia soigneusement le reste de la tourte dans son papier gras. Quel genre d'histoire ? demanda-t-il.

Blackwell s'éclaircit la gorge. Eh bien, le patron a... comment dire... un faible pour les maisons closes, monsieur. Vous l'avez peut-être remarqué. C'est un bon mari, cela ne fait pas l'ombre d'un doute, mais enfin il a cette petite faiblesse.

Ce sont des ragots que vous me racontez là, Blackwell.

Non monsieur.

William considéra l'inspecteur d'un œil sombre.

Non monsieur, répéta celui-ci, ce ne sont pas des ragots. La bande de Mr Reckitt faisait passer de la fausse monnaie sur le continent, le patron s'était rendu à Paris et avait arrêté en personne l'un des malfaiteurs. Je suppose que Mr Reckitt voulait lui rendre la monnaie de sa pièce. Le patron avait alors ses habitudes chez Nellie Coffey, dans le Borough. Ils se retrouvaient souvent au Rising Sun, dans Fleet Street, pour échanger des informations. C'était la veuve de Jack Casey, peut-être avez-vous entendu parler de lui ? Un unijambiste ? Quoi qu'il en soit Mr Reckitt s'était arrangé pour qu'un gentleman d'un certain standing débarque là-bas au moment opportun et affirme au gardien de nuit qu'un vol venait d'être commis. Étant donné l'allure respectable du gentleman en question, il aurait fallu avertir la police et interroger l'ensemble des clients présents. Et Mr Shore aurait ainsi été... euh, surpris...

En pleine action, vous voulez dire.

Blackwell rougit. Oui monsieur. En pleine action. Heureusement nous avons eu vent de ce plan le soir même et avons pu éviter un scandale. Le soi-disant gentleman est venu nous trouver et a vendu la mèche. Mais la rumeur s'est tout de même répandue et la promotion dont Mr Shore devait bénéficier peu après a été différée.

Quand cela se passait-il ?

En 1873 me semble-t-il, monsieur. Mr Reckitt a été arrêté l'année suivante par le service des douanes, alors qu'il transportait un sac de diamants bruts dérobés lors d'un cambriolage en Afrique du Sud.

William s'immobilisa. Pourquoi me racontez-vous tout ça, Blackwell ?

Blackwell se tourna pour lui faire face. Parce que personne d'autre n'ose le faire, monsieur.

William suivit des yeux Blackwell qui traversait le gravier blanc de la cour extérieure de Millbank et appelait à la grille du portail. La prison était silencieuse, la rue autour d'eux déserte et désolée. Ne voyant rien venir, Blackwell réitéra son appel en secouant les barreaux.

Puis une silhouette enveloppée d'une cape émergea sur le côté et les examina entre les barreaux avant de frapper dans ses mains. Le portail s'ouvrit alors lentement en grinçant sur ses gonds. Blackwell jeta un coup d'œil à William et ils pénétrèrent l'un derrière l'autre dans l'enceinte au sol en terre battue. Le portier – un petit homme qui disparaissait sous sa cape et sa capuche – leur adressa un regard inquisiteur avant de se replier à l'intérieur du bâtiment.

William avait vu bien des prisons et assisté à de pénibles spectacles au cours de sa carrière. Il avait connu le petit pénitencier en brique de Denver où les prisonniers étaient suspendus à des cordes ainsi que les anciennes catacombes de Manhattan où l'on abandonnait les indigents, voués à une mort certaine. Il avait même erré sans la moindre escorte dans les sous-sols hantés des cellules de Newgate. Mais il n'avait encore jamais mis les pieds à Millbank.

Il en avait entendu parler, évidemment. Quel représentant de la loi ne la connaissait pas au moins de nom ? La prison était pratiquement vide à présent mais avait abrité autrefois des milliers de prisonniers dans une solitude et un silence aussi lourds à supporter pour les repris de justice que pour leurs gardiens. Ses murailles de pierre d'un gris jaunâtre se dressaient autour d'eux dans la lumière sulfureuse et tout en avançant William ne pouvait chasser le sentiment d'être surveillé. Les minuscules ouvertures pratiquées dans les murailles avaient été conçues pour être hors de portée des occupants des cellules, mais dans la tour centrale qui s'élevait devant eux les fenêtres brillaient d'une lueur verdâtre. Une infecte odeur de vinaigre imprégnait l'atmosphère et William ne put s'empêcher de sortir son mouchoir.

Ils suivirent le portier dans sa loge. Un feu brûlait doucement dans la cheminée.

L'homme avait rabattu sa capuche, révélant une impressionnante paire de favoris, et les considérait en tendant les mains vers le feu pour se réchauffer. Messieurs, leur dit-il, je vous demanderai de signer le registre que vous voyez sur ce bureau et de déposer toutes les armes à feu qui pourraient se trouver en votre possession.

Il avait particulièrement regardé William en prononçant ces derniers mots. Celui-ci se tourna vers Blackwell puis vers le portier mais ne fit pas le moindre geste.

Le patron lui a dit que vous étiez américain, monsieur, lui expliqua Blackwell.

Ne le prenez pas mal, ajouta le portier.

William sortit son colt et le lui tendit.

Le registre, reprit le portier.

William trempa la plume dans l'encre et inscrivit son nom.

C'était un colt Navy calibre .36 et à Chicago il le gardait toujours sur lui, comme d'autres gardent leurs secrets.

Il fit un petit signe de la tête à l'intention du portier et ils se remirent en route.

Le portier les conduisit jusqu'à un portail intérieur où un gardien prit le relais et les fit pénétrer dans un long couloir en pierre dénué de fenêtres. Ils franchirent ensuite une lourde porte en fer sans avoir échangé un mot. La présence autour d'eux des enceintes de pierre avait quelque chose d'oppressant. Les couloirs étaient plongés dans l'obscurité et le sol couvert de gravier. Chaque fois qu'ils franchissaient une nouvelle barrière de sécurité, le gardien s'arrêtait et regardait de droite à gauche à la lueur du gaz avant de soulever l'énorme trousseau de clefs qu'il portait à la ceinture, comme s'il n'avait pas accompli ce trajet des centaines de fois au fil des années.

Le couloir s'élargit enfin et ils se retrouvèrent devant les cellules. Elles étaient toutes vides, William n'aperçut aucun prisonnier, pas le moindre surveillant. Tandis qu'ils avançaient, Blackwell lui expliqua à mi-voix que la prison avait été réquisitionnée par l'armée et vidée peu à peu de ses détenus. Lorsque William lui demanda ce qu'il allait advenir de Martin Reckitt, l'inspecteur haussa les épaules et lui répondit que son patron avait suggéré qu'on l'envoie sur le site des anciens chantiers navals de Portsmouth, reconvertis à leur tour en pénitencier.

Le gardien les conduisit au bout d'un couloir qui donnait sur un étroit escalier en fer. Les cellules étaient toutes installées sur la droite, devant une enfilade de minuscules fenêtres par où filtrait la lueur grise du jour, ce qui donnait à l'endroit une allure un peu inquiétante. Au sommet de l'escalier le couloir faisait un coude et débouchait sur les barreaux d'une cellule isolée. À l'intérieur, un vieil homme aux cheveux ras et en uniforme de prisonnier était assis sur un banc en fer recouvert d'une vague paillasse.

Le vieil homme se redressa lentement.

Martin Reckitt ? demanda William.

Le prisonnier le contempla en silence pendant un long moment avant d'acquiescer de la tête. Mr William Pinkerton, dit-il.

Il a été prévenu de notre visite monsieur, expliqua Blackwell à voix basse. Mais non de ses motifs.

Martin Reckitt était aussi maigre qu'un clou, sa peau blême luisait comme s'il avait été rongé par une grave maladie. Un bleu de la couleur d'un fruit pourri s'étalait sur sa joue, ses petits yeux étaient injectés de sang et son visage paraissait encore plus ridé en raison du manque d'éclairage de la cellule. Mais ses doigts recourbés semblaient encore d'une redoutable vivacité.

Et que me vaut l'honneur de votre visite, monsieur ? dit-il en esquissant un sourire que son regard démentait.

William attendit que la grille de la cellule ait été ouverte et alla s'asseoir à l'autre extrémité du banc, avant d'extraire un carnet de sa poche.

Mr Pinkerton souhaite vous poser quelques questions, intervint Blackwell depuis le seuil de la cellule. Vous seriez bien avisé de l'écouter et de lui répondre sans détour.

Martin Reckitt dévisagea le jeune inspecteur avec un sourire lugubre avant de reporter son attention sur William. Je suis innocent, dit-il.

William hocha la tête. On vous a pris pour un autre, c'est ça ?

C'est toujours plus ou moins le cas, Mr Pinkerton. Sauf aux yeux du Seigneur.

William lui adressa un regard étonné. Malheureusement ce n'est pas vous qui m'intéressez, Mr Reckitt. Je voudrais que nous parlions de Charlotte.

Charlotte ?

Oui. Votre nièce.

Martin Reckitt s'agita sur sa paillasse. Lorsqu'il se retourna vers William son visage était dénué d'expression. Cela fait des années que je n'ai pas revu Charlotte, dit-il. La dernière fois que j'ai eu de ses nouvelles elle s'était rangée et ne causait de tort à personne. Vous devriez la laisser en paix.

Blackwell intervint d'une voix lasse. Charlotte est venue vous voir ici même il y a deux mois, elle a signé le registre des visiteurs. Nous savons qu'elle est régulièrement venue vous rendre visite, Mr Reckitt.

William fit signe à l'inspecteur de se taire. Parlez-moi de sa relation avec Edward Shade, dit-il. Il guettait la réaction du vieil escroc mais ce dernier ne cilla pas. Elle travaillait avec Shade avant que celui-ci ne meure, c'est bien cela ?

Cela fait dix ans que je suis enfermé ici, Mr Pinkerton. Je ne suis pas au courant de ces histoires. Je suis vieux et j'aimerais revoir le monde extérieur avant de mourir.

Ce qui est fort peu vraisemblable, Mr Reckitt, intervint Blackwell.

Reckitt regarda l'inspecteur qui se tenait sur le seuil de la cellule et lança : Je suis surpris de vous voir accompagné d'un chaperon, Mr Pinkerton. Vous, le grand détective américain…

William se tourna vers Blackwell. Laissez-nous seuls un instant, lui dit-il.

Blackwell fronça les sourcils. J'ai des consignes strictes, monsieur.

William attendit.

Blackwell hésita. Son regard allait de William à Reckitt et vice versa. Une minute alors, monsieur. Je serai dans le couloir.

Il appela le gardien qui vint ouvrir la porte, le laissa sortir et verrouilla à nouveau la porte derrière lui. William attendit que les pas des deux hommes se soient éloignés avant de se retourner vers le vieux malfaiteur.

Avez-vous entendu parler d'Edward Shade, Mr Reckitt ?

Shade ? dit Reckitt en clignant des yeux.

William n'avait toujours pas ouvert son calepin. Ce n'est pas après votre nièce que j'en ai, Mr Reckitt. À moins qu'elle ne se trouve impliquée dans cette affaire. C'est le dénommé Shade qui m'intéresse. Et ce qui a bien pu lui arriver.

C'est votre père qui vous envoie ? demanda Reckitt en le regardant du coin de l'œil. Il s'intéressait beaucoup aux allées et venues de Mr Shade autrefois, si ma mémoire est bonne. J'imagine que c'est toujours le cas.

William s'éclaircit la gorge. Mon père est mort l'an dernier, dit-il.

Ah. C'est une grande perte. Je me dis parfois qu'un grand mur nous sépare du monde tous autant que nous sommes, Mr Pinkerton, ajouta-t-il avec gravité. Que nous soyons prisonniers ou en liberté. Et je me dis aussi que ce mur nous sépare d'abord de nous-mêmes. Si vous voulez en savoir davantage sur les relations de Charlotte, vous feriez mieux de vous adresser à elle.

William opina d'un air distrait, remâchant ses pensées. Il était à deux doigts de révéler à Reckitt que sa nièce était morte. Au lieu de ça il lança à sa grande surprise : John Shore et vous...

Reckitt eut un léger sourire. Nous nous connaissons de longue date, l'inspecteur Shore et moi.

Inspecteur en chef.

Reckitt eut l'air étonné. Vraiment ? Eh bien, les voies du Seigneur sont impénétrables. Et qui sait où nous conduiront nos pas ?

Pour vous, la question ne se pose pas. Vous ne bougerez pas d'ici. Jusqu'à votre transfert en tout cas.

Ma remarque était plus générale, Mr Pinkerton. Je faisais allusion à cette condition qui est la nôtre et que nous appelons la vie. Ce transfert ne signifie plus grand-chose pour moi. Reckitt se frotta les poignets comme s'ils lui faisaient mal. C'est une étrange impression, de survivre à sa propre prison.

Mon séjour à Millbank n'a pas été si éprouvant que ça. Il m'a permis de me réconcilier avec la parole du Seigneur. Si une seconde vie m'était accordée, monsieur, je la mettrais au service de Dieu.

Vous l'avez essayé dans votre jeunesse. L'Église n'a pas voulu de vous.

Reckitt le regarda un long moment avec froideur. Non monsieur, ce n'est pas elle qui n'a pas voulu de moi, c'est moi qui n'ai pas voulu d'elle.

À votre guise. Pour en revenir à votre nièce et à Shade...

Reckitt haussa les épaules, d'un geste presque théâtral. Au séminaire, Mr Pinkerton, j'étais l'un des candidats les plus studieux et les plus assidus. J'avais la foi, bien entendu, mais ce qui m'intéressait c'était la manière dont la traduction avait modifié le contenu de nos textes sacrés. La Bible n'a pas été écrite en anglais, monsieur. Ni même en latin. L'original était pour une partie en grec, pour le reste en hébreu. Et on nous affirme pourtant que la parole de Dieu est absolue. Est-ce que cela a du sens à vos yeux ?

William ne répondit pas.

À mes yeux, reprit Reckitt, cela n'en a pas. Le langage est une création des hommes.

Mr Reckitt...

Pensez au diable, Mr Pinkerton. À Satan. Et c'est un simple exemple. En hébreu *satan* n'est pas un nom propre, c'est un mot ordinaire qui signifie adversaire. La figure de Satan lorsqu'il apparaît dans les plus anciens textes est celle d'un serviteur de Dieu, que le Seigneur envoie sur la Terre pour éprouver la foi de son peuple. Nous avons inventé le diable, monsieur, quelque part au cours du Moyen Âge. Rien n'est absolu. Dans le monde des hommes tout est traduit par le temps. Y compris le mal. Lorsque j'ai compris ça, je n'étais plus en mesure d'entrer au service de l'Église.

William voulait interroger le vieil escroc au sujet d'Adam Foole, l'ancien amant de Charlotte. Il était possible qu'il se souvienne d'un détail significatif à son sujet. Mais quelque chose le retint, une hésitation qu'il aurait été bien en peine d'expliquer. On entendait Blackwell qui faisait les cent pas un peu plus loin dans le couloir.

Mr Reckitt, demanda-t-il. Comment votre nièce a-t-elle rencontré Shade ? Qui les a présentés ?

Croyez-vous en l'amour, Mr Pinkerton ?

William lui lança un regard exaspéré.

L'amour est la grande ligne de partage, Mr Pinkerton. Vous savez sans doute que je ne me suis jamais marié. Mais j'ai aimé. Et j'aime encore profondément ma nièce. Je sais que la seule vérité réside dans l'amour. La Bible nous apprend qu'un homme incapable d'aimer est un vrai danger public.

Qu'est-ce que cela a à voir avec Shade ?

John Shore, monsieur, est incapable d'aimer.

Pour l'amour du ciel.

Nous avons grandi ensemble, dans le même quartier. C'était un garçon turbulent, un petit vaurien. J'étais plus âgé que lui et pourtant j'avais toujours un peu peur quand je le croisais dans la rue. Il est entré dans la police parce qu'il a compris que cela lui permettrait d'exercer une forme de pouvoir.

William poussa un soupir d'impatience.

Reckitt eut l'air de sentir le changement qui s'était opéré en lui car il retomba dans le silence et se mit à considérer William avec une étrange acuité. Pourquoi êtes-vous ici, Mr Pinkerton ? reprit-il prudemment. Pourquoi êtes-vous venu me trouver maintenant ? Que s'est-il exactement passé ?

William referma son carnet. Votre nièce est morte, Mr Reckitt. Son corps a été retrouvé il y a une dizaine de jours.

Reckitt fronça lentement les sourcils mais demeura silencieux.

Elle a été assassinée, je suis désolé de devoir vous l'apprendre.

L'ancien cambrioleur tourna son visage vers le mur et ils se turent tous les deux. Au bout d'un moment William se leva, passa la main dans ses cheveux et boutonna son pardessus.

Charlotte est morte ? dit lentement Reckitt.

William acquiesça. Sa tête a été repêchée dans la Tamise, son torse découvert dans Edgware Road emballé dans un sac. Et on a retrouvé ses jambes samedi dernier à Bermondsey. Cet individu, cet Edward Shade, est la seule piste dont nous disposions.

Il vit le vieil escroc digérer ce mensonge. Arrivé devant la porte il se retourna. Si vous vous rappelez un détail même infime au sujet de Shade, vous savez comment me contacter.

Je n'ai jamais rencontré le moindre Edward Shade, murmura Reckitt sans relever les yeux.

Même infime, répéta William.

Puis-je la voir, Mr Pinkerton ?

William cogna sur les barreaux. Blackwell, appela-t-il avant de se retourner. Qui d'autre travaillait avec Charlotte ces dernières années, Martin ? Qui d'autre aurait pu connaître Shade ?

Lorsque Reckitt releva la tête, ses yeux brillaient de colère.

C'est à Adam Foole que vous devriez poser toutes ces questions, lança-t-il avec hargne.

SEIZE

Peur ? demanda Foole. Mais de quoi ? Edward Shade est mort depuis vingt ans, Japheth.

Dans ce cas j'aimerais bien savoir où se trouve son cadavre, marmonna Fludd. La vérité, Adam, poursuivit-il en brandissant sa cuillère, c'est que tu es allé trop loin avec ces Pinkerton. Je te répète depuis des années que cette affaire n'est pas close. Le passé revient toujours vous faire les poches quand vous vous y attendez le moins.

C'est toi qui me dis ça.

Oui, dit Fludd en lui lançant un regard sombre. C'est moi qui te dis ça. Ce n'est pas à nous de décider de l'heure ni du lieu de notre mort.

Foole revit Charlotte dans le silence de la morgue, puis l'Américain enveloppé dans la pénombre du tunnel comme dans un linceul. Il secoua la tête. Pinkerton peut m'être utile, reprit-il avec une étrange et douce véhémence. S'il est encore possible de mettre la main sur le Sarrasin, il le retrouvera.

Il ne se contentera pas du Sarrasin.

Il ne représente aucun danger pour nous, Japheth. Foole repoussa son verre de claret et croisa les mains sur la table. Pinkerton s'imagine qu'en recherchant Shade il poursuit l'œuvre de son père, dit-il doucement. Mais il se trompe. C'est pour lui qu'il le fait. Et c'est pour cela qu'il est dangereux. Tu veux savoir le fond de ma pensée, Japheth ? Je suis sûr que son père ne lui a pas dit ce qui s'était réellement passé.

Tu veux dire, entre son père et toi ?

Foole acquiesça.

Ce n'est pas fait pour me rassurer, grommela Fludd.

Ils avaient traversé King's Cross une heure après le coucher du soleil et descendu les marches glissantes menant à la porte vermoulue du tripot de Bottle. Fludd avait poussé le battant des deux mains et Foole avait aussitôt senti la chaleur qui émanait de l'intérieur, accompagnée d'une épaisse fumée et de l'effluve des corps sales et ensuqués. Ils s'étaient frayé un chemin dans la mêlée, écartant les grutiers qui brandissaient leurs chopes de bière et les matelots dont les mains se baladaient sous les jupes des filles, apercevant au passage un enfant à moitié bossu qui jouait de l'harmonium dans son coin sur une petite estrade. À l'extrémité de la salle ils s'étaient immobilisés devant une porte en chêne sur laquelle Fludd avait frappé trois coups rapprochés. Au bout de quelques instants un petit guichet s'était ouvert et le globe blanc d'un œil s'y était collé.

Bottle, lança Fludd en se penchant pour montrer son visage. C'est moi, Japheth.

Le guichet se referma, on entendit le bruit d'un verrou qu'on tirait et la porte s'ouvrit, révélant la silhouette d'un homme en tenue de soirée et au visage aussi lugubre qu'un croque-mort. Foole remarqua que ses cheveux s'étaient clairsemés et son crâne dégarni. Nous avons décidément tous vieilli, songea-t-il.

Eh bien, Mr Fludd, vous voici de retour parmi nous, lança l'homme avec un fort accent écossais. Ainsi que Mr Foole. Je vous donne une table pour deux ?

Trois, corrigea Foole. Molly nous rejoindra bientôt.

Bottle les conduisit à l'étage après leur avoir fait franchir un couloir étroit. Ils se retrouvèrent dans une pièce aux murs recouverts de boiseries et prirent place devant une petite table où brûlaient deux chandelles, comme si on les avait attendus. Une bouteille de claret déjà débouchée et enveloppée d'un torchon blanc s'y trouvait également. Foolé commanda un potage à la noix de coco suivi d'un curry de saumon et Fludd un ragoût aux artichauts. Bottle se retira, revint quelques instants plus tard avec les plats, se retira à nouveau.

Foole se pencha. Je pensais qu'il était plus grand, dit-il dès qu'ils se retrouvèrent seuls. Je veux parler du fils de Pinkerton.

Oh, il est bien assez grand comme ça. Et il est visiblement très agile malgré sa forte corpulence, ce qui n'arrange rien.

Il ne ressemble pas tellement à son père, qui bouillait toujours d'une sorte de rage. Il n'y a pas cette colère en lui.

Fludd opina. Tu ne le voyais pas comme ça.

Je croyais qu'il y aurait…

Une vague ressemblance.

Foole regarda Fludd à la lueur des chandelles mais ne distingua pas la moindre ironie dans ses traits. Oui, dit-il doucement, une vague ressemblance.

Tu n'es pas de la même souche, Adam. Sur ces mots Fludd déplia sa serviette et saisit la bouteille de claret avant de remplir leurs deux verres. Aux Pinkerton, lança-t-il. À ceux qui sont encore parmi nous et à ceux qui nous ont quittés. Le verre disparaissait dans son énorme main.

Foole but une gorgée.

Fludd l'imita et vida pratiquement son verre avant de le reposer et de s'essuyer la barbe. Il ne faut jamais s'en remettre à la justice, Adam. Et Pinkerton n'obéit qu'à sa propre loi.

Foole fronça les sourcils. Voilà des propos bien bibliques, Japheth.

Cela doit venir de mon éducation. Fludd se tut un instant et tapa brusquement du poing sur la table. Il faut que tu dises la vérité à la gamine. Je sais que tu n'y tiens pas et d'ailleurs tu n'es pas obligé de tout lui raconter. Mais il faut que tu lui parles.

Foole considéra ses mains ridées.

Tu ne peux pas la protéger indéfiniment, Adam. Je viens de sortir de taule et notre association avec ce Pinkerton risque fort de nous y renvoyer, tous autant que nous sommes. Et Molly ne sera pas épargnée, malgré son jeune âge.

Ils perçurent un bruit de bagarre dans le bar en dessous mais Foole n'y prêta aucune attention, dans le calme de la petite pièce où ils avaient pris place. Il déclara d'une voix aussi tendue qu'un câble d'acier : Edward Shade n'a jamais existé, Japheth. Je veux dire, au sens juridique du terme. Il n'y a jamais eu de photographies ni de papiers officiels à son nom. Et personne en dehors de toi n'est au courant de cette affaire.

Tu ne l'as jamais dit à Charlotte ?

Je ne l'ai jamais dit à personne. Et surtout pas aux Reckitt.

Le visage du géant vacillait à la lueur des bougies.

On ne peut pas retrouver un fantôme, Japheth. Même quand on s'appelle William Pinkerton.

Sauf que tu n'es pas un fantôme, Adam, répliqua Fludd à voix basse. En tout cas, pas encore.

Edward, murmurait parfois Mrs Shade le soir, et l'enfant relevait les yeux, abandonnant ses jouets en bois pour la regarder d'un air étonné. Il y avait pour lui quelque chose d'étrange à entendre ainsi prononcer le prénom de son père. Certains après-midi Fisk venait le retrouver dans la pénombre des étables et lui lançait d'un air outré : Vous ne devriez pas traîner par ici, maître Edward. Il partait alors en courant comme si c'était ce prénom qu'il voulait fuir. Le soir, au souper, lorsque sa gouvernante lui demandait d'une voix sévère : Qu'en pensez-vous, Edward ? il posait prudemment sa cuillère à côté de son bol de soupe et murmurait une réponse qui semblait émaner d'une autre gorge que la sienne. Et pourtant ce prénom était désormais le sien et ce qui avait été au départ un geste attentionné, une manière de préserver le souvenir d'un être cher, avait fini par engendrer son inéluctable effacement. Edward Benlowes s'estompait lentement, sa voix rauque sombrait peu à peu dans l'oubli.

Que ressentait l'enfant dans la demeure des Shade ? Quels sentiments lui inspiraient ses occupants ? Était-ce de la peur ? Mrs Shade avait en elle-même quelque chose d'inquiétant. Elle était squelettique, la mort était inscrite dans ses yeux et sa peau était d'une pâleur bleutée. Une tristesse infinie l'habitait, perceptible dans chacun de ses gestes. Veuve à trente et un ans, jeune encore pour la fortune dont elle avait hérité, elle n'avait jamais fait une seule fois allusion à son mari emporté trois ans plus tôt avec la calèche de son régisseur dans les eaux déchaînées de l'Ohio, et dont le corps n'avait jamais été retrouvé. Elle était souvent lasse, en effet, et portait fréquemment la main à sa poitrine pour retrouver son souffle. Elle montait lentement les escaliers, s'exprimait en phrases brèves et hachées. Le matin en été elle quittait la table sans avoir touché à son petit déjeuner et allait arpenter la terrasse au milieu des roses et des dahlias, le visage empreint d'une nostalgie poignante. Foole la regardait avec un mélange d'inquiétude et d'effroi.

Mrs Shade était une adepte de la libre pensée, athée et abolitionniste. Il y avait de la grandeur en elle, à une époque où la grandeur était refusée aux femmes. Comme l'enfant demandait un jour à Fisk pourquoi on avait condamné la petite chapelle de la propriété, l'homme haussa les épaules et lui répondit : Parce qu'elle souhaite qu'il en soit ainsi. Sa foi est ailleurs. À l'automne elle insista pour que l'enfant prenne ses premières leçons alors qu'il venait à peine d'avoir cinq ans. Il devait ainsi consacrer quatre heures à l'étude chaque matin, et une gouvernante de New York fut engagée à cet effet. Mrs Shade insistait pour qu'il mange des citrons, des oranges et des pamplemousses durant ses leçons, sous prétexte qu'un savant avait récemment découvert que la consommation régulière d'agrumes développait certaines zones du cerveau. Foole enfilait chaque jour un petit costume différent. Il faisait preuve d'une grande obéissance mais Mrs Shade était de toute façon fermement opposée aux châtiments corporels. On juge un homme d'après ses convictions, Edward, lui avait-elle dit un jour. Et il ne faut rien prendre pour argent comptant avant d'avoir sérieusement étudié la question. Il avait appris par Fisk et la cuisinière que les parents de sa mère avaient fui la Révolution française, puis le règne de Bonaparte qui étendait peu à peu son emprise sur tous les pays d'Europe. Mes parents ne croyaient en rien, Edward, lui dit-elle un soir. Sauf à la dignité de la personne humaine et à la nécessité d'avoir de bonnes chaussures pour marcher.

L'après-midi il avait le droit de jouer dans la propriété. Il escaladait les gouttières, rampait le long des tuiles, chassait les chats à moitié sauvages à l'aide d'une vieille épuisette. Ou bien il ôtait ses vêtements et nageait au milieu des roseaux et des nénuphars dans l'étang artificiel. Il jouait aussi avec un garçon plus âgé, James, le fils du régisseur qui s'était noyé dans l'Ohio et qui vivait avec la cuisinière dans une petite maison à l'écart. Ce garçon était d'une grande gentillesse et d'une extrême docilité bien qu'il fût deux fois plus grand que lui. Ils creusaient ensemble des pièges et des trappes complexes dans la pelouse pour capturer les bandits et se cachaient dans les fourrés jusqu'à la nuit tombante, au grand dam de la gouvernante. Leur amitié était sans faille, comme il arrive à ces âges, ils s'étaient inventé une langue privée à base de cris d'oiseaux et de grognements d'animaux, s'étaient entaillé chacun les poignets avec une pointe de silex et juré une loyauté absolue dans cette aube immobile et infinie qu'est l'enfance.

Il avait gardé de tout cela le souvenir d'un vaste conte de fées. Et comme il en va avec ce genre d'histoire, quelque chose vint brutalement y mettre un terme. Un beau jour sa bienfaitrice se mit à tousser et son mouchoir se teinta de sang, mais elle refusa de lui en parler. À l'automne cependant elle disparut pendant six semaines, elle était allée se reposer dans l'Ouest au milieu de la sécheresse des sierras, laissant l'enfant un peu perdu derrière elle dans l'immensité et la solitude de cette vaste demeure. Fisk, l'homme en blanc, l'accompagnait dans son périple, et Foole revoyait sa silhouette raide dans le cabriolet qui s'éloignait, traversant lentement l'allée de la propriété. Lorsqu'elle revint de ce séjour, elle avait repris des couleurs et pendant quelque temps les forces lui revinrent. Mais peu à peu, inexorablement, elle se replia et se dessécha à nouveau.

Les mois passèrent, s'évaporèrent. Calcutta, son père, tout ce qui avait été sa vie jadis s'estompa, et la frêle silhouette de Mrs Shade secouée par la toux recouvrit peu à peu ce passé.

À la fin de sa première année dans la demeure des Shade, il se réveilla une nuit en sursaut, le cœur battant, au milieu de ses couvertures en désordre. Deux fillettes vêtues de blanc se tenaient à son chevet. Le clair de lune fendait la pièce de son faisceau argenté et il se mit à trembler. Le regard des deux fillettes était rempli de haine.

Vous avez vu papa ? murmura-t-il. Papa est-il avec vous ?

Mais elles ne lui répondirent pas et continuèrent de le fixer méchamment. Puis leurs silhouettes s'estompèrent lentement, absorbées par les ténèbres ambiantes.

Il avait alors cinq ans.

Foole se frottait les yeux lorsque Molly arriva. Il comprit aussitôt que quelque chose allait de travers. Elle était plus renfermée, plus discrète depuis leur visite chez Mrs Sharper, mais il ne s'agissait pas de ça. Fludd aperçut l'expression de Foole et se retourna à son tour.

Je ne l'avais pas vu avant qu'il surgisse derrière moi, Adam, dit Molly. Il m'a suivie comme une ombre.

L'individu qui se trouvait derrière elle portait une élégante jaquette noire et un gilet de satin vert. Ses cheveux bruns gominés et ses joues grêlées luisaient à la lueur des chandelles. Il s'assit sur la seule chaise libre et jeta son chapeau sur la table d'un geste rageur. Lorsqu'il croisa les jambes, Foole remarqua sa canne au pommeau incrusté d'un faux rubis et qui dissimulait sans doute une épée. L'homme était un receleur bien connu du milieu et la rumeur prétendait qu'il acceptait volontiers d'être payé en nature pour effacer une dette à condition que la chair soit fraîche. Foole lui avait emprunté vingt mille livres deux ans plus tôt et ne lui avait pas encore remboursé le moindre penny. Son nom était Appleby Barr.

Le receleur jeta un coup d'œil à Fludd avant que son regard ne se repose sur Foole. J'avais entendu dire que vous étiez de retour à Londres, lui dit-il d'une voix calme. Mais je n'arrivais pas à le croire. J'imagine que vous avez prévu de me rendre l'argent que vous me devez?

Foole fronça les sourcils et se racla la gorge mais n'émit pas le moindre son.

Ce n'est pas la réponse que j'attendais de vous, Mr Foole.

J'ai plusieurs projets en cours. Vous aurez votre argent.

Je l'espère bien.

Où est donc le problème, Mr Barr? dit Foole avec un petit sourire.

C'est une question de délai, Mr Foole. Quel genre de projets?

Des projets rentables.

Je crains que cette réponse ne suffise pas à rassurer mes associés, Mr Foole. Quelle somme pensez-vous récolter de la sorte?

Vous aurez votre argent, Mr Barr, répéta Foole.

Molly se rongeait les ongles dans son coin.

La voix caverneuse de Fludd s'éleva soudain. Ce n'est pas très poli de venir quémander de la sorte, dit-il en étalant ses énormes mains d'étrangleur sur la table.

Barr ne parut pas impressionné. Mr Fludd, je présume? lança-t-il.

Foole les présenta d'un geste vague de la main. Mr Fludd, Mr Barr. Mr Barr est l'un de nos associés commerciaux.

L'un de vos actionnaires, rectifia Barr. Mais qui n'a toujours pas vu l'ombre d'un retour sur ses investissements.

Fludd se tourna vers Foole en haussant les sourcils.

Vous récupérerez votre mise, Mr Barr, se hâta d'ajouter Foole, soucieux d'éviter que la situation ne dégénère. Je vous en fais le serment. Mais laissez-moi encore un peu de temps.

L'échéance est déjà largement dépassée.

Quelques semaines au moins. Vous savez bien que mon commerce jouit d'une excellente réputation.

C'était du moins le cas autrefois.

Un type qui n'a pas un sou en poche peut difficilement vous filer du pognon, marmonna Molly.

Barr lissa d'un geste onctueux ses cheveux gominés. Ah, mais il y a bien des façons d'honorer ses dettes, mon enfant. N'est-ce pas, Mr Foole ?

Foole fronça les sourcils.

La prochaine fois, monsieur, ce ne sera pas moi qui viendrai vous trouver, reprit Barr avec un haussement d'épaules.

Et ça ne sera pas à Mr Foole que vous aurez affaire.

Barr opina avec froideur, un léger sourire aux lèvres. Mr Foole, Mr Fludd, dit-il en se levant et en remettant son chapeau. Arrivé à la porte, il se retourna. Puis-je me permettre de vous recommander le Château 72 ? Il accompagne le saumon à merveille.

Lorsque la porte fut refermée, Foole poussa un soupir et se prit les tempes à deux mains.

Combien lui dois-tu au juste ? demanda Fludd dès que l'homme se fut éclipsé.

Oui, nous sommes curieux de le savoir, dit Molly en s'asseyant sur la chaise que Barr avait libérée. La place est toute chaude, ajouta-t-elle, j'ai l'impression d'être assise sur ses genoux.

Boucle-la, gamine, grommela Fludd. C'est toi qui nous as ramené ce cafard.

Ce sont les affaires, Japheth, intervint Foole. Le problème sera bientôt résolu. Mr Barr est un homme utile, mieux vaut l'avoir de son côté. C'est sans doute le receleur le plus fiable du marché. Je m'en voudrais de lui causer du tort au-delà du raisonnable.

Dans ce cas tu ferais mieux de le rembourser.

Il faut d'abord réunir les fonds, dit Foole en essayant de sourire sans y parvenir vraiment. Depuis 1882 nous avons écoulé une bonne partie de notre stock par l'intermédiaire de Mr Barr. Il nous a remis à flot à plusieurs reprises alors que rien ne l'y obligeait. Il a ses propres contraintes, j'en suis sûr. Cette visite était un avertissement amical.

Fludd émit un grognement.

Molly releva la tête et croisa le regard de Foole. Il y avait une lueur trouble dans ses yeux.

Qu'y a-t-il, Molly ?

Rien, dit-elle en secouant la tête. J'étais perdue dans mes pensées. Tu devrais retrouver cette Annie.

Surpris, Fludd leva à son tour la tête et regarda Foole.

Mrs Sharper nous a dit qu'Annie vivait désormais dans les égouts, murmura Molly. Si tu penses que c'est le Sarrasin qui a tué ta Charlotte, Adam, tu vas bien être obligé de te lancer sur sa piste.

Foole opina.

Je ne sais pas trop comment descendre dans ces bas-fonds sans y laisser la peau, reprit Molly. Mais j'ai travaillé jadis avec un type qui pourrait nous être utile. Il allait souvent se réfugier du côté de Blackfriars pour y passer l'hiver. Je peux lui poser la question si tu veux.

Foole sentit le regard de Fludd posé sur lui. Nous avons déjà quelqu'un en vue, dit-il doucement.

Mais il n'a pas encore accepté, intervint Fludd.

Molly les regarda en plissant les yeux. De qui s'agit-il ? demanda-t-elle.

De Pinkerton.

Pinkerton.

Oui, Pinkerton.

Tu as rencontré William Pinkerton, dit-elle lentement.

Foole opina. Il avait cru qu'elle se mettrait en colère mais elle se contenta de hocher la tête et de croiser les mains d'un air songeur. Nous avons longtemps opéré sans attirer l'attention sur nous, Adam, murmura-t-elle enfin. Tu as toujours dit que c'était la meilleure façon d'éviter les ennuis. De ne pas se faire remarquer. Et maintenant tu nous ramènes William Pinkerton ? Ne me dis pas que tu fais confiance à ce saligaud ?

La confiance n'a rien à voir là-dedans.

Mais tu veux l'envoyer dans les bas-fonds. Lui confier un travail d'apache.

Tu préfères y aller à sa place ?

Cela ne me ferait pas peur, dit-elle en se grattant furieusement l'oreille. Nous trouverons toujours quelqu'un qui acceptera une mission pareille, Adam. Mais en charger William Pinkerton... Ou alors il y a quelque chose qui m'échappe, dit-elle en se tournant vers Japheth.

L'idée ne vient pas de moi, rétorqua celui-ci.

Ma décision est prise, dit Foole. Que j'aie tort ou raison. C'est un risque calculé.

Calculé, mon cul, lança Molly en piochant un morceau de saumon dans l'assiette de Foole. Ces Pinkerton sont redoutables, tu verras qu'ils finiront par nous mettre le grappin dessus.

Je ne pense pas que nous courrions le moindre danger.

Tu ne le penses pas ? murmura Molly. Tu envoies Pinkerton dans ce trou à rats sans même savoir ce qui risque de se passer. Ni s'il en sortira vivant. Ces truands des bas-fonds se coupéraient la langue plutôt que de parler. Une fille que je connais m'a raconté qu'ils élevaient des hordes de rats au fond de leurs égouts. Elle baissa la voix. On prétend même qu'ils mangent les malheureux qui s'égarent là-bas.

Fludd desserra son col. Dans ce cas, dit-il, peut-être qu'ils auront la bonne idée de manger Pinkerton et l'affaire sera close.

Il avait neuf ans et regardait la pluie qui venait frapper les grandes vitres de la bibliothèque lorsqu'il entendit une domestique pousser un cri terrible dans l'entrée. Tous les serviteurs s'étaient rassemblés dans le vestibule en marbre, abandonnant leurs travaux respectifs. Elle est morte, lui dit la cuisinière d'une voix brisée, une lettre à la main. La pauvre Mrs Shade est morte, maître Edward. Paix à son âme. Foole se mit à pleurer. La dernière fois qu'il l'avait vue, elle s'était agenouillée devant lui sur le gravier de l'allée et l'avait embrassé sur le front de ses lèvres froides pour lui dire au revoir. Elle partait faire une nouvelle cure thermale dans le Colorado.

Une étrange légèreté l'envahit dans les jours qui suivirent. Il s'arrêtait au seuil des pièces, on faisait de moins en moins attention à lui et on ne lui servait plus qu'irrégulièrement ses repas. Sa gouvernante avait fait ses valises et quitté les lieux dès le lendemain sans demander son reste. La cuisinière cessa toute activité quatre jours plus tard. Son ami James et lui regardaient les adultes aller et venir dans la maison et emporter des statuettes, de l'argenterie, des livres de valeur. Le sixième jour, Fisk vint le trouver et lui expliqua que rien n'avait été prévu pour lui dans le testament. Les biens de Mrs Shade allaient être répartis entre les différents membres de sa famille, qui allaient venir d'Irlande au moment du nouvel an. D'ici là, poursuivit Fisk, je dois fermer la maison et procéder à l'inventaire.

Où vais-je aller, monsieur ? avait demandé Foole.

Pour votre part, maître Edward, avait répondu Fisk, je crains qu'il ne vous faille retourner dans le monde réel.

James et lui furent expédiés en train à Washington, DC. Ils débarquèrent là-bas transis de froid et apeurés, passèrent deux nuits dans le dépôt ferroviaire, leurs petites valises à leurs pieds, observant les voyageurs qui passaient en fouillant les poubelles à la recherche d'un peu de nourriture. L'après-midi du troisième jour, un marchand de fruits les conduisit au poste et les confia à la police. Il se rappelait avoir suivi un sergent et grimpé un escalier infini dans un bâtiment où des voitures à bras passaient toutes les demi-heures et où on leur servit une gamelle remplie d'œufs brouillés et d'énormes tranches de jambon.

Il avait cru qu'ils s'installeraient là. Mais le lendemain matin le sergent était revenu et les avait reconduits à la gare, comme s'ils s'étaient mal conduits. Dans l'après-midi, une religieuse se présenta et embarqua son ami en se trompant de valise. Deux heures plus tard, un prêtre très âgé en habit noir vint à son tour le chercher. On les avait délibérément séparés, et il ne devait jamais revoir son compagnon. Foole porta ses vêtements trop larges pendant six mois avant d'abandonner tout espoir de le retrouver. Lorsqu'il ne parvint plus à se rappeler ses traits, il échangea ses vêtements contre un sac de billes et la valise elle-même, marquée au nom de «James», contre une paire de bonnes chaussures en cuir.

Il vécut trois ans dans cet orphelinat aux longs dortoirs glacés, au milieu d'une bande de garçons qui se battaient dans le réfectoire et se livraient à des jeux moins innocents. Il apprit à oublier Mrs Shade, la douceur de sa maison et d'une existence maintenant perdue à jamais. Il avait éprouvé de la colère au début, lui en avait voulu d'être morte et de l'avoir abandonné, mais ce sentiment reflua peu à peu pour laisser place à un immense vide. Tout était gris dans son nouvel univers, les murs, les vêtements, les mains ridées des religieuses qui s'occupaient d'eux. Les garçons étaient contraints de travailler en ravaudant de vieux vêtements ou dans l'atelier de menuiserie du sous-sol. Ils étaient régulièrement battus à coups de canne. Ils se retrouvaient la nuit de lit en lit, pendant que le surveillant ronflait, pour s'échanger leurs maigres biens et se raconter des histoires d'un autre monde, celui qui s'étendait derrière les murs de l'orphelinat. Un monde de pickpockets, de beaux habits et de filles faciles. Foole apprit lors de ce séjour que le pouvoir n'est pas proportionnel à la taille et que la force peut parfois être une faiblesse.

Et puis un beau matin d'avril, alors qu'il avait onze ans, il fourra ses affaires dans un sac et quitta l'orphelinat en compagnie d'un autre garçon prénommé Cullers, qui s'empara dès le lendemain du peu d'argent qu'on leur avait confié et disparut dans la nature. Foole ne devait jamais le revoir. Il dormit sous les ponts, déroba de la nourriture aux étals des marchands. Il mendia, vola, vendit ses maigres biens aux prêteurs sur gages. Il apprit à kidnapper les chiens munis d'un pedigree dans les maisons cossues et à les ramener deux jours plus tard pour toucher la récompense. Il fut battu à deux reprises, presque violé une troisième fois et gagna peu après New York à pied en suivant la route du nord.

Il était petit pour son âge mais il y avait de la vivacité et de la sauvagerie en lui, l'instinct affûté d'un survivant. Il ne tarda pas à être adopté par une bande de pickpockets et de voleurs à la tire. Ils travaillaient le plus souvent par équipes de trois sous la surveillance d'un chef et n'avaient droit qu'à une infime partie de ce qu'ils dérobaient. Il apprit à se faufiler la nuit à la sortie des théâtres derrière les calèches des riches et rêvait de mener plus tard la même vie qu'eux au grand jour.

Il avait treize ans lorsque la guerre éclata. Il y avait de l'électricité dans l'air, de la violence dans les rues. En septembre cette année-là, il fit la queue avec des centaines d'autres postulants devant les tentes où l'on s'enrôlait dans l'artillerie de New York, avec l'espoir de récupérer la prime de mille dollars qui accompagnait l'engagement. Il s'était barbouillé le visage et avait rembourré ses vêtements dans l'espoir de paraître plus âgé, mais les hommes qui l'entouraient se moquaient de lui et de son déguisement. Il pleuvait et les gouttes ruisselaient au bord de son chapeau.

Lorsque le tour de Foole arriva, le sergent qui enrôlait les soldats était assis devant une table protégée par un auvent et brassait des papiers. L'herbe alentour n'était plus qu'une étendue de boue. Votre nom, aboya le sergent avant de relever les yeux. Il s'interrompit net. Quel âge as-tu, mon garçon ?

Dix-huit ans, monsieur.

Le sergent fronça les sourcils, considérant à tour de rôle les vêtements en loques de Foole et la file des hommes qui attendaient sous la pluie. Tu veux te battre pour ton pays, mon garçon ? lui demanda-t-il.

Foole pensa à Mrs Shade, enterrée quelque part dans les déserts de l'Ouest, et à l'agonie de son père dans cette auberge de Baltimore. La mort faisait partie de la vie. Il répondit de la voix la plus virile possible : Je veux tuer ces salopards d'ennemis, monsieur.

Le sergent le considéra en se grattant le menton. Voilà le genre de propos que j'aime entendre dans la bouche de mes hommes, grommela-t-il. Bienvenue dans l'armée des États-Unis, mon garçon.

DIX-SEPT

William quitta Blackwell devant le portail de Millbank et laissa ses pas le conduire jusqu'à Embankment. Reckitt avait bel et bien désigné Adam Foole. À tout le moins il avait *prononcé son nom*. Quoi qu'il en fût du reste, Foole lui avait donc dit la vérité en affirmant qu'il avait été lié jadis avec Reckitt. Ce qui n'impliquait pas que sa version de la mort de Shade fût exacte, ni la piste du Sarrasin digne de confiance. Mais Shore avait entendu parler de Jonathan Cooper, ce criminel avait indéniablement existé. William songea au réseau des égouts et au peuple de hors-la-loi, de marginaux et de réprouvés qui les hantaient. La probabilité de retrouver une fille que ces ténèbres avaient engloutie des années plus tôt était on ne peut plus aléatoire, à supposer qu'elle fût encore en vie.

Après avoir hésité un instant, il prit soudain la direction de Whitehall. La buée de son souffle planait dans l'air froid. Les eaux brunes de la Tamise bouillonnaient à ses côtés et au-delà les milliers de toits de la capitale vacillaient dans la brume. Ses pensées revenaient sans cesse à ce constat incontournable : le vieil escroc avait bel et bien prononcé le nom d'Adam Foole.

Eh bien, vas-y, se tança-t-il à mi-voix. Qu'est-ce que tu attends ? Pars donc à la recherche de cet assassin.

Mais mais mais…, ajouta-t-il aussitôt avec un léger sourire.

Mais dans ce cas, emmène Adam Foole avec toi.

Scotland Yard paraissait aussi vaste que vide en milieu de journée. Il ne croisa personne dans l'escalier et, lorsqu'il atteignit le bureau de Shore, l'inspecteur en chef ne s'y trouvait pas. La porte était fermée mais s'ouvrit, à sa grande surprise, lorsqu'il tourna la poignée.

Le jour filtrait faiblement à travers les vitres noircies par les fumées et il attendit que son regard s'accoutume à la pénombre ambiante avant de repousser la porte derrière lui. Il perçut alors un léger mouvement sur le bord de son champ de vision et découvrit après s'être tourné la silhouette longiligne du Dr Breck refermant prestement un tiroir du bureau de Shore.

J'imagine que John ne voit pas d'inconvénient à ce que vous occupiez ainsi les lieux en son absence, lâcha William.

Breck haussa les épaules. Je me demandais justement s'il vous avait demandé de venir, répondit-il.

Tel n'était pas le cas. Ni Shore ni Blackwell ne lui avaient parlé d'une quelconque réunion. Il n'était pas ici à titre officiel, il est vrai. Et à la place de Shore il n'aurait guère aimé qu'un individu dans son genre vienne fourrer son nez dans ses affaires. Mais il se dit aussitôt que cette réflexion était stupide : jamais il ne se serait privé des services d'un enquêteur compétent, même s'il agissait en dehors des règles. Il pensa à ce que Martin Reckitt lui avait dit au sujet de Shore, qui aurait été la terreur de son quartier dans sa jeunesse, et à ce que Blackwell lui avait révélé de son côté concernant l'antipathie personnelle de l'inspecteur en chef à l'égard de Reckitt. Tout cela était un peu glauque, mais dans leur monde tout finissait par être irrémédiablement sali.

Vous avez de nouveaux résultats ? demanda-t-il en relevant les yeux.

Breck passa la main sur l'accoudoir de son fauteuil. Savez-vous, Mr Pinkerton, que dans les salles du Trésor de la reine certaines portes ont été tapissées de peau humaine ? Un de mes collègues qui travaille à l'Institut royal de chirurgie me les a montrées. La peau est celle de William le Sacristain.

Un saint ? demanda William en ôtant ses gants.

Non, un voleur. Qui a eu son heure de gloire au XIIIᵉ siècle. Il avait dérobé le trésor royal et s'était caché dans un marécage avant de semer ses poursuivants.

Mais on a fini par remettre la main sur lui, ajouta William en s'asseyant à son tour.

Un bruit de voix retentit dans le couloir et se rapprocha du bureau. La porte s'ouvrit et Shore apparut, Blackwell sur ses talons.

Je ne vous demanderai pas ce que vous fabriquez ici, grommela l'inspecteur en chef.

J'étais venu vous voir.

Shore haussa les épaules d'un air résigné mais sa mauvaise humeur semblait déjà s'être dissipée. Ma foi, puisque vous êtes ici, vous n'avez qu'à écouter avec nous le rapport du Dr Breck. Comment cela s'est-il passé à Millbank ? Le brave Mr Reckitt a-t-il fait quelque révélation spectaculaire ? Non, rien d'intéressant ? Pas même face au grand détective américain ?

Breck émit un petit gloussement.

William tourna sa chaise afin de mieux voir les deux hommes. Cette visite à Millbank n'était pas dénuée d'intérêt, dit-il en se raclant la gorge. Reckitt ne savait pas que sa nièce était morte.

Comment a-t-il réagi ?

À votre avis ?

Shore ôta son manteau d'un air irrité et s'assit à son bureau. Le secret est éventé à présent, marmonna-t-il.

Je n'aurais pas dû le lui dire ?

Shore déboutonna ses poignets de chemise et retroussa ses manches, comme s'il s'apprêtait à se débarbouiller. Ça n'a pas d'importance, dit-il, mais sa voix manquait de conviction. William l'observa en se demandant si les insinuations de

Blackwell et de Martin Reckitt avaient modifié le regard qu'il portait sur lui.

Et vous, docteur, reprit Shore, que m'avez-vous apporté ? Des éléments utiles, j'espère.

Sous l'angle médico-légal…, commença Breck.

En anglais courant, je vous prie.

Le regard de Breck allait de Shore à William avec une sorte de complicité. Les poils des jambes sont bruns à la racine. Il prit une plaque et la brandit face à la lumière avant de la passer à Shore. Vous verrez qu'aux extrémités leur teinte s'avère sensiblement plus pâle, presque décolorée. Après un examen approfondi, mon assistant a détecté d'infimes traces de sable, de sciure et de charbon.

De charbon, murmura Shore en reposant la plaque sur le bureau.

D'anthracite, pour être précis. La présence du sable est plus inattendue. Il n'y en avait pas la moindre trace dans le sac. Il s'agit d'un mélange de quartz, de silicate et de silicate ferrugineux. Quant à la sciure, après l'avoir examinée au microscope nous pouvons affirmer qu'elle provient à parts égales de chêne et de pin.

Vous êtes capable de nous dire tout ça ? demanda William éberlué.

Breck ôta ses lunettes et les leva devant lui comme pour examiner les verres avant de continuer. Les taches à l'intérieur du sac qui contenait les jambes sont également dues à l'anthracite, à quoi viennent s'ajouter de légères moisissures. Ces divers éléments devraient nous permettre d'identifier le lieu d'où provient le sac. Quant au sable, il pourrait nous aider à retrouver l'endroit où les jambes ont été conservées avant d'être fourrées dans ce sac.

Il faut que je ramène ce type à Chicago, dit William en souriant et en se tournant vers Blackwell, puis vers Shore.

Je crains que Mrs Breck ne voie pas cela d'un très bon œil, monsieur, répondit Blackwell.

À moins que cela ne l'enchante, au contraire, dit Shore avec un petit sourire.

Il y a donc une Mrs Breck? demanda William.

Le médecin se leva, se dirigea vers le portemanteau et sortit une autre plaque de collodion d'une poche de son pardessus. Les trois petits insectes retrouvés dans les plis intérieurs du sac à Southwark Park sont des *anophthami*. Une variété de scarabées aveugles et quasi incolores, car dénués de pigments.

Ils se trouvaient dans le parc?

Non.

Aveugles, murmura Blackwell. Ils vivent dans les profondeurs du sol?

Plus précisément, dans des lieux qui restent plongés dans l'obscurité. Étant donné les indications que nous donnent les autres prélèvements, il n'est pas impossible que le corps ait été conservé quelque temps dans une sorte de cave. Cela me paraît le plus probable en tout cas.

Sauf en ce qui concerne la sciure, intervint William.

C'est exact.

Avez-vous pu tirer d'autres renseignements de l'examen du torse?

Absolument. La peau était couverte de *saccharomyces cerevisiae*. Une bactérie couramment utilisée dans la fermentation de l'alcool.

Shore se frottait le menton, les muscles de ses bras puissants saillaient sous sa peau. Cette sciure…

… suggère que la cave devait également contenir des bûches. Ou servait peut-être à les débiter.

Il doit s'agir d'un pub, s'exclama Blackwell.

C'est fort probable.

William traversa la pièce et étudia la grande carte de Londres placardée sur le mur du fond. Il traça une ligne allant d'Edgware Road jusqu'à Southwark Park et regarda la

Tamise qui les séparait. Le torse a été retrouvé à Edgware Road aux toutes premières heures du matin, dit-il. Les ouvriers ne rejoignent pas leur poste avant… six heures ?

Quatre heures et demie, monsieur, répliqua Blackwell.

William opina. Cela ne laissait guère de temps. Le ou les auteurs du crime ont agi vite. Ce qui signifie qu'ils n'ont pas tergiversé. Le torse a sans doute été déposé en premier.

La tête a été retrouvée au niveau des docks.

Ce qui signifie qu'elle a été jetée dans le fleuve à cet endroit. Combien de temps un objet de ce genre mettrait-il pour descendre le courant à partir de ces ponts ?

Le paquet était coincé dans des cordages, monsieur, répondit Blackwell. Si ça se trouve, cela faisait des jours qu'il était là.

C'est impossible. Charlotte Reckitt n'avait disparu que la veille.

Peut-être ne s'agit-il pas de Charlotte Reckitt.

Allons, messieurs, intervint Shore. Tenons-nous-en aux faits.

Pouvons-nous avoir une idée du temps que cette tête a passé dans l'eau ? demanda William.

Les trois hommes se tournèrent vers Breck.

Le médecin ne réagit pas.

Docteur ? dit Shore après s'être raclé la gorge.

Breck planta lentement sur lui ses yeux d'un bleu délavé. Moins de trois jours, dit-il avec réticence. Et peut-être à peine vingt-quatre heures.

William se retourna et considéra la ligne qu'il avait tracée sur la carte. La tête pouvait aisément être jetée dans la Tamise du haut de n'importe quel pont, dit-il. Mais le torse était lourd, volumineux. Les jambes aussi. Pourquoi l'assassin les a-t-il éparpillés de la sorte ? Pourquoi a-t-il pris la peine de transporter au moins l'un des paquets – et peut-être les deux – aussi loin de la scène du crime ? Pourquoi s'être donné tout ce mal ?

Edgware Road est à deux pas du terminus de l'omnibus n° 11, monsieur, intervint Blackwell.

Vous n'insinuez tout de même pas que l'assassin aurait pris l'omnibus pour transporter ce torse, inspecteur ?

Et à une heure pareille, ajouta William. Un cab n'aurait-il pas été plus approprié ?

Il aurait en tout cas moins attiré l'attention, dit Shore en fronçant les sourcils. Mais cela implique deux choses. Premièrement, le conducteur aurait forcément vu que ce paquet était hissé à bord de son véhicule.

Non seulement hissé, rétorqua William, mais déposé un peu plus loin. Ce qui n'aurait pas manqué de lui paraître étrange. Un paquet de cette taille, déposé en pleine nuit au milieu d'un chantier désert ?

Le paquet pouvait contenir des matériaux de construction.

Déposés en pleine nuit ?

De plus, approuva Shore, notre assassin aurait pris le risque d'être identifié.

Blackwell s'éclaircit la gorge. Et s'il s'agissait d'un véhicule privé, monsieur ?

Shore eut l'air choqué. Un gentleman d'un certain standing ne saurait être impliqué dans une affaire pareille. Cela fait quinze ans que je suis dans la police et je n'ai jamais vu une telle chose se produire.

D'où je viens, intervint William, cela n'aurait rien d'incongru.

Nous ne sommes pas en Amérique.

Merci de me le rappeler.

Shore secoua la tête. Et Southwark Park ? Comment accède-t-on au chantier de construction à partir de là ?

Toujours par l'omnibus, monsieur, répondit Blackwell. Pendant la semaine, la ligne 11 devient la ligne 3. Et la ligne 3 passe par Southwark Park.

William regarda Blackwell avec une pointe d'admiration. Comment faites-vous pour savoir tout ça, Blackwell ?

C'est à cause de mon frère, monsieur. Il est conducteur de tram dans le quartier de Blackfriars.

Et les pubs, lança brusquement William. Ceux qui font fermenter de l'alcool dans leurs caves disposent forcément d'une charrette ?

Shore se leva, marcha jusqu'à la fenêtre et croisa ses bras musculeux. Résumons-nous, dit-il. Nous cherchons donc un pub situé aux abords de la Tamise et disposant d'une cave. Et éventuellement d'une charrette pour les livraisons. Quant à la cave, elle devrait abriter des bûches et du charbon.

Et la piste de l'omnibus ?

Laissons-la tomber pour l'instant. Commençons par mener notre enquête dans les parages d'Edgware Road et de Southwark Park pour savoir si quelqu'un n'aurait pas remarqué la présence d'une charrette ou d'une carriole aux heures qui nous intéressent. Il s'agit de véhicules encombrants, il ne devrait pas être trop difficile de dénicher un témoin. Dr Breck, est-il possible d'avoir le portrait de la victime telle qu'elle était de son vivant ?

Je devrais pouvoir vous obtenir ça.

Shore acquiesça. Inspecteur, vous ferez la tournée des pubs muni de ce portrait et vous interrogerez les gens. Ne leur dites pas que cette femme est morte. Inventez une histoire quelconque – dites-leur que nous la recherchons... parce qu'elle vient de faire un héritage inattendu. Et voyez si quelqu'un la reconnaît.

Bien monsieur.

Il n'y a pas une quantité infinie d'endroits à Londres qui correspondent aux découvertes de notre bon docteur. Il suffit de procéder avec méthode.

Blackwell s'éclaircit la gorge. Nous pourrions proposer une récompense, monsieur. Afin de mettre toutes les chances de notre côté.

Vous n'avez pas l'air d'accord, Mr Pinkerton ? lança Breck d'un air amusé.

Nous n'y avons jamais recours, dit lentement William.

Shore se fendit d'un sourire. Oui, dit-il. Votre père y était fermement opposé.

Et je peux vous dire pourquoi, rétorqua William. Nous avons eu une affaire à Chicago il y a quelques années, avant que le télégraphe ne prenne véritablement son essor. La ville était en pleine expansion à l'époque et mon père m'avait confié cette affaire. Il s'agissait du meurtre de l'épouse d'un propriétaire de bar qu'on avait retrouvée, tabassée à coups de matraque devant le portail cadenassé de leur résidence. Le couple était riche, connu de tous et très en vue. Certains pensaient qu'il s'agissait d'un assassinat politique mais la police n'avait pas découvert le moindre mobile. J'avais été mis sur l'affaire assez tard, les indices étaient infimes, les témoins avaient déjà été entendus. Je ne savais pas trop comment procéder. Le propriétaire du bar insistait pour offrir une récompense, d'un montant de cent dollars. La police s'y opposait mais je décidai de le laisser faire et j'allai déposer moi-même son annonce dans différents journaux.

Et alors ?

Alors l'assassin s'est présenté de lui-même. C'était un vagabond, il était au chômage depuis un bon moment, sa femme attendait un enfant. Mais il a réclamé la récompense et nous n'avons pas vu comment nous pouvions légalement refuser de la lui verser. Il confia ensuite cet argent à sa femme pour qu'elle élève leur enfant.

La justice a autorisé ça ?

Absolument. Après sa condamnation – il devait être pendu trois jours plus tard –, je lui ai demandé pourquoi il avait tué cette femme. Il m'a dit qu'il l'avait fait en espérant qu'on offrirait une récompense. Il savait qu'il n'allait pas être en mesure d'élever son enfant. Et que valait la vie d'un père incapable de subvenir aux besoins de sa progéniture ?

Les quatre hommes restèrent un moment silencieux. La lumière filtrait doucement par la fenêtre.

Je pense que nous ne risquons rien de tel ici, murmura Shore.

Si vous offrez une récompense, John, vous savez bien que vous allez crouler sous une quantité de soi-disant témoignages. Et même après avoir éliminé les plus farfelus, vous en aurez pour des semaines à vérifier tout ça.

Nous pourrions aussi tomber sur un renseignement utile, insista Blackwell.

Vous obtiendrez des renseignements utiles en menant intelligemment votre enquête et en faisant travailler vos cellules grises. Pas en perdant votre temps avec des ragots et des on-dit. William regarda Shore. Qu'est-ce que pouvait bien faire Charlotte Reckitt les cheveux tailladés, droguée et ligotée dans la cave d'un pub ?

À vous entendre, on dirait qu'elle se trouvait là de son propre gré, répondit Shore. Charlotte Reckitt avait de nombreux ennemis dans la pègre. Sans parler de son oncle. Nous ferons d'abord la tournée des tripots.

William ouvrit le couvercle de sa montre et le referma d'un geste sec.

Vous devriez prendre un peu de repos, William. Vous n'avez pas l'air dans votre assiette.

William se frotta les yeux du revers de la main.

Je changerai d'assiette le moment venu, dit-il.

Il dormit tout l'après-midi, jusqu'en début de soirée. Lorsqu'il quitta l'hôtel, le conducteur du cab le salua d'une petite courbette et il grimpa à bord alors que le véhicule se mettait déjà en branle. Il descendit à l'extrémité de Regent Street, remit son chapeau et contempla l'étendue déserte et lugubre de Waterloo Place. Le conducteur lui lança un regard interrogateur, mais comme William ne réagissait pas il fit claquer ses rênes et repartit.

William traversa la place vide, ses mains gantées le long du corps. Ses chaussures résonnaient sur les pavés. Il passa devant une statue représentant un personnage drapé dans une toge, une branche de laurier à la main. Sur le socle, six lampes à gaz brûlaient faiblement, éclairant un homme en haillons dont les mains reposaient sur les roues d'une brouette renversée.

Il trouva la boutique sans difficulté. Elle était située un peu à l'écart de la place, dans une ruelle sombre et pavée dont des bollards bloquaient l'entrée. Sur la vitrine des lettres dorées proclamaient : *Armurerie Gleason – Serrurerie – Coutellerie &tc.* Une faible lumière brillait à l'intérieur.

Il entra d'un pas décidé et longea des rayons remplis d'outils, de clefs, de lames minuscules suspendues à des crochets. Une odeur de métal huilé et de copeaux de bois planait dans la boutique. Derrière le comptoir, dans un halo de lumière, un garçon d'une quinzaine d'années était penché sur l'aiguiseur d'une meule qu'il faisait tourner en activant une pédale. Il retira le long couperet qu'il venait d'affûter et le posa soigneusement à côté de lui avant de s'essuyer les mains sur son tablier et de s'avancer.

Mais, lorsqu'il aperçut le regard de William, il s'arrêta net, à bonne distance, la main gauche encore dans l'ombre.

Nous sommes fermés, monsieur, lui dit-il. Vous feriez mieux de revenir demain matin. Mr Gleason n'est plus au magasin à cette heure-ci.

Albert ? demanda William.

L'apprenti le regarda d'un air hésitant. Nous nous connaissons ?

William baissa la tête et ses yeux disparurent derrière le bord de son chapeau. Il répondit d'une voix douce où planait une menace latente. Vous êtes bien en relation avec Mr Foole, Albert ?

Mal à l'aise, l'apprenti le dévisagea dans la pénombre.

J'ai un message à son intention. Je passerai par Waterloo Place demain à dix heures du soir. Dites-lui de m'y rejoindre. Et que je ferai ce qu'il m'a demandé de faire. À condition de ne pas y aller seul. Faites en sorte que l'information parvienne bien à Mr Foole.

L'apprenti passa un doigt sur sa lèvre comme pour se donner du courage. Et c'est de la part de qui, monsieur ?

Mais William avait déjà fait volte-face et ne se donna pas la peine de lui répondre.

DIX-HUIT

Foole se rendit comme convenu au rendez-vous.

La lueur des réverbères au gaz se reflétait sur les pavés, dessinant dans l'obscurité des ombres sur les murs de brique. Il n'y avait personne en vue sur Waterloo Place en dehors de la statue qui se dressait sur son socle, éclairée par les lampes à gaz. Foole resta silencieux et marcha lentement, à découvert, son écharpe serrée autour du cou, l'embout crayeux de sa canne résonnant sur les dalles. Il sortit sa montre de son gousset, il était dix heures moins cinq. Il perçut soudain un souffle lourd dans son dos et se retourna vivement. L'homme se tenait devant lui.

Il l'avait vu arriver, bien sûr. Il se dressait devant Foole d'un air vengeur dans la lumière ténue, une étrange vapeur jaunâtre s'élevait de ses épaules et de son manteau. Le bord de son chapeau cachait en partie son visage. L'homme s'avança d'un pas et releva la tête. Foole perçut alors son regard qui parcourait l'étendue de la place.

Je suis venu seul, murmura Foole. Je puis vous l'assurer, monsieur.

Pinkerton ne répondit pas mais se mit en devoir de le fouiller. Il passa les mains le long des bras de Foole, sous ses aisselles, puis s'agenouilla et procéda de même avec les jambes. Il se remit ensuite debout, déboutonna le pardessus de Foole dont il palpa la doublure, retira sa montre du gousset et la remit en place sans même lui accorder un regard.

Puis il souleva son chapeau et l'explora sous toutes les coutures avant de le lui rendre en opinant du menton.

Votre message m'a surpris, lui dit Foole d'une voix calme. Mais je suis heureux que vous ayez finalement décidé d'accepter mon offre.

Ne vous réjouissez pas trop vite, rétorqua Pinkerton en examinant la canne de Foole.

Je n'ai jamais d'arme sur moi, monsieur. J'ai toujours pensé qu'il fallait une forme de courage pour refuser de se battre.

Pinkerton grimaça un sourire. Il percevait chez son interlocuteur une hostilité qu'il n'avait pas ressentie lors de leur première rencontre. Je n'ai jamais vu un homme faire preuve de courage en fuyant le combat, dit-il. Vous êtes américain ?

Foole reboutonna son pardessus et saisit sa canne, qu'il soupesa entre ses mains avant de relever les yeux vers le détective. J'ai été élevé là-bas.

Où ça ?

Pas à Chicago en tout cas. Foole esquissa un sourire mais les traits de son interlocuteur restèrent de marbre. Allons, monsieur, vous êtes un personnage public, vous ne devriez pas être surpris que je sache deux ou trois choses à votre sujet.

Alors que j'ignore tout de vous.

Sur ce point, répondit Foole, j'ai de la peine à vous croire.

Les deux hommes restèrent un moment silencieux tandis que les pas d'un agent faisant sa ronde résonnaient un peu plus loin. Lorsqu'ils se furent estompés, Pinkerton reprit : Vous n'êtes pas américain de naissance.

Foole ne répondit pas. Il ne perdait pas de vue que cet homme pouvait aussi bien s'avérer son complice que provoquer sa perte. Qu'il était dangereux, violent, irascible, impétueux.

Et vous ne venez pas d'un milieu aisé. Il avait ôté ses gants pour fouiller Foole et les renfila d'un geste ferme.

Vous êtes trop soigné, trop bien habillé. Trop soucieux de votre apparence.

Ah.

Il n'y a pas de honte à être un self-made-man.

Foole s'était si souvent fait cette remarque de son côté qu'il se demanda un instant jusqu'où le détective avait poussé son enquête. Tout le monde est attiré par ce qui brille, dit-il. Surtout lorsqu'on n'en connaît pas la véritable valeur. À mesure que je grandissais, j'ai eu envie d'offrir un aspect plus séduisant. Il leva les yeux comme pour estimer l'heure qu'il pouvait être, mais aucune étoile n'était en vue et le ciel était d'une noirceur absolue. Mon père était cordonnier, dit-il. Il menait une vie respectable jusqu'à ce que les dettes puis la boisson aient eu raison de lui. Il jeta un coup d'œil à Pinkerton pour estimer l'effet de son mensonge. Mais qu'est-ce qu'un père, tout bien réfléchi ? On l'aime, on lui résiste et on attend de lui quelque chose qu'il est au bout du compte incapable de nous donner. Foole marqua une pause et regarda Pinkerton dans les yeux. J'ai été désolé d'apprendre ce qui est arrivé au vôtre, ajouta-t-il.

Il y avait une tension évidente et même une sorte de férocité dans l'immobilité du détective.

Il ne répondit pas.

Pendant la guerre de Sécession, Foole s'était retrouvé en présence d'Allan Pinkerton sous une tente de l'armée pleine à craquer tandis qu'une pluie infernale crépitait sur la toile et transformait le terrain alentour en un vaste champ de boue. Il l'avait observé du coin de l'œil en essayant de le jauger. L'homme n'était pas grand mais il y avait en lui une sorte de solidité qui lui rappelait celle des bûcherons qu'on avait engagés un jour pour éclaircir la propriété des Shade. Ses poignets étaient épais, couverts de poils, il crachait et plaquait la main sur sa barbe pour la protéger de la pluie. Son uniforme pendait lourdement sur ses épaules. Son comportement était aussi chaleureux que tranchant, aussi brusque qu'amical. Tout cela Foole l'avait observé avec l'acuité d'un gamin des rues. Mais lorsque Allan Pinkerton s'était tourné vers lui et l'avait fixé, la profondeur et la noirceur de ses yeux l'avaient terrifié. On aurait dit le regard d'un mort ne sachant pas encore qu'il est mort.

Ce qu'il voyait aujourd'hui en regardant son fils était une image altérée, un reflet brouillé du père, la figure inversée ou gauchie d'un grand homme qui avait mal tourné.

Le détective l'entraîna en direction de Regent Street puis bifurqua dans Coventry jusqu'à ce qu'ils aient atteint la pelouse de Leicester Square. Deux jeunes prostitués arborant une cravate magenta se dirigèrent vers eux bras dessus bras dessous, mais en voyant le visage de Pinkerton ils cessèrent aussitôt de siffloter, firent demi-tour et s'éloignèrent sans demander leur reste. D'autres silhouettes masculines erraient sous les lampadaires au gaz à la recherche d'un partenaire pour la nuit. Le détective conduisit Foole jusqu'à une tourelle qui se dressait à l'extrémité d'une longue haie. Une porte minuscule y était aménagée, de la taille d'un enfant. Pinkerton sortit un fil de fer de sa poche et jeta un coup d'œil autour de lui avant de crocheter la serrure. Un air fétide émana de l'embrasure dès qu'il eut ouvert la porte. Foole se tenait juste derrière lui et aperçut les marches d'un escalier qui s'enfonçait dans les ténèbres.

Nous ne passons pas par le fleuve ?

Pinkerton resta un moment silencieux et finit par lui dire : Charlotte n'est pas morte dans la Tamise.

Une lanterne était suspendue à un crochet à gauche de l'entrée et un briquet posé sur une petite étagère juste au-dessus, couverts l'une et l'autre d'une épaisse couche de poussière. Pinkerton s'en empara, ouvrit le petit vitrail de la lanterne et vérifia qu'il y avait bien une bougie à l'intérieur. Après avoir réussi à allumer le briquet, il l'approcha de la mèche qui grésilla quelques instants et finit par prendre feu.

Je suppose que vous avez une carte ? lui demanda Foole.

Pinkerton lui adressa un regard inquisiteur. La lueur de la lanterne creusait les traits de son visage et lui donnait un air inquiétant. J'ai rencontré un vieil ami à vous l'autre jour, lui dit-il. Martin Reckitt.

Foole s'immobilisa. À propos de Charlotte ?

Notamment. Il m'a conseillé d'avoir une petite conversation avec vous.

Foole sentit sa gorge se contracter. Mr Reckitt a toujours eu de grandes qualités, dit-il en se forçant à rester calme. Mais ce n'était pas pour autant quelqu'un de fiable. L'expérience m'a appris qu'il valait mieux tenir compte de ses conseils avec une certaine prudence.

Bien sûr.

Du reste nous n'avons jamais été amis.

Associés si vous préférez, rétorqua le détective en inclinant la tête.

Foole se demandait ce que Martin Reckitt avait bien pu raconter à l'Américain. Il ne pensait pas que le vieil escroc fût au courant de ses plus obscurs secrets, mais d'un autre côté il avait indéniablement de la ressource. Vous avez deux poings, Mr Pinkerton, et vous savez vous en servir comme n'importe quel flic. Mais, ce qui est plus rare, vous disposez aussi d'un cerveau capable de les commander. Je vous conseille de vous en servir face à des individus tels que Martin Reckitt. Ce que les gens du Yard sont incapables de faire.

Vous n'avez guère d'estime pour la police londonienne.

Je préfère les agences de directives américaines.

Pinkerton souleva la lanterne et la lumière éclaira le visage de Foole qui souriait sous sa moustache.

Mon frère dit toujours qu'il n'y a rien de pire qu'une presse incompétente.

Il s'agissait en l'occurrence d'une simple coquille.

Pinkerton grommela un vague juron et son sourire s'effaça. En route, lança-t-il. Essayons de mettre la main sur cette fille perdue, Mr Foole.

L'escalier n'était pas trop humide. Il s'arrêta sur la troisième marche et prit la lanterne que lui tendait Pinkerton afin que celui-ci puisse refermer la porte derrière eux. Le battant claqua et son écho se répercuta devant eux dans les profondeurs du sol. Puis l'Américain reprit la lanterne et entama sa descente. Ils progressaient lentement au milieu des ténèbres. Un faible halo de lumière nimbait les parois de pierre et l'atmosphère était imprégnée d'une odeur mêlée de fer et de poussière.

Les marches aboutissaient à une porte en bois rongée par les vers. Foole saisit la poignée suintante d'humidité mais elle ne s'ouvrit pas. Pinkerton l'écarta, appuya son épaule contre le battant et pesa de tout son poids. La porte céda et s'ouvrit en émettant un affreux grincement.

Elle donnait sur un long couloir voûté. Pinkerton n'hésita qu'un instant et prit sur la droite, s'engageant d'un pas vif sur les dalles disjointes. De l'eau suintait entre les pierres et brillait comme du mercure. Des plaques de mousse noirâtres s'étalaient sur les parois rongées de moisissure. Tous les vingt mètres environ, un réduit était aménagé sur leur droite, barré par une porte en fer. Pinkerton y jetait un coup d'œil en passant mais aucun des deux hommes ne prononçait un mot. Ils poursuivirent leur chemin. Le couloir esquissait parfois une courbe avant de se diviser en deux. Pinkerton prenait toujours sur la gauche et le sol ne tarda pas à s'incliner en pente douce. Ils arrivèrent bientôt devant un embranchement de trois tunnels. L'Américain fit halte et recula de quelques mètres jusqu'à ce qu'il ait rejoint le réduit le plus proche. Il poussa la porte qui s'ouvrit en grinçant et y pénétra, la lanterne à la main. Foole le suivit. À l'intérieur se profilait un nouvel escalier.

Nous ne sommes pas au bout de nos peines, murmura Pinkerton.

Ils s'y engagèrent. Tandis qu'ils descendaient, Foole percevait le grondement sourd de l'eau qui s'écoulait plus bas. Ce second escalier était raide et glissant, il se retenait de la main à la paroi tout en s'aidant de sa canne pour ne pas perdre l'équilibre. Il savait que des gens s'étaient égarés dans le réseau de ces tunnels et qu'il fallait éviter les galeries les plus étroites où l'air vicié risquait de vous asphyxier. La veille, l'apprenti de l'armurier était venu le trouver dans les bureaux de l'Emporium et lui avait transmis le message du détective. Fludd l'avait écouté en fulminant et avait quitté la pièce excédé. Mais il n'avait pas tardé à revenir et les deux hommes avaient étudié la situation ensemble. Foole lui promit d'être prudent. Fludd l'avertit que la marée monterait à cinq heures du matin et que la prudence ne suffisait pas. Foole lui répondit que Pinkerton n'avait aucune raison de s'en prendre à lui. Fludd lui rétorqua que Pinkerton était un salopard et que s'en prendre aux gens faisait partie de sa nature profonde. Si jamais vous vous égarez, poursuivit son ami, ne perds pas cela de vue. Suis la direction du courant. Il y a dans ces galeries des rats capables d'attaquer un homme et de le dévorer vivant. Et ce ne sont pas les pires créatures que vous risquez de rencontrer.

Foole repensait à ces paroles en suivant la silhouette massive du détective. Ils débouchèrent enfin sur le vaste parapet des égouts de Londres.

Pinkerton souleva la lanterne, faisant apparaître une infinité de petites taches de lumière à la surface noire des eaux qui s'étendaient devant eux. Un large tunnel voûté disparaissait au loin dans les ténèbres. L'Américain avait sorti une carte qu'il dépliait d'une main tout en brandissant la lanterne pour l'éclairer. Il jeta un coup d'œil sur sa droite, puis sur sa gauche, regarda à nouveau la carte.

Foole l'observait. Déjà perdu ? lui lança-t-il.

Pinkerton esquissa un sourire contraint. Pas tout à fait, répondit-il.

Ils nouèrent des mouchoirs autour du bas de leurs visages comme des bandits de grands chemins et poursuivirent en silence leur progression dans l'obscurité. Tandis qu'ils avançaient, Foole sentait monter en lui une sourde inquiétude et tendait l'oreille pour essayer de discerner derrière le bouillonnement des eaux le moindre son qu'auraient pu émettre des créatures assoiffées de sang. Il savait que, s'ils devaient être agressés par les habitants des souterrains, l'attaque serait aussi soudaine que violente.

Le parapet était assez large pour qu'ils puissent y marcher de front. La main crispée sur sa canne, Foole percevait le souffle régulier et puissant de l'Américain à ses côtés.

Pinkerton ralentit l'allure puis leva la main en lui faisant signe de s'arrêter. Il diminua l'intensité de la lanterne et les deux hommes tendirent l'oreille. Mais Foole n'entendait rien en dehors du bruit de l'eau et du sang qui battait à ses tempes.

Qu'y a-t-il ? chuchota-t-il sous son mouchoir.

Il perçut alors un bruit lointain, une sorte de hululement qui évoquait l'appel d'un oiseau de nuit. Le cri résonnait dans les profondeurs du tunnel, déformé à mesure qu'il l'emplissait, et Foole ne put réprimer un frisson. Il était impossible de savoir d'où il provenait, si c'était devant ou derrière eux.

Qu'est-ce que c'est, bon Dieu ? murmura Pinkerton.

Ça n'a pas l'air humain, répondit Foole.

Pinkerton se rapprocha de la paroi et y traça une marque à la craie. Remettons-nous en route, lança-t-il.

Le tunnel était haut et large, bien ventilé, et le débit de l'eau était rapide, charriant dans son lit toute la saleté et les détritus de la ville. Les cadavres des chiens, des chats, des rats et même les entrailles des chevaux équarris dans les abattoirs finissaient ici, entraînés par le courant. La caverne tourna sur la gauche à deux reprises et un nouvel embranchement des égouts apparut au loin, mais Pinkerton poursuivit son chemin dans la galerie principale. Celle-ci s'élargit peu à peu, formant une sorte d'immense réservoir où les ordures venaient s'accumuler en dégageant une puanteur infecte avant de s'écouler à nouveau. Lorsque le détective leva sa lanterne, Foole distingua de longues stalactites de matière putride qui pendaient de la voûte au-dessus des eaux. Mais cela ne semblait pas affecter son compagnon qui poursuivait sa marche à pas lents dans l'étrange lueur ambiante.

Au bout d'un moment, un bruit retentit à l'extrémité de la caverne et une lumière apparut qui se déplaçait en vacillant dans l'obscurité. Pinkerton se raidit et éteignit sa lanterne mais il était trop tard. Foole l'entendit armer son revolver.

Une deuxième lumière apparut un peu plus loin, puis une troisième. Et Foole vit soudain émerger une silhouette humaine qui se découpait lentement dans les ténèbres. L'homme avait fixé une petite lanterne à son front à l'aide d'une lanière et c'était cette source lumineuse qui dansait faiblement dans la nuit tandis qu'il avançait tel un spectre, vaquant à ses occupations. Le dos courbé et les bras exagérément longs, il évitait de regarder dans leur direction. Foole était pourtant convaincu qu'il ne pouvait manquer de les voir, là où il se trouvait. Mais l'homme passa en silence, revêtu d'un long manteau en velours noir de crasse et aux poches lourdement chargées, une sacoche à l'épaule. Puis le deuxième surgit à son tour, couvert d'une sorte de tablier constellé de taches qui semblaient bien être du sang et brandissant une longue perche munie à son extrémité d'une lame recourbée qui évoquait une faucille démesurée. Il était chauve et sa peau grise luisait dans la pénombre. Les trois hommes avançaient en file indienne et formaient une étrange procession. Tandis qu'ils passaient, le dernier leva une main décharnée, comme pour les avertir. Une terrible menace semblait émaner de son visage cadavéreux. Il disparut à son tour dans les ténèbres où ils ne pouvaient pas le suivre et ils se retrouvèrent à nouveau tous les deux.

Des égoutiers, dit Foole avec un soupir de soulagement.

Ils se remirent en route. Peu après ils entendirent un bruit de raclement et aperçurent, amarrée au parapet, la coque d'une embarcation balancée par les eaux : une ancienne barge servant à draguer le lit des rivières mais reléguée depuis belle lurette dans ces profondeurs insalubres. Foole comprit aussitôt qu'elle appartenait aux égoutiers qu'ils venaient de croiser.

Pinkerton examinait l'embarcation, penché au bord du parapet et au-dessus des eaux fétides.

Prenez garde, murmura Foole. L'eau est profonde par ici et vous seriez aussitôt emporté par le courant.

Pinkerton lui adressa un regard impénétrable avant de consulter sa carte et de tracer une nouvelle marque à la craie sur la paroi. Ils entendirent alors une fois encore le même cri affreux, mais qui s'était de toute évidence rapproché. Foole dévisagea l'Américain mais ils restèrent muets l'un et l'autre tandis que le son se répercutait autour d'eux avant de se dissiper au loin. Un second cri jaillit alors, comme en réponse au premier.

Celui-ci était plus aigu, plus proche aussi, et Foole parvint à distinguer le sens de son message.

Que disait-il ? demanda Pinkerton. *Assis* ?

Non, chuchota Foole. *Ici.*

Le cri reprit, plus fort. Pinkerton tourna la tête en direction des ténèbres qui s'étendaient derrière eux et Foole perçut à son tour le bruit des pas qui se rapprochaient. Une horde qui fondait sur eux à vive allure.

Il se hâta de faire volte-face. Par ici, lança-t-il.

Mais Pinkerton était déjà parti. Foole entendit le hululement s'élever à nouveau tout près d'eux ainsi qu'un bruit de cliquetis qui faisait penser à des chaînes. Il se mit à courir à son tour, sa canne à la main. Pinkerton le précédait en brandissant la lanterne qui oscillait dans sa main, dessinant sur les parois du tunnel et sur les eaux boueuses d'étranges spirales où l'ombre et la lumière tournoyaient follement.

Son chapeau s'envola, virevolta un instant dans le vide et alla se poser sur les eaux noires avant d'être emporté par le courant. Il ne ralentit pas l'allure pour autant.

À l'extrémité de la vaste crypte, trois tunnels d'évacuation partaient chacun dans une direction différente. Pinkerton s'arrêta, le souffle court, déposa sa lanterne et déplia sa carte. Foole entendait les pas se rapprocher dans leur dos.

Décidez-vous, lança-t-il.

Pinkerton scrutait fébrilement la carte.

Une jetée en brique avait été érigée jadis en travers de l'égout central et rejoignait une travée large de trois mètres, mais les eaux fétides et les matières visqueuses qui s'y étaient déposées au fil du temps en rendaient la traversée périlleuse. Foole la jaugeait des yeux. Il ramassa soudain la lanterne, regarda Pinkerton et se précipita sur la jetée, aussi vite que le permettait sa surface glissante. Arrivé de l'autre côté, il se retourna, posa la lanterne à ses pieds et tendit la main à Pinkerton.

Celui-ci jeta un coup d'œil incertain derrière lui. Foole remarqua qu'il avait son revolver à la main.

Ne réfléchissez pas, lui lança-t-il. Venez.

Le détective avait baissé le mouchoir qui lui couvrait le bas du visage et considérait l'étroite jetée en brique.

Bon Dieu, murmura-t-il.

Il fit alors demi-tour, s'enfonça dans les ténèbres et disparut. Foole l'appela à voix basse sans obtenir la moindre réponse.

Puis il entendit l'écho d'une course aussi brève que rapide, et le détective surgit soudain de l'ombre, se précipita vers lui à toute allure et effectua un bond spectaculaire, les bras écartés et les jambes tendues au maximum. Foole eut l'impression qu'il restait ainsi suspendu en l'air pendant une éternité avant que son pied droit ne vienne frapper violemment le bord de l'ancienne digue dont les briques cédèrent, puis s'écroulèrent. Pinkerton s'effondra à son tour comme un cheval fourbu, renversant Foole dans son élan, et les deux hommes allèrent heurter la paroi qui se dressait derrière eux. Plus bas dans le tunnel, un puissant courant d'eaux fétides s'engouffra avec fracas dans la brèche que les briques avaient ouverte en s'effondrant. Foole entendit des hommes pousser des cris un peu plus loin. Il s'agenouilla, Pinkerton éteignit la lanterne et ils rampèrent tous les deux à tâtons dans les ténèbres avant de s'immobiliser et de retenir leur souffle, laissant passer les silhouettes de leurs poursuivants.

Lorsque le silence fut enfin revenu, Pinkerton se releva et secoua son pantalon qui dégageait une odeur putride. Puis il ralluma la lanterne. Foole se redressa à son tour et ils se remirent en route. Certains des tunnels qu'ils empruntaient étaient secs et relativement larges, d'autres humides et resserrés. Ils débouchaient parfois sur de vastes cryptes envahies par les eaux et devaient raser les parois sur d'étroites passerelles en bois rongées par l'humidité. Pinkerton s'arrêtait régulièrement pour consulter sa carte, puis ils reprenaient leur marche.

Ils se retrouvèrent finalement dans une vieille galerie dont les parois se resserraient à mesure qu'ils avançaient. Les briques avaient fini par pourrir et se détacher par endroits, ouvrant des brèches où s'accumulaient des monceaux de déchets, de mortier effrité et de bois ramolli. À un tournant, Pinkerton leva sa lanterne et se trouva nez à nez avec un énorme rat noir. Un deuxième apparut derrière lui, puis un troisième. Et bientôt un vacarme étourdissant retentit tandis qu'une armée de rats s'engouffrait dans la brèche, dévalant la paroi comme une horrible coulée d'eau noire. Les deux hommes restèrent le dos collé à la paroi, le temps que l'affreuse horde soit passée et se fonde dans l'obscurité. Pinkerton s'essuya le front du revers de la main et s'apprêta à se remettre en route.

Attendez, lui dit Foole essoufflé. L'air était vicié, il avait de la peine à respirer. Attendez un instant.

Nous sommes presque arrivés.

Un peu plus loin, le bruit de l'eau qui tombait goutte à goutte résonnait faiblement. Plié en deux, le mouchoir plaqué sur les lèvres, Foole posa les mains sur ses genoux.

Il faut continuer, lui dit le détective. Nous devons en finir avec cette affaire et nous tirer d'ici.

Foole se raidit et le dévisagea.

Qu'est-ce qu'il y a.

Rien.

Pinkerton opina, avança de quelques pas.

Je me pose encore la question, reprit Foole dans son dos. Pourquoi a-t-elle sauté ? De quoi avait-elle donc si peur ?

Pinkerton fit demi-tour, souleva la lanterne et posa sur Foole ses yeux d'un noir étincelant. Charlotte Reckitt n'est pas morte en sautant dans la Tamise, dit-il. J'ignore de quoi est capable votre Sarrasin. Mais le type sur qui elle est tombée ce soir-là était autrement plus dangereux qu'un simple repris de justice.

Quelques secondes s'écoulèrent. Puis, comme en vertu d'un accord tacite, Foole se redressa et ils se remirent en marche sans ajouter un mot. L'atmosphère était de plus en plus irrespirable. Foole pensait à Charlotte, il voyait les eaux de la Tamise se refermer sur son visage, ses cheveux flotter autour d'elle. Il regardait la flamme dans la lanterne qui ne s'éteignait pas. À chaque embranchement Pinkerton s'arrêtait, consultait sa carte et traçait une marque à la craie sur la paroi. Ils passèrent sous d'anciennes toilettes publiques dont le plancher pourrissait au-dessus de leurs têtes, bifurquèrent à gauche dans un étroit passage en pataugeant dans une mare d'eau claire et se retrouvèrent finalement au pied d'un escalier en pierre. Les marches luisaient dans la pénombre et Foole ne distinguait qu'une faible lueur au sommet.

Nous sommes arrivés, murmura Pinkerton. Suivez-moi.

C'était une vaste crypte relativement sèche. Des niches aménagées dans les parois se découpaient de chaque côté. La scène était plongée dans l'obscurité, seules quelques bougies isolées brillaient au pied des occupants qui s'y entassaient. Une flaque puante s'étalait près de l'entrée et Foole vit un homme s'y accroupir, les cuisses à l'air, avant de détourner les yeux. Quelqu'un toussa dans les profondeurs de la salle, une autre toux lui répondit puis le silence retomba sur les silhouettes immobiles qui les dévisageaient. Sa lanterne à la main, Pinkerton s'avança lentement le long des arches, éclairant fugacement les mendiants et les vagabonds qui gisaient là, recroquevillés dans leurs houppelandes et se couvrant le visage de leurs hardes pour se protéger de la lumière.

Tout au fond de la crypte, Foole découvrit enfin la femme que lui avait décrite Mrs Sharper. C'était à présent une vieille toute ratatinée, tassée dans ses haillons, aux longs pieds nus couverts d'une épaisse croûte de boue. Des cicatrices livides couraient sur ses joues depuis la commissure des lèvres, comme un hideux et cruel sourire. Elle se tenait au fond d'une niche creusée dans la pierre au niveau du sol, qui avait dû servir jadis au drainage des eaux mais qu'on avait isolée par la suite à l'aide d'une rangée de briques. Elle avait disposé là ses vagues possessions et une paillasse crasseuse qui lui tenait lieu de lit. Elle mâchouillait entre ses gencives une longue mèche de cheveux gris. Ses mains étaient couvertes de taches et tremblaient.

Foole s'accroupit et Pinkerton posa la lanterne à ses pieds sur la dalle glissante.

Êtes-vous bien celle qu'on surnomme Annie la Gadoue ? lui demanda Foole.

La vieille recracha sa mèche et leva les yeux vers lui.

Annie la Gadoue, répéta-t-il. Est-ce bien vous ?

Des cheveux gras et sales pendaient en travers de son visage et dissimulaient ses yeux. Ses dents étaient jaunes, cassées pour la plupart et largement espacées. Sa bouche était entrouverte, de la bave pendait à ses lèvres.

Nous cherchons quelqu'un, dit Foole. Un homme qui dormait ici autrefois.

Qui ça ? demanda la vieille d'un air méfiant en surveillant Pinkerton du coin de l'œil. Sa voix était éraillée, comme si elle avait perdu l'habitude de parler.

Nous vous paierons, dit Foole.

En entendant ces mots, un affreux sourire déforma son visage. Elle jeta un regard furtif autour d'elle avant de tendre une main décharnée, semblable à une serre. Aboulez le pognon dans ce cas, lança-t-elle.

Foole entendit quelque chose remuer un peu plus loin dans l'obscurité. Il regarda Pinkerton mais celui-ci ne semblait pas inquiet et considérait Annie la Gadoue sans trahir la moindre émotion.

Nous cherchons un homme que vous avez connu autrefois, reprit-il. Jonathan Cooper.

La vieille ne réagit pas.

Il regarda à nouveau Pinkerton, puis la vieille. Jonathan Cooper, répéta-t-il. Vous le connaissez, oui ou non ?

Elle se lécha les lèvres. Oui, dit-elle, je le connais. Il m'a plantée un beau jour au Lascar et n'est jamais revenu. J'ai encore ici un objet qui lui appartient.

Le Lascar ? murmura Pinkerton. Qu'est-ce que c'est ?

Vous parlez de la fumerie d'opium ? demanda Foole. À Wapping ?

Mais la vieille s'était mise à farfouiller derrière elle dans ses haillons et se retourna en leur tendant une bouilloire en fer-blanc toute cabossée dont le couvercle manquait. Allez, messieurs, leur dit-elle. Ayez pitié d'une pauvre vieille.

Comment trouve-t-on Jonathan Cooper, Annie ? lui demanda Foole.

Elle le regarda en biais. On ne le trouve pas, dit-elle.

Il est mort ?

Elle secoua la tête.

Foole sortit un shilling de sa poche et le fit miroiter sous ses yeux. Elle s'immobilisa aussitôt, comme tétanisée à la vue de cette pièce. Annie ? dit-il.

On ne le trouve pas, murmura-t-elle d'un air farouche. C'est lui qui vous trouve.

DIX-NEUF

William se réveilla en sursaut, brûlant de fièvre. Il tremblait de tout son corps, ses cheveux étaient trempés et ses draps lui collaient à la peau. Il se rendormit, et lorsqu'il s'éveilla à nouveau il faisait nuit derrière la vitre et il avait rejeté ses couvertures. Il marcha en titubant jusqu'à la commode, saisit la carafe qui s'y trouvait et se versa un verre d'eau avant de regagner son lit. Il se rendormit, se réveilla, se rendormit à nouveau, parcouru de frissons.

Une lumière grise filtrait des fenêtres. Il ouvrit les yeux, s'assit au milieu de ses couvertures en désordre. Il se sentait faible, la tête lourde et douloureuse, mais avait Dieu merci les idées claires. Il se leva, gagna l'armoire d'un pas vacillant et s'habilla en tremblant.

Il était incapable d'avaler quoi que ce soit et reposa sa cuillère dans son assiette. Lorsqu'il épongea la sueur de son cou, son mouchoir fut aussitôt trempé. Le sol tanguait sous ses pas et il dut se retenir des deux mains à la table en se levant pour ne pas perdre l'équilibre. Lorsqu'il sortit enfin, il verrouilla soigneusement la porte de sa chambre et mit la clef dans sa poche. Il évita de prendre l'ascenseur et ne se donna pas la peine de signaler son départ à la réception de l'hôtel.

À Scotland Yard, ni Blackwell ni Shore n'étaient dans leur bureau. Le policier de garde consulta son registre et lui donna une adresse dans Drury Lane où il pouvait retrouver l'inspecteur en chef, qui devait s'être rendu à son club. Puis il considéra les traits tirés de William et ajouta : Vous devriez vous asseoir cinq minutes avant de repartir, monsieur. Si vous voulez bien m'excuser de vous donner un tel conseil.

Il n'en tint aucun compte et attrapa un cab qui se mit en route en cahotant. William se recroquevilla au fond du siège en laissant le vent froid caresser son visage et ferma les yeux.

Le conducteur le secoua d'un air furieux pour le réveiller.

Allez, debout. On est arrivés.

Il ne protesta pas. Son cœur battait à tout rompre et il descendit du cab en regardant la façade du bâtiment qui abritait le club de Shore. Il se retourna et vit le conducteur qui lui tendait la main, penché vers lui pour réclamer son dû. Il portait des gants aux extrémités coupées et ses ongles étaient noirs de crasse.

Il retrouva Shore assis le dos à la fenêtre dans une salle à manger haute de plafond et dont la plupart des tables étaient vides. En voyant la viande saignante qui trônait dans son assiette, William sentit son estomac se soulever.

On m'a dit au Yard que je pourrais vous trouver ici, dit-il.

Et m'interrompre au beau milieu de mon repas ? grommela Shore en tapotant son gilet vert. Il saisit son verre de vin, en but une gorgée et ajouta : Ne vous avais-je pas recommandé de prendre un peu de repos ?

C'est ce que je suis en train de faire.

Je finirais par vous croire, dit Shore en se remettant à découper sa viande. Asseyez-vous. Nous avons constitué plusieurs tandems d'inspecteurs qui font la tournée des pubs de la ville avec le portrait de cette femme que le bon Dr Breck a dessiné pour nous. Mais cela peut prendre du temps. J'ai demandé à Blackwell de superviser l'opération. Si j'ai appris une chose en vingt ans de métier, c'est bien à être patient. Qu'est-ce qu'il y a ? Pourquoi me regardez-vous comme ça ?

Comme quoi ?

On dirait que vous voulez me mordre.

William avait toujours la tête lourde. Il sortit sa pipe de sa poche et entreprit de la bourrer d'une main tremblante. Ne le prenez pas mal, John. Je suis simplement fatigué. Y a-t-il quelque chose que je puisse faire pour me rendre utile ?

C'est vous le grand détective. À vous de voir.

William le dévisagea.

Quoi ?

Y a-t-il un problème entre nous, John ?

Shore poussa un soupir. Vous n'y êtes pour rien, dit-il. C'est simplement que j'ai trop de choses sur les bras ces temps-ci. Outre l'attentat des Fenians, j'ai à résoudre une demi-douzaine de meurtres pour lesquels nous n'avons pas l'ombre d'un suspect. Tout ce que je demande, c'est qu'on en finisse avec l'affaire Charlotte Reckitt et qu'on boucle ce dossier au plus vite, peu m'importe comment.

Mais vous devez tout de même mettre la main sur une preuve.

Ma foi, il est toujours préférable d'en avoir une. Shore le dévisageait à présent d'un air nonchalant. Vous avez vraiment mauvaise mine, William. Vous devriez retourner vous coucher.

La chemise de William était trempée et lui collait à la peau. Il épongea la sueur de son visage. Je suis descendu dans les égouts, dit-il à voix basse. Dans le secteur situé au sud de Blackfriars. À la recherche de Jonathan Cooper.

Shore but une longue gorgée de vin. Je me disais bien que vous finiriez par faire une bêtise, dit-il.

Je ne l'ai pas retrouvé.

Estimez-vous déjà heureux d'être ressorti de là indemne.

J'ai tout de même rapporté un nom. Le Lascar. Il semble qu'il s'agisse d'une fumerie ou d'un trafiquant d'opium. Cela vous dit-il quelque chose ?

Rien qui soit en rapport avec Charlotte Reckitt.

William attendit la suite.

L'individu que vous cherchez s'appelle Lascar Sal, finit par dire Shore. Il travaille dans les environs de Wapping, un quartier plutôt miséreux. Nous le laissons faire ses affaires, cela évite que le trafic ne déborde dans la rue. Une sorte d'arrangement à l'amiable, si vous voulez. Ce n'est pas l'idéal, je vous l'accorde, mais... Il s'interrompit et considéra l'Américain. Je ne sais pas après quoi vous courez, William, mais j'ai de la peine à croire que cela relève du travail de l'Agence.

Ma foi...

Quand nous sommes-nous rencontrés ? En 1872 ? La première fois que j'ai travaillé avec votre père, je me suis rendu compte que les méthodes du Yard étaient nettement dépassées. Vous savez que j'ai collaboré avec lui pendant des années. Mais jamais je ne l'ai vu avoir un comportement aussi aberrant.

À quoi faites-vous allusion ?

À cette descente au fond des égouts par exemple.

William esquissa un sourire. Mon père n'avait pas toujours des méthodes très orthodoxes lui non plus.

J'ai une vague idée de la manière dont fonctionnent les enquêtes de votre Agence, William. Et cela n'a rien à voir avec ça. Sans compter qu'aucun client ne vous a apparemment demandé d'enquêter sur Charlotte Reckitt. Depuis quand l'Agence se met-elle à traquer la pègre pour son propre compte ?

William soutint le regard de Shore.

Soyez sur vos gardes, insista ce dernier. Je préfère vous le dire maintenant. J'ai déjà eu droit à quelques remarques de mes supérieurs qui se demandent ce que vous fabriquez à Londres. Vous savez que je suis heureux de pouvoir vous rendre service et je vous laisse mener votre enquête comme vous l'entendez. Mais ne sortez pas du cadre légal. Ou sinon arrangez-vous pour que la presse n'en sache rien.

Je ferai de mon mieux, dit William en se massant le front.

Shore se remit à manger. Comment s'est passé votre entretien avec Martin Reckitt ? demanda-t-il en lui lançant un regard en biais.

William haussa les épaules. J'ai cru comprendre que vous ne filiez pas le parfait amour tous les deux.

Mr Blackwell m'a informé qu'il n'avait pas assisté à la totalité de l'entretien.

La faute m'incombe. Reckitt n'aurait jamais parlé en sa présence.

Eh bien. Vous a-t-il appris quelque chose d'intéressant ?

Il m'a dit que vous aviez grandi ensemble tous les deux. Et que vous vous intéressiez à lui autrefois.

Shore s'arrêta de manger et considéra William d'un air las. Les menteurs les plus talentueux – et les plus dangereux – sont ceux qui mêlent habilement le vrai au faux. Certaines des histoires de Reckitt sont des chefs-d'œuvre dans le genre.

Je sais.

Martin Reckitt est un menteur qui a failli me faire virer de la police. Voilà la vérité.

William regarda Shore en se demandant où finissait la vérité et où commençait le mensonge. Il repensa aux révélations que Blackwell lui avait faites concernant les penchants de son patron mais ne voulait pas nuire à l'inspecteur en chef.

Shore était en train de lui parler de Blackwell, qui faisait la tournée des pubs dans les environs d'Edgware Road aujourd'hui. Il s'est dit que le sac avait pu être transporté à pied depuis un établissement du quartier. Ce qui n'est pas idiot. Vous aurez peut-être un peu de peine à le retrouver, poursuivit-il, mais si vous n'avez rien d'autre à faire vous pourriez aller voir comment il s'en sort.

William cligna des yeux, surpris. Blackwell aurait-il un penchant pour la boisson ?

Pas à ma connaissance.

Dans ce cas je ne comprends pas. Vous ne lui faites pas confiance pour mener cette enquête ?

Et vous-même ? À combien de vos propres agents faites-vous confiance ?

À la totalité d'entre eux, répondit William. Et à aucun en particulier. Pourquoi l'avez-vous envoyé là-bas dans ce cas ?

Mr Blackwell s'est montré efficace par le passé. Shore s'essuya les lèvres avec sa serviette, la plia en deux et la posa à côté de son assiette avant de se lever. Au vestiaire il enfila son manteau et se tourna brusquement vers William. Avez-vous essayé de contacter le vieux Ben Porter ? lui demanda-t-il. L'avez-vous interrogé au sujet d'Edward Shade ?

William lui adressa un regard acéré en se demandant si cette question ne recelait pas un piège. Mais l'inspecteur en chef paraissait sincère.

Benjamin Porter est mort l'an dernier, John, dit-il en hochant la tête. Et Sally a disparu.

Shore s'immobilisa. Mort ? dit-il avant d'enfoncer son chapeau melon sur son crâne. Ça alors. Nous n'avons pas souvent eu l'occasion de travailler ensemble mais je l'aimais bien.

William ne sut pas quoi lui répondre.

L'employé s'avança pour leur ouvrir la porte et l'air de la rue les frappa de plein fouet dans sa clarté glaciale. William releva le col de son pardessus.

Un coupé aux roues en fer d'un modèle récent était garé le long du trottoir et il aperçut à la fenêtre de la portière une jeune femme aux cheveux blonds qui observait Shore. Celui-ci lui adressa un petit signe de tête avant de se tourner vers William et de poser une main bienveillante sur son bras. J'ai un rendez-vous auquel je ne peux surseoir, lui dit-il. Allez rejoindre Blackwell et bouclez cette affaire au plus vite. Plus tôt vous aurez quitté cette ville, mieux cela vaudra. Vous avez l'art de mettre les gens dans l'embarras.

J'en doute.

Figurez-vous que ma femme est convaincue que vous possédez un charme diabolique. Elle me l'a encore dit ce matin.

Ma foi...

J'ai bien essayé de lui expliquer de quoi vous aviez l'air, elle n'a rien voulu savoir. Enfin, je vous ai à l'œil, ajouta-t-il avec un petit sourire. Il s'éloigna en lui lançant : Rappelez-vous. Edgware Road.

William leva la main et lui sourit en retour, mais la fièvre ne l'avait pas quitté et son sourire lui parut presque trop chaleureux au beau milieu de la grisaille et de la froideur des rues. Il vit Shore jeter un coup d'œil discret autour de lui avant de monter à bord du coupé dont une fine main gantée tira aussitôt le rideau. Le conducteur fit claquer ses rênes, le véhicule s'ébranla et le grondement de la rue reprit le dessus.

Edgware Road était entouré d'un dédale de ruelles étroites, mal éclairées, aux façades en brique aussi sales et aussi décrépites que dans le reste de Londres. Il aperçut Blackwell au sortir d'une allée qui donnait sur Portman Square. L'inspecteur s'arrêta, retira de sa manche une page de journal pliée en quatre et se pencha pour nettoyer ses chaussures, appuyé d'une main à la paroi.

Il était tombé sur lui aussitôt arrivé et n'en revenait pas de la chance qu'il avait eue. Il savait qu'il y avait à peu près autant de pubs dans ce quartier de Londres que de bijoutiers à Manhattan et pensait passer sa journée à lui courir après.

C'est votre patron qui m'envoie, lui dit-il en s'approchant. Cela l'embête sans doute que je reste inoccupé. Vous avez déniché quelque chose ?

Blackwell tenait une feuille à la main. William la lui prit et vit qu'il s'agissait du portrait que Breck avait réalisé. Le visage ressemblait vaguement à celui de Charlotte Reckitt, surtout au niveau des yeux. L'inspecteur dévisageait William d'un air préoccupé. Vous devriez être au lit, monsieur, lui dit-il. Vous avez l'air cadavéreux.

J'aurai tout le temps de dormir quand je serai mort, grommela William.

Tandis qu'ils s'engageaient dans Seymour Street, Blackwell lui résuma l'enquête à laquelle il s'était déjà livré, les pubs et les rues qu'il avait visités. Il avait des cernes sous les yeux. Il était debout depuis quatre heures du matin et n'avait rien appris d'intéressant. Au carrefour suivant, il montra le portrait de Charlotte à un passant, mais l'homme était soit étranger, soit un peu demeuré, et marmonna quelques mots incompréhensibles. Une femme drapée dans une serviette regarda à son tour l'image et haussa les épaules d'un air indifférent. Un groupe de poivrots était vautré sous une fenêtre. Aucun d'eux n'avait jamais vu cette femme.

Ils pénétrèrent dans un petit pub aux confins de Great Cumberland Street et demandèrent si l'établissement possédait une cave. Derrière le bar, le serveur éclata de rire et répondit : Bien sûr, messieurs, ainsi qu'un relais de poste avec du fourrage pour les chevaux. Blackwell lui montra tout de même son dessin mais en vain.

Ils s'engagèrent ensuite dans Berkeley Street, puis plus au nord dans Montaigu Street et passèrent devant plusieurs pubs mais Blackwell expliqua à William qu'aucun d'entre eux n'avait de cave. Un autre établissement faisait l'angle au bout du pâté de maisons. Ils pénétrèrent dans une salle aussi obscure qu'enfumée et attendirent un bon moment avant que quelqu'un se manifeste. La fille qui émergea finalement de l'arrière-salle avait les joues crasseuses et ne devait guère avoir plus de dix ans. William se demanda si elle servait autre chose que de la bière aux clients mais ne lui posa pas de questions. Blackwell lui montra son dessin. Elle se mordilla les lèvres et leur dit qu'elle n'était pas là pour répondre à des gens qui ne consommaient pas. William lui commanda une pinte de bière qu'elle alla lui servir avec un geste expérimenté du poignet. Mais quand elle lui apporta le verre, il vit qu'elle devait se mettre sur la pointe des pieds pour le déposer devant lui sur le comptoir. Blackwell lui montra à nouveau son dessin. Avait-elle jamais vu cette femme ? Non jamais.

Et leur périple se poursuivit.

Dans Upper Dorset Street, le propriétaire d'un pub crut reconnaître la femme dont on lui montrait le portrait. Il leur demanda pourquoi ils la recherchaient et Blackwell lui expliqua que c'était pour une affaire d'héritage, un lointain parent qui venait de décéder. L'homme, totalement chauve, avait des bras aussi poilus qu'un marin et d'épais sourcils blancs. Il leur dit qu'il pensait avoir vu cette femme dans un bordel de Drury Lane. Blackwell nota soigneusement l'adresse dans son carnet mais William savait qu'il n'en sortirait rien.

Ils traversèrent ensuite Byranston Square et s'engagèrent dans Upper George Street, où ils n'obtinrent pas davantage de résultats. La lumière du jour commençait à décroître. Les rues se remplissaient peu à peu d'employés qui quittaient leur travail et les pubs ne tardèrent pas à s'animer d'une foule bruyante.

William jura, s'arrêta et regarda Blackwell.

Ma foi, dit-il, Charlotte Reckitt semble bien décidée à garder son secret.

Blackwell opina. Quoi qu'il ait pu se passer ce soir-là, monsieur.

William lança un regard torve à l'inspecteur.

Je voulais dire, quelle qu'ait pu être son humeur la dernière fois que vous l'avez vue…

Bon sang, inspecteur, elle a sauté du haut du pont de Blackfriars. Dans quel état d'esprit pouvait-elle être, à votre avis ?

Blackwell rougit. Affolée sans doute, monsieur ?

William fit volte-face, découragé. Il avait observé l'inspecteur tout l'après-midi en pensant au manque de confiance de Shore à son égard, et se demandait à présent quel genre d'animosité ou de rivalité pouvait exister entre les deux hommes. Il posa une main tremblante sur sa poitrine et sentit son cœur battre à toute allure. La journée s'achevait. Et il n'en était rien sorti. Charlotte Reckitt s'était évaporée dans les tréfonds de la ville sans laisser la moindre trace. Mais il y a toujours une trace quelque part, se dit-il. Ou du moins presque toujours. Il suffit d'un peu de chance pour tomber dessus.

Son genou lui faisait mal. Il laissa Blackwell compulser son petit carnet noir et se dirigea en boitillant vers le bout de la rue afin de trouver un cab.

Charlotte Reckitt n'était pas affolée ce soir-là. Essoufflée sans doute, à force d'avoir couru, mais parfaitement calme et sûre d'elle à la lueur des réverbères qui auréolaient sa chevelure d'un halo flamboyant. Comme si elle avait fait en sorte qu'il la poursuive. Comme si elle l'avait souhaité.

Il songeait au chagrin d'Adam Foole. Il avait su dès la tombée de la nuit que quelque chose allait se dénouer ce soir-là. Elle avait descendu le perron de sa maison à Hampstead, regardé à droite et à gauche puis marché un moment en direction du sud avant de héler un cab qui passait. William l'avait regardée partir, les mains dans les poches de son pardessus et son chapeau rabattu sur les yeux. Il lui avait fallu quelques minutes pour trouver un cab à son tour et la suivre jusqu'à St. Martin's Lane. La file des véhicules et des cabriolets avançait au pas aux abords du théâtre. Il était descendu, avait rejoint les lieux à pied et s'était posté sous le porche d'un magasin en face de l'établissement. Il contemplait la foule des arrivants qui se pressaient sur le perron en tenue de soirée avant de pénétrer dans le hall. Charlotte Reckitt avait fini par apparaître à la fenêtre de son cab. Il avait attendu qu'elle soit descendue et qu'elle ait disparu à l'intérieur avant de traverser la rue et d'aller faire le pied de grue dans l'entrée, s'excusant vaguement auprès des ouvreuses tandis que les portes se refermaient, que les lumières s'éteignaient et que le murmure plaintif des violons qui s'accordaient commençait à filtrer à travers les cloisons.

Elle était sortie sans le voir avant le premier entracte. Elle était allée reprendre son étole de fourrure au vestiaire et s'était dirigée d'un pas rapide vers la sortie. C'est alors qu'il s'était avancé, sortant de l'ombre. Il l'avait saisie par le coude d'une main ferme en lui disant : Eh bien, miss LeRoche, le spectacle ne fait pourtant que commencer.

Un portier qui fumait derrière le comptoir s'était aussitôt redressé et avait fourré sa pipe dans sa poche en observant William d'un air soupçonneux.

Vous faites erreur, lui murmura-t-elle. Vous devez me confondre avec quelqu'un d'autre.

Il fut brusquement fatigué de ce petit jeu. Miss Reckitt, lui lança-t-il au sommet des marches du perron en l'obligeant à le regarder, votre passé ne m'intéresse pas. Ce n'est pas pour cela que je suis ici.

Elle resta silencieuse un long moment en le fixant de ses yeux sombres. La nuit était froide, des cabs étaient alignés devant le théâtre, les chevaux avaient le museau plongé dans leur sacoche de foin et les conducteurs attendaient, les jambes croisées sur leur siège.

C'est vous qui m'intéressez, reprit-il.

Moi, Mr Pinkerton ? Ne serait-ce pas plutôt Edward Shade ?

Il la relâcha, brusquement mal à l'aise.

Allons, monsieur, ne prenez pas cet air surpris. Vous n'avez pas fait mystère de votre enquête. Elle enfila ses longs gants et tendit son manteau à William. Il finit par le prendre et le lui présenta afin qu'elle l'enfile. Vous pensiez vraiment m'effrayer en faisant le guet devant chez moi et en me suivant à chacune de mes sorties ? Vous me connaissez bien mal.

Le portier s'avançait dans leur direction sur le tapis de l'entrée.

Ce que je peux vous dire, lui répondit-il, c'est que plus vite nous en aurons terminé et plus vite je vous laisserai en paix.

Le petit jeu auquel nous nous livrons est plutôt amusant, monsieur, dit-elle d'une voix douce en se rapprochant de lui. Son manteau était ouvert et il sentit la chaleur de ses seins contre son torse. Puis elle glissa ses poignets entre ses énormes mains, et à sa grande surprise William vit soudain son visage prendre une expression terrifiée.

Au secours! s'écria-t-elle. À l'aide!

William la repoussa d'un geste brusque en lançant un juron. Mais le portier se précipitait déjà et un autre individu avait fait demi-tour dans la rue et remontait dans leur direction.

Eh! Vous là-bas! lança le portier.

Il vit Charlotte Reckitt dévaler les marches du théâtre en relevant sa jupe mais les deux hommes étaient déjà sur lui. Il parvint à repousser le portier et plaqua l'autre contre la rambarde en fer avant de lui envoyer son poing dans la figure. L'homme s'affaissa sur le côté et tomba sur les genoux. William descendit alors l'escalier quatre à quatre et se lança dans le brouillard à la poursuite de Charlotte.

Elle avait bifurqué dans le Strand. Il ne l'aperçut pas immédiatement à cause de la circulation mais finit par la voir assise dans un cab à une vingtaine de mètres. Il monta à son tour dans le premier véhicule disponible et la suivit tant bien que mal dans la cohue des carrioles et des cabriolets. Lorsqu'elle descendit à Ludgate Circus, il l'imita et s'engagea à sa suite dans Bridge Street. Elle marchait vite malgré sa tenue de soirée et il était essoufflé lorsqu'il atteignit le pont de Blackfriars, mais elle n'était plus qu'à quelques mètres. Il voyait bien qu'il allait la rejoindre sur la travée et qu'elle n'aurait alors plus d'autre issue.

VINGT

Dans la deuxième semaine du mois d'octobre 1861, Edward Shade fut rattaché à la batterie du 34ᵉ bataillon d'artillerie légère de New York. On lui tendit un document officiel rédigé à l'encre violette qui lui permettait de toucher une avance de quarante dollars sur sa prime d'engagement. Il regarda l'homme assis à côté de lui, le visage mal rasé et couvert de cicatrices, qui repliait avec soin sa propre attestation et la glissait dans sa chemise. Il l'imita alors que trois mois le séparaient encore de son quatorzième anniversaire. Il ne possédait strictement rien en dehors d'un vieux chapeau cabossé trop grand pour lui et d'une bonne paire de chaussures en cuir. Il se retrouva dans un long dortoir en bois au milieu d'une cohorte d'idéalistes et d'indigents qui dépliaient leurs sacs de couchage et leurs caleçons longs. La scène se déroulait dans le camp d'entraînement de Long Island sous une pluie battante et dans les ténèbres hivernales.

Le capitaine qui dirigeait la batterie était un Allemand tatillon du nom de Roemer qui avait du mal à prononcer correctement les *w*. Sa voix suraiguë, ses yeux très bleus et ses cheveux très roux lui conféraient une allure un peu inquiétante. Il avait appris son métier de cordonnier à Stuttgart avant d'émigrer en 1839 et était unanimement détesté. Roemer appréciait l'obéissance, la rapidité, les bottes bien cirées quel que soit le temps, et punissait sévèrement la moindre infraction à la discipline. Le soldat Shade qui faisait preuve d'obéissance, de rapidité et dont les bottes étaient toujours bien cirées se vit ainsi rapidement promu, même si sa taille était bien inférieure à celle des plus jeunes recrues. Roemer s'en moquait. Il rêvait d'une mort glorieuse et de sa propre postérité. Il faisait marcher ses hommes sous la pluie battante avec une férocité sans faille, les obligeait à déplacer dans la boue leurs canons montés sur des roues gigantesques et à rentrer au camp lorsque l'obscurité était déjà tombée, qu'ils ne voyaient plus rien et perdaient leurs chaussures dans les ornières inondées.

Tout cela était quand même préférable à la vie miséreuse d'un orphelin des rues. Mais lorsqu'un beau jour un ancien imprimeur aux doigts noirs de crasse et aux bras énormes le poussa pour la deuxième fois et renversa son assiette, Edward lui lança un regard assassin et quitta sans un mot la tente où étaient servis les repas. Le soir même, quand ce salopard alla faire ses besoins, il le suivit muni d'une barre en fer aussi longue que son bras. Il l'appela par son nom et, dès que l'autre se retourna, il le frappa en pleine tempe, puis à deux reprises entre les jambes, avant de jeter sa barre dans la fosse qui tenait lieu de latrines. Le type s'effondra sur le sol et ses intestins le lâchèrent. Si tu me cherches encore une fois, je te tuerai, lui lança Edward. Mais l'autre ne récidiva pas.

À la fin du mois d'octobre, Roemer le nomma sergent à la tête d'une patrouille de cinq hommes et lui confia la responsabilité de son canon. Le 13 novembre, la batterie prit la direction du sud et rejoignit Camp Barry aux abords de Washington. Une semaine plus tard, sous une pluie glaciale, toute la compagnie fut embarquée dans des wagons à bestiaux pour aller renforcer les troupes du général Milroy à Camp Cheat Mountain, en Virginie-Occidentale. Le 1er décembre ils virent s'élever au loin dans le ciel les fumées du camp des confédérés à Staunton Turnpike. Roemer broyait du noir et faisait les cent pas en scrutant les ténèbres, une lueur de folie dans les yeux. Les jours passèrent.

Et puis, le 13 décembre, commença la terrible bataille des Alleghany. Edward fut touché au genou, puis à la cuisse, tandis qu'il rechargeait son canon sous un vent hivernal et fut aussitôt évacué de la ligne de front. Il n'avait jamais ressenti une telle douleur. Comme aucune artère n'avait été touchée, il resta étendu et tremblant sur sa litière plusieurs jours durant à l'hôpital de Green Spring sans qu'on s'occupe vraiment de lui. On avait extrait deux balles de sa jambe, une troisième l'avait traversée de part en part. Dix-neuf autres membres de son régiment avaient été blessés ce jour-là. Une grande confusion régnait et une odeur de chair pourrie planait dans la salle. Le second jour, une infirmière s'était penchée sur la litière voisine de la sienne où agonisait un jeune soldat en l'appelant *sergent Shade*. Edward avait redressé la tête et voulu lui dire qu'elle faisait erreur, mais quelque chose l'avait finalement retenu. De toute évidence leurs dossiers avaient été mélangés et personne ici ne les connaissait de vue. Un prêtre arriva dans l'après-midi, s'assit sur une caisse, ouvrit sa bible et se mit à dire ses prières à l'intention du sergent Shade de New York. Edward l'écouta les yeux fixés au plafond, et peu après le garçon qu'on prenait pour Shade mourut.

Il resta éveillé cette nuit-là en réfléchissant à la situation. Le lendemain une couche de neige fraîche avait recouvert la campagne, les caisses et les chariots alentour. Un grand silence s'étendait sur le paysage. La sentinelle s'était endormie. Il se redressa lentement, aperçut dans l'ouverture de la tente cette incroyable immensité blanche. Puis il quitta sa litière, boutonna ses vêtements d'une main tremblante et s'éclipsa tel un fantôme pour rejoindre l'univers des civils.

Foole contempla son visage dans le miroir. Ses rides au coin des yeux, son teint cireux, ses sourcils grisonnants, son nez rougi par le froid. Debout dans sa chemise de nuit, il pensait à Pinkerton, aux tunnels, à la malheureuse qu'ils avaient retrouvée. Ils étaient apparus épuisés et tremblants dans Leicester Square et s'étaient séparés après avoir échangé une poignée de main silencieuse. Ils devaient se retrouver deux jours plus tard dans un pub aux abords de Shadwell pour se mettre en quête de ce Lascar et de sa fumerie d'opium. En le regardant s'éloigner, Foole avait remarqué qu'il émanait de la silhouette massive du détective une sorte de tristesse latente, lancinante.

Il traversa la pièce et alla s'asseoir devant le petit scriban installé sous la fenêtre, les plis de sa chemise de nuit flottant autour de lui. À travers les rideaux il distinguait la lueur grise du soleil hivernal qui se reflétait sur la vitre de la maison d'en face. Une veuve habitait là, il le savait, une femme seule qui s'arrangeait toujours pour sortir de chez elle en même temps que lui. Avant cette virée dans les égouts, Pinkerton était allé rendre visite à Martin Reckitt. Et ils avaient parlé de lui. Il ne pensait pourtant pas qu'il y eût le moindre risque de ce côté. En dehors de Fludd, personne ne connaissait la vérité au sujet d'Edward Shade. Et il voyait mal Reckitt confier à Pinkerton les secrets de la pègre. D'un autre côté, cela faisait plus de dix ans qu'il était au trou.

Tout ce qu'il voulait, c'était clarifier la situation. Au bout d'un moment, il saisit une feuille de papier, trempa sa plume dans l'encrier et entreprit de rédiger une fausse lettre de recommandation censée provenir de Gabriel Utterson et destinée à l'administration du pénitencier de Millbank.

Dans certaines circonstances, songea-t-il, il faut savoir mettre la main à la pâte.

Il affronta la froidure du matin et la foule qui arpentait le Mall, sa fausse lettre dans sa serviette. Puis il traversa St. James Park et rejoignit les berges du fleuve puis la murette de l'Embankment bleuie par le gel. Il était seul et n'avait prévenu personne de sa démarche. En levant les yeux il apercevait sur l'autre rive de la Tamise les silhouettes des réverbères dont les bras se dressaient comme ceux des voleurs crucifiés.

Après l'épisode de Brindisi il avait abandonné toute idée de revanche, mais la blessure restait inscrite en lui. Par ailleurs, il se rendait bien compte que le fait d'aller trouver Reckitt était le seul moyen qui s'offrait à lui dans l'immédiat pour se rapprocher de Charlotte. Mais à quelle fin ? Pour lui dire un dernier adieu ? Ou pour régler ses comptes ? Pendant dix ans il s'était tenu à l'écart des Reckitt et de leurs anciens complices en essayant d'oublier l'épisode de l'Afrique du Sud. Le vieil escroc estimerait sans doute que c'était une faiblesse d'aller le voir ainsi, il ne l'ignorait pas. Et peut-être était-ce effectivement le cas.

À Millbank il présenta sa fausse lettre de recommandation au portier et attendit les mains croisées derrière le dos que les lourds battants se soient entrouverts pour le laisser passer. C'est la première fois que je vous vois ici, marmonna le gardien en ouvrant devant lui le registre des visiteurs. Foole avait revêtu une tenue d'avocat, comme le prétendait sa carte, et fronçait les sourcils en affichant un air important.

La salle réservée aux visites était située au rez-de-chaussée du bâtiment central. C'était une longue pièce étroite aux murs fissurés et à la peinture écaillée. Une rangée de tables poussiéreuses était installée sous les fenêtres. Une porte s'ouvrit à l'autre extrémité et il vit un gardien qui escortait un homme aux cheveux gris revêtu d'un uniforme de prisonnier. Ses poignets et ses chevilles étaient enchaînés et il semblait marcher avec peine. Il fallut quelques instants à Foole pour reconnaître son ancien complice. Après avoir accroché ses chaînes à un anneau fixé dans le mur en dessous de la table, le gardien fit demi-tour et alla se planter d'un air las à l'autre bout de la salle. Reckitt jeta un regard torve par-dessus son épaule, comme s'il lui tardait de regagner sa geôle.

Le séjour à Millbank l'avait durci et il était d'une minceur extrême. Foole avait de la peine à retrouver dans la silhouette qui se tenait devant lui l'escroc de Port Elizabeth. Ces doigts noueux, ces ongles cassés, ces veines saillantes sur le front n'avaient plus rien à voir avec le port élégant du cambrioleur d'autrefois.

Adam Foole se fend d'une visite à Millbank, ironisa Reckitt d'une voix éraillée en fixant son interlocuteur de ses yeux clairs. Ce que j'ai appris au sujet de Charlotte est donc vrai.

Foole se racla la gorge.

Vous ne seriez pas là si ce n'était pas le cas, reprit Reckitt. Son regard se durcit. Mais nous sommes tous ici par la grâce du Seigneur. Et en vertu de sa bonté.

Sa bonté, murmura Foole en se souvenant que cet homme avait l'art d'embobiner les gens.

Ce à quoi je ne m'attendais pas, poursuivit Reckitt, c'est qu'il soit aussi difficile d'accepter la nouvelle. Charlotte est morte, c'est un fait, mais je n'arrive pas à y croire. Parce que ce qui se passe dans le monde extérieur ne parvient pas jusqu'ici.

Foole resta silencieux. La lumière grise dessinait des carrés sur le mur du fond.

Nous commençons de mourir dès notre naissance, murmura Reckitt. Pourquoi le Seigneur nous a-t-il dotés d'un corps destiné à souffrir? Mais peut-être n'est-il pas si bon que ça, après tout.

Lorsque j'aurai envie d'aborder ces questions, dit Foole, j'irai trouver un prêtre. Un vrai.

Il n'y a pas de vrais prêtres, dit Reckitt en regardant ses mains abîmées. Vous me prenez pour un fou mais cela m'est égal.

Foole secoua la tête. Je suis venu pour vous dire que je compte bien retrouver l'assassin de Charlotte, dit-il. Et qu'il ne s'en tirera pas comme ça.

Ce n'est pas la raison de votre venue. Et que fabriquez-vous à Londres, pour commencer?

Charlotte m'a écrit.

Charlotte.

Foole acquiesça et vit que l'escroc s'était brusquement raidi. Elle voulait m'associer au projet qu'elle préparait.

Vous êtes un menteur, Adam Foole, dit doucement Reckitt.

À l'énoncé de ces mots, Foole sentit naître en lui une jubilation un peu malsaine qui se dissipa aussitôt. William Pinkerton est venu vous voir, dit-il.

Reckitt pencha la tête sur le côté comme s'il ne l'avait pas entendu.

Je pensais que la honte vous retiendrait et vous empêcherait de venir jusqu'ici, murmura Reckitt. Savez-vous comment l'Église définit la honte ?

Qu'avez-vous dit à Pinkerton, Martin ? Que vous a-t-il demandé ?

Reckitt posa les mains sur ses genoux en faisant cliqueter ses chaînes. La nature du mal, dit-il d'une voix calme. Voilà de quoi nous avons parlé. De la nature du mal.

Du mal.

Entre autres, oui.

Mais également de moi.

Reckitt le considéra longuement. Je vois que je ne suis pas le seul à qui Mr Pinkerton a rendu visite, dit-il. Savez-vous ce qu'est le diable, Adam ? Il est l'incarnation de notre propre hypocrisie. C'est nous qui le créons en étant ce que nous sommes.

Pinkerton n'est pas le diable, Martin.

Je ne parle pas de Pinkerton.

Foole se demanda si son interlocuteur n'avait pas perdu la boule après ses années de solitude à Millbank. Vous m'avez sauvé la vie autrefois, murmura-t-il. Puis vous m'avez volé ce qui me revenait de droit avant de m'abandonner à Brindisi. Si vous aviez...

Je ne vous ai pas sauvé la vie, Adam. Je vous ai épargné. Les yeux reptiliens de Reckitt soutinrent le regard de Foole. Je me suis souvent posé cette question : reconnaîtrais-je la vérité si elle se dressait devant moi ? Le vieil escroc se pencha en avant, baissa la voix. Charlotte n'est pas venue vous retrouver à Brindisi comme elle était censée le faire, Adam. Vous êtes-vous demandé pourquoi ? Lorsqu'elle est revenue de Port Elizabeth, c'est moi qui me suis rendu à Brindisi... Pourquoi vous ai-je épargné ?

Un sinistre pressentiment étreignit Foole. Oui, dit-il. Pourquoi?

Le vieil homme lui lança un regard dégoûté. Parce qu'elle attendait un enfant, dit-il.

Un enfant.

Reckitt leva ses poignets enchaînés au-dessus de sa tête et les agita à l'intention du gardien dont la silhouette se détacha du mur à l'autre bout de la salle pour se diriger lentement vers eux.

Vous mentez.

Reckitt haussa les épaules.

Charlotte n'a jamais eu d'enfant. Vous mentez, répéta Foole.

Très bien.

Prouvez-le. Où se trouve cet enfant aujourd'hui?

Le vieil escroc regarda Foole, qui perçut soudain toute la solitude et la violence dont il était également porteur. Le gardien les avait presque rejoints.

Reckitt se pencha vers lui et Foole sentit l'odeur aigre de sa peau.

Il n'a pas survécu, dit-il.

Au temps où les affaires étaient plus florissantes, les colis qui arrivaient à l'Emporium avaient parfois souffert du transport, ayant subi les effets successifs des pluies tropicales et des gelées anglaises, et Foole devait renforcer à coups de marteau les clous qui étaient sortis de leurs trous. Il éprouvait curieusement un sentiment du même ordre en quittant le pénitencier. Le ciel était brun, les visages des gens qu'il croisait d'une lividité inquiétante. Il attendit un omnibus à un carrefour mais lorsque le véhicule arriva il était déjà bondé.

Il n'était tout de même pas idiot au point de prendre les mensonges de Reckitt pour argent comptant. Il quitta l'omnibus dans une humeur sombre et se reprocha d'être allé le trouver. Il marchait vite pour chasser l'anxiété qui l'avait gagné, longea la vitrine d'une papeterie qui exposait des carnets dont le cuir jaunissait, puis la boutique d'un tailleur, un marchand de tissus… Il n'aurait su dire à quoi il s'était attendu en se rendant à Millbank. Mais s'il était un tant soit peu honnête envers lui-même, cela avait sans doute à voir avec le chagrin et le pardon.

Sa gorge commençait à lui faire mal. Il ralentit l'allure puis s'immobilisa au beau milieu du trottoir tandis que le flux de la ville s'écoulait tout autour de lui.

Mr Foole ? lança une voix à ses côtés.

Il releva les yeux et aperçut le visage rubicond au cou enveloppé dans une grosse écharpe de Gabriel Utterson.

Le caractère improbable de cette rencontre le laissa tout d'abord pantois. Puis son regard se porta de l'autre côté de la rue et il aperçut l'entrée de l'immeuble où se trouvait le bureau de l'avocat qui se rendait visiblement à son travail, sa serviette en cuir sous le bras. Foole ne comprenait pas comment il avait fait pour s'aventurer aussi loin.

Gabriel, dit-il.

Je m'apprêtais à sortir, monsieur. Est-ce vraiment urgent ? Utterson marqua une pause et lui adressa soudain un regard dubitatif. Vous veniez bien me voir, n'est-ce pas ? Peu importe du reste, ajouta-t-il à voix basse, je suis heureux de vous voir. Je m'apprêtais justement à vous faire signe.

Foole referma le dernier bouton de son pardessus et releva son col. Il avait envie d'être seul.

J'ai réfléchi à ce que nous disions la dernière fois, reprit l'avocat. Rose a été très affectée. Je veux dire, par ce qui est arrivé à Charlotte. Il saisit Foole par le bras. Et elle pense avoir établi un contact qui pourrait vous intéresser. Mais c'est un peu compliqué, cela requiert un certain nombre de conditions…

Foole ne répondit pas immédiatement. Il se représentait mentalement un lit couvert de sang, des draps souillés à la lueur des chandelles tandis que montait une lugubre mélopée.

Je vous ai blessé, dit Utterson.

Pas le moins du monde, Gabriel. Foole eut un geste las de la main. Pas le moins du monde.

Rose affirme qu'on parle beaucoup de cette affaire, *de l'autre côté*. Et elle est prête à entrer en contact avec votre Charlotte. Le cercle pourrait se former mardi prochain, si les signes demeurent favorables. Mais le succès n'est pas garanti. J'ai cru comprendre que les chances de réussite seraient nettement plus élevées si vous veniez en compagnie d'une certaine personne.

Pouvez-vous être plus précis ?

Il ne s'agit pas de votre Mr Fludd en tout cas, qui mettrait la maison sens dessus dessous à la recherche d'éventuels conspirateurs. La possibilité que Charlotte nous réponde serait beaucoup plus grande s'il y avait parmi nous quelqu'un qui s'est trouvé auprès d'elle juste avant sa mort. L'une des dernières personnes à l'avoir vue en vie.

Foole finit par comprendre où l'avocat voulait en venir. Pinkerton ? lança-t-il.

Exactement.

C'est de la folie, Gabriel. Autant inviter le diable à sa table.

Utterson resserra son écharpe autour de son cou. Il faudra se montrer prudent, bien sûr.

Foole marqua une pause. Jamais je ne demanderai à Pinkerton de participer à une telle séance, Gabriel.

Pourquoi ? Vous voulez le protéger ?

Ce serait de la provocation et je n'y tiens pas.

Le regard d'Utterson s'étrécit. J'ai entendu dire des choses, Mr Foole, auxquelles il m'est difficile d'accorder du crédit. À propos d'une excursion en pleine nuit dans les égouts de Blackfriars, par exemple. Je suis sûr que ces rumeurs sont infondées et que vous ne vous lanceriez pas dans de telles expéditions en compagnie de William Pinkerton.

Vous souhaitez pourtant sa présence.

Pour faciliter le bon déroulement de la séance, monsieur. Et pour cette unique raison.

Les deux hommes se tenaient sous le porche de l'immeuble tandis que le flot des employés s'écoulait devant eux et que les omnibus tirés par des chevaux passaient à grand fracas dans le brouhaha de la rue. Foole pensait à Charlotte. Il ne voulait pas confier ses affaires privées à un type pareil.

Adam, murmura Utterson, vous connaissez l'intégrité de ma sœur. Elle n'est pas sûre de pouvoir établir le contact. Parfois les planètes se mettent en place comme nous le souhaitons mais ce n'est pas toujours le cas. Rose promet simplement de tout mettre en œuvre pour que cela réussisse.

Les façades en pierre des immeubles se dressaient devant eux, sinistres et menaçantes.

Quand on sait ouvrir son cœur, monsieur, murmura Utterson, ce message est sublime. Et pourtant, si peu de gens savent l'entendre.

Foole percevait une sorte de mélancolie dans sa voix, évoquant la lumière qui filtre dans les interstices d'un plancher. Mais cette lumière et ce plancher n'auraient pu supporter la moindre charge. Le chagrin était inscrit en lui à cause de la vie qu'il avait menée, de tout ce qui avait fait de lui l'homme qu'il était aujourd'hui.

Je viendrai à cette séance, dit-il à Utterson. Mais pour ce qui est de Pinkerton, je ne vous promets rien.

Il était donc considéré comme mort lorsqu'il quitta la tente de l'armée aux abords de Cheat Mountain. Et enterré dans une tombe qui portait son nom lorsqu'il s'enfuit vers le nord pour rejoindre l'Ohio. La guerre avait d'ores et déjà ruiné le pays, et il arpentait dans ses souliers en lambeaux les champs couverts de neige sans apercevoir le moindre signe de vie. Des chariots gisaient au bord des routes, les portes battaient à l'entrée des fermes abandonnées en laissant passer des bourrasques de neige. Il se retrouva le matin de Noël dans la paille d'une grange que le bétail avait depuis longtemps désertée. Une semaine plus tard, le jour du nouvel an, il était blotti sous l'arche d'un viaduc dans l'ouest de la Pennsylvanie en compagnie de deux autres déserteurs. Les trois hommes s'épiaient mutuellement devant le baril rouillé qui leur tenait lieu de brasero. Il portait alors des gants de femme dont il avait coupé les extrémités, une veste en laine de paysan et des bottes qui lui arrivaient à mi-cuisse. Les deux hommes dont il partageait l'abri paraissaient un peu sauvages mais lui firent de la place, et il se demanda pour la première fois quelle tête il pouvait avoir. Lorsqu'il alla briser la glace le matin pour se débarbouiller, il découvrit un visage d'adulte aux yeux cernés et au regard égaré. La nuit durant, les trains passaient au-dessus de leurs têtes et la neige soufflait en rafales dans l'obscurité.

Le 10 janvier, il avait réussi à grimper dans un wagon et à rejoindre l'État de New York au milieu des bourrasques. Il mourait de faim et tenait à peine debout. Il ne savait plus qui il était, n'étant pas un déserteur à strictement parler sans être libre pour autant. Il lui arrivait de penser à son capitaine en se demandant s'il avait trouvé la mort glorieuse qu'il appelait de ses vœux. Il essaya bien de reprendre son ancienne activité de pickpocket dans les gares, mais il était trop faible et trop misérable d'allure pour ne pas éveiller les soupçons. Il savait que le sergent Shade était officiellement mort, aussi finit-il par s'engager à nouveau sous un autre nom dans un régiment de Rikers Island. Il empocha les quarante dollars d'avance sur sa prime et abandonna peu après son fusil contre une palissade érigée dans un champ de boue gelé avant de déserter une fois encore et de disparaître dans la nuit.

Une porte s'était ouverte et il avait entrevu une autre manière de mener cette guerre. En février il rejoignit Boston plus au nord et s'engagea pour la troisième fois sous un nom différent, ce qui lui permit de récupérer quarante dollars supplémentaires. Il avait dilapidé sa première prime en jouant aux dés avec d'autres recrues, mais décida cette fois-ci de mettre la somme de côté en vue de monter sa propre affaire une fois la guerre terminée. Il déserta une fois de plus, s'engagea une quatrième fois à New York la semaine suivante mais sentit alors une ombre étrange dans son dos et la chance finit par l'abandonner. Le sol n'était plus enneigé mais durci par le gel et il entendit une voix familière lui lancer : Sergent ? Il se retourna lentement et son regard croisa celui du capitaine Roemer.

Sergent Shade ? reprit Roemer. Il s'appuyait sur une béquille, la jambe gauche de son pantalon était repliée et retenue par une épingle au niveau du genou. Un sourire incrédule révélait ses dents acérées.

Vous faites erreur, monsieur, lui dit Foole avant de s'éloigner à pas lents.

Mais ce soir-là deux soldats vinrent le tirer de sa couche, le traînèrent à moitié nu dans le froid et le battirent sévèrement. On lui passa les menottes, on l'interrogea, on le battit à nouveau.

On était alors à la fin du mois de mars. Il resta enfermé pendant plusieurs semaines dans la geôle du camp militaire en compagnie de deux autres déserteurs. Ils avaient tous les trois conscience du sort qui les attendait. Roemer était passé un jour en boitillant et avait expliqué aux gardes que les prisonniers devaient être conduits en bateau plus au sud pour rejoindre l'armée du Potomac. Ils ne passeraient pas devant la cour martiale mais resteraient détenus au Capitole jusqu'à ce que les troupes s'embarquent pour la James River. Lorsque les combats commenceraient, les déserteurs enchaînés seraient placés sans armes en première ligne et obligés d'avancer à la pointe du fusil vers les positions des confédérés.

Ils seront réduits en bouillie, ricana l'un des gardes.

Cela ne devrait pas trop inquiéter ce garçon, dit Roemer en désignant Foole qui tremblait derrière les barreaux.

Pourquoi ça ?

Parce qu'il est déjà mort, dit Roemer. Pas vrai, sergent ? ajouta-t-il en lui lançant un regard mauvais et en frappant les barreaux de sa béquille.

VINGT-ET-UN

Le visage ravagé d'Annie la Gadoue ne cessa de hanter William au cours des jours suivants. Il avait quitté Foole à l'entrée des égouts deux nuits plus tôt et ils étaient convenus de se retrouver ce soir-là dans un pub à la lisière de Shadwell. Mais, à la vue du ramassis de laissés-pour-compte qui traînaient à l'intérieur, il s'était senti mal à l'aise et avait fait demi-tour. Foole avait débarqué dix minutes plus tard en sifflotant et ils s'étaient mis en route dans les rues populeuses de l'East End éclairées par de vieilles lanternes suspendues à de simples crochets sur les linteaux des pubs.

Lorsqu'ils atteignirent St. George Street, ils auraient pu se croire n'importe où sauf en Angleterre. Des juifs envelop-pés dans des châles de prière, arborant papillotes et longues barbes, fendaient la foule en brandissant des sacoches. Des vendeurs à la criée portaient des piles de chapeaux qui se dressaient comme des pagodes sur leurs chevelures hirsutes et rongées par les poux. De petits pickpockets zigzaguaient pieds nus au milieu de la cohue. À un moment, la foule s'écarta tels les flots déchaînés devant Moïse, et William vit émerger un Turc minuscule coiffé d'une toque blanche qui tirait au bout d'une corde une vache au pelage tavelé. Des ivrognes suédois au visage poudré comme des acrobates beuglaient une complainte funèbre qui couvrait le brouhaha de la foule. Des cochons passaient à toute allure. Au coin de Cannon Street Road, William croisa le regard noir d'une Asiatique qui vendait des bibles sur un carton retourné. Foole se frayait un chemin au milieu de cette mêlée sans ralentir l'allure.

Ils aperçurent deux dames enveloppées dans des étoles de fourrure qui tenaient un singe en laisse et se dirigeaient vers la gare de Shadwell. Devant un stand où l'on vendait des tourtes, un individu maigre comme un clou et couvert de haillons montrait un seau rempli de tortues à une bande de garnements.

Puis ils bifurquèrent dans Victoria Street et remontèrent vers le nord. Des effluves d'épices et de cuisines lointaines parvenaient jusqu'à eux, mêlés à des relents d'opium et de haschisch, d'oranges et de cannelle. Des visages lugubres de Chinois, d'Indiens et de Malais ponctuaient la foule. William apercevait au loin les contours du viaduc qui s'élevait dans les ténèbres. Ils longèrent quatre bars où l'on servait du gin et dans lesquels résonnaient les accords d'un piano mal accordé qui couvraient à peine les rugissements des hommes attablés devant leurs verres dans un nuage de fumée. Des enfants mendiaient assis sur le perron d'une école et se passaient une bouteille remplie d'un breuvage noirâtre. Ils longèrent également la façade du Quashie, où un individu tatoué de la tête aux pieds haranguait les passants en leur promettant un spectacle sans précédent. William distingua en passant une affiche qui montrait un homme masqué en train de trancher la gorge d'une jeune fille.

Ils cherchaient à rejoindre un endroit connu sous le nom de New Court. Foole prit William par le bras et l'entraîna dans un passage à l'écart de la foule qui débouchait un peu plus loin sur une cour intérieure plongée dans les ténèbres. À l'angle se découpait l'entrée d'un pub, le Royal Sovereign, mais ils n'y pénétrèrent pas. Un marin malais en sortit soudain et se pencha en s'appuyant d'une main contre le mur à la faible lueur des fenêtres avant de se mettre à pisser. Ils le regardèrent en silence. L'homme portait l'ancien uniforme des confédérés.

Je me demande où il a récupéré ça, grommela William.

Le marin s'écarta du mur en titubant, retrouva son équilibre et regagna l'intérieur du pub sans leur avoir adressé un regard.

William dévisagea Foole dans l'obscurité. Où avez-vous combattu ? lui demanda-t-il.

Nulle part, répondit Foole en haussant les épaules comme pour s'excuser. Je n'ai pas assisté aux combats. J'étais cantonné dans l'intendance du 5e régiment à Washington. Nous étions chargés de préparer les repas.

Nous n'avions pourtant rien à bouffer, répliqua William. Au point que nous aurions mangé nos godasses.

Nous faisions de notre mieux, dit Foole.

William considéra l'allure élégante, les vêtements bien coupés, le col amidonné de son interlocuteur. Il ne croyait pas un mot de ce qu'il lui disait.

Cette guerre était une drôle de chose. Et il est difficile d'avoir confiance en ses concitoyens quand on a vu de quoi ils sont capables, reprit calmement Foole.

Oui.

Je ne revivrais cette époque pour rien au monde. Il m'arrive encore d'en rêver.

Leur souffle s'élevait comme de la fumée dans l'air froid et le gel étendait sa toile sur les pavés. Au-delà se profilait une petite cour d'allure misérable où se dressaient les façades d'une douzaine de maisons abritant probablement des pensions. On distinguait les lignes grises du linge qui séchait sur un fil, les contours d'une charrette retournée à l'envers et dont une roue manquait. Assis sur un perron crasseux, un infirme vêtu d'un vieil uniforme de marin dodelinait de la tête, sa béquille sur les genoux. Au bout d'un moment, un groupe de quatre gentlemen bien habillés et souriant d'un air rêveur émergea dans l'ombre. Ils n'eurent pas un regard pour Foole et William, et les croisèrent d'un pas nonchalant.

Des curieux en goguette, murmura Foole d'un air méprisant. Mais je pense que la femme que nous cherchons se trouve là-dedans.

Il s'agit donc d'une femme ?

Oui. Lascar Sal. La veuve du vieux Laton. Vous avez peut-être entendu parler de lui ?

William ignorait jusqu'à son existence.

Bienvenue à Shadwell, ajouta Foole en frappant du bout de sa canne la paroi en brique du passage. La fumerie de Sal est la dernière qui soit encore en activité. On prétend que Charles Dickens fréquentait ces parages autrefois.

À cet instant un loqueteux sortit en vacillant de l'entrée du Royal Sovereign, battant des bras pour retrouver son équilibre. L'homme éclata d'un rire hideux dans l'embrasure de la porte restée ouverte puis se frotta le visage et marmonna quelques mots en allemand avant de repartir à l'intérieur. William contemplait la scène avec dégoût. Il dit à Foole qu'il trouvait un peu étrange qu'une telle fumerie existe encore alors qu'on pouvait se procurer cette substance chez n'importe quel apothicaire. On s'en sert même pour calmer les nourrissons qui font leurs dents, ajouta-t-il. À quoi bon venir jusqu'ici ?

Ah, mais c'est qu'ici l'opium est de première qualité, murmura Foole. Il vient directement de Canton. Et c'est tout un art de le préparer, me suis-je laissé dire.

Un art.

Oui, comme la cuisine.

William secoua la tête d'un air dégoûté. Nourrir ceux qui ont faim, ce n'est pas de l'art, grommela-t-il.

Foole souleva précautionneusement un rideau et laissa passer William. Deux hommes étaient affalés dans l'entrée, les mains dans les poches et les manches relevées, souriant dans le vide d'un air absent.

À l'intérieur, la pièce était minuscule, de trois mètres sur trois environ, et très basse de plafond. William se courba et ôta son chapeau. L'endroit était plongé dans une pénombre que dissipait à peine une lanterne isolée à l'autre extrémité, à moitié cachée par un divan où un monceau de haillons encore humides avait été entreposé. Une étagère installée près du sol jouxtait le divan, supportant cinq gros volumes reliés en cuir dont le dos s'ornait de caractères chinois. Une boîte de dominos laquée et décorée de dragons était ouverte à côté. Il y avait aussi une petite balance pour peser l'opium et un tabouret à trois pieds repoussé contre un mur.

Où est-elle ? demanda William.

Une porte se découpait au fond de la pièce, et Foole tenta de distinguer d'éventuelles silhouettes dans la pénombre. Un grondement retentit soudain. Le sol se mit à trembler sous leurs pieds tandis que la ligne de l'East London passait en vrombissant dans les profondeurs. William regarda Foole et aperçut alors sous la pile de haillons entreposés sur le divan le corps minuscule et presque évanescent de Lascar Sal.

Il avait vu de nombreux macchabées au cours de son existence mais leur cœur s'était arrêté alors que celui de Lascar Sal battait encore. Elle était pourtant d'une maigreur cadavéreuse et ne semblait même plus en mesure de lever la main pour faire signe aux deux hommes d'approcher. Sa peau avait l'apparence de la cire et ses yeux n'étaient plus que deux fentes étroites. Elle respirait de manière saccadée et ses côtes squelettiques se soulevaient comme celles d'un animal blessé. Elle avait replié ses chevilles semblables à des pattes d'oiseau et une étrange chaleur émanait de son corps tandis qu'elle avalait goulûment la fumée de sa pipe à la lueur blafarde de la lampe.

Sal ? murmura Foole.

Son visage se tourna vers eux, les yeux dans le vide. Mes chéris, dit-elle. Mais sa voix n'était qu'un murmure. Vous paierez comme convenu, n'est-ce pas ?

Foole tendit la main comme pour la rassurer mais ne la toucha pas. Nous cherchons quelqu'un, lui dit-il. Nous sommes prêts à payer pour ça.

Mais vous fumerez bien une petite pipe pour commencer, mes chéris ? Vous aurez bien pitié de la pauvre Sal ?

William entendait à peine ce qu'elle disait tant son murmure était faible.

Nous cherchons un certain Cooper, reprit Foole. Qui se faisait autrefois appeler le Sarrasin.

Les paupières de la vieille femme s'ouvraient et se fermaient tour à tour. Ses lèvres remuaient sans émettre le moindre son.

Foole sortit un shilling de sa poche et le brandit sous son nez à la lueur incertaine de la lampe. William perçut un mouvement dans son dos et se retourna. Les deux camés dans l'entrée ne quittaient pas des yeux la pièce que brandissait Foole et qu'il finit par lâcher. La main livide et décharnée de Sal se tendit lentement et s'en empara avant de disparaître à nouveau sous sa couverture.

Ils attendirent.

La vieille ne bougea pas. Foole jeta un coup d'œil aux deux hommes affalés avant d'empoigner sa canne et de se diriger vers la pièce du fond.

Elle était encore plus petite et plus sombre que la première et plongée dans un silence à peine interrompu par le gargouillis des pipes. Contre l'un des murs une vague paillasse était disposée sur un vieux sommier en fer. Deux silhouettes y étaient étendues et fumaient. Trois autres étaient tassées dans des couvertures contre l'autre mur et aucune ne fit le moindre geste tandis que les deux hommes se frayaient un chemin, examinant les visages de ces êtres noyés, absents, engloutis dans leurs rêves.

Foole passa dans une troisième pièce et William le suivit. C'était une alcôve étroite et dénuée d'éclairage en dehors du halo de lumière qui tombait dans leur dos. Les deux hommes s'immobilisèrent sans échanger un mot et aperçurent alors étendu sur le dos, les mains décharnées repliées sur la poitrine et les paupières closes, ce qu'il restait de l'homme qui faisait jadis régner la terreur sous le nom du Sarrasin.

Il s'agissait indéniablement de lui. Il était d'une taille gigantesque, même dans le piteux état où il était réduit. Il était vieux à présent et sa joue s'était desséchée, ce qui soulignait l'horreur de l'ancienne blessure qui avait lacéré son visage. D'affreuses cicatrices le sillonnaient et autour de son nez arraché la peau avait pris une couleur de vieux thé, tandis que la pointe de son oreille mutilée se découpait dans la lumière. L'homme était en train de mourir, William s'en rendait compte.

Ce n'est pas lui, dit Foole.

Si, c'est bien lui.

Foole semblait sur le point d'ajouter quelque chose. William tendit la main mais la retira avant de la poser sur son épaule. Il observait toujours la carcasse du géant qui gisait à leurs pieds dans ses haillons.

Nous n'apprendrons rien de plus ici, Mr Foole, murmura William. Adam…

Foole releva les yeux. Une grande tristesse semblait l'avoir envahi. Ce n'est pas lui qui l'a tuée, précisa-t-il.

Non.

Regardez-le.

William considéra l'homme qui agonisait devant eux dans la pénombre. J'ai vu, dit-il.

Ils ressortirent dans la nuit, et le contact de l'air froid fit du bien à William. Il était fatigué. Il regarda Foole du coin de l'œil, sachant que le moment était venu et que c'était à lui maintenant d'honorer sa part du contrat et de lui révéler ce qu'il savait au sujet d'Edward Shade. Ils ne rebroussèrent pas chemin mais se dirigèrent vers la gare de Shadwell par un dédale de cours et d'allées plongées dans l'obscurité. William avait de la peine à soutenir son allure et il avait l'impression qu'on les suivait des yeux dans l'ombre. Mais son colt était dans la poche de son manteau, il sentait son poids contre lui en marchant. Des lanternes étaient éclairées dans certaines des cours qu'ils traversaient, une odeur de bétail imprégnait l'atmosphère.

Mr Foole ? lança William. Attendez-moi.

Il se retrouva soudain face à un individu coiffé d'un chapeau melon cabossé et vêtu d'un manteau rapiécé. L'homme brandissait une vieille lanterne dont l'attache en cuir était enroulée autour de son poignet comme la courroie d'un harnais. Borgne, édenté, le visage grêlé et mal rasé, il le fixait d'un air mauvais de son seul œil valide.

Ayez pitié d'un pauvre malheureux, chuchota-t-il.

William l'écarta sans ménagement.

Donnez-moi au moins un sou ou deux.

L'homme se pendait avec force à son bras alors que William le dépassait bien d'une tête. Lâchez-moi, lança-t-il. Allez-vous-en. Mais tandis qu'il jouait des épaules pour se dégager il perçut un contact métallique et froid dans son cou. Il porta la main à sa nuque et sentit quelque chose d'humide sous ses doigts. C'était du sang.

Une autre silhouette à la chevelure hirsute surgit à son tour dans l'ombre, puis une autre, d'autres encore à la lueur de la lanterne. Il n'aurait su dire combien ils étaient mais succomba bientôt sous leur nombre et s'effondra sur les pavés, protégeant sa tête de ses bras tandis que les coups pleuvaient, de plus en plus violents, et martelaient son dos, ses côtes, ses mains, ses coudes. Le sang coulait dans ses yeux. Il crut alors voir jaillir dans l'allée une silhouette massive et ses agresseurs furent brusquement projetés en l'air comme des sacs de blé du haut d'un chariot. William ferma les yeux sous l'effet de la douleur, mais lorsqu'il les rouvrit il s'aperçut que c'était Adam Foole qui gesticulait et repoussait un à un ses adversaires, faisant tournoyer sa canne au-dessus des quatre hommes qui l'entouraient et les frappant à tour de rôle avec une violence non dénuée de grâce qui provoquait chaque fois de longues giclées de sang. Les hommes s'effondraient au sol l'un après l'autre, le visage dans les mains.

La scène n'avait duré que quelques instants, elle aurait aussi bien pu se dérouler pendant des heures entières. Foole soufflait bruyamment dans l'obscurité. Il ne se pencha pas vers lui, ne lui tendit pas la main pour l'aider à se relever, mais continuait à faire tournoyer sa canne en jetant autour de lui des regards furibonds comme si les assaillants risquaient de revenir à tout instant. William se redressa lentement et aperçut deux gamins accroupis à la lueur d'une lanterne renversée sur le sol. La lueur s'éteignit soudain et les gamins disparurent.

Les salopards, marmonna-t-il. Ses côtes lui faisaient mal mais il ne pensait pas avoir de fracture. Il sentait le sang couler à l'intérieur de son col puis le long de son dos et savait que sa chemise serait fichue. Il sortit un mouchoir et s'en servit pour éponger la blessure.

Foole ne disait rien.

Vous êtes revenu. William fixait le voleur à travers son œil gonflé.

Foole haussa les épaules.

Pourquoi ?

Foole le regarda longuement avant de lui dire d'une voix douce : Je tiens toujours parole, Mr Pinkerton. J'honore toujours mes dettes.

Mais il y avait de la tristesse et de la déception dans sa voix. William le regarda en pensant au Sarrasin et ne lui posa pas d'autre question. Il avait perdu son chapeau et déchiré son pardessus pendant l'échauffourée. Il n'osait pas imaginer la tête qu'il aurait le lendemain. Ni ce que Shore penserait en le voyant.

Foole toussait, une main appuyée contre le mur de brique et l'autre pressée contre sa poitrine. Puis il se redressa et regarda William. Quatre hommes ne font pas le poids face à un lion, dit-il.

Ça dépend du lion, rétorqua William.

Ils rejoignirent en boitillant un pub misérable, à côté d'un étal de boucherie au sol parsemé de sciure. Ils s'installèrent à une table près de la cheminée et firent signe au patron de leur apporter une bouteille de gin.

La main de Foole tremblait en remplissant leurs verres. À Jonathan Cooper, lança-t-il.

À Cooper, marmonna William. Qu'il dorme à tout jamais.

Ils vidèrent leurs verres, se resservirent, les vidèrent à nouveau.

Foole garda quelques instants le gin dans sa bouche avant de l'avaler. Le pire, dit-il, c'est de rester dans l'ignorance. J'avais entendu des rumeurs au sujet du Sarrasin et je m'étais dit qu'elles contenaient peut-être une part de vérité.

William porta la main à sa nuque en faisant la grimace. Que comptez-vous faire à présent ?

Il faut que je pose la question à Charlotte.

À Charlotte ?

Laissez tomber. Je plaisantais.

William but une nouvelle gorgée de gin et sentit la chaleur irradier son corps. Il savait qu'il ne tarderait pas à être ivre s'il ne faisait pas attention.

Foole contemplait ses mains comme s'il hésitait à prendre une décision. Croyez-vous que l'on puisse entrer en contact avec les morts ? demanda-t-il enfin.

Avec les morts ? Non.

Mais vous croyez à une vie après la mort.

William ouvrit la main et contempla sa paume à la lueur du feu. Mr Foole, dit-il, je crois que les morts continuent de vivre en nous, dans notre souvenir. C'est la seule vie après la mort à laquelle je crois.

J'ai été contacté hier par un vieil ami. Un adepte du spiritisme.

William resta silencieux.

Vous ne m'approuvez pas.

Je ne pensais pas que vous étiez croyant.

Croyant ! s'exclama Foole avec un rire amer. Lorsque j'avais quatre ans, j'ai reçu la visite de deux petites filles qui se tenaient en silence au pied de mon lit. Il s'agissait de mes sœurs. Foole marqua une pause. Elles se sont noyées l'année de ma naissance, Mr Pinkerton. Hier, quand mon ami m'a proposé de participer à cette séance, il m'a demandé de venir avec quelqu'un de ma connaissance. Afin d'atteindre le nombre voulu de participants. Je lui ai dit que c'était impossible.

William le regarda et sentit monter en lui une brusque bouffée de colère. Il est naturel de vouloir croire en quelque chose, dit-il sèchement. Mais bien vain de chercher à en convaincre les autres.

Le visage de Foole s'assombrit.

Avez-vous entendu parler de l'affaire Reno, en 1868 ? reprit William. Toute la presse en parlait à l'époque. Foole acquiesça et il poursuivit. Eh bien, l'année suivante, alors que tous les frères avaient été pendus ou abattus, une rumeur commença de circuler. Les sommes que leur avaient rapportées leurs différents larcins n'avaient pas été retrouvées, et on prétendait qu'ils avaient enterré leur butin dans les environs de Seymour, Illinois. Beaucoup de gens se lancèrent dans cette chasse au trésor et firent appel à des médiums pour entrer en contact avec les esprits des hors-la-loi. À l'époque, le directeur de notre agence de New York fut contacté par le vice-président de l'Adams Express Company, l'un de nos clients les plus importants. Suite à une intuition, cet homme voulait faire appel à un certain médium au sujet de l'argent qui avait été dérobé à leur compagnie. Et il souhaitait que Mr Bangs, notre directeur, l'accompagne à cette séance.

J'ai entendu parler d'une histoire de ce genre.

Bien entendu le médium ne leur a rien appris. Interrogé pour savoir où se trouvait l'argent de la compagnie, l'esprit d'un certain Sim – l'un des brigands abattus – se contenta de leur donner le nom d'un complice, un dénommé Sheeley.

Mais aucun Sheeley n'avait jamais fait partie de la bande des frères Reno. Notre client a reconnu par la suite qu'il ne croyait pas lui-même au spiritisme.

Il s'était néanmoins rendu à cette séance.

Oui, pour ne pas écarter cette éventualité. Il y a une marge entre l'espoir et la crédulité, Mr Foole.

Foole esquissa un bref sourire. C'est un grand soulagement de vous l'entendre dire.

Pourquoi donc ?

Mon ami m'a demandé de vous parler. Vous êtes le dernier à avoir vu Charlotte en vie. Il pense que votre présence devrait permettre d'entrer en contact avec elle.

Ma présence ?

À cette séance.

William regarda son verre de gin. Ce n'est pas moi qui l'ai vue en dernier, vous le savez bien.

Je serais votre débiteur, si vous acceptiez cette proposition.

Vous l'êtes déjà.

Foole haussa les sourcils, décontenancé.

Vous devez me parler d'Edward Shade, reprit William.

Ah. Foole leva son verre, le reposa. Son visage s'était empourpré.

Qu'y a-t-il ?

Je crains de vous avoir induit en erreur, dit-il.

Ce serait fort regrettable, répliqua William.

Non pas que je vous aie menti, murmura Foole. Mais je sais que ce sont les faits qui vous intéressent, plutôt que les hypothèses.

Allons-y pour les hypothèses.

La plupart relèvent de la simple rumeur.

William ne répondit pas et attendit la suite.

Ce que je voulais dire, c'est que je n'ai pas l'assurance que tout cela soit vrai à cent pour cent. Edward était relativement petit, même pour son âge. Et il avait toujours faim. Il aurait mangé n'importe quoi, tout ce qui lui tombait sous la main. Foole regarda William, comme s'il soupesait ce qu'il s'apprêtait à lui dire. Et il adorait votre père, ajouta-t-il.

Vous avez connu Shade ?

Il y a très longtemps. Il disait souvent que votre père était un grand homme.

C'était après la guerre.

Oui. Nous nous sommes rencontrés Edward et moi à La Nouvelle-Orléans, en 1865. C'était une année terrible. La guerre avait ruiné la ville et chacun survivait comme il le pouvait. Edward était encore très jeune mais il savait se débrouiller dans les rues. J'avais monté une affaire d'import-export un mois après la fin des hostilités et engagé Edward pour m'aider à réceptionner la marchandise qui était livrée sur les quais.

Il travaillait pour vous.

Cela n'a pas duré longtemps. Il était incapable de se tenir à carreau. Je l'ai renvoyé quand le service des douanes a commencé à me chercher des histoires. Je l'ai revu des années plus tard un jour où j'étais de passage dans les entrepôts de Detroit. Il m'a invité à une soirée et c'est à cette occasion que j'ai rencontré Charlotte.

William aurait voulu lui demander de quel côté de la barrière était alors la jeune femme mais il se retint.

Je lui ai fait la cour, reprit Foole. J'ignorais alors à quel point elle était liée au milieu du crime. Je l'ai aimée au premier regard. Foole baissa les yeux, embarrassé d'avoir fait cet aveu.

Parlez-moi encore de Shade.

Foole s'éclaircit la gorge. J'ai revu Charlotte il y a une dizaine d'années, ici à Londres. C'est elle qui m'a appris ce qui était arrivé au jeune Edward. Elle m'a dit que votre père l'avait traqué pendant des années, qu'ils avaient travaillé ensemble dans les services secrets pendant la guerre. Qu'Edward avait fait quelque chose de terrible, déserté son poste ou trahi un secret, je ne sais pas exactement. Votre père le poursuivait depuis lors sans répit. En 1873, le gosse en eut assez de se planquer. Il se rendit dans la propriété de votre père à Chicago, s'introduisit par effraction chez vous, attendit dans le noir après s'être emparé d'un revolver de votre père. Un affrontement s'ensuivit. Edward fut abattu. Votre père se débarrassa du corps.

William regarda le petit homme à la lueur de la cheminée. En 1873, dit-il.

Foole acquiesça.

En 1873, Edward Shade a essayé de tuer mon père. Dans sa propre maison.

Oui.

Il s'est introduit chez mon père. Armé d'un revolver.

Foole fronça les sourcils. Il est possible qu'on m'ait induit en erreur.

C'est absurde, dit William. Abattre quelqu'un qui s'est introduit par effraction chez vous relève de l'autodéfense. Pourquoi mon père n'a-t-il pas averti la police ? Pourquoi ne m'en a-t-il jamais parlé ?

Foole posa un regard attristé sur William et haussa les épaules.

Et comment votre Charlotte Reckitt était-elle au courant de cette histoire ? Qui la lui avait racontée ? Les crimes de guerre ont été amnistiés en 1866. Mon père n'aurait pas pu poursuivre Shade, même s'il l'avait voulu.

Amnistiés ? rétorqua Foole. Mais qui en avait décidé ainsi ? Sûrement pas votre père, j'en suis certain. Ni ceux qui avaient souffert dans les combats.

Pourquoi mon père continuait-il de traquer cet homme alors qu'il l'avait abattu ?

Peut-être pour dissimuler ce meurtre ? Je n'en sais trop rien, dit Foole en hochant la tête. Mais dites-moi : pourquoi vous êtes-vous intéressé à Charlotte, finalement ?

Je ne me suis jamais intéressé à elle, répondit négligemment William. C'était Shade qui m'intéressait.

Foole resta un bon moment silencieux. Et qu'auriez-vous fait si vous l'aviez retrouvé ?

William serrait toujours son verre entre ses doigts. Il releva la tête. Tout le problème est là, dit-il d'une voix sourde.

VINGT-DEUX

Edward Shade s'évada une première fois avant que la barge n'ait quitté l'Hudson.

C'était le 3 mars 1862. Dans l'obscurité qui précède l'aube, l'écume du navire scintillait d'une lueur irréelle. Mais le pont sur lequel on l'avait ligoté et menotté après l'avoir enveloppé dans une vieille couverture restait plongé dans les ténèbres. D'autres prisonniers étaient enchaînés non loin de lui et un garde les surveillait près de la roue à aubes, les mains glissées sous les aisselles pour se réchauffer. Il percevait le lointain vrombissement des moteurs et le lent clapotis de l'eau. Il se leva en silence, parvint à poser les coudes sur le bastingage puis à se hisser par-dessus bord avant de se laisser basculer. Son dos heurta l'eau glacée et il coula aussitôt. Un marin l'avait vu plonger et donna l'alerte en tirant un coup de fusil en l'air. Après avoir fait lentement demi-tour, la barge se dirigea vers lui. À la lueur des lanternes on lui lança une bouée qui vint heurter son crâne. Il barbota un moment et finit par l'attraper. Après l'avoir hissé à bord à moitié noyé, on lui fit boire un verre de rhum et on le laissa grelotter dans ses vêtements trempés, peu à peu durcis par le froid. Le temps que le soleil se soit levé, il était secoué d'incessantes quintes de toux et ne parvenait pas à se réchauffer.

Sa deuxième évasion eut lieu une semaine plus tard alors qu'il pataugeait avec d'autres prisonniers dans la boue de Camp Barry, à l'ombre du Capitole, dont le dôme n'était alors pas entièrement construit. Ils venaient de creuser une ligne de fortifications et étaient enchaînés par les chevilles

les uns aux autres. Étant le plus petit et le plus frêle, il venait en dernier dans la rangée. Il avait dérobé un peu plus tôt une clef à l'un des gardes et tandis que leur troupe tournait à l'angle d'un bâtiment il se pencha, déverrouilla l'anneau et se défit de la chaîne qui le retenait avant de partir en courant. Il réussit à atteindre les palissades derrière lesquelles passait la voie ferrée mais un coup de feu retentit derrière lui, une balle siffla au-dessus de sa tête, et il s'immobilisa en levant les bras, les yeux fixés sur les wagons qui se profilaient au loin.

Cette nouvelle tentative lui valut d'être roué de coups. Quatre hommes chaussés d'énormes bottes se relayèrent pour lui assener de violents coups de pied dans les jambes, les bras, les côtes. Ils le laissèrent à moitié mort et sanguinolent dans la paille, le corps trop endolori pour pouvoir seulement trembler. Mais il n'avait pas l'intention de se laisser réduire en bouillie par l'Union. Chaque jour il charriait des monceaux de terre, mangeait, dormait, creusait le sol, tout en mettant au point le plan de sa prochaine évasion. Des semaines passèrent, les combats se rapprochaient et il dormait mal. Au cours des nuits sans lune, sa propre mort s'avançait en silence dans son linceul et le regardait à travers les barreaux.

Il se méfiait des autres prisonniers et les tenait à distance. Certains de ces hommes étaient des déserteurs, d'autres des voleurs, l'un d'entre eux avait étranglé un caporal à l'issue d'une partie de cartes. Il déroba un jour la cuillère d'un autre détenu et entreprit de l'aiguiser avec calme, lenteur et obstination, en se cachant sous la paille. Au bout de quelques jours, il remarqua la présence d'un nouvel arrivant, une grande silhouette longiligne au visage émacié, au nez cassé, à la barbe hirsute et jaunie par le tabac. Ses yeux n'étaient que deux fentes étroites et il était impossible de savoir s'il l'observait ou non.

Edward était aussi patient que prudent. Il avait observé la relève des gardes, tendu l'oreille en écoutant crisser leurs bottes sur le gravier lorsqu'ils se rapprochaient de la palissade, enregistré mentalement les différents mécanismes qui bloquaient de part et d'autre l'ouverture des portes. Il savait qu'une importante offensive se préparait et que les prisonniers quitteraient bientôt le camp couverts de chaînes. Il attendait la prochaine nuit de pleine lune et gardait l'esprit clair.

Trois semaines après avoir fait son apparition, l'homme qui l'observait se rapprocha discrètement de lui. Edward venait de ramasser par terre une poignée de riz pourri et regagnait son recoin. L'homme avait perdu ses dents de devant et sa langue saillait au travers, d'un rose presque grotesque.

Je vous ai observé, chuchota-t-il d'une voix éraillée.

Edward resta immobile, ses longs cheveux retombaient sur ses yeux.

Je vous ai observé, répéta l'homme.

J'ai entendu.

L'homme émit un drôle de bruit, qui aurait pu passer pour un rire. Il était assis comme un crabe, les genoux repliés à hauteur des épaules. J'ai toujours su que le monde n'arriverait pas à vous retenir.

Edward cessa de mâcher son riz et dévisagea l'homme.

Vous me reconnaissez, mon garçon ?

Je vous reconnais, Mr Fisk.

L'ancien domestique zélé de Mrs Shade qui devait mourir six semaines plus tard sur une colline verdoyante de la Virginie se rapprocha de lui et murmura : Ils savent ce que vous projetez de faire, mon garçon. Ils sont *parfaitement au courant*.

Il était en train de rêver au Sarrasin et entendit grincer la porte de sa chambre dans la fraîcheur du matin. Il se dressa sur le coude, entrouvrit un œil et aperçut Fludd qui hésitait, la main sur la poignée. Adam ? murmura le géant. Tu es réveillé ?

Non.

Le géant n'en pénétra pas moins dans la pièce et la traversa à pas de loup. Lorsqu'il s'assit au bord du lit, le matelas ploya sous son poids. Foole grommela.

Fludd restait silencieux dans la lumière opaque. Au bout d'un moment, il se releva et alla tirer les rideaux, laissant la grisaille du matin pénétrer dans la pièce. La vitre était sale et constellée de taches.

C'est toi qui as surgi la nuit dernière dans cette allée et qui as fait fuir ces malfrats, lui dit Foole.

J'ai fait ce que mes poings m'ont ordonné de faire, répondit Fludd. Je suis sûr que ton Mr Pinkerton n'y a vu que du feu.

Foole se mit à tousser, ce qui raviva la douleur qui lui élançait les côtes.

Fludd fronça les sourcils. Es-tu bien sûr qu'il ne te mène pas en bateau ?

Foole se redressa avec peine et se mit debout en faisant la grimace. Le plancher était gelé. Il s'appuya au montant du lit en cuivre tout en se passant la main dans les cheveux. Les événements de la nuit passée lui revenaient peu à peu en mémoire.

Tu m'as suivi, Japheth, dit-il en regardant le géant dans les yeux.

Oui.

Et tu m'as probablement sauvé la vie.

Fludd esquissa un vague sourire mais son regard était toujours soucieux. Ma foi, je n'allais pas laisser mon patron se faire trancher la gorge sans lever le petit doigt.

Foole tremblait de froid, sa chemise de nuit ballottait sur ses genoux et ses orteils se recroquevillaient sur le plancher.

Si tu me suis encore une fois, dit-il, c'est moi qui te trancherai la gorge.

Un peu plus tard dans la matinée, il rédigea une brève missive à l'intention de Gabriel Utterson pour confirmer sa présence à cette séance, ferma l'enveloppe sans l'avoir relue et la confia à Fludd afin qu'il l'apporte chez l'avocat.

Il ne pensait pas que Pinkerton ait cru l'histoire qu'il lui avait débitée concernant le prétendu meurtre d'Edward Shade. Cela faisait partie du jeu. Mais c'était autre chose qui le taraudait. Ce qu'il avait ressenti en découvrant le Sarrasin rongé par la vieillesse. Et l'impression d'entrevoir derrière cette image l'avenir qui l'attendait. Il avait compris que tel était le destin de ceux qui survivent à leur propre jeunesse dans le monde où ils évoluaient. Il s'étonnait encore d'avoir proposé à Pinkerton d'assister à cette séance de spiritisme. Qu'est-ce que Mrs Sharper avait dit à Molly, l'autre soir ? Que les morts ne refaisaient pas surface. Il n'était même pas sûr qu'ils nous aient vraiment quittés.

Le cœur est une pièce fermée à double tour, songea-t-il. Pour toi comme pour n'importe qui.

Lorsque l'obscurité tomba ce soir-là, il repartit dans le dédale crasseux de Wapping, se frayant un chemin au milieu des ordures et des rats qui grouillaient dans l'humidité. Il ne frappa pas à la porte cette fois-ci, colla son oreille au battant et, lorsqu'il fut certain de ne rien entendre, inséra une lame étroite dans l'interstice et força lentement la serrure qui finit par céder. La porte s'ouvrit en grinçant. Il retint la poignée et tendit l'oreille avant de se glisser à l'intérieur.

La maison de Mrs Sharper était silencieuse. Il laissa son regard s'habituer à l'obscurité et ôta ses chaussures, qu'il déposa sur le porche avant de refermer la porte. En chaussettes, il marcha sans bruit jusqu'à la pièce située sous l'escalier. Un ronflement sonore s'élevait de l'autre côté, et après avoir ouvert la porte il aperçut Curtains, le portier unijambiste, endormi sur un lit de camp. Foole s'empara de sa béquille appuyée au pied du lit et se retira discrètement.

Il s'arrêta devant le salon, apercevant un rai de lumière sous la porte. Il l'entrouvrit doucement. Le chandelier au milieu de la pièce était toujours allumé. Foole distinguait le piano-forte, les tables couvertes de nappes, la cheminée éteinte et noire. Mais il n'y avait personne dans la pièce. Il déposa la béquille du portier contre un meuble et referma la porte.

Il monta à l'étage en essayant de ne pas faire craquer les marches. Arrivé en haut, il alla de porte en porte, découvrant successivement une buanderie, un cabinet de toilette, un bureau, une chambre inutilisée et remplie d'un fouillis d'objets. Il finit par apercevoir la sœur de Mrs Sharper endormie dans une chambre minuscule dont il referma le battant avec soin.

Arrivé devant la dernière porte de l'étage, il s'immobilisa et tendit l'oreille, percevant la respiration étouffée de la personne qui s'y trouvait et ne pouvait être que Mrs Sharper. Il ouvrit la fenêtre du couloir, l'enjamba et se retrouva en équilibre dans le froid glacial sur le rebord du toit. Il avança prudemment, toujours en chaussettes, jusqu'à la fenêtre suivante dont le battant était entrouvert. Il le poussa et entra sans bruit.

Il l'aperçut aussitôt, qui s'apprêtait à se coucher. Elle portait une chemise de nuit en flanelle et avait déjà dévissé ses doigts en bois. Foole considéra ses moignons atrophiés en pensant à Molly.

Mrs Sharper s'immobilisa. Qui est là ? dit-elle d'une voix sifflante en parcourant les ténèbres de ses yeux aveugles, la tête relevée comme si elle humait l'atmosphère.

Foole resta près de la fenêtre en la regardant. Un long moment s'écoula dans l'obscurité. Mrs Sharper offrait un curieux mélange de faiblesse et de méchanceté.

Vous êtes venu vous attaquer à une vieille femme ? lança-t-elle soudain d'une voix perfide. À une vieille aveugle ? Je vous préviens, il y a un homme dans cette maison.

Mr Curtains ne viendra pas à votre secours, rétorqua Foole.

Qui parle ? Elle marqua une longue pause, volontairement dramatique. C'est donc vous, Mr Foole ?

Vous devriez être plus prudente.

Adam Foole, répondit-elle en tournant son visage vers lui. Cela faisait longtemps qu'un homme n'était pas entré dans ma chambre en passant par la fenêtre.

Dites-moi ce qui est arrivé à Peter, lança Foole. L'ami de Molly.

Mrs Sharper leva la tête et esquissa un sourire sans joie. Je ne comprends pas, Mr Foole. Ce garçon n'est rien pour vous.

Foole traversa la pièce, gratta une allumette et l'approcha des moignons de la vieille aveugle. Celle-ci poussa un cri et recula avec effroi en portant la main à ses lèvres.

Foole agita l'allumette pour l'éteindre. Qu'est-il arrivé à ce garçon ? répéta-t-il d'une voix calme.

Nous l'avons chassé parce qu'il nous volait. Je n'en sais pas plus.

Foole craqua une deuxième allumette. La vieille aveugle recula en se cognant contre l'armoire. Vous ne me dites pas la vérité. Que s'est-il passé ?

Il ne nous volait pas, reconnut-elle. Attendez…

Vous l'avez chassé sans raison ?

Nous ne l'avons pas chassé.

Foole se rapprocha, l'allumette à la main.

Nous ne l'avons pas chassé, répéta-t-elle. Il est mort. Il a été tué, renversé par une charrette dans la rue. Nous l'avons enterré à St. Aldwyn.

Mort ? demanda Foole en brandissant l'allumette tout près de son visage.

Oui, mort.

Il était si près de la vieille femme que la fumée devait s'insinuer dans ses narines mais elle ne cilla pas. Pourquoi avez-vous menti à Molly ? reprit-il.

Pourquoi ? murmura-t-elle. La pauvre gosse. On la sépare de ce garçon et il meurt trois jours plus tard. Nous savions bien ce qu'elle cherchait lorsqu'elle est revenue nous voir.

Elle se l'est reproché pendant toutes ces années.

Elle nous l'a reproché à nous aussi.

Oui.

Mais ses remords auraient été bien pires si elle avait su la vérité. Les lèvres sèches de Mrs Sharper se mirent à trembler. Nous aimions cette enfant, Mr Foole. Et elle nous aimait. Vous ne pouvez pas le comprendre parce que vous ignorez le lien qui nous unissait. Nous l'avons laissée partir avec vous, c'est vrai. Mais c'était pour qu'elle bénéficie d'une meilleure existence.

Vous oubliez comment les choses se sont passées, rétorqua Foole. N'essayez pas de vous faire passer pour une sainte. Vous avez reçu une coquette somme avant de la laisser partir.

Et alors ?

Foole éteignit son allumette et recula d'un pas. Ce n'était pas l'amour qui vous guidait. C'était l'appât du gain.

Jugez-nous comme vous l'entendez, Mr Foole. Mais la vérité c'est que vous n'êtes pas différent de nous.

Foole sentit la confusion le gagner. Il repensait à Molly lorsqu'elle avait six ans, se faufilant dans les rues comme une traînée de fumée, au chagrin qu'il avait dû surmonter lorsqu'il avait commencé à la faire travailler.

Vous n'êtes pas le seul à l'avoir protégée, murmura Mrs Sharper.

Combien de fois n'avait-il pas calmé cette enfant en la serrant dans ses bras alors qu'elle se débattait en pleurant, en proie à un cauchemar. Il examina le visage de la vieille aveugle en y cherchant ne serait-ce que l'ombre d'une lointaine compassion. Mais il n'apercevait qu'une froide cruauté, que l'âge n'avait fait qu'aiguiser. Il fut sur le point de dire quelque chose mais se retint finalement et se dirigea vers la porte. Ses chaussettes ne faisaient aucun bruit sur le plancher.

Mrs Sharper sentit qu'il s'en allait et fit un geste de la main. Nous avons agi par mansuétude, lança-t-elle dans l'obscurité. Par mansuétude, vous entendez ?

Edward devait se dire, bien des années après la guerre, qu'il y avait parfois au fil d'une existence des confluences, des moments de profond échange entre des étrangers dont les destins se rejoignent et finissent par se croiser. La chose lui était arrivée quant à lui à Camp Barry, en 1862, même s'il ne s'en était pas rendu compte sur l'instant.

C'était la nuit qui précédait la pleine lune. Trois hommes en redingote et coiffés de hauts-de-forme surgirent sans crier gare en brandissant leurs lanternes pour scruter le visage des prisonniers, et il avait aussitôt su que c'était lui qu'ils cherchaient, qu'il avait été trahi. Le nommé Fisk fouilla dans la paille et en ressortit la cuillère désormais aussi acérée qu'une lame. Un sergent chauve saisit Edward par les cheveux et le tira comme un sac dans le froid par la porte de la cellule. Il essaya de résister en battant des pieds, terrifié à l'idée du sort qui l'attendait. Il savait qu'il n'aurait pas droit à un procès et qu'il allait être attaché à un poteau dans la boue gelée, les yeux bandés, avant d'être fusillé pour trahison.

Il revit alors la silhouette de Mrs Shade dans sa robe mauve au milieu des rosiers de sa propriété, tournant son ombrelle d'un air languide tandis que les abeilles bourdonnaient dans le soleil autour d'elle. Il comprit qu'il avait été heureux à cette époque et n'avait jamais connu un tel bonheur depuis lors. Il ferma les yeux. La voix de Mrs Shade était douce et basse, ses doigts longs et effilés. Il ne se souvenait plus de son visage.

On le traîna jusqu'à un chariot attelé, une lanterne suspendue à une badine oscillait au-dessus du conducteur. Les trois hommes le hissèrent et montèrent avec lui puis le chariot se mit en route en cahotant. Les hommes avaient rabattu leurs chapeaux sur leurs yeux, Edward ne distinguait pas leurs visages et ne comprenait pas où on l'emmenait. Ils roulèrent un moment en direction de la ville plongée dans les ténèbres et ralentirent en passant devant le poste de garde à l'entrée du camp avant de s'engager dans des rues défoncées le long de maisons en brique abandonnées. Personne ne disait un mot.

Ils s'arrêtèrent devant une demeure d'allure ordinaire. Au-dessus du porche une unique lanterne brillait faiblement.

On le conduisit sans ménagement à l'étage et on le fit asseoir sur une chaise capitonnée devant un bureau vide. Seul l'un des trois hommes resta avec lui. Son visage était balafré et son regard peu engageant. Edward regarda la porte, puis les rideaux tirés devant la fenêtre ouverte en se demandant quelle hauteur cela représenterait s'il devait sauter et s'il aurait le temps d'atteindre l'embrasure avant d'être abattu.

La porte s'ouvrit à l'autre bout de la pièce et un homme apparut. Il avait d'épais cheveux noirs et sa barbe fournie descendait sur sa poitrine. Ses petits yeux enfoncés brillaient d'une lueur malicieuse. Il s'assit derrière le bureau, prit un cigare dans une boîte posée devant lui et se rejeta en arrière en dévisageant Edward, qui éprouva aussitôt le pressentiment du danger.

C'est vous qu'on appelle Shade ? lui lança l'homme avec un fort accent écossais et en mâchouillant l'extrémité de son cigare. J'ai cru comprendre que vous ne teniez pas en place et qu'il fallait sans cesse vous courir après.

Edward ne répondit pas. Il n'était ni enchaîné ni menotté et sentait la tension qui parcourait son corps. Il évitait soigneusement de regarder la fenêtre.

Vous croyez pouvoir encore vous évader, lui dit l'homme en plantant ses yeux dans les siens. Mais c'est impossible.

Edward rougit.

Vous avez visiblement entrepris de vous spécialiser dans l'évasion, poursuivit l'homme d'une voix grave. Combien de fois avez-vous empoché la prime d'engagement ? Trois fois ?

Quatre, monsieur, intervint l'homme au haut-de-forme qui l'avait amené jusqu'ici.

Il n'a pas de famille ?

Pas à notre connaissance, monsieur.

L'homme barbu se pencha en avant en croisant ses doigts épais. Le cigare était toujours vissé à ses lèvres mais il ne l'avait pas allumé et dit d'une voix calme : Je suis le major Allen, mon garçon. Sais-tu quelle est ma mission ?

Edward considéra le major d'un air méfiant.

J'offre aux individus dotés de qualités exceptionnelles la possibilité de se racheter. Je leur propose un choix.

Quel genre de choix? demanda prudemment Edward.

Ah... Le major Allen saisit son cigare, le tourna et le retourna entre ses doigts et esquissa un sourire. Le choix entre la vie et la mort. Dis-moi un peu : souhaites-tu vivre?

Souhaitait-il réellement vivre? Des années plus tard il chercha à comprendre pourquoi il avait répondu comme il l'avait fait, pourquoi il avait accepté qu'on l'épargne de la sorte. Il avait été sauvé parmi beaucoup d'autres par un homme dont le statut n'avait rien d'officiel et s'enveloppait de ténèbres, qui se déplaçait tel un fantôme au milieu des soldats, à la fois redouté, insaisissable et sans visage. Il devait par la suite adorer cet homme avant que cet amour n'évolue et qu'il n'éprouve plus pour lui qu'un mélange d'affection et de colère, comme à l'égard du père qu'il n'avait pas connu.

Je veux vivre, répondit doucement Edward.

Le major l'observa, replié dans l'ombre, puis opina de la tête.

Il était à la tête des services secrets de l'armée du Potomac, comme Edward devait l'apprendre par la suite. Et son pouvoir était immense bien que ce fût un simple civil. Son véritable nom était évidemment Pinkerton.

Allan Pinkerton.

VINGT-TROIS

C'était le dernier mardi du mois de janvier 1885 et William Pinkerton était immobile au milieu de Gaunt Street, écoutant les pas des rares promeneurs résonner dans l'obscurité. Le conducteur du cab avait eu de la peine à trouver l'adresse et William contemplait la façade silencieuse que les lampes à gaz enveloppaient de leur lueur sinistre et enfumée. Trois jours s'étaient écoulés depuis qu'il avait accompagné Foole à Shadwell et que celui-ci avait détaché l'étiquette de leur bouteille de gin, une fois celle-ci vidée, pour noter au revers l'adresse de la maison où devait avoir lieu la séance. William avait protesté mais le petit homme n'en avait pas moins glissé le bout de papier dans sa main. Il avait été passablement irrité, il est vrai, par l'histoire mensongère qu'il lui avait débitée, concernant le prétendu meurtre d'Edward Shade. Son père avait toujours été d'une nature violente mais le simple fait qu'il n'ait cessé de poursuivre Shade bien après cette soi-disant confrontation suffisait à prouver que l'histoire était forgée de toutes pièces. William n'était pas venu ce soir parce que Foole le lui avait demandé mais parce qu'il n'en avait pas fini avec lui. Cet individu l'intriguait, il n'était visiblement pas celui qu'il prétendait être.

D'infimes nappes de brouillard planaient çà et là au-dessus des pavés. Personne n'était entré ni sorti de cette maison depuis que le cab l'avait déposé. Il se décida enfin à traverser. Ses côtes étaient encore douloureuses et le pansement qu'on lui avait appliqué sur la nuque le démangeait. Son frère Robert ne faisait jamais confiance à ceux qui n'étaient pas du bon côté de la loi, pour lui la différence entre le bien et le mal était claire. William savait quant à lui que la loi est pour l'essentiel inféodée au pouvoir en place. Ce sont les hommes qui l'édifient pour servir leurs intérêts, tout comme une locomotive à vapeur leur permet d'aller d'un point à un autre. Il pensa soudain à Foole. Bien sûr qu'on pouvait être du mauvais côté de la loi.

Mais il se demandait parfois s'il y en avait un bon.

Il sonna à l'entrée.

Un grand sikh barbu aux longs cils bleutés et coiffé d'un turban rouge ouvrit la porte et le fit entrer. La maison était froide et silencieuse, un parfum de soucis planait dans les ténèbres. Le sikh fit demi-tour sans dire un mot et disparut à l'intérieur. William finit par le suivre, ses propres pas résonnaient sur le parquet.

Il ne croyait pas que les morts pouvaient communiquer avec les vivants et estimait que ces affaires de spiritisme étaient aux mains d'escrocs dénués de scrupule. Il avait connu bien des menteurs professionnels au cours de sa carrière et tous lui avaient affirmé qu'un homme doit d'abord avoir été abusé avant de pouvoir abuser les autres.

Le sikh lui fit traverser une pièce bien éclairée et agrémentée d'un bassin, souleva un rideau et le précéda dans un nouveau couloir qui débouchait sur un petit salon. L'éclairage au gaz était disposé de manière à créer une ambiance un peu inquiétante et une lourde odeur d'encens imprégnait l'atmosphère. William remarqua ensuite les tentures rouges et dorées représentant des tigres ou des éléphants qui ornaient les murs. La pièce paraissait encore plus petite à cause des gros fauteuils en velours et des épais rideaux qui masquaient les fenêtres. Plusieurs personnes étaient déjà réunies mais William n'aperçut pas Foole parmi elles.

À l'autre bout de la pièce, une porte en bois laqué à double battant était grande ouverte. Une femme élancée aux longs bras nus et ornés de gros bracelets allait de l'un à l'autre, et William comprit aussitôt qu'il s'agissait de la médium. Elle était vêtue à l'orientale, enveloppée d'un long sari blanc, et sa beauté était mise en valeur par l'éclairage discret de la pièce. On aurait dit une naïade sculptée dans le marbre. Il l'observa un moment tandis qu'elle se mouvait avec grâce entre les deux hommes avec lesquels elle parlait. Ses yeux étaient soulignés au crayon noir, ses lèvres très rouges, et William sentit son cœur battre soudain plus fort dans sa poitrine. Derrière elle, dans l'encadrement de la porte, se tenait un individu rondouillard un peu boudiné dans sa veste et qui tirait de lentes bouffées de sa cigarette. De temps en temps il touchait le bras de la femme et lui chuchotait quelques mots à l'oreille, auxquels elle acquiesçait sans le regarder.

William sentit une présence derrière lui et se retourna. Il découvrit une femme portant un bustier rouge aux boutons de nacre et enveloppée d'un châle vert. Elle avait une mâchoire un peu féline, des dents proéminentes et de grands yeux bruns. Le chagrin avait creusé des rides profondes sur son visage. Elle salua William en souriant et lui tendit sa main gantée, qu'il contempla un instant avant de la serrer dans la sienne. Sans cesser de sourire, elle lui dit qu'elle était venue pour entrer en contact avec sa fille qui était tombée malade quatre ans plus tôt, à l'âge de onze ans, avant de mourir en moins d'un mois. Elle suivit ensuite le regard de William qui venait de se poser sur un vieil homme coiffé d'un chapeau en soie élimé et assis seul dans son coin. Elle lui dit qu'il s'agissait de Mr Gables et que son fils était mort en Crimée. Le pauvre, ajouta-t-elle. Il assiste à la plupart des séances. Miss Utterson obtient vraiment d'étonnants résultats.

William fronça les sourcils. Il s'était légèrement déplacé afin que la double porte reste dans son champ de vision, mais Adam Foole ne se montrait toujours pas.

Vous pratiquez sans doute le pugilat, monsieur ? lui dit soudain la femme.

Je vous demande pardon ?

Vous avez beaucoup de bleus, répondit-elle en effleurant son visage du doigt.

William esquissa un sourire. Non, dit-il. Il s'agit d'un simple accident.

Un accident, oui, opina-t-elle en levant les yeux vers lui. Une telle béatitude émanait de son visage que William en fut presque touché. Elle paraissait à la fois heureuse et épuisée. Nous devons faire attention, reprit-elle, en tout cas dans ce monde-ci. Notre enveloppe charnelle est si fragile, même si notre esprit peut endurer bien des choses. Bien sûr, miss Utterson ne réussit pas toujours à établir le contact. Mais cela prouve justement la réalité du phénomène. Il y a tellement de monde *de l'autre côté*. Et tellement de bruit.

De bruit ?

D'interférences. Elle marqua une pause. Vous n'êtes pas encore un adepte, monsieur ?

Ma foi...

Ce n'est pas grave, je vous dirai comment procéder. Elle lui tapota le bras en disant ça, sans cesser de sourire. Mais surtout ne lui dites rien, ne lui fournissez aucun détail. Vous verrez qu'elle vous dira des choses qu'elle ne peut tout simplement pas savoir. Vous serez alors convaincu de la réalité du phénomène.

Foole ne se manifestait toujours pas. William regardait la médium qui allait d'un invité à l'autre et se tourna soudain vers eux avant de s'avancer avec une grâce féline sur le tapis bleu, les yeux fixés sur la femme au châle vert.

Miss Utterson, lui lança celle-ci d'une voix chaleureuse. Comment vous sentez-vous ce soir ? Aurons-nous du succès ?

La médium saisit ses mains tendues et plongea ses yeux dans les siens comme pour y chercher une réponse mais s'abstint de tout commentaire. Elle se tourna ensuite vers William et le considéra avant de murmurer d'une voix gutturale : Vous êtes sans doute Mr Pinkerton ?

Elle agita ses mains couvertes de bijoux et ses bracelets cliquetèrent tandis que William la saluait en inclinant la tête.

Il faillit lui demander si c'étaient les esprits qui lui avaient fait cette révélation mais il se retint.

Vous avez séjourné aux Indes ? lui demanda-t-il à la place.

Elle sourit, ce qui souligna les rides qu'elle avait sous les yeux et la peau un peu flasque de son cou. Elle était plus vieille qu'il ne l'avait cru.

Ah, les Indes ! s'exclama la femme au châle vert. Je rêve d'y aller.

Nos rêves sont moins précieux que nous, dit la médium d'une voix douce sans quitter William des yeux. Mais nous sommes aussi faits de tout ce que nous avons été. J'ai passé de nombreuses années dans le Raj, il est vrai. Au point que j'ai eu de la peine à en partir, à la fin.

Vous semblez l'avoir ramené avec vous.

Le Raj ne vous quitte plus, une fois que vous l'avez connu.

Fascinant, intervint la femme au châle vert. Extraordinaire.

La médium ne fit pas attention à elle et entreprit d'exposer à William toute l'étrangeté de ce continent. Elle lui parla de la floraison des rizières balayées par les vents, des foules bigarrées et des maisons étroites aux façades bleues, ocre ou rouges, des longues vagues qui venaient déferler sur la côte à Madras. Elle lui dit qu'à l'époque les voyageurs étaient fréquemment étranglés dans leur sommeil et que les Bengalis adoraient une déesse à la langue de sang affublée d'un collier de crânes humains. Pourtant elle avait davantage eu peur des ascètes qui erraient dans les rues, les yeux exorbités et les cheveux hirsutes. Le Raj n'est pas un pays, ajouta-t-elle, mais un monde en soi. Ou mieux encore, un passage au travers du temps. Le premier après-midi qu'elle avait passé au bord du Gange, lui dit-elle, elle avait vu des chiens dévorer le cadavre d'une vieille femme sur la berge boueuse.

Bien sûr la mort est une simple porte, ajouta-t-elle. Et nos corps des serrures qui nous retiennent.

Des serrures, murmura la femme au châle.

Des serrures, répéta William.

Elle opina. Nous ne pouvons pas nous libérer si nous ne les avons pas forcées.

Exactement, murmura la femme.

William fronça les sourcils. Quand vous dites « nous libérer », vous voulez dire « mourir ».

Elle secoua la tête. Rien ne meurt, dit-elle. La mort est une simple naissance, donnant accès à l'existence suivante.

William étudia son visage en se demandant ce qu'elle avait bien pu vivre au cours de cette existence pour aboutir à ce constat. Il ignorait encore si elle jouait la comédie ou si elle croyait pour de bon à ces fadaises.

Elle se rapprocha de lui et il sentit l'odeur de sa peau. Elle n'avait pas mis de parfum. Vous pensez être incrédule, monsieur, lui dit-elle. Mais personne ne vient ici sans être à la recherche de quelque chose. Vous ne devez pas avoir peur.

Peur de quoi ?

De ce qui se passe ici ce soir.

William eut un sourire froid. Et vous, dit-il, que recherchez-vous ?

Ma mère, monsieur, dit-elle d'une voix calme. Mais elle m'a déjà retrouvée.

William ne répondit pas. Il regarda l'individu rondouillard qui se tenait derrière elle dans l'encadrement de la porte et lui adressa un petit salut de la tête. Sans se retourner, la médium reprit la parole. Je vous présente mon frère, monsieur. Mr Utterson, Mr Pinkerton. Mr Pinkerton est l'invité de Mr Foole.

Utterson acquiesça. Ses paupières étaient lourdes mais son regard d'une acuité et d'une dureté peu amicales tranchait sur la pâleur de son visage empâté. Il se pencha vers sa sœur et lui dit d'un ton d'une douceur surprenante : Nos invités sont près, ma chère.

William parcourut l'assistance des yeux. Mr Foole n'est toujours pas là, dit-il.

La médium lui adressa un sourire étrange.

Au même instant, le grand sikh écarta le lourd rideau et Foole pénétra dans le salon. Son visage était déformé par un énorme bleu qui lui gonflait la joue. Une trace de sang séché courait sur son nez. Son front était plissé, soucieux, et son chapeau aurait mérité un coup de brosse. Il paraissait tendu, anxieux, un peu désespéré. William croisa son regard et le soutint.

Mais la médium avait déjà donné le bras à son frère qui lui fit franchir la porte. Puis les lumières des lampes à gaz diminuèrent comme si elles se fondaient peu à peu dans l'obscurité.

La pièce où se déroulait la scène baignait dans les effluves des soucis. William se trouvait à côté de la porte à double battant. Il avait entendu parler de ces séances de spiritisme au cours desquelles des objets et des figures spectrales se mettent à flotter dans l'air. Elles auraient de la peine à se manifester ce soir, attendu l'exiguïté des lieux. Une table ronde dénuée de nappe occupait tout l'espace et le dos des chaises disposées tout autour venait heurter les murs. De lourdes tentures pourpres suspendues à des tringles pendaient le long du plafond et une unique lanterne éclairait la pièce. Elle était posée sur la table, à côté d'un petit coffret en bois dont le couvercle était ouvert. À l'intérieur se trouvait une clochette en bronze.

William serra la main de Foole. Je commençais à croire que vous ne viendriez pas, lui dit-il.

Foole esquissa un sourire. Mr Pinkerton... Vous êtes donc venu.

Ils allèrent s'asseoir comme les autres membres de l'assistance. Seul le dénommé Gables restait debout entre deux chaises vides, comme s'il ne savait pas laquelle choisir. La médium posa ses mains couvertes de bijoux à plat sur la table et releva la tête.

Nous ne sommes que neuf, Gabriel, remarqua-t-elle.

Son frère parcourut l'assemblée du regard. Qui manque à l'appel ?

Elle baissa la tête, ce qui fit miroiter les grands anneaux d'or qui pendaient à ses oreilles.

Peu importe, reprit-il. Je ferai le dixième.

C'est impossible, dit-elle en lui lançant un regard acéré. Tu dois être notre guide.

Gabriel regarda un à un les assistants et William vit soudain ses paupières se fermer comme celles d'un caïman. Je tiendrai les deux rôles ce soir, dit-il. Tout ira bien.

Il alla déposer la chaise en trop dans la pièce mitoyenne avant de refermer la double porte derrière lui. Tout le monde resta silencieux tandis qu'il s'asseyait, rabattait le couvercle du coffret et le replaçait au centre de la table. Puis il saisit la main gauche de Mr Gables et serra ses doigts dans les siens. Mesdames et messieurs, dit-il, vous ne devez en aucun cas rompre le cercle. Ne relâchez jamais les mains de vos voisins, cela pourrait se révéler dangereux.

Dangereux, ironisa William en esquissant un sourire.

Oui, monsieur, dangereux. Nous entrons en contact avec l'autre monde par des moyens dont nous n'avons pas la parfaite intelligence.

Ils étaient tous assis, les bras tendus de chaque côté à la faible lueur de la lanterne, les rideaux refermés derrière eux et la clochette dans sa boîte déposée sous leurs yeux. William jeta un coup d'œil à Foole mais le petit homme regardait la médium d'un air concentré.

Celle-ci avait fermé les yeux, sa respiration était lente et profonde.

Je vous demande maintenant de vous concentrer, intervint son frère. Focalisez vos pensées sur la personne avec laquelle vous souhaitez entrer en contact ce soir. Pensez fortement à elle. Rappelez-vous son allure, son odeur, le bruit de son rire. Certains parmi vous ont apporté un objet qui lui appartenait. Il est inutile de le produire, contentez-vous d'y penser pendant que nous attendons.

Une minute puis deux s'écoulèrent. William perçut un léger murmure de l'autre côté de la table et vit que c'était la médium qui marmonnait entre ses dents. On aurait dit qu'elle parlait en latin.

Il vit le regard de Foole se porter à son tour sur elle, puis sur son frère.

Dix minutes passèrent de la sorte. Puis vingt. Le calme régnait dans la pièce étroite, peu à peu imprégnée d'une douce chaleur. William sentait ses paupières se fermer et fut à deux doigts de sombrer dans le sommeil. Mais la clochette retentit soudain avec frénésie et il rouvrit les yeux, aux aguets. Les assistants étaient assis dans une immobilité parfaite, leurs mains fermement serrées à la faible lueur de la lampe. La clochette trônait toujours dans son coffret au centre de la table.

Un contact a été établi, dit le frère d'une voix calme. Quelqu'un dans l'assistance a-t-il ressenti quelque chose ?

Personne ne répondit. Les tentures enveloppaient la pièce dans une noirceur absolue. William perçut un léger craquement au plafond, un infime froissement de tissu, et jeta un coup d'œil à Foole. Le parfum des soucis était presque oppressant. La médium resta un long moment ainsi, à marmonner ses prières. Puis la clochette retentit à nouveau, criarde et tonitruante. William sentit Foole sursauter à ses côtés. Le bruit s'interrompit, s'estompa.

Un contact a été établi, répéta l'homme. Quelqu'un dans l'assistance a-t-il ressenti quelque chose ?

Oui, lança alors une voix féminine. Oui, je sens quelque chose. Il s'agissait de la femme au châle vert dont les paupières étaient closes.

Le frère l'observa d'un air impavide. Que sentez-vous ?

Des mains. Je sens des mains se poser sur ma nuque. Elle eut un léger frisson en prononçant ces mots mais n'ouvrit pas les yeux.

Sentez-vous autre chose ?

Oh, comme elles sont froides…

Rose ? demanda l'homme d'une voix douce. Y a-t-il un message pour cette dame ? Un simple mot ?

La médium était assise, le visage relevé et les yeux clos. La lumière dessinait un étrange réseau d'ombres sur ses lèvres et ses pommettes. Un long silence s'ensuivit qu'elle rompit enfin d'une voix douce, à peine perceptible.

L'esprit dit que vous avez fait un long chemin pour venir jusqu'ici, dit-elle. Et qu'il vous faudra accomplir un long chemin dans l'autre sens. Une femme apporte un message du monde lumineux. Une jeune femme aux cheveux roux. Ses mains sont blanches. Elle se dirige vers vous.

William commençait à se sentir mal à l'aise.

Le frère de la médium pencha la tête vers la femme au châle vert. Mrs Caldwell ? Connaissez-vous cet esprit ?

C'est ma mère, dit-elle doucement. Elle est morte en octobre dernier.

Ce n'est pas votre mère, murmura la médium. Elle est là elle aussi mais il ne s'agit pas d'elle.

Ma tante ?

J'entends un nom. Qui commence par un H. Hester peut-être ? Est-ce que cela vous dit quelque chose ?

Non.

Le H semble important. Connaissez-vous quelqu'un dont le prénom commence par un H ?

Ma tante Hettie.

Ce n'est pas elle. Ou quelqu'un qui ait un H dans son prénom ?

La femme tournait son visage de droite à gauche dans la lumière tamisée et William vit les tentures s'agiter doucement derrière elle, comme parcourues d'un invisible frisson. Pourrait-il s'agir de Martha? De ma sœur Martha? Nous habitions à Hull dans notre enfance.

La médium resta silencieuse puis poussa un soupir qui ne semblait pas émaner d'elle avant d'ouvrir les yeux et de dire avec un sourire : Martha vous salue, Susan.

Martha? C'est bien elle? Vraiment?

Elle demande ce que vous voulez savoir.

Oh mon Dieu. Oh mon Dieu.

Un long silence s'ensuivit, et William sentait dans la pénombre la main de Foole devenir moite et serrer plus fortement la sienne.

Elle veut que vous sachiez que Lizzie est heureuse, reprit la médium. Ses souffrances ont pris fin. Ses cheveux ont repoussé et elle voit à nouveau.

Oh Lizzie, murmura la femme. Lizzie, mon petit poussin.

Et elle se mit à pleurer en silence, les épaules secouées de sanglots.

Ne rompez pas le cercle, prévint le frère. Tenez bon.

L'assistance demeura un long moment silencieuse puis la médium se remit à marmonner ses prières. Vingt minutes s'écoulèrent ainsi, peut-être davantage. La femme au châle vert avait cessé de pleurer. Une sorte de lumière irradiait d'elle, semblable à un navire qui a trouvé son port. William l'observait en songeant à tous les escrocs qu'il avait connus et qui savaient tirer profit de ce genre de souffrance. Il porta ensuite son regard sur Foole et se demanda s'il trouvait lui aussi ce spectacle indigne et malhonnête. Au même instant la clochette se remit à sonner sur la table.

Un contact a été établi. Quelqu'un dans l'assistance a-t-il ressenti quelque chose ?

Personne ne répondit.

Rose ? demanda son frère. Y a-t-il une présence ?

Elle releva lentement son visage et se tourna, les yeux fermés, comme si elle cherchait à détecter une odeur, mais finit par secouer la tête. Elle est partie, dit-elle.

Dix minutes passèrent encore. Ils attendirent.

La clochette retentit violemment.

Un contact a été établi. Quelqu'un dans l'assistance a-t-il ressenti quelque chose?

Foole s'éclaircit la gorge.

Mr Foole? Vous avez senti quelque chose?

Non, dit-il. Je le croyais. Mais ce n'était rien.

Rien?

Non.

Je sens une présence, dit brusquement la médium.

Qui cherche-t-elle? demanda son frère.

Elle était assise, immobile, comme si elle écoutait une musique qui serait provenue du dehors par la fenêtre entrouverte. Elle finit par dire d'une voix hésitante: Un homme vient nous trouver ce soir. Un homme qui souffre.

Quel est son nom?

William sentit Foole serrer plus fortement sa main.

La médium resta silencieuse.

Qui cherche-t-il? répéta son frère.

L'esprit dit: Ne pleurez pas, vous êtes toujours aimé.

Oui?

L'esprit voudrait vous dire qu'il n'y a rien à pardonner. Ce qui est resté inaccompli dans ce monde s'accomplira dans le suivant. L'esprit parle d'une guerre. Je vois la guerre. Et une trahison.

Est-il mort au cours de cette guerre?

Je vois un nom. Ignatius?

William sentit ses poils se dresser sur sa nuque.

Ignatius, répéta le frère. Est-ce l'esprit d'Ignatius qui est venu nous trouver?

Elle fit la grimace comme si elle souffrait. Puis elle tourna la tête, et quelque chose avait dû se produire en elle car sa voix était devenue rocailleuse, la voix d'un homme qui avait l'accent de la Virginie. Quel est cet endroit? disait-elle.

Ne craignez rien, murmura le frère. Vous vous trouvez entre deux mondes et vous êtes venu nous délivrer un message. Que voulez-vous nous dire?

Vous paraissez très loin, dit la voix. J'ai perdu tant de choses.

Que voulez-vous nous dire?

La voix ne répondit rien.

Comment est le monde dans lequel vous êtes? reprit le frère.

J'étais dans un fleuve, dit la voix. Un fleuve obscur. Puis j'étais sur la berge.

Comment est ce monde?

La voix se tut pendant un long moment. Puis elle murmura, presque machinalement. Différent de celui d'avant.

Bien. Et qu'avez-vous emporté avec vous sur cette berge?

Mon crâne ouvert comme une fleur, dit la voix. Une odeur de poussière imprégnait la nuit, quelqu'un pleurait. Oh, quelqu'un pleurait…

Et qu'avez-vous emporté sur cette berge?

J'ai emporté les ténèbres sur cette berge.

Et dans ces ténèbres?

Dans ces ténèbres d'autres ténèbres.

Les yeux de l'homme étaient fixés sur sa sœur et William les dévisagea à tour de rôle en éprouvant une sorte d'effroi.

Étiez-vous jeune dans ce monde?

Je me sentais vieux. Mes jambes ne me portaient plus.

Vous étiez jeune, comme nous le sommes tous. Et vous a-t-on pardonné ?

La médium avait baissé la tête et tendait les bras comme si on l'avait crucifiée. La voix murmura enfin : Elle est ici, Edward.

Foole émit un long gémissement, les yeux rivés sur elle.

Qui est avec nous en ce moment ? demanda le frère. Quel est son nom ?

Elle est ici, répéta la voix. Elle est en paix. Elle veut savoir si vous vous souvenez du parfum des glaces à Port Elizabeth, il y a bien longtemps. Elle dit qu'il fait chaud ici. Elle sait ce qui vous ronge le cœur. Elle veut que vous sachiez qu'elle ne vous reproche...

William sentit se relâcher l'étreinte autour de son poignet. Foole se leva en vacillant, le visage livide, et renversa sa chaise qui heurta violemment le sol. La médium rouvrit les yeux, le regard brumeux, son frère poussa un cri mais Foole l'avait déjà écarté et le cercle, quelle qu'ait été sa nature exacte, fut aussitôt rompu.

Un peu plus tard dans la soirée, il comprit tout. Assis en sous-vêtements devant la fenêtre de sa chambre d'hôtel, il regardait à travers la vitre et la lumière se fit en lui. La nuit s'unissait aux pavés un peu plus bas dans la rue. Un allumeur de réverbères émergea, drapé dans sa cape comme un messager de l'ombre, et il le vit brandir sa longue perche munie d'un crochet vers le sommet d'un lampadaire. Tout cela paraissait si loin. Le monde ordinaire dans toute sa splendeur, toute son étrangeté. Il entendait encore la voix caverneuse de la médium prononcer le nom d'Ignatius. Il avait bien sûr pensé à Ignatius Spaar, l'aéronaute auprès duquel il avait combattu à Malvern Hill, à sa voix un peu cassée, à son accent virginien. Spaar était mort au cours de cette bataille. Je vois la guerre, avait murmuré la médium, et la trahison. Plus bas dans la rue, l'allumeur de réverbères avait déverrouillé le petit panneau vitré qui s'était ouvert en grinçant. De la pointe de sa perche il tourna ensuite le petit robinet d'où le gaz sortit en sifflant. Edward Shade n'est pas mort à la guerre, lui avait dit Foole lors de leur première rencontre dans le tunnel. C'est à Adam Foole que vous devriez poser toutes ces questions, lui avait dit Martin Reckitt. Adam Foole, Edward Shade. Plus bas le gaz prit soudain feu dans le réverbère et sa lueur se répandit sur les pavés.

Elle est ici, Edward, avait dit la voix.

William ferma les yeux, serra fortement les paupières. Quelque chose s'apaisa, s'immobilisa au fond de lui. Il pensait à la séance, à la chaise violemment renversée, à la lueur inquiète qui transparaissait dans le regard de Foole. Il rouvrit brusquement les yeux.

Ses mains tremblaient.

Il savait à présent qui était Adam Foole.

L'AÉRONAUTE

VIRGINIE

1862

Trente-deux ans plus tard, dans l'ombre d'une autre guerre, William Pinkerton était assis en face d'une journaliste d'un grand quotidien new-yorkais et tentait de lui décrire l'horreur qu'avait été la bataille de Malvern Hill. Les turbines du paquebot faisaient vibrer le parquet, le bruit des violons qui s'accordaient leur parvenait par les hublots. La scène se déroulait dans une cabine de première classe d'un grand transatlantique et William revenait de Glasgow après avoir participé à une rencontre avec la police écossaise. Quelque part derrière eux en Europe les aéroplanes larguaient leurs bombes sur les soldats planqués dans les tranchées, et il ne pouvait que hocher la tête en songeant à tout cela, avec l'amertume d'un homme qui assiste impuissant à la disparition du monde qu'il a connu.

Savoir enfin la vérité à ce sujet ne serait pas sans signification, Mr Pinkerton, lui disait-elle. Surtout dans le contexte actuel.

Il passa une main décharnée sur la couverture qui lui couvrait les genoux. La vérité sur la bataille de Malvern Hill, dit-il.

Oui. Cela passionnera mes lectrices.

Il regarda par le hublot l'étendue grise de l'océan, celle du ciel au-dessus. Quelque part au loin, invisibles d'ici, des navires allemands sillonnaient l'Atlantique.

Votre père était à la tête des services secrets de l'armée de l'Union pendant la guerre de Sécession. Êtes-vous allé le rejoindre par pur patriotisme ? Ou parce que vous aviez appris qu'il était tombé malade ?

William ferma les yeux. Il avait seize ans à l'époque et se croyait immortel.

Ne prenez pas cet air abattu, lança la journaliste en riant. Vous étiez très jeune alors. J'ai cru comprendre que votre père avait contracté la malaria. Vous étiez un tout jeune homme mais vous êtes resté à ses côtés. Vous deviez être très courageux.

J'ignorais ce qu'était le courage, répondit William. Si je l'avais su, jamais je n'aurais pris part à cette guerre. Il posa sur elle son regard altéré par l'âge. Rapprochez-vous un peu, mademoiselle. Mon ouïe n'est plus aussi bonne qu'autrefois.

Quelque chose en elle, son sourire peut-être, lui rappelait sa femme.

Je vous demandais si vous aviez eu peur. Votre père était très malade.

William grommela. Tout le monde était malade en Virginie. Les moustiques se régalaient sur le dos de nos troupes originaires de la Nouvelle-Angleterre. Je suis arrivé là-bas en avril 1862, juste à temps pour participer à la marche sur Richmond. J'ignore ce que mon père pensait de cette équipée. Il avait connu McClellan avant la guerre, du temps où le général était basé dans l'Illinois. Ils étaient assez proches. Et mon père a quitté son poste lorsque le général a été démis de ses fonctions. William regarda la journaliste en souriant. Savez-vous que Lincoln était le représentant officiel des compagnies de chemin de fer à l'époque ? Le monde était petit en ce temps-là.

Elle haussa les sourcils, ne répondit pas.

Je ne sais plus ce que j'avais en tête, reprit-il. Je suis resté parce que mon père estimait que je serais plus en sécurité si je servais sous ses ordres plutôt que de participer aux combats en première ligne. Il n'avait sans doute pas tort. Il n'était pas encore malade lorsque j'ai débarqué là-bas.

William s'interrompit et regarda ses mains. Vous voulez vraiment que je vous raconte tout ça?

Cela passionnera mes lectrices, répondit-elle avec un sourire éclatant.

Vous me l'avez déjà dit.

Mr Pinkerton, rétorqua-t-elle, mes lectrices sont les mères, les sœurs et les épouses de nos soldats partis se battre en France. Elles ne demandent qu'à découvrir l'histoire d'un patriote ayant servi son pays et revenu chez lui en héros.

Il revoyait l'affreuse lumière qui scintillait sur les arbres mouillés près de Gaines Mill, la beauté des champs bleutés au crépuscule, l'horreur du spectacle qu'offraient les mourants rampant à l'aube dans la brume après la bataille. Les corps sanguinolents des soldats éventrés et les cris stridents des chevaux.

Ce qu'elles veulent entendre, dit-il, c'est l'histoire d'un soldat revenu chez lui sain et sauf. Un point c'est tout.

Elle se pencha et posa une main fraîche sur son poignet. Ses cheveux noirs et ses lèvres très rouges tranchaient sur sa peau claire. Quelques années plus tôt, il l'aurait probablement trouvée splendide. Mais aujourd'hui en la regardant il se sentait seul, fatigué, constatant sans surprise qu'il n'y avait plus la moindre flamme en lui. Et c'était à cela qu'il savait qu'il était devenu vieux.

Est-il vrai, Mr Pinkerton, que vous êtes allé retrouver votre père parce qu'il avait cessé d'écrire à votre mère?

Où avez-vous entendu dire ça?

Ah, nous avons nos réseaux d'information, nous autres journalistes, dit-elle avec un petit clin d'œil. Votre mère était inquiète et vous a envoyé là-bas pour s'assurer que tout allait bien. Mais il était déjà affaibli à votre arrivée.

William ne réagit pas.

Vous êtes resté à ses côtés sur le champ de bataille en dépit du danger et vous l'avez porté sur votre dos au cours de la retraite. C'est une belle histoire, Mr Pinkerton. Surtout en ces temps de guerre. La plupart de mes lectrices ont des pères ou des époux qui se battent en France. Ce sera un grand réconfort pour elles de savoir que l'amour peut s'avérer plus fort que la guerre.

C'est inexact.

Le sourire de la jeune femme se figea.

L'amour n'est pas le plus fort. Et je n'ai pas porté mon père sur mon dos. J'ai déjà entendu cette histoire. Elle est fausse. Les choses ne se sont pas passées ainsi.

Comment se sont-elles passées, alors ?

La seule créature par laquelle mon père tolérait d'être porté était un alezan qu'il aimait davantage que ses deux fils. Et le jour où cette bête a été abattue sous lui il est rentré à la maison et n'a plus voulu entendre parler de la guerre.

Je sais que nous abordons un sujet difficile.

Il n'est pas difficile. Posez-moi une autre question.

Elle s'éclaircit la gorge.

Posez-moi une autre question, insista-t-il.

Vous avez quitté votre fiancée à Boston pour rejoindre votre père.

Margaret, oui.

Et elle vous a attendu.

Il secoua la tête. C'était l'une des sœurs Ashling, dit-il. Il y en avait trois, plus belles les unes que les autres. J'ai su que je l'épouserais à l'instant même où je l'ai vue, lors du bal de Noël à Boston. Elle m'a rejoint à l'hôpital militaire d'Antietam lorsque j'ai été blessé. J'ai repris connaissance et elle était là. Mon père avait déjà regagné Chicago à ce moment-là.

C'est une belle histoire, Mr Pinkerton.

C'était étrange de raconter tout ça à une inconnue au bout de toutes ces années. La photographie de sa femme avait toujours trôné sur sa table de nuit, il la regardait chaque soir avant de s'endormir. Lui parlait toujours à mi-voix en se réveillant le matin. Il fronça soudain les sourcils. Vous vouliez m'interroger au sujet de la guerre, reprit-il.

C'est ce que je suis en train de faire.

Non.

Elle le dévisagea longuement et referma son petit carnet noir avant de lui dire avec un bon sourire : Puis-je vous offrir à boire, Mr Pinkerton ?

Non.

Un verre d'eau gazeuse ? Du thé ?

Posez-moi une autre question, dit-il.

Son père perdit connaissance dans l'entrepôt qui tenait lieu de quartier général à Gaines Mill, deux jours avant l'offensive des confédérés à Malvern Hill. Le crépuscule était déjà tombé et les échos de la boucherie s'estompaient au loin. La porte de l'entrepôt avait été arrachée et les mouches formaient un épais tapis dans l'entrée. Les canons s'étaient tus au milieu des bois mais le bruit des fusils rechargés et les cris effrayés des soldats résonnaient toujours à travers les champs. William venait de relever les yeux, il avait vu son père debout devant la carte reculer et s'immobiliser un instant avant de s'effondrer. Il s'était précipité et l'avait saisi sous les bras, vacillant sous le poids de son corps avant de s'écrouler à son tour avec lui. Cela faisait des jours que son père avait la fièvre et qu'il ne dormait pas, le visage ruisselant de sueur et le teint cireux. Mais il n'avait rien voulu savoir.

Un messager partit aussitôt. Les ambulanciers prirent leur temps mais finirent par arriver et le hissèrent sur la civière. William les accompagna dans la boue, la main posée sur le bras brûlant de son père. Des chariots surchargés traversaient le camp et des hommes attendaient en groupes avec leurs paquetages le long de la route du sud. Quelqu'un criait quelque part. On entendait toujours quelqu'un crier.

Dans la tente qui servait d'hôpital on étendit son père grelottant de fièvre au milieu des rangées de mourants. On ne voyait plus que le blanc de ses yeux révulsés. William n'avait jamais connu son père malade et ce spectacle avait pour lui quelque chose d'effrayant. La tente était vaste, le long des parois des lanternes pendaient à des anneaux de fer, les malades et les mutilés étaient entassés sur de vagues paillasses d'où montait une odeur infecte. Il y avait des soldats éventrés dont les tripes pendaient mais qui n'émettaient aucun son, d'autres aveuglés par des bandages ensanglantés qui leur couvraient le visage, d'autres encore dont les bras en écharpe laissaient apparaître un poignet tordu, ballottant de traviole comme un jouet brisé. Le sol baignait dans une boue noirâtre, et William qui pataugeait dans cette mare comprit soudain avec dégoût que la terre était tout simplement gorgée de sang. Il venait d'avoir seize ans.

Papa, dit-il, ne bouge pas, je vais chercher un docteur.

Une main brûlante se referma comme une serre sur son poignet. Willie ?

Je suis là, papa, c'est bien moi.

Willie, qu'est-ce qui se passe, Willie, qu'est-ce...

Son père s'interrompit en fermant les yeux, secoué par de tels tremblements que ses dents se mirent à claquer violemment.

Il sortit. Il y avait des blessés dans les travées qui essayaient de marcher malgré la douleur. William se fraya un chemin parmi eux. Arrivé au bout, il souleva le pan de la tente. Une sentinelle était postée à l'entrée, sa silhouette se découpait au clair de lune.

Je cherche un médecin, lui dit William. Un homme ici a besoin de quinine.

Tout le monde est dans le même cas, dit la sentinelle en le dévisageant de la tête aux pieds, visiblement intrigué par son âge. Va voir de ce côté, mon garçon, finit-il par lui dire.

La boue rendait glissantes les planches grossièrement disposées sur le sol. Une petite tente se dressait juste au-delà.

C'était l'unité chirurgicale du camp. À peine William eut-il soulevé la toile de la tente que la puanteur le frappa au visage. Un mélange de chair brûlée et de merde liquéfiée. Personne ne prêta attention à lui. Une table de fortune avait été dressée, une vieille porte placée sur deux tréteaux, et l'homme étendu en travers se tordait de douleur. On lui maintenait la tête et les poignets, un infirmier serrait sa jambe entre ses bras. Un médecin en bras de chemise était penché au-dessus du blessé, il tournait le dos à William et ses bras s'activaient avec ardeur. Du sang coulait le long de la table et se répandait dans la boue. Le blessé poussait des cris et des grognements déchirants. Lorsque le médecin se retourna, William vit qu'il serrait un cigare entre ses lèvres et que son visage était inondé de sueur. Il comprit soudain qu'il était en train de scier la jambe du blessé.

Il ne prononça pas un mot et quitta la tente, hébété. Il faisait chaud, les mouches bourdonnaient de toutes parts. Il avançait en titubant, on entendait les chevaux hennir un peu plus loin et craquer les planchers des chariots qu'on chargeait. Un petit tas de branches brûlait dans l'herbe derrière la tente. William sentit soudain un regard dans son dos. Il se retourna et vit un chien qui le fixait, immobile et silencieux. Un infirmier sortit au même instant de la tente en portant quelque chose qu'il alla jeter dans le feu. Il regarda William d'un drôle d'air avant de regagner l'intérieur de la tente. William s'approcha et vit alors que c'était une jambe qu'il venait de déposer. Et que ce n'étaient pas des branches qui étaient en train de brûler mais des pieds, des mains, des bras humains.

Lorsqu'il revint, son père avait basculé sur le côté et ses jambes étaient brûlantes au toucher. William ne savait pas quoi faire, mais il réussit à le remettre dans la bonne position. Il se sentait malade, inquiet, trop jeune pour affronter une telle situation. Un homme qui portait un tablier souillé de taches par-dessus sa veste apparut soudain au bout de la travée, accompagné de deux infirmiers. William lui adressa un signe désespéré et l'homme s'approcha d'un air contrarié. C'était un médecin.

Il est malade, monsieur, lui dit William en désignant son père. Il était grand malgré son âge et le médecin devait lever la tête pour croiser son regard. Il a la fièvre, monsieur. La malaria.

Que fiche ce civil dans ma tente ? lança le médecin.

Il a la fièvre, monsieur, intervint l'un des infirmiers. Et ce n'est pas un civil. C'est le major Allen.

Je ne parlais pas du patient.

William rougit jusqu'aux oreilles.

L'autre infirmier s'éloignait déjà et William assistait à la scène avec un désarroi croissant. Le médecin s'essuyait les mains sur son tablier comme un vulgaire boucher. Ses favoris étaient hirsutes, il avait des cernes sous les yeux.

S'il vous plaît, monsieur, il fait partie de l'état-major du général McClellan. C'est le chef des services secrets.

C'est un espion ?

William sentit la colère monter en lui. C'est le chef des espions, monsieur, si vous tenez à employer ce terme. Ne le laissez pas mourir, je vous en prie.

Le médecin tourna la tête et cracha dans la boue avant de s'essuyer les lèvres du dos de la main et de considérer William sans aménité. Il ne dit rien mais sortit son calepin et griffonna un bon pour de la quinine sur une page qu'il fourra ensuite dans la main de William d'un air dégoûté, comme s'il s'agissait d'un mouchoir rempli de morve. Puis il fit volte-face et s'éloigna sans avoir jeté un coup d'œil au père de William.

Cela durait depuis des semaines. Après un mois de pluie sous une chaleur torride, des millions de moustiques proliféraient et la malaria s'était répandue à partir des marécages environnants jusque dans les vaisseaux sanguins des soldats de l'Union. Depuis des semaines, des hommes de plus en plus nombreux se mettaient à trembler dans les rangs et perdaient connaissance au sein de leurs unités. Certains étaient trop faibles pour recharger leurs armes ou pour se protéger lorsque les cohortes grises des confédérés se précipitaient sur eux en hurlant. D'autres avaient été taillés en pièces dans leurs tentes par le feu de l'ennemi. L'intendance était à court de quinine depuis la troisième semaine de juin et les médecins, impuissants, devaient laisser la grande masse des soldats trembler de fièvre sans pouvoir les soulager.

William fouilla les poches de son père et en sortit un petit portefeuille en cuir qu'il cacha dans sa tunique. Il s'empara également de son colt, vérifia qu'il était chargé et le fourra dans la poche de son manteau. Puis il serra l'épaule de son père et quitta la tente.

Les confédérés n'avaient pas remporté la bataille mais William voyait bien que le chaos régnait dans le camp et que les soldats qui repliaient leurs tentes et faisaient leur paquetage étaient dans un état proche de l'épuisement. Les responsables de l'intendance avaient entrepris d'emballer les réserves dans la plus complète anarchie. Des montagnes de fayots en conserve et de boîtes de cigares s'empilaient dans un coin sans qu'on les ait touchées. Certains regardaient William en hochant la tête, d'autres ne se donnaient même pas la peine de lui répondre. Les cantiniers étaient les pires de tous, ils se bousculaient en rigolant comme des ivrognes. William fit demi-tour mais, alors qu'il s'apprêtait à sortir, un garçon de son âge l'attrapa par la manche et l'attira à l'écart en lui chuchotant : Je sais où tu peux trouver de la quinine.

William le regarda. Le garçon paraissait aux abois et son attitude avait quelque chose de douteux. Il portait une vieille chemise crasseuse de l'infanterie de l'Union.

Mais ça risque de te coûter cher, ajouta-t-il.

Combien ?

Le garçon inclina la tête. Cinq dollars, répondit-il.

Je te suis, dit William.

Le garçon se faufila derrière les tentes sans vérifier si William le suivait. Des feux de camp brûlaient dans la nuit, autour desquels se regroupaient les soldats épuisés. Tout en marchant, William sortit discrètement cinq billets du porte-feuille de son père et les glissa dans la poche de son pantalon. Le garçon s'arrêta devant un petit foyer où un homme faisait griller du lard au fond d'une poêle. Il releva les yeux en les voyant arriver mais ne s'interrompit pas.

Orville, dit le garçon. Ce type cherche de la quinine.

L'homme fronça les sourcils. Il avait de grosses moustaches noires, d'épais sourcils, et ses cheveux gras lui tombaient dans le dos. Il n'a pas l'air malade, observa-t-il en relevant sa casquette.

Ce n'est pas pour moi, précisa William un peu stupidement.

Ce sera six dollars.

Il m'a dit cinq.

Alors ce sera sept.

William regarda le jeune garçon, qui cracha et haussa les épaules.

Un sourire éclaira brusquement le visage de l'homme. Allons allons allons, dit-il, inutile de nous fâcher. Tu as faim ?

Il souleva un morceau de lard à la pointe de son couteau et le tendit à William qui ne fit pas un geste pour l'attraper et fourra au contraire sa main dans sa poche.

Il m'a dit qu'il avait l'argent, Orville, reprit le garçon avant de s'asseoir sur un tronc près du feu et de fouiller dans une sacoche dont il retira une bouteille verte. C'était du whisky.

C'est de la quinine que je cherche, dit William.

Il y en a là-dedans, dit le garçon.

Pose ça, lança l'homme. Et toi, viens t'asseoir ici.

Il porta un morceau de lard à sa bouche et le mâcha lentement. Le garçon serrait la bouteille entre ses genoux. William se renfrogna et regarda les ténèbres environnantes. Il entendait un peu plus loin les soldats enrôlés marmonner et piétiner dans la boue.

Drôle d'uniforme que tu as là, grommela l'homme.

Mal à l'aise, William jeta un coup d'œil autour de lui. De la poche de son manteau, il sortit le colt de son père qu'il brandit d'une main ferme.

Je prends la bouteille, dit-il. Pour cinq dollars. À condition qu'elle contienne bien de la quinine.

L'homme posa son couteau sur sa cuisse et regarda le colt en souriant d'un air attristé. C'est bien de la quinine, dit-il.

Le garçon ne souriait pas. Ses mains agrippaient toujours le col de la bouteille.

William lui tendit les cinq dollars, l'homme opina, le garçon lui tendit la bouteille, William s'en empara. Elle n'était pas très lourde. Il recula délibérément de deux pas sans se retourner. Les yeux du garçon brillaient à la lueur du feu. Puis il fit volte-face et s'éloigna.

On avait évacué son père de la tente qui servait d'hôpital pour l'abandonner dehors dans le froid au milieu des malades qui souffraient de dysenterie ou d'autres maux incurables, et il fallut plusieurs minutes à William pour le retrouver. Il s'agenouilla auprès de lui et saisit son poignet. Son père ouvrit des yeux brûlants de fièvre.

Willie, murmura-t-il. Ta mère vient de partir.

Il ignorait s'il y avait ou non de la quinine dans ce whisky, mais il déboucha la bouteille, souleva la nuque de son père et porta le goulot à ses lèvres.

Allez, lui murmura-t-il. Oui, continue comme ça.

Son père but environ un tiers du whisky puis se mit à tousser et se retourna sur le flanc, secoué par une longue quinte. William glissa la bouteille sous sa chemise, le contact du verre sur sa peau était glacé. Puis son père se remit sur le dos. William le regarda et au bout d'un moment s'étendit à son tour à ses côtés. Son corps était brûlant. Il rabattit la couverture sur eux, ferma les yeux, et ils s'endormirent l'un contre l'autre.

Il faisait chaud lorsque l'aube se leva. Des bancs de brume planaient sur l'herbe jaune. Des corps gisaient autour d'eux, immobiles et gris, dont le regard vitreux indiquait suffisamment qu'ils étaient morts. Il releva la tête et contempla son père, étendit du mieux possible son manteau sur sa silhouette endormie, puis se frotta la nuque et se leva.

Les sentinelles étaient parties. La brume s'étirait au ras du sol et les foyers ne brûlaient plus dans le camp. La couche de boue s'était encore épaissie. Des cordages emmêlés, des caisses éventrées, des vêtements et des étoffes étaient éparpillés d'un bout à l'autre de la prairie. Au cours de la nuit la plupart des tentes avaient été démontées, et les soldats étaient partis à bord des chariots, abandonnant les traînards et les mourants. William chercha la bouteille de whisky sous sa chemise mais elle n'y était plus.

Il ne savait pas quoi faire. Il se mit en quête de nourriture mais ne parvint à dénicher qu'une boîte de biscuits salés aussi durs que du bois. Le soleil perçait timidement à travers les arbres gris. Il aperçut la tente qui faisait office d'hôpital, souleva la toile et constata que les lits avaient été évacués. Il ne se donna pas la peine de pousser jusqu'au poste de chirurgie.

Un homme était penché au-dessus de son père lorsqu'il revint et il sentit un frisson glacé lui parcourir l'échine. L'homme lui tournait le dos et caressait lentement son pantalon de sa main droite.

William se dressa soudain devant lui, après l'avoir contourné. Le colt était toujours dans sa poche.

Que voulez-vous ? lança-t-il.

L'homme portait un calot orné d'un petit insigne en cuivre représentant un aérostat. Il leva les yeux vers lui.

Il n'avait ni cils ni sourcils. Ses yeux étaient d'un bleu limpide. Son visage avait sans doute été brûlé car sa peau était couverte de cicatrices et ses joues, ses lèvres, son nez avaient la couleur et l'aspect de la cire fondue.

William sortit le colt de sa poche. Que vous est-il arrivé ? demanda-t-il.

Je me suis endormi au milieu de ces malheureux, grommela l'homme.

William l'observait.

L'homme releva la tête et aperçut le colt. Bon Dieu, mon gars, je me suis endormi, voilà tout. Ce sont des choses qui arrivent.

William ne réagit pas.

Je ne suis pas un déserteur, ajouta l'homme.

Je voulais dire : qu'est-il arrivé à votre visage ?

Les yeux de l'homme croisèrent ceux de William et il esquissa un vague sourire. J'ai été brûlé par un ballon à hydrogène, expliqua-t-il. J'étais aéronaute avant tout ce cirque. Je possédais un aérostat. Il montra le père de William de sa main noueuse. Vous allez avoir besoin d'aide si vous voulez sauver cet homme, reprit-il. De quoi souffre-t-il ? De la malaria ?

C'est ce que je pense.

L'homme au visage brûlé opina. Je suis du même avis.

Si seulement je pouvais le conduire jusqu'au quartier général.

L'homme au visage brûlé se pencha pour examiner de plus près le visage de son père. Au bout de quelques instants, il murmura doucement. Que je sois damné… Savez-vous qui est cet homme ? dit-il en relevant les yeux.

Oui. C'est le major Allen. Il fait partie de l'état-major du général McClellan, dit William en baissant son arme. Vous le connaissez ?

Je suis aéronaute, mon garçon. Et nous travaillons tous les deux dans l'espionnage.

William s'avança d'un pas. Pouvez-vous m'aider à le transporter ? demanda-t-il d'une voix pressante.

L'homme regarda autour de lui comme s'il avait mieux à faire. Nos chemins nous conduisent visiblement dans la même direction, dit-il.

Ils emportèrent peu de chose. Les affaires de William avaient été fouillées pendant la nuit mais on lui avait laissé son sac de couchage, une paire de chaussettes sèches et un ciré. Il les prit avec lui ainsi que le peu de nourriture qu'il avait réussi à dénicher. En soutenant son père de chaque côté, ils prirent tous les trois la direction de la James River. La route était défoncée et constellée d'ornières boueuses. Les signes de la retraite des forces de l'Union étaient visibles partout et ils butaient sans arrêt sur des fusils abandonnés, des caisses de nourriture et même des uniformes d'officier au col en fourrure auxquels ils se gardèrent de toucher.

Ils n'aperçurent pas un seul éclaireur de l'armée des confédérés alors que les rebelles n'allaient plus tarder à arriver. Ils parlaient peu. Le père de William titubait en marmonnant et en hochant la tête, périodiquement secoué par des quintes de toux. Sa peau était livide et brûlante. En milieu de matinée, ils rejoignirent l'arrière-garde de l'armée et commencèrent à remonter la file des soldats qui se traînaient, chargés des denrées dont ils avaient pu s'emparer après le départ de l'intendance, les poches pleines de savons et de boîtes de cigares. Certains n'hésitaient pas à pousser devant eux d'énormes barils de whisky malgré les ornières de la route. Leur cohorte dépenaillée évoquait un carnaval tragique, certains hommes fumaient plusieurs cigares à la fois, d'autres charriaient des brouettes remplies de conserves et de nourriture en poudre. Ils aperçurent même en cours de route un soldat ivre mort, étendu les bras en croix au bord du talus.

Ils remontaient le cours de cette troupe hagarde et formaient eux-mêmes un étrange trio : un adolescent accompagné d'un grand brûlé et d'un malade rongé par la malaria. Mais personne ne leur posa de questions.

Ils dormirent dans une clairière, le dos calé contre un arbre en écoutant le bruit de l'armée qui passait sur la route. La température chuta cette nuit-là et ils glissèrent leurs mains sous leurs aisselles pour se réchauffer. Ils ne prirent pas le risque d'allumer un feu mais, lorsqu'ils se levèrent le lendemain matin, l'état du père de William s'était aggravé.

Il va mourir, dit l'homme au visage brûlé.

Non.

Il faut qu'un médecin le soigne. Sinon il ne s'en sortira pas.

C'est mon père.

L'homme au visage brûlé leva les yeux vers le ciel gris. Je sais, dit-il.

La chaleur revint en cours de journée. Une caravane de chariots passait sur la route lorsqu'ils sortirent des sous-bois et les conducteurs leur conseillèrent de se rendre à Savage Station. Ils étaient tous lourdement chargés, il leur était impossible de dégager une petite place pour le père de William. Une pluie fine et chaude se mit bientôt à tomber et ils poursuivirent leur chemin.

Ils atteignirent Savage Station le long de la voie ferrée aux environs de midi. Des rangées de tentes grises se dressaient sous la pluie mais la confusion régnait à l'intérieur du camp qui était en cours d'évacuation. Une palissade avait été dressée autour de l'hôpital, une simple baraque en bois devant laquelle attendaient des blessés et flanquée un peu plus loin d'une grande tente d'où s'échappait une odeur putride. Un wagon aux panneaux fermés attendait sous bonne garde. Ils se frayèrent un chemin dans la cohue des soldats et William installa son père sur une échelle brisée qui tenait lieu de banc à l'entrée de l'hôpital. L'homme au visage brûlé contemplait les silhouettes qui attendaient en file sous la pluie.

Il va maintenant falloir te débrouiller seul avec lui, mon gars. Je dois retrouver le colonel Lowe qui dirige l'unité des aéronautes et lui faire mon rapport.

William le regarda et il haussa les épaules.

Quoi, reprit l'homme au visage brûlé. Les aviateurs sont des civils, tu sais. L'uniforme ne signifie rien. Emmène-le à l'infirmerie, ajouta-t-il en désignant le père de William avant de tourner les talons.

William regarda autour de lui le va-et-vient des soldats et les blessés alignés dans la boue, enveloppés dans leurs couvertures grises. Attendez, lança-t-il.

L'homme au visage brûlé se retourna.

Nous ne devrions pas le laisser ici.

Il a besoin d'une assistance médicale, mon garçon.

Pas ici.

Il lui faut de la quinine. Regarde-le.

William se redressa.

L'homme au visage brûlé revint sur ses pas. Je sais qui est ton père, dit-il. Je veux dire, qui il était avant la guerre. Et je sais ce qu'il faisait. Je suis au courant pour l'Agence.

William était convaincu que seuls deux individus au sein de l'armée connaissaient la véritable identité de son père : Benjamin Porter et le général McClellan. Si vous savez de qui il s'agit, répondit-il prudemment, aidez-moi à le sortir d'ici. Les confédérés ne tarderont pas à arriver, le camp va tomber entre leurs mains.

Mais non.

S'il vous plaît.

Je ne vais pas risquer ma peau pour une histoire pareille, mon gars.

Accompagnez-nous.

L'homme au visage brûlé souleva son calot et ferma les yeux, laissant la pluie ruisseler sur son visage. Il y a quelques années, ton père a mené une enquête à Philadelphie dans un bureau de poste où mon frère travaillait. Il s'est fait engager à ses côtés, est devenu copain avec lui et a fini par le dénoncer. Mon frère a écopé sept ans de prison.

William resta immobile sous la pluie.

Il est toujours en taule.

Il était coupable.

Peut-être.

William soutint le regard de l'homme au visage brûlé. Il était coupable et il n'a eu que ce qu'il méritait, dit-il froidement. D'ailleurs, c'est peut-être lui qui a eu de la chance. Il est en prison aujourd'hui, cela lui évite de se retrouver ici.

L'homme au visage brûlé opina. C'était un connard de toute façon, lâcha-t-il. Je parle de mon frère, pas de ton père. Tu es vraiment le fils de Pinkerton ?

Oui. Je m'appelle William.

L'homme au visage brûlé le regarda. Et moi Ignatius Spaar, dit-il.

Je ne peux pas le porter tout seul, Mr Spaar.

Spaar observa les soldats fédérés qui s'apprêtaient à partir, leur paquetage sur le dos et leur fusil en bandoulière. Mon frère a toujours été un connard, murmura-t-il.

William accepta malgré tout d'attendre mais se tint à l'écart tandis que Spaar partait à la recherche de ses collègues aéronautes. Il resta auprès de son père, puis le traîna sur le sol boueux jusqu'à la route du sud. Une silhouette émergea soudain au milieu de la cohue et posa la main sur son bras. William se retourna et se trouva nez à nez avec un Noir dont le visage dégoulinait de pluie.

Vous paraissez au bout du rouleau, dit l'homme d'une voix grave, révélant une rangée de dents en or.

Mr Porter ? murmura William, confus.

Allons, laissez-moi faire. L'homme se pencha et souleva le père de William d'une main ferme avant de le conduire sous un petit abri érigé contre la palissade et de l'asseoir contre un tonneau. Qu'est-ce qui vous arrive, major ? murmura-t-il en essayant de prendre son pouls.

C'est la fièvre, lui dit William. Nous essayons de le conduire dans un endroit plus sûr.

Sally est de retour à Harrison's Landing, dit Porter. Elle saura ce qu'il faut faire.

Benjamin Porter et sa femme travaillaient avec le père de William au service de l'Union depuis le début de la guerre, en faisant passer des espions déguisés en esclaves derrière les lignes ennemies. C'étaient des amis des Pinkerton depuis qu'ils avaient fui le Sud trois ans plus tôt et s'étaient cachés sous le plancher de la cuisine dans la demeure familiale. William avait confiance en cet homme comme s'il avait été son frère. Il éprouva un soudain soulagement, mais des coups de feu retentirent au même moment dans le lointain et ils virent des soldats partir en courant.

Spaar surgit tout à coup au milieu de cette mêlée et dévisagea Ben avec curiosité. Un vieux sergent aux cheveux grisonnants l'accompagnait.

Mr Spaar, dit Ben. Vous voici bien loin de vos collègues et de vos chers aérostats.

Je suis justement à leur recherche, répondit Spaar en relevant son calot. Ont-ils déjà rejoint Harrison's Landing ?

Le sergent qui l'accompagnait chassa de la main la pluie qui inondait son visage. Ne traînez pas si vous devez partir, dit-il. Les troupes de Magruder arrivent par l'ouest, celles de Jackson se profilent au nord. Ça ne tardera pas à chauffer par ici.

Mais partir pour aller où ? demanda William.

À Malvern Hill. L'ensemble de nos unités se regroupent là-bas en ce moment.

Ben hissa le père de William sur son épaule. C'est le major Allen, dit-il, il fait partie de l'état-major du général McClellan.

Il n'y aurait pas un chariot quelque part qui pourrait servir à le transporter ?

S'il y avait un chariot de libre, vous pouvez être sûr que je serais moi-même dedans. Il faut que vous l'emmeniez au quartier général de Malvern House.

Malvern House.

Oui.

Spaar fit la grimace. Et comment s'y rend-on ?

Des tirs commençaient à retentir derrière les lignes et le sergent avait déjà fait demi-tour. Suivez cette putain d'armée, lança-t-il. Vous saurez qu'il s'agit de nos gars en voyant le fond de leurs culottes.

L'après-midi tirait déjà sur sa fin lorsqu'ils se mirent en route. Il pleuvait toujours et leurs vêtements ne tardèrent pas à être imbibés d'eau. Des paquetages, des manteaux et des fusils jonchaient les talus de toutes parts mais ils ne s'attardèrent pas pour les ramasser. Les soldats qui les escortaient avaient bu et marchaient d'un pas vacillant, tirant devant eux dans la brume à la moindre alerte. Aucun ne les aida à porter son père et la route était tellement boueuse qu'ils progressaient à une lenteur infinie. Ils entendaient les canons retentir derrière eux mais continuaient d'avancer en silence. Lorsque le crépuscule tomba, les fusils s'étaient tus et ils comprirent que Savage Station était tombé aux mains des confédérés.

Une longue vie plus tard, William regardait la journaliste croiser les jambes et tirer sur le bord de sa jupe dans le calme de la cabine. La lumière déclinait sur l'océan et le cuivre des hublots s'embrasait. Il tendit la main et saisit le pichet d'eau fraîche.

Mr Pinkerton, dit-elle en feuilletant les pages de son carnet, pouvez-vous me parler du rôle qu'ont joué les aérostats dans cette bataille de Malvern Hill ?

Malvern Hill.

Si cela vous est possible, bien sûr. Je sais que cela remonte à bien des années.

Une cinquantaine.

Oui.

Un steward en uniforme blanc jeta un coup d'œil dans l'encadrement de la porte avant de poursuivre son chemin. William observait la journaliste en se disant qu'elle était décidément le double spectral de Margaret. De quoi se souvenait-il au juste ? Cinquante ans plus tôt quelqu'un, quelque part, avait fredonné un air à voix basse. Des pleurs retentissaient dans l'obscurité. Des porcs se nourrissaient des cadavres la nuit tandis que les blessés geignaient et imploraient qu'on leur donne à boire. Puis à l'aube le ciel s'était éclairci, la pluie continuait de tomber et il rampait lui-même dans l'herbe, le pantalon trempé.

La pluie ne s'arrêtait pas, lui dit-il. Nous avions fait retraite toute la semaine en remontant la péninsule. On a appelé ça la bataille des Sept-Jours par la suite, mais le terme n'est guère approprié. Sur le moment nous avions tout simplement le sentiment de nous enfuir. Et nous en parlions pour notre part comme de la Semaine infernale. Nous ne savions plus où étaient nos troupes et nous redoutions constamment de tomber sur l'armée des confédérés. On n'arrêtait pas de nous dire qu'ils remontaient mais nous ne les avons quasi jamais vus. En revanche nous rencontrions sans arrêt des blessés le long des routes, des soldats qui avaient un pied arraché ou le bras en écharpe, nous savions donc que les combats se déroulaient bel et bien quelque part. Malvern Hill fut la dernière de ces batailles. Après cela, les confédérés commencèrent à refluer.

Vous étiez rattaché à l'unité des aéronautes ?

Non, dit William en fronçant les sourcils. Enfin si, pendant la bataille elle-même. Comme je ne pesais pas bien lourd, on m'avait affecté à bord d'un ballon. Nous avons pris de l'altitude pour voir comment la situation se présentait.

Nous étions directement reliés par télégraphe au quartier général de McClellan et nous leur transmettions nos informations mais cela ne servait pas à grand-chose. C'est à peine si nous aidions les obusiers à localiser leurs cibles. Il resta un moment silencieux et ajouta : C'était une journée rêvée pour une pareille boucherie.

La journaliste frissonna. J'aurais été terrifiée de monter à bord d'un ballon.

Je n'étais pas très rassuré moi non plus.

Que s'est-il passé quand votre ballon a rompu ses amarres ?

Quand il a quoi ?

Rompu ses amarres. Ce n'est pas ce qui s'est passé ? Vous n'êtes pas parti à la dérive au-dessus des positions des confédérés pendant cette bataille ?

Non.

Votre ballon n'est pas parti à la dérive ?

Non.

Elle le regarda mais n'ajouta rien. Consulta son carnet en fronçant légèrement les sourcils. Ce devait être une époque très confuse, dit-elle.

Pas si confuse que ça.

J'espère que la guerre actuelle en France n'est pas aussi terrible. Je veux dire, pour nos soldats.

Il revit brusquement en pensée une paire de bottes qui se dressait engluée dans le sol boueux, les os blancs et sanguinolents qui en saillaient après que les jambes avaient été arrachées du corps. Il entendait encore le lourd bruit de succion des cadavres qu'on extrayait de ces monceaux de boue.

Certaines choses se sont passées qui n'avaient guère de sens à l'époque, dit-il lentement, et qui n'en ont pas eu davantage par la suite. Mon père ne s'en est jamais entièrement remis. Peut-être ne l'a-t-il pas cherché. Quant à moi, je n'ai jamais voulu trop y penser.

Mon grand-père a disparu à Shiloh, dit la journaliste au bout d'un moment. Sa tombe se dresse quelque part dans le Kansas mais il n'y a personne dedans. Ma grand-mère n'avait jamais abandonné l'espoir de le voir resurgir un jour. Lorsque la compagnie ferroviaire a voulu lui racheter sa maison, elle a refusé en disant qu'il ne la retrouverait pas si elle partait de chez elle.

Les désertions n'étaient pas rares, dit William.

Elle sourit. Les O'Malley, qui habitaient à l'autre bout de la rue, connaissaient une famille dont le mari avait réapparu six ans après la fin des hostilités. Je crois que ma grand-mère pensait souvent à cette histoire.

Ma foi.

Mon père disait parfois qu'elle était morte à Shiloh, elle aussi.

Beaucoup de soldats ont été tués sans qu'on n'ait jamais retrouvé leurs corps. Il ne restait parfois…

Oui, dit-elle en se penchant en avant.

Non, rien.

S'il vous plaît, poursuivez.

Il marqua une pause et reprit. Il ne restait parfois presque plus rien du corps. Pas même de quoi être enterré. Le pire, c'étaient les torpilles. Et les confédérés enterraient des bombes dans le sol le long des routes, munies d'un détonateur. Lorsque vous marchiez dessus, cela vous déchirait en deux.

C'est affreux.

Les explosions d'obus étaient encore plus dévastatrices. Il ne restait strictement rien des malheureux sur lesquels ils tombaient. À peine un nuage de sang. Il s'arrêta, la regarda. Excusez-moi, dit-il. On passe sa vie à éviter de raconter ce genre de souvenirs et voilà qu'on les débite tout à coup devant une jeune femme comme vous.

Ne vous excusez pas, dit-elle. J'ai entendu pire. Est-ce cela qui est arrivé à Mr Spaar ?

À qui ?

Ignatius Spaar.

William eut un vague sourire, comme s'il ne comprenait pas.

L'aéronaute. Vous n'étiez pas avec lui durant cette bataille ? Son corps n'a jamais été retrouvé.

Je suis désolé, dit-il en secouant sa tête grisonnante. Je n'ai jamais entendu parler de lui.

Elle regarda ses notes d'un air perplexe. Vous avez volé en ballon avec lui, monsieur. Vous l'avez déclaré dans un entretien accordé au *Sun* de New York en 1873. Vous disiez que…

Je connais cet article. C'est de la pure invention.

De l'invention ?

L'individu qui l'a écrit a été viré par la suite.

La journaliste rajusta une mèche de cheveux derrière son oreille. Vous connaissez l'article mais vous n'avez jamais entendu parler de cet homme ?

Les traits de William se durcirent. Sans doute quelqu'un a-t-il entendu un jour une version erronée des faits et l'a-t-il rapportée, au lieu de s'en tenir à la vérité.

Je ne comprends pas, Mr Pinkerton. Vous voulez dire que cet homme n'existe pas ?

William s'éclaircit la gorge et regarda sa montre d'un air impatient.

Mr Pinkerton ?

Je vous dis que cet homme est un fantôme, mademoiselle. Vous pouvez noter ça dans votre petit carnet.

Son père survécut, évidemment. Ils rejoignirent Malvern Hill au moment où le soleil se couchait et franchirent l'entrée du camp sans que personne ne leur ait posé la moindre question. C'était le dernier jour du mois de juin 1862. Ils longèrent les rangées de canons dressés sur leurs roues comme des sphinx et les innombrables feux de camp qui résistaient tant bien que mal à l'humidité ambiante. La façade de Malvern House était sombre, seules quelques bougies diffusaient une vague lueur aux fenêtres. Tandis qu'ils s'approchaient, une sentinelle leur intima l'ordre de faire demi-tour et ils allèrent se réfugier pour la nuit dans une tente voisine où ils étendirent le père de William. Spaar était déjà parti à la recherche de ses collègues aéronautes. Le lendemain matin, Ben aida William à ramener son père à Malvern House. Il tremblait de fièvre sous sa couverture et n'avait pas ouvert les yeux. Ben se cala sur une chaise qui craqua sous son poids pour le surveiller. Quatre-vingt-dix mille soldats de l'armée fédérale étaient regroupés dans le camp, et à midi ce jour-là tous se mirent en ordre de bataille. William savait que l'armée de Lee ne tarderait plus et que l'assaut était imminent. La vue de son père le rendait malade et il partit à la recherche de Spaar en espérant pouvoir se rendre utile.

Ce fut l'aéronaute qui l'aperçut. William, lança-t-il. Comment va le major ?

William le salua d'un geste. Vous avez retrouvé vos collègues ?

L'aéronaute paraissait fatigué et son calot bleu était couvert de poussière. Ne t'inquiète pas, mon garçon, il s'en sortira. Nos positions sont solides ici, les rebelles n'ont pas la moindre chance de mettre la main sur lui.

William opina.

Spaar l'entraîna vers un bosquet où un homme plus âgé était en train d'examiner le ciel, la main en visière. Il était plutôt petit, sec comme une trique et la peau plus tannée que du cuir, avec de longues moustaches de Gaulois qui retombaient de part et d'autre sur son menton. Il plut immédiatement à William.

Bon Dieu, murmura l'homme. Satanée chaleur.

J'ai entendu dire que l'équipe avait été dispersée, dit Spaar après l'avoir rejoint. Nous sommes à court de matériel ?

Les gens ne savent décidément pas tenir leur langue.

Ce n'est pas vrai ?

Pas tout à fait. L'*Intrépide* est prêt à partir. Comment va Thaddeus ?

Toujours cloué au lit.

La malaria ?

Spaar acquiesça. Je vois que le télégraphe n'est pas encore installé.

Le vieil homme haussa les épaules. Nous avons dû abandonner les poteaux à Gaines Mill, ainsi que tout un chargement de paille de fer. D'où les rumeurs dont tu faisais état. Mais nous avons du matériel en réserve à Harrison's Landing.

Spaar se tourna vers William. Je te présente Clovis Lowe, dit-il. C'est lui qui supervise la répartition de nos équipes et tente de mettre un peu d'ordre au milieu de cette pagaille.

Ça ne marche pas à tous les coups, grommela Clovis. C'est toi le nouvel assistant ?

Le quoi ?

Je ne lui ai pas encore annoncé la nouvelle, dit Spaar.

Ah.

Quelle nouvelle ?

Tu crois qu'il sera prêt ? demanda Clovis.

William dévisagea les deux hommes à tour de rôle. Prêt à quoi ? demanda-t-il.

Il suivit le regard de Spaar. À l'autre bout du champ, on était en train de préparer un ballon de l'armée derrière un rideau d'arbres. À l'instant même, un coup de vent le fit osciller. Des hommes crièrent et coururent pour le redresser tandis que son enveloppe continuait de gonfler.

Jamais je ne monterai à bord d'un engin pareil, dit William.

Spaar le regarda et esquissa un sourire las.

Il avait été baptisé l'*Intrépide* et il était aussi haut qu'un immeuble de cinq étages avec son enveloppe remplie de gaz d'une capacité de mille mètres cubes. La nacelle avait été renforcée afin de pouvoir supporter le poids de cinq passagers et d'un appareil de télégraphie sans fil à trois mille mètres d'altitude. Les confédérés le redoutaient davantage que les canons de l'Union et avaient fait plusieurs tentatives de sabotage pour le clouer au sol. Il n'en continuait pas moins de survoler les champs de bataille tel un globe silencieux et, lorsqu'il apparaissait dans le ciel, les soldats le considéraient comme un présage de mauvais augure, une ombre menaçante qui avait à leurs yeux quelque chose d'inhumain.

L'enveloppe du ballon ne cessait de croître, gonflant sur le sol comme une créature vivante, une méduse de gaz. Mal à l'aise, William voyait les hommes s'agiter tout autour, tendre des cordages et hisser la toile qui l'enveloppait à mesure que le ballon se remplissait. Deux énormes caisses en bois abritaient les générateurs de gaz, d'où sortaient deux gros tuyaux attachés l'un à l'autre qui s'étiraient dans l'herbe et rejoignaient une caisse centrale, de taille plus modeste, surveillée par un nègre en bras de chemise. De cette caisse partait un autre tuyau par où le gaz passait avant de s'engouffrer dans l'enveloppe du ballon.

Spaar poussa William devant lui. Ils passèrent devant les sentinelles qui surveillaient l'opération le fusil au poing, prêtes à intervenir à la moindre alerte, et traversèrent le champ jusqu'à se retrouver au pied du ballon.

Je ne peux pas monter là-dedans, Mr Spaar.

L'aéronaute éclata de rire. La nacelle mesurait 1,20 m de long sur 60 cm de large et avait été peinte en rouge vif rayé de bandes blanches. Des étoiles blanches décoraient les bords.

Je suis sérieux, monsieur. Je ne suis pas à l'aise en altitude.

Spaar posa la main sur le rebord de la nacelle. Je sais de quoi tu as peur, dit-il. Tu as peur d'avoir le vertige comme si tu te trouvais au bord d'un précipice. Mais cela n'a rien à voir.

Une étrange odeur de gaz émanait de l'enveloppe du ballon. La sueur continuait de couler le long du torse de William.

Je suis incapable de faire ça, monsieur.

Bien sûr que tu en es capable. Et tu pèses deux fois moins que n'importe qui par ici. Je préfère que ce soit quelqu'un de léger qui m'accompagne, afin de prendre rapidement de l'altitude.

William secouait la tête.

Écoute-moi, mon garçon. Tu as peur au bord d'un précipice parce que ton centre de gravité se trouve alors en dessous de toi. Mais c'est l'inverse qui se produit à bord d'un aérostat, le centre de gravité se déplace au-dessus. Quand tu te penches, tu es automatiquement ramené en arrière, sous l'enveloppe du ballon.

Le dénommé Clovis les avait rejoints. Je n'aime pas ça du tout, Ignatius, grommela-t-il.

Je sais.

Thaddeus va s'étrangler quand il apprendra que tu es parti sans lui.

Je lui expliquerai la situation par la suite.

Sans parler de ce câble.

Spaar haussa les épaules. J'en ai vu d'autres. Nous nous servirons des drapeaux pour communiquer. Dis à tes hommes de se tenir prêts, l'attaque ne va plus tarder.

Clovis acquiesça. Il sortit un revolver de sa poche et le tendit à Spaar. Tu n'en auras pas besoin, ajouta-t-il.

Mais autant en avoir un.

Oui.

Plusieurs hommes maintenaient fermement les cordages du ballon afin qu'il ne bouge pas. Spaar escalada les caisses et se hissa à l'intérieur de la nacelle.

Clovis saisit William par le coude et l'aida à grimper à son tour. Puis il se recula et lança un ordre aux hommes restés au sol.

William sentit son estomac se soulever comme lorsqu'on monte à bord d'un bateau. Le socle de la nacelle oscilla sous son poids et se balança de droite à gauche tandis qu'il agrippait fermement les bords. Elle n'avait guère plus d'un demi-mètre de profondeur.

Spaar avait la main posée sur les sacs de ballast et vérifiait les nœuds des cordages. Il se tourna soudain vers William qui s'était accroupi au fond de la nacelle, les mains tendues de chaque côté pour garder l'équilibre. Écoute-moi bien, mon garçon. Lorsque nous allons nous élever, les confédérés nous tireront dessus, mais n'y prête pas attention. Les tirs s'arrêteront lorsque nous serons à deux cents mètres d'altitude.

Deux cents mètres ? s'exclama William en pâlissant.

Mais cela ne prendra que quelques minutes. Ne t'inquiète pas.

Merveilleux.

Cramponne-toi bien, maintenant.

William se cramponnait déjà. Avec quoi vont-ils nous tirer dessus ? demanda-t-il.

Avec tout ce qui leur tombera sous la main, dit Spaar avec un grand sourire.

Mon Dieu.

N'y fais pas attention.

Mais ils ne risquent pas de nous toucher ?

Ma foi, répondit Spaar, cela ne s'est jamais produit jusqu'à présent.

L'aérostat était énorme et William ressentit une brusque embardée tandis que la nacelle tremblait sous lui et commençait à monter. Au bout de quelques mètres, elle s'immobilisa à nouveau et Spaar se pencha par-dessus bord pour vérifier l'équilibre de l'appareil avant de donner son feu vert aux hommes qui le maintenaient au sol et qui lâchèrent d'un seul coup les cordages. Le ballon entreprit alors son ascension pour de bon. Spaar était resté debout, retenant d'une main son calot et les pieds bien implantés sur le plancher de la nacelle, comme un marin à la proue d'un navire.

Tu peux te relever, mon garçon, lança-t-il à William.

Celui-ci regardait les interstices au fond de la nacelle. Ils étaient assez larges pour qu'il puisse y glisser son doigt.

Vous êtes sûr que c'est assez solide ? demanda-t-il.

Spaar eut un sourire narquois. Il s'agrippa aux bords de la nacelle et sauta à plusieurs reprises sur le plancher d'osier, ce qui fit vaciller la nacelle. Attention ! s'écria William.

Oh, tu n'as rien à craindre, répondit Spaar en riant.

Ils ne percevaient plus le moindre son. Ils ne s'étaient pas élevés de vingt mètres lorsque William se mit sur les genoux et constata à sa grande surprise que son vertige avait disparu. L'air était plus froid, plus humide. Le ballon craquait et claquait comme un drapeau secoué par le vent. Il ferma les yeux tandis qu'ils s'élevaient encore. Lorsqu'il les rouvrit, il aperçut les méandres languides et sinueux des cours d'eau à leurs pieds et la chaleur qui tremblait en montant du sol dans une étrange distorsion lumineuse. Il n'avait jamais vu un spectacle pareil. En levant la tête, il ne distinguait qu'une vaste étendue grise et les nuages qui filaient un peu plus haut comme des bancs de brume. D'un seul coup, sans prévenir, sa tête se mit à tourner et il faillit perdre l'équilibre. Une main se posa sur son épaule. C'était Spaar qui le tirait en arrière alors qu'il était sur le point de basculer dans le vide.

Son cœur battait à tout rompre.

Il ne faut jamais lever les yeux en l'air, lui dit doucement Spaar. Regarde-moi, William. C'est comme ça qu'on perd l'équilibre à une telle altitude. Il faut toujours regarder en bas.

William eut brusquement une pensée pour son père qui grelottait de fièvre sur le porche de Malvern House. Il distinguait les murs du bâtiment en brique à ses pieds, au sommet de la colline.

Quand commencera-t-on à nous tirer dessus? demanda-t-il.

Spaar regarda autour d'eux. Cela aurait déjà dû être le cas, dit-il. Il haussa les épaules. J'imagine qu'ils ne peuvent pas le faire sans abandonner leurs positions. Nous avons de la chance aujourd'hui.

Ils prirent encore de l'altitude. Le ballon tournait autour du câble qui le reliait au sol tel un chapeau lentement emporté au fil d'un cours d'eau, et William distinguait la colline qui se profilait sous eux avec une netteté parfaite. Les lignes claires des tranchées, la rangée de canons qui sinuait le long de la crête comme un gigantesque serpent, les soldats dans leurs uniformes bleus regroupés par escadrons. Et la route blanche qui descendait la colline, les deux rivières de part et d'autre et les arbres dont les feuilles vues d'en haut avaient des reflets métalliques. William avait la certitude que l'ennemi était tapi en dessous. Le ballon tangua, la soie du filet claqua dans l'air.

Tout était immobile.

Et brusquement cela commença.

William entendit une lointaine explosion suivie de tirs d'artillerie. Il suivit le regard de Spaar. Un nuage de fumée s'élevait au nord puis le sol trembla au pied de la colline, des nuages de poussière s'élevèrent à plusieurs reprises et l'artillerie lourde des fédérés répliqua à son tour. Il distinguait les soldats en bleu qui couraient pour rejoindre leurs positions le long de la crête, l'éclat du soleil qui se reflétait sur leurs baïonnettes.

Spaar baissa la longue-vue qu'il avait collée à son œil et regarda William. L'assaut a commencé, dit-il, laconique, avant de reprendre son observation.

William resta silencieux. Les batteries confédérées retentirent à nouveau pendant quelques instants puis se turent. Et William comprit qu'elles avaient été détruites. Une seconde batterie prit le relais, mais les canons de l'Union s'orientèrent de son côté et elle fut bientôt réduite au silence à son tour.

Qu'est-ce qu'ils fabriquent? murmura Spaar.

William lui-même trouvait que les choses se déroulaient de manière confuse, sans coordination. Mais il entendit soudain monter dans le lointain un concert de hurlements et se pencha juste à temps pour apercevoir la marée de soldats en uniformes gris qui émergeaient du couvert des arbres et se lançaient à l'assaut de la colline. Il y en avait des centaines, des milliers peut-être qui montaient comme une vague pestilentielle. Les fédérés les laissèrent s'approcher mais, lorsqu'ils atteignirent l'extrémité du terrain, les canons ouvrirent le feu et fauchèrent les premières rangées d'assaillants. Les confédérés chancelèrent avant de repartir à l'assaut, leur nuée grise progressa encore mais ne fut bientôt plus qu'une marée rose et sanglante. Bien des hommes étaient tombés et les autres refluaient en courant au milieu des giclées de terre et de poussière. William contemplait d'en haut ce spectacle sauvage et quasi biblique avec un sentiment d'horreur.

Mon Dieu, murmura Spaar. La nacelle du ballon tournait toujours sur son axe et il se pencha pour essayer de rectifier la position du câble. Il avait à la main les drapeaux destinés aux signaux mais ne s'en était pas encore servi.

William regardait les forces confédérées qui repartaient à l'assaut. Une deuxième vague avait surgi depuis le couvert des arbres et les canons la bombardaient mais elle progressait tout de même. L'infanterie fédérale ouvrit alors le feu et les rebelles se virent contraints de reculer sur l'herbe ensanglantée.

Au même instant, la nacelle de l'*Intrépide* oscilla violemment. William bascula et se rattrapa à un cordage avant de regarder Spaar.

Que se passe-t-il ?

Spaar ne répondit pas. Il s'était penché, au risque de perdre l'équilibre, et regardait en bas. Puis il enjamba William et alla jeter un coup d'œil de l'autre côté.

La nacelle avait cessé de tourner et le ballon paraissait brusquement immobile.

William comprit soudain ce qui s'était passé. Le câble s'était détaché et ils dérivaient maintenant au-dessus du champ de bataille.

Mr Spaar ? dit-il en saisissant l'aéronaute par le bras. Ramenez-nous au sol, je vous en prie.

Spaar l'écarta. C'est impossible, dit-il. Nous finirons par redescendre mais je suis incapable de te dire quand.

Vous ne savez pas piloter cet engin ?

Personne ne peut piloter un aérostat, mon garçon. Il n'obéit qu'au vent.

Au vent.

Spaar le regarda. Ce n'est pas la première fois que je vole à bord d'un tel engin, tu sais.

William voyait Malvern Hill s'éloigner en dessous.

Écoute-moi, William. Les courants nous entraînent et nous sommes parfaitement en sécurité ici. Il suffit d'attendre un vent plus favorable, nous descendrons alors à vive allure et tout ira bien.

William voyait les nuages de poussière et de fumée disparaître au loin, là où des hommes continuaient de mourir par milliers. Ils survolèrent une clairière et il aperçut les troupes de la cavalerie confédérée qui se tenaient prêtes à l'attaque. On distinguait les tentes grises à travers les arbres. Au-dessus d'eux le ciel était clair, immense et silencieux comme un gigantesque lac.

Il regarda l'aéronaute. Qu'entendez-vous au juste par «vive allure»? lui demanda-t-il.

Ils commencèrent à descendre moins d'un kilomètre derrière les lignes des confédérés. L'aéronaute s'était levé et avait tiré sur une corde épaisse, libérant le panneau d'ouverture. Le ballon avait aussitôt oscillé et entamé sa descente en piqué vers le sol. William sentit son estomac se soulever.

Allonge-toi, mon garçon! cria Spaar. Et cramponne-toi bien.

Il était au fond de la nacelle dont il agrippait fermement les bords, mais releva un instant la tête et vit qu'ils plongeaient vers le sol, même s'ils se trouvaient encore assez haut dans le ciel. Le champ de bataille était visible au sud. Des hommes criaient en les montrant du doigt et les soldats d'une unité d'infanterie levèrent en même temps leurs fusils et se mirent à tirer dans leur direction. Étrangement, William n'entendait rien, ne sentait rien. Ils frôlèrent tout à coup le sommet des arbres. Le fond de la nacelle accrocha quelque chose et des branches claquèrent autour d'eux, tranchant comme des couteaux l'osier de leur engin.

Lorsqu'il reprit connaissance, il était étalé au sol sur le dos et ses poignets lui faisaient mal. Spaar était agenouillé au-dessus de lui, un revolver à la main. Son visage saignait et pendant une fraction de seconde William ne comprit pas ce qu'il fabriquait là.

Eh bien, murmura Spaar, ça ne s'est pas trop mal passé, finalement.

William voulut lui répondre mais quelque chose dans sa bouche l'empêchait de parler. Il se dressa sur ses genoux et se mit à vomir.

La nacelle avait été mise en pièces et pendait au bout de ses cordages dans les branches d'un chêne. L'enveloppe en soie du ballon s'était accrochée elle aussi et ses lambeaux oscillaient dans les plus hautes branches. Des débris de l'appareil jonchaient le sol autour d'eux sur un fouillis de feuilles et de branches brisées. William se mit debout mais ses jambes tremblaient et le lâchèrent aussitôt. Il se retrouva assis par terre et la peur l'envahit.

Les rebelles seront bientôt dans le secteur, lui dit Spaar. Et s'ils aperçoivent l'aérostat, ils nous trouveront nous aussi. Il fourra son revolver dans sa poche et s'essuya le visage du revers de la manche, mais le sang n'en continua pas moins de couler. Il regarda les mains de William. Peux-tu bouger les doigts ? lui demanda-t-il.

Ses poignets étaient douloureux mais il parvint à remuer un peu les doigts.

Très bien. Suis-moi.

Il faisait chaud et la clairière était figée dans une étrange immobilité. La nacelle se balançait doucement au bout de ses cordages. Il percevait au loin les éclats des coups de feu et les cris des hommes qui s'affrontaient.

William, insista Spaar.

Il ouvrit les yeux. L'aéronaute avait ressorti son revolver et s'était immobilisé, fouillant les taillis du regard. Ils restèrent ainsi un bon moment, en tendant l'oreille. Mais personne n'apparut.

Comment vont tes poignets ? lui demanda Spaar, le souffle court.

Ils lui faisaient moins mal mais ses côtes commençaient à l'élancer à présent. William haussa les épaules.

Spaar lui tendit son revolver puis fouilla dans ses poches, en sortit une boîte d'allumettes. Il lui désigna ensuite le sommet de l'arbre. Tu vas monter là-haut et attendre. Il ne faut pas que cet aérostat tombe entre les mains des confédérés. Au besoin, il faudra y mettre le feu. C'est compris ?

Qu'est-ce que vous allez faire ?

Je vais essayer de rejoindre nos troupes, dit Spaar en essuyant à nouveau le sang qui s'écoulait de sa blessure.

William ne dit rien, puis lui tendit le revolver. Il vaut mieux que vous l'emportiez.

Non.

Si, vraiment.

Mon garçon, je n'ai jamais tiré un seul coup de feu de ma vie. Écoute, je vais revenir avec du secours. Contente-toi d'attendre ici et de te tenir tranquille. Tout ira bien.

Il étreignit brièvement son épaule avant de faire demi-tour et de disparaître dans les taillis, en prenant la direction des combats dont les échos résonnaient au loin.

L'après-midi était déjà bien avancé. William se hissa péniblement dans les plus basses branches du grand chêne et s'assit, les genoux repliés et le revolver posé en travers de ses cuisses, en observant la forêt autour de lui. Il entendit un bruit de bottes qui passaient non loin de sa cachette mais personne ne se montra. Un peu plus tard, un fusil tira à plusieurs reprises dans les fourrés mais il n'y eut pas de riposte. La guerre paraissait brusquement très lointaine, presque irréelle, et la clairière baignait dans un profond silence. Un cerf surgit soudain au milieu des fourrés, la ramure et les oreilles dressées. Il fit aussitôt demi-tour et disparut en silence. William ferma les yeux en se disant qu'il ne fallait pas qu'il s'endorme. Il s'endormit.

Salut l'assistant, lança quelqu'un à voix basse.

Il rouvrit les yeux. Le sang battait à ses tempes. C'était le crépuscule. Il saisit le revolver et regarda le sol à ses pieds. Plusieurs individus avaient rejoint la clairière, six en tout, ils portaient l'uniforme des forces fédérales, et celui qui était à leur tête le regardait en se protégeant les yeux de la main. Il s'agissait de Clovis Lowe.

Tu ne croyais tout de même pas que j'allais te laisser croupir dans une prison de Richmond, lui lança-t-il.

Les jambes de William étaient raides, ses côtes lui faisaient mal. Il se mit soudain à trembler, incapable de refréner un frisson, et regagna péniblement le sol.

Les soldats entreprirent de rassembler les restes de l'aérostat qu'ils chargèrent à bord d'un chariot auquel était attelé un cheval dont la silhouette spectrale se découpait un peu plus loin.

Mr Spaar n'est pas avec vous ? demanda William.

Clovis avait allumé un cigare et s'interrompit entre deux bouffées. Il n'est pas ici ? s'étonna-t-il.

Il était allé chercher de l'aide. Il ne vous a pas trouvés ?

Nous avons vu votre ballon chuter, mon garçon, répondit Clovis. Et nous vous avons cherchés tout l'après-midi.

William percevait le crissement de l'enveloppe de soie et des morceaux épars de l'engin qu'on traînait dans l'herbe, la respiration haletante des hommes concentrés sur leur tâche dans la pénombre de la clairière. Nul ne disait mot. Les arbres qui les encerclaient s'élevaient comme les fumées d'un carnage que rien ne pourrait dissiper, et tout ce qu'il avait vu semblait se résorber dans cette lumière étrange avant de partir en poussière, comme il en va de toute chose sur cette terre.

William regardait la journaliste et ressentait une incommensurable tristesse.

Vous voulez savoir combien nous étions ?

Si vous vous en souvenez.

On n'oublie pas ce genre de choses. La plupart de ses premiers agents étaient venus travailler aux côtés de mon père pour les services secrets. Timothy Webster, qui a été capturé et pendu comme espion à Richmond en 1862. John Scally et Pryce Lewis ont été arrêtés eux aussi. On les avait envoyés dans le Sud pour essayer de délivrer Webster. Mon père adorait ces trois hommes, ajouta William en relevant les yeux. Qui d'autre encore. Sam Bridgeman, qui était un remarquable détective mais buvait beaucoup trop. John Babcock, qui pouvait abattre un faucon en plein vol à trois kilomètres de distance. Seth Paine, qui prenait de plus en plus de risques à mesure que la guerre avançait, au point que mon père avait fini par croire qu'il cherchait à se faire prendre. Je me souviens l'avoir vu retrousser ses manches pour me montrer ses cicatrices, des brûlures de cigare, des entailles de couteau qu'il s'était faites lui-même. Ben Porter et sa femme, qui étaient d'anciens esclaves et d'excellents agents. Il y avait également des femmes dans l'équipe. Kate Warne et Hattie Lawson, que mon père appréciait beaucoup. Katie et lui sont restés très proches pendant des années.

La journaliste notait tout cela aussi vite qu'elle le pouvait. Elle releva les yeux. Et Mr Thiel ? demanda-t-elle.

Oui. Gustav Thiel a travaillé pour mon père à cette époque. C'est auprès de lui qu'il a appris le métier.

Avant de devenir son rival.

William haussa les épaules.

Vous souvenez-vous des aéronautes, Mr Pinkerton ?

Oui. Il y avait Thaddeus Lowe, quoique je n'aie pas vraiment eu affaire à lui. Il avait attrapé la malaria pendant les Sept-Jours mais je l'avais aperçu auparavant, discutant avec mon père. Il était toujours habillé en noir et portait de longues moustaches, on aurait dit un magicien de foire. Je crois qu'il me faisait un peu peur. Son père, Clovis, était sec comme une trique. Et lui je l'aimais bien. Il y en avait d'autres, Jim Allen et un nègre avec lequel je n'ai jamais eu d'affinités, Cleveland Coombs. J'ignore ce qu'il est devenu après la guerre.

Elle l'observait attentivement. Une sorte de tristesse était également perceptible en elle. William se demanda comment elle allait évoluer, quelle serait sa vie plus tard. Il ne serait plus là pour le voir.

J'aurais aimé pouvoir vous aider davantage, lui dit-il.

Tout ce que vous m'avez dit m'a déjà été très utile, répondit-elle. Sincèrement.

Mais vous n'allez pas pouvoir vous en servir.

Je vous demande pardon ?

Vous ne pourrez pas rapporter les faits de manière aussi directe.

Elle inclina la tête. Je ne suis pas sûre que mes éditeurs aient envie qu'on leur expose la vérité sans fard.

Ni vos lectrices.

Ni mes lectrices.

Il s'agrippa aux accoudoirs de son fauteuil et sentit ses mains trembler. Il était devenu si vieux. La guerre qui faisait rage en France n'était plus la sienne, le monde qui en sortirait ne serait pas le sien. Il ne restait plus personne de l'univers qu'il avait connu. Son frère Robert, sa femme Margaret, John Shore, son père – tous étaient morts depuis longtemps. Il leva les yeux. Eh bien, dit-il, je crois que je vais vous dire bonsoir.

Elle le regarda, surprise. Oh oui. Je veux dire, évidemment.

Il se fait tard pour un vieil homme comme moi.

Je n'aurais pas dû vous retenir aussi longtemps.

Il se leva, abandonnant sur son siège la couverture du paquebot. Ce n'est pas grave, dit-il avec un petit geste de la main. N'oubliez pas de parler de l'Agence. Et de glisser un mot aimable à son sujet.

Elle lui sourit mais resta assise.

Y a-t-il autre chose ? demanda-t-il.

Elle le dévisageait de ses yeux limpides, les jambes élégamment croisées devant elle. Ses mèches noires retombaient sur son visage. Oui, dit-elle. J'aurais encore une question à vous poser.

De quoi s'agit-il ?

Cela ne concerne pas exactement la guerre.

De quoi s'agit-il ?

C'est au sujet de quelqu'un que votre père a connu jadis.

Il la regarda avec une légère impatience.

Il y a un jeune homme dont le nom apparaît dans plusieurs rapports, Mr Pinkerton. Un certain Edward Shade...

DES GENS
QUI N'EXISTENT PAS

———————————————

LONDRES

1885

VINGT-QUATRE

Il s'était fait avoir depuis le début.

William tremblait en y repensant. Oui, il s'était bel et bien fait avoir, et dans les grandes largeurs. Il avait serré la main de ce type, déambulé à ses côtés dans les sombres ruelles de Billingsgate, trinqué avec lui à la mémoire de leurs défunts pères. Et il l'avait entubé. Plus tard ce soir-là, après la séance de spiritisme, il était resté un bon moment devant son lavabo à contempler son reflet avec un mélange de colère et d'incrédulité, en repassant toute l'histoire dans sa tête pour voir si elle tenait debout. Ce qui n'était pas vraiment le cas, mais en même temps il était sûr d'avoir raison. Foole devait bien rigoler en tout cas. Et pourtant ce type lui avait plu, il y avait en lui quelque chose de touchant, ce qui était presque le pire. Le lendemain dans l'après-midi, il alla se promener dans Hyde Park sous un ciel d'un bleu glacial, les pelouses étaient gelées et il revoyait Foole se pencher sur le corps exsangue du Sarrasin, quasiment au bord des larmes. Il était monté à bord d'un cabriolet découvert et contemplait les branches dénudées des arbres, une couverture sur les genoux et le cou protégé par une écharpe. Il comprit alors qu'il avait attendu pendant toutes ces semaines quelque chose qui venait enfin d'arriver.

Shade.

Il prit ses précautions. Au cours des jours suivants, il rencontra les rares personnes avec lesquelles il était en contact dans l'univers de la pègre londonienne et alla s'enfermer dans la salle des archives de Scotland Yard, après avoir ôté sa veste et retroussé ses manches. Adam Foole n'existait pas. Il n'y avait aucun dossier à son nom, aucune adresse connue. Il ne trouva rien non plus au sujet d'Albert, l'apprenti de l'armurier. Un vieux dossier concernant les activités illégales de Rose Utterson du temps où elle vivait aux Indes avait été annoté au crayon lors d'un contrôle de routine, des années plus tôt. Il put retracer la carrière de son frère Gabriel grâce aux comptes rendus des procès et aux archives des tribunaux. Parmi les clients de l'avocat, un nom retint particulièrement son attention. Il ignorait si le frère et la sœur avaient été liés aux activités criminelles de Foole ou s'ils connaissaient sa véritable identité, mais la première hypothèse lui paraissait probable et la seconde hautement vraisemblable.

De retour à son hôtel, un télégramme l'attendait en provenance de Chicago. Il alla s'asseoir dans le salon de l'établissement au pied d'un des palmiers et le lut sur-le-champ. *Mr Pinkerton, l'individu décrit s'appelle Japheth Fludd. Tr. dangereux. A agressé un policier (1879), écopé cinq ans de prison (Sing Sing). Peine effectuée en totalité. Pas d'autres antécédents. Pas de pseudonymes connus. Pas de complices connus. Son employeur Fool (éventuel pseudo ?) inconnu de nos services.*

Les heures, les jours passèrent. La tension commençait à monter en lui, il mangeait d'énormes quantités de viande rôtie, de bacon frit, de pommes de terre au curry. Un soleil rouge descendait lentement derrière les toits, la ville s'embrasait dans sa lueur mourante. William pensait à son père, à sa femme. Que dirait Margaret si elle était là ?

Elle lui dirait : Va donc arrêter ce salopard et qu'on n'en parle plus.

C'était dimanche et il se rendait à Scotland Yard lorsqu'il aperçut par hasard Rose Utterson dans la rue. Il tenait à la main un cornet de marrons chauds, ne l'identifia pas sur-le-champ puis la reconnut brusquement. Il froissa son cornet sans s'en rendre compte et se mit à la suivre, sans se soucier qu'elle s'en aperçoive ou non.

C'était le 1er février et il faisait froid. Plus rien dans son apparence ne laissait penser qu'elle avait vécu aux Indes ni qu'elle conversait avec l'autre monde. Elle était vêtue d'une robe mauve un peu démodée mais élégante et coiffée d'un chapeau orné de fleurs pourpres et de grosses plumes de pélican. Un châle d'hiver blanc enveloppait ses épaules. Elle tenait un paquet dans ses mains gantées et le cala sous son coude pour faire signe à un omnibus qui passait et à bord duquel elle monta en relevant le bas de sa robe.

Il la suivit.

L'omnibus avançait en grinçant en direction de Bishopsgate et elle en descendit avant qu'il ne bifurque vers le sud. William l'imita, les doigts et les oreilles gelés. Elle remonta lentement Gaunt Street jusqu'à son domicile. De jour, le quartier avait un aspect bien différent, entre les mornes devantures des boutiques et les cheminées noirâtres qui se dressaient dans le ciel hivernal.

Il la rattrapa alors qu'elle atteignait le perron de sa maison.

Miss Utterson.

Elle se retourna immédiatement. Elle paraissait plus vieille sans son khôl et avec ses joues rougies par le froid. Lorsqu'elle l'aperçut, une sorte d'impatience se peignit sur son visage mais s'effaça aussitôt.

Mr Pinkerton, dit-elle. Voilà qui est inattendu.

La carriole d'un charbonnier passa au même instant à grand bruit dans la rue. Une domestique surgit de la maison voisine, un châle autour des épaules, et se précipita pour lui faire signe, mais le véhicule s'éloignait déjà.

Si vous pouviez m'accorder quelques instants, dit William.

Elle secoua la tête en regardant le paquet qu'elle avait entre les mains. Je suis assez occupée, Mr Pinkerton. À moins que vous n'ayez besoin que d'un simple renseignement.

William se contenta de sourire.

Je vois, dit-elle tandis que ses traits se durcissaient.

Peut-être pourrions-nous poursuivre cette conversation à l'intérieur, dit-il.

Et peut-être pas. Qu'imaginez-vous savoir au juste, monsieur ?

Je n'imagine rien. Ce que je sais c'est que Utterson n'est plus votre patronyme légal. Il l'observait en parlant mais son visage ne trahissait aucune émotion. Je sais que deux membres de votre personnel ont été arrêtés pour vol à Bombay en 1871. Je sais que la même année votre époux a démissionné de son poste gouvernemental avant de disparaître dans la nature et que vous êtes revenue seule à Londres.

Une bien triste affaire, dit-elle. Mais je ne vois pas en quoi…

Je sais, poursuivit William, que votre frère a une clientèle de gens fortunés à la personnalité douteuse. Que parmi eux figure Martin Reckitt, qui lui verse un salaire confortable depuis plus de dix ans. Je sais que ses activités sortent parfois du cadre de la stricte légalité.

Elle le fixait d'un air inexpressif.

Miss Utterson ?

Sa main gantée quitta la balustrade gelée en y laissant une empreinte spectrale.

Je vous écoute, monsieur, lui dit-elle.

Je suis arrivée aux Indes l'année de la grande mutinerie, dit-elle.

Elle était assise les jambes repliées sous elle sur les coussins bas et tournait une minuscule cuillère en argent dans sa tasse de thé.

C'était une époque effroyable, Mr Pinkerton.

La pièce était étrange avec ses lourdes draperies, ses moulures d'albâtre et ses paravents tapissés de papier doré. Sans parler de l'énorme poisson rouge figé dans le bassin à ses pieds.

L'insurrection avait commencé dans le nord de l'Inde, reprit-elle. J'étais censée me rendre à Delhi lorsque je suis arrivée, mais les récits les plus horribles commençaient à circuler dans le Sud. On disait que des Anglaises erraient à moitié nues le long des routes, sans rien à manger et obligées de boire l'eau croupie des fossés. Que les hommes étaient découpés en morceaux dans les rues, les bébés éventrés et jetés dans les rivières.

Elle l'observait de ses yeux noirs et luisants comme l'obsidienne. William sentait la chaleur languide de la pièce s'insinuer en lui et l'envahir peu à peu comme pour l'entraîner dans le sommeil.

Les histoires les plus invraisemblables parvenaient jusqu'à nous, comme celle de la boucherie qui avait eu lieu à Cawnpore. La caserne avait été assiégée pendant des mois. Les enfants étaient abattus lorsqu'ils essayaient d'aller chercher de l'eau au puits. Les femmes succombaient à de nombreuses maladies. Finalement, les assaillants promirent aux survivants qu'ils auraient la vie sauve s'ils levaient le siège et quittaient la ville par le Gange. Mais à peine avaient-ils rejoint les bateaux que les Indiens ouvrirent le feu. Tous les hommes furent abattus, à l'exception d'une embarcation qui réussit à prendre le large. Les Indiens longèrent le fleuve, massacrèrent les bébés à coups de baïonnette, brûlèrent les écolières vivantes et ramenèrent les femmes sur la berge avant de se les répartir entre eux.

William posa sa tasse de thé sur une table basse à côté des coussins.

Je vous effraie, dit-elle.

Non, dit-il. Mais j'ai une question à vous poser qui n'a rien à voir avec les morts.

Tout a à voir avec les morts.

Il la fixa intensément, ses grandes mains couvertes de cicatrices à plat sur les genoux. Comment avez-vous appris sa véritable identité ? demanda-t-il d'une voix douce. Est-ce lui qui vous a révélé la vérité ?

Quelle vérité ? Et de qui parlez-vous ?

La vérité au sujet de votre Mr Foole, miss Utterson. Et de son lointain passé.

Elle le regarda d'un air dubitatif. C'est donc pour cela que vous êtes venu ? dit-elle avant de boire une gorgée de thé. Adam Foole est un homme d'honneur, Mr Pinkerton. Ses secrets lui appartiennent et je me garderais bien de m'en mêler. Pas plus que je ne les trahirais si j'en avais connaissance.

Vous l'avez pourtant déjà fait. J'aimerais comprendre pourquoi.

Vous faites allusion à cette séance ? À ce que la voix disait ? Ce n'était pas moi qui parlais, Mr Pinkerton, mais un esprit qui s'exprimait à travers moi, comme vous avez pu le constater.

Je n'ai rien constaté du tout.

Elle se frotta les yeux de sa main couverte de bijoux. Adam s'est montré très bon à mon égard voici déjà longtemps, à Madrid. J'ai accepté d'organiser cette séance pour le remercier de son geste. Et apaiser sa douleur.

En l'abusant.

En lui apportant la paix. C'est parfois par l'illusion ou le mensonge que nous atteignons une vérité supérieure, Mr Pinkerton.

Une vérité supérieure, marmonna William. Quand vous a-t-il parlé de Shade pour la première fois ?

Shade ?

Oui. Edward Shade.

Qui est-ce ?

William la dévisagea. Peut-être n'avez-vous pas saisi l'importance de l'intérêt que je porte à votre Mr Foole, miss Utterson.

Je vois bien en revanche celui que vous portez à notre séance de mardi dernier. Vous aimeriez comprendre pourquoi Adam a quitté notre cercle aussi précipitamment.

Je sais pourquoi il est parti.

Pardon ?

William haussa le ton, brusquement impatient. Mes amis de Scotland Yard n'ont aucune indulgence pour les actes frauduleux commis au nom de la religion, miss Utterson. Vous n'aimeriez probablement pas qu'ils s'intéressent de trop près à votre petit commerce.

Je crois qu'il est temps que vous preniez congé, Mr Pinkerton.

William ne bougea pas. Plusieurs membres de notre Agence se sont spécialisés dans le démantèlement de ce genre d'escroqueries, dit-il. Et la presse en a toujours fait ses choux gras.

Elle le regarda pendant un long moment avant de répondre d'une voix grave. Il ne s'agit nullement d'une escroquerie, monsieur. Et vous commettriez une profonde erreur en nous persécutant de la sorte. Nous ne causons de tort à personne.

Comment faites-vous ? lança William. Quel est votre secret ?

Je ne comprends pas ce que vous voulez dire.

Votre truc, si vous préférez.

Elle le regarda d'un air blessé. Il n'y a pas de truc, dit-elle. Pas au sens où vous l'entendez. Je suis plongée dans une sorte de sommeil quand le phénomène se produit. Un sommeil éveillé. Et je ne me souviens pas de grand-chose une fois la séance terminée. Elle fronça les sourcils. Il arrive cependant, je l'admets, que l'assistance manifeste une certaine résistance et qu'il faille recourir à quelques substituts afin que le cercle soit réceptif.

Montrez-moi ça, dit-il.

On ne fait pas ce genre de chose au pied levé.

Montrez-moi ça, répéta-t-il en laissant transparaître une violence dont il n'avait pas encore fait preuve.

Elle hocha d'abord la tête avant de le regarder. Que voulez-vous que je vous montre ? dit-elle enfin.

Le truc. La manière dont vous procédez.

Elle soutint son regard. Puis elle se leva et lui fit retraverser le couloir jusqu'à la pièce où s'était déroulée la séance. De jour, elle paraissait encore plus petite. La table était nue, les chaises avaient été repoussées en dessous. Le plafond était bas et taché d'humidité.

L'invocation des esprits n'est pas un truc, dit-elle. C'est un phénomène réel.

Mais la clochette dans le coffret ? Comment la faites-vous sonner ? Y a-t-il une ficelle quelque part ?

Elle eut un instant d'hésitation mais finit par s'asseoir, se raidit sur sa chaise et leva la jambe, tendant le pied jusqu'au milieu de la table sans que cela modifie la position du reste de son corps.

Il y a un aimant dans le coffret, expliqua-t-elle. Et un autre dans ma chaussure. Cela provoque un mouvement qui déclenche la sonnette.

C'est pour cela que la table est petite. Pour que vous puissiez atteindre la sonnette.

Oui.

William fit lentement le tour de la table en observant la femme qui s'y était assise. Vos activités sont donc entièrement fondées sur le mensonge ? lui dit-il avec une ombre presque de tendresse.

Elle leva les yeux vers lui. Ce n'est que le côté théâtral des choses, Mr Pinkerton. Nos croyances ne sont pas d'ordre rationnel. Mais les esprits existent pour de bon. L'autre monde est réel.

Qui le croirait, après avoir vu ça ?

Il faut parfois recourir à une forme de spectacle. L'Église chrétienne procède-t-elle autrement ? En prétendant changer le vin en sang ?

William posa ses deux énormes poings sur la table. Expliquez-moi Ignatius, lui dit-il. Pourquoi avez-vous choisi ce prénom ?

Je n'ai rien choisi, Mr Pinkerton, lui dit-elle avec un soupçon d'impatience. Il arrive que l'esprit qui s'exprime fasse peur à l'un des assistants. J'ai compris qu'Ignatius effrayait Adam. Mais j'ignore pourquoi.

William pensait à son propre Ignatius, Spaar l'aéronaute, qui était originaire de Virginie lui aussi. Il y avait là une curieuse coïncidence. Mais il savait que les spiritualistes, tout comme les escrocs, tournent immanquablement ce genre de rencontre à leur avantage et il s'abstint donc d'y faire allusion. Vous avez parlé de Port Elizabeth, dit-il à la place. Que s'est-il passé là-bas ? À quoi faisiez-vous allusion ?

Ce n'était pas moi, Mr Pinkerton, je vous le répète. C'était Ignatius.

Et qui était la femme à qui il faisait allusion ?

Ah, dit Rose Utterson avec une évidente satisfaction. Vous connaissez déjà la réponse à cette question.

Charlotte Reckitt.

Elle opina. Adam a fait sa connaissance à Port Elizabeth.

En Afrique du Sud ? Qu'est-ce qu'il fabriquait là-bas ? En quelle année était-ce ?

Elle détourna les yeux. Je vous en ai assez dit. Allez interroger Adam, si vous voulez en savoir plus. Son cœur lui appartient.

Cette dernière phrase avait été prononcée avec une sorte de dignité blessée, et William comprit la nature de ses sentiments. Rose était amoureuse de Foole. Et pourtant, il ne pensait pas qu'elle connaissait le secret de cet homme. Mais cela impliquait que quelqu'un d'autre s'était bel et bien manifesté à travers elle l'autre soir. Et cela, William pouvait difficilement l'admettre.

Il la dévisagea mais elle ne cilla pas. Il finit par lui dire d'une voix calme : Edward Shade est le véritable nom d'Adam Foole, miss Utterson.

Cela ne me dit strictement rien.

Et c'est le plus profond secret de votre ami.

Cela m'étonnerait.

Mais elle avait répondu trop vite. William fit craquer ses jointures une à une sans quitter un instant la médium des yeux. Mon père a pourchassé Shade sa vie durant, reprit-il. Il ne l'a jamais trouvé. C'est à cause de lui que je suis venu à Londres.

Votre père ?

Shade.

Un lent regard reptilien se profila sous les paupières de la médium. Vous gaspillez votre énergie dans la mauvaise direction, Mr Pinkerton. Et cela ne vous procurera aucun bonheur.

C'est votre opinion professionnelle ?

L'esprit qui était avec nous l'autre soir, Ignatius, vous connaissait aussi. Il a senti la présence d'un être cher près de lui, Mr Pinkerton.

William hocha la tête et la regarda froidement. Prenez garde, miss Utterson.

La mort est plus douloureuse pour ceux qu'elle laisse derrière elle. Avez-vous perdu quelqu'un récemment ?

Vous savez bien que oui.

Ah. Votre père.

La nouvelle est parue dans la presse, où tout le monde a pu la lire.

Elle le regarda avec une brusque pitié. Le désir est la source de notre malheur, dit-elle. Mais il pourrait en aller autrement. Pourquoi ne renoncez-vous pas à poursuivre Edward Shade ? Votre père est en paix, quant à lui.

William se leva, mit son chapeau, mais se retourna au dernier moment. Mon père n'est pas en paix, dit-il avec colère. En tout cas pas encore. Mais ce sera bientôt le cas. Vous pouvez le dire de ma part à votre Mr Foole.

VINGT-CINQ

Foole se traîna au bord de l'épuisement pendant les jours qui suivirent la séance. Enveloppé dans sa robe de chambre, il arpentait la maison en pantoufles ou regardait de sa fenêtre les divers véhicules qui bifurquaient vers Piccadilly. Il parlait peu, il attendait. Oui, c'était bien le nœud du problème. Il attendait.

Comme si quelque chose avait dû survenir.

Il fit le même rêve trois nuits de suite, des portes s'ouvraient et révélaient une silhouette solitaire dans un pardessus trempé, les mains croisées derrière le dos. Il s'agissait de William Pinkerton. Edward, lui disait Pinkerton, *elle est ici*. Il se réveillait alors en sursaut, regardant sans les reconnaître le contour des meubles et des objets qui l'entouraient. Après la séance, il s'était précipité dans les ténèbres de Bishopsgate, son manteau grand ouvert, et avait couru un bon moment avant de ralentir l'allure, sans se soucier des coupe-gorge qu'il longeait ni des ivrognes qui titubaient au fond des ruelles sans lumière. La voix de Rose avait brusquement changé et c'était bien celle d'Ignatius Spaar qui avait résonné dans la pièce. Spaar l'aéronaute, l'espion victime des ambitions d'Allan Pinkerton pendant la guerre et qui gisait aujourd'hui quelque part dans un sol marécageux, au nord de la Virginie. Foole retournait inlassablement dans son esprit les hypothèses qui s'offraient à lui. Rose Utterson et son frère étaient capables de toutes les trahisons, il le savait, y compris au détriment de leurs proches. Et ils n'avaient pas leur pareil pour aller farfouiller dans les secrets des gens. S'ils avaient fini par apprendre le secret de son passé et décidé de le compromettre à tout jamais aux yeux de Pinkerton, ils n'auraient pas procédé autrement. Mais Foole avait lui aussi été confronté à des fantômes au cours de son enfance et il croyait à la méchanceté des morts. Si redoutables soient-ils, les vivants privilégient toujours leurs propres intérêts. Les morts s'en fichent.

Il broyait du noir. Le matin du troisième jour, n'en pouvant plus, il raconta toute l'histoire à Fludd. Pinkerton est donc au courant, finit par dire le géant en caressant sa barbe. Et ce sont les Utterson qui lui ont appris la vérité.

Ou le fantôme de Spaar.

Ne dis pas de bêtises. Fludd se massa le poignet comme pour chasser une douleur. Tu sais ce qu'il faudrait faire.

Foole le regarda droit dans les yeux. Non, dit-il. C'est hors de question.

On ne retient pas indéfiniment la fumée qui est enfermée dans une bouteille, Adam. Elle finit tôt ou tard par s'échapper.

Foole lui tourna le dos et regarda le brouillard qui avait envahi la rue un peu plus bas. Il ne répondit pas. Jamais il ne se résoudrait à commettre un meurtre. Il préférait encore quitter Londres le jour même. Il revoyait encore le moment où les assistants s'étaient immobilisés, retenant leur souffle. Elle est ici, Edward, avait murmuré la voix. Foole s'était levé, incapable de dire un mot, et avait rompu le cercle. La stupidité de son comportement lui apparaissait à présent dans toute son évidence. Il ne faudrait pas très longtemps au détective pour démêler l'écheveau et découvrir la vérité.

Et alors ? se demanda Foole en regardant le brouillard sinuer au ras du sol.

Et alors ce salopard viendrait l'arrêter.

Il avait quatorze ans et était condamné pour trahison, vêtu de haillons, pieds nus et noir de crasse, lorsqu'un Pinkerton lui avait mis le grappin dessus pour la première fois. Il ne le savait pas alors, évidemment. Il était sorti un peu ahuri de sa rencontre avec le major Allen, des services secrets de l'armée du Potomac, débarrassé de ses menottes et marchant librement, en croyant qu'il venait de rencontrer un vieux gradé et qu'il y avait un malentendu quelque part. À Camp Barry, dans une cellule infâme, la paillasse sur laquelle il avait attendu la mort des semaines durant conservait encore l'empreinte de son corps et il n'arrivait toujours pas à croire que cette mort lui était finalement épargnée. On le fit descendre au rez-de-chaussée de la maison et asseoir devant la cheminée. Il attendit là, seul dans la pièce, regardant tour à tour les fenêtres et la porte en se demandant s'il s'agissait d'un piège, si quelqu'un l'épiait dans l'ombre pour voir comment il réagissait. Dix minutes passèrent ainsi. Puis un Noir gigantesque aux mains monstrueuses et au cou de taureau pénétra dans la pièce. Il n'avait pas de manteau, deux pistolets dans leurs étuis pendaient à sa ceinture de part et d'autre de ses hanches. Il portait un gilet jaune traversé d'une chaînette en or, une grosse bague en or saillait à sa main gauche et, lorsqu'il ouvrit la bouche, Edward vit qu'il avait deux incisives en or.

Mr Edward Shade, lui dit-il d'une voix grave et profonde en détachant bien les syllabes. Vous feriez aussi bien de venir avec moi.

Edward se leva et suivit le colosse dans la nuit. Ils traversèrent la rue boueuse sans échanger un mot. Ses pieds nus étaient douloureux dans le froid, il avait la tête qui tournait et tout son corps tremblait tellement il avait faim. Le Noir bifurqua dans une allée et lui fit franchir un portail avant de frapper à l'entrée d'une demeure plongée dans l'obscurité dont la porte s'ouvrit aussitôt.

Entrez donc, lui dit le Noir. Ce n'est pas le moment de changer d'avis.

La maison ne comportait que deux pièces et servait de planque aux agents des services secrets. Elle était quasi vide. L'homme au visage couvert de cicatrices qui assistait à sa rencontre avec le major Allen occupait la première pièce dont il était en train d'installer le lit. Il se redressa et tourna vers Edward son visage ravagé.

C'est bon, Mr Spaar, lui lança le Noir. Ne vous interrompez pas pour nous.

Le grand brûlé eut une sorte de rictus. Soyez un peu patient cette fois-ci, Ben. Ne tuez pas ce gamin tout de suite, contrairement à votre bonne habitude.

Ben grimaça un sourire. Oh, je ne crois pas que cela sera nécessaire. N'est-ce pas, Mr Shade ?

Spaar émit un son étrange, qui devait être un rire. Ne craignez rien, mon garçon, lança-t-il à Edward. Si vous devez redouter quelqu'un parmi nous, c'est le major Allen. Pas Mr Porter. Enfin, vous avez rencontré le major et vous devez savoir à quoi vous en tenir, ajouta-t-il en s'enroulant une écharpe autour du cou puis en enfilant une paire de gants. Après quoi il ouvrit la porte et sortit dans le froid.

Le nommé Ben avait pris place sur une chaise adossée au mur. Vous feriez mieux de dormir un peu, mon garçon, dit-il. Vous allez mener une drôle de vie désormais.

Vous avez l'intention de rester assis ici toute la nuit ?

Parfaitement.

Edward ne se déshabilla pas mais se glissa sous les couvertures en sentant le sommier du lit grincer sous son poids. Il ferma les yeux. Il avait la tête qui tournait. L'armée sait-elle où je suis ? demanda-t-il soudain. Tout ceci est-il seulement légal ?

Ah, mon garçon… Le pays est en guerre.

Le pays peut bien aller au diable, marmonna-t-il.

Ben sourit et ses dents en or brillèrent à la faible lueur de la lampe. Vous ne l'avez pas encore compris mais vous ne faites plus partie de l'armée des États-Unis. Vous dépendez désormais du major Allen. Et le major ne dépend de personne. À partir de ce soir, si vous devez mourir, ce sera au service de cet homme.

Edward ferma les yeux, les rouvrit un peu plus tard. L'obscurité était plus épaisse. Il se tourna sur le côté, serra les mains entre ses genoux pour se réchauffer. Ben était toujours éveillé et le surveillait.

Combien vous paie-t-il ? demanda Edward d'une voix ensommeillée.

Assis dans l'angle à côté de la porte, Benjamin Porter avait le visage dans l'ombre, les mains croisées sur les genoux. Me payer, moi ? Cet homme m'a sauvé la vie, ajouta-t-il calmement. Et ça, ça n'a pas de prix.

Foole ne fit rien de notable durant le reste de la semaine. Pour la première fois de sa vie d'adulte, il ne savait pas quelle attitude adopter. La mort de Charlotte n'était toujours pas éclaircie et il n'avait pas la moindre piste concernant l'identité de son assassin. Le Sarrasin ne songeait plus qu'à se détruire lui-même. L'oncle de Charlotte croupissait dans une cellule à Millbank au milieu des rats et des scolopendres et ne trahissait plus personne. Ils n'étaient ni l'un ni l'autre ne serait-ce qu'impliqués dans cette disparition. Et Pinkerton n'allait désormais plus se soucier du meurtre. Le jeudi à midi il déjeuna seul et ressortit la lettre de Charlotte qu'il effleura d'un doigt tremblant. Le vendredi il l'approcha d'une bougie et la laissa brûler jusqu'à ce que la flamme vienne lui lécher les doigts. Toutes les choses ont une fin, se dit-il intérieurement, sans trop y croire lui-même. Le samedi il se planta devant la fenêtre de la cuisine en écoutant la pluie crépiter sur les vitres. Un bruit retentit soudain et Mrs Sykes apparut dans l'encadrement de la porte, un seau d'eau savonneuse à ses pieds et le regard empli d'une profonde pitié. Charlotte n'était plus là, songea-t-il. Et rien ne pourrait la ramener.

Mrs Sykes l'écarta et mit une bouilloire sur le poêle pour préparer du thé. La revanche ne changera rien à l'affaire, Mr Foole, lui dit-elle. Un homme de votre expérience devrait le savoir.

Il pensait à Allan Pinkerton, à l'opiniâtreté du vieux détective, et détourna les yeux.

Cela fait une éternité maintenant que j'ai perdu mon homme et pas un jour ne s'est passé sans que je songe à celui où on l'a pendu. Mais je n'ai pas cessé de vivre pour autant. Et je n'étais pas seule en cause, si vous voyez ce que je veux dire.

Foole la dévisageait comme au travers d'une vitre embuée.

Je n'allais pas laisser tomber ma Hettie, monsieur.

Oui, dit-il doucement.

Il y a des gens ici qui ont besoin de vous, reprit-elle. Et il n'est pas trop tard pour vous occuper d'eux.

Vous pensez à Molly.

Bien sûr. Mais si vous voulez tout savoir, je pense aussi à vous.

Était-ce dû aux paroles de Mrs Sykes ? Ou au passage des jours ? Ou à autre chose encore ? Toujours est-il qu'il se réveilla l'esprit clair le lendemain matin. Le chagrin et le remords étaient toujours présents mais il pouvait désormais les maintenir à distance. Il alla s'asseoir dans l'Emporium avec Molly et Fludd et tenta de leur exposer toute l'histoire, depuis le début. Molly ne savait toujours rien de sa vie antérieure sous le nom d'Edward Shade. Le géant avait souvent insisté pour qu'il lui en parle, après leur rencontre avec Pinkerton dans ce tunnel sous la Tamise, considérant que la fillette faisait partie de leur bande et qu'il n'était pas normal qu'elle ignore les risques qu'elle encourait. Ce n'est pas ainsi qu'on dirige une équipe, Adam. Molly était présente aujourd'hui et se grattait la main en regardant le feu qui brûlait dans la cheminée. Foole avait commencé par faire le compte rendu de cette séance de spiritisme. Mais, lorsqu'il fallut aborder l'histoire d'Edward Shade, il s'interrompit, regarda Fludd et y renonça.

Molly avait écouté le reste et n'en croyait pas ses oreilles. Les bras croisés, elle s'adossa à une étagère et s'exclama : Pinkerton ! Nom de Dieu !

Je pourrais l'éliminer, suggéra Fludd d'une voix calme. Un simple coup de couteau et nous n'en parlerions plus.

Molly renifla d'un air méprisant. Et nous aurions tous les flics de la ville au derrière. Pinkerton n'est pas un bas-bleu. Une affaire pareille nous vaudrait les pires ennuis du monde.

Le géant hocha sa lourde tête. Il suffit ensuite de disparaître.

Il faut du pognon pour disparaître, Jappy.

Dans ce cas montons un coup.

Quel genre de coup ?

N'importe lequel.

On empoche un paquet d'oseille et on se tire, c'est ça ? Il faut des mois pour organiser une opération de ce genre. Tu as passé tellement d'années en taule que tu as oublié comment on procédait. Molly marqua une pause. Comment Pinkerton sait-il que nous appartenons à la pègre, pour commencer ?

Adam ? C'est toi le patron, nous ne sommes que tes assistants.

Foole leva lentement les yeux et croisa le regard de Fludd. Il acquiesça imperceptiblement. Raconte-lui le reste, dit-il.

Adam connaît les Pinkerton de longue date, dit le géant en allant droit au but. Notamment le père.

Comment cela ? demanda Molly en se mordillant la lèvre.

Allan Pinkerton était major dans l'armée des États-Unis pendant la guerre de Sécession, dit Fludd. Adam a servi sous ses ordres avant de déserter. C'était un jeune homme à l'époque, guère plus âgé que toi. Le géant se frotta la barbe, regarda Foole puis Molly. Est-ce que le nom d'Edward Shade te dit quelque chose, mon enfant ?

Molly haussa les épaules, méfiante. Pourquoi ? Qui est-ce ?

Tu n'as jamais entendu parler de lui ? Dans les tripots ou ailleurs ?

Bon sang, je viens de te dire que non.

Edward Shade, reprit Fludd, est l'escroc le plus insaisissable de son temps. Il n'a jamais été capturé, nul ne l'a jamais approché. La moitié de la pègre pense qu'il n'existe pas, l'autre moitié ignore son existence. Certains policiers au Yard le considèrent comme une légende, une pure invention. Mais les Pinkerton croient dur comme fer à son existence. C'est lui que William est venu chercher à Londres, poursuivant la mission de son père. Le vieil Allan a traqué Shade pendant plus de vingt ans. C'était devenu une sorte d'obsession chez lui. Il lui collait sur le dos tous les vols qu'il n'arrivait pas à résoudre. Et aujourd'hui le fils a pris la relève. Fludd se pencha en avant, ce qui fit craquer sa chaise. Pinkerton a appris que Charlotte Reckitt avait connu Shade autrefois. Il est venu jusqu'ici afin d'avoir une petite conversation avec elle, voilà tout.

Molly acquiesça lentement. Ce Shade est donc responsable de ce qui est arrivé à cette femme ?

En quelque sorte.

Dans ce cas il suffit de mettre la main sur lui et de le livrer à Pinkerton. Je suis sûre qu'il nous trouvera une porte de sortie si nous lui refilons ce Shade. Elle releva les yeux. Où peut-on le trouver ?

Le problème n'est pas de mettre la main sur lui, dit Fludd en fronçant les sourcils. Il se trouve actuellement sous ton nez, mon enfant.

Molly cligna des yeux et se tourna vers Foole, dont la silhouette se découpait à la lueur de la cheminée.

Fludd se leva. Je suis heureux de te présenter le mystérieux Edward Shade. En chair et en os.

Edward Shade ? s'exclama Molly. C'est donc ton véritable nom, Adam ?

Parle moins fort, mon enfant.

Pinkerton le poursuivait depuis des plombes et vous ne m'avez jamais parlé de cet Edward Shade de mes deux ?

Tu comprends à présent pourquoi nous devons impérativement quitter Londres, répondit calmement Fludd.

Elle posa une main tremblante sur sa chaise. Le seul endroit où les Pinkerton ne viendront pas nous chercher, dit-elle, c'est dans la tombe.

Et encore, rien n'est moins sûr, intervint Foole en quittant la cheminée des yeux.

En l'entendant, le visage de Molly se durcit davantage. Il voyait bien qu'elle était aussi surprise que blessée par ces révélations, mais il ne lui présenta aucune excuse. Son passé lui appartenait, après tout.

Vous avez tous les deux raison, dit-il doucement. Nous allons avoir besoin d'argent pour éponger nos dettes et quitter cette ville. Il croisa les mains et regarda ses complices d'un air lugubre. Et je sais ce que nous allons voler pour nous tirer d'affaire.

Lorsque Edward s'était réveillé le lendemain matin pour sa première journée en tant qu'agent des services secrets de l'armée du Potomac, il avait mal à la tête et une odeur de café flottait dans l'air. Il était seul. Quelqu'un avait déposé un plateau sur la chaise qu'avait occupée le dénommé Ben. En soulevant le couvercle, il découvrit des toasts beurrés, des œufs brouillés, trois grosses tranches de jambon. Il dévora le tout, s'essuya les mains sur sa chemise et réfléchit à ce qui venait de lui arriver. Il finit par se lever, ouvrit la porte et émergea dans l'allée.

Une négresse qui décrochait du linge d'un étendage s'interrompit pour le contempler. Le regard d'Edward se porta derrière elle, à la recherche des hommes du major Allen. Mais la femme l'appela brusquement par son nom et il la regarda, stupéfait, tandis qu'elle éclatait de rire.

Vous ne pensiez tout de même pas que le major allait vous laisser sans surveillance ? lui lança-t-elle.

Elle porta deux doigts à sa bouche et siffla. Un instant plus tard, une porte s'ouvrit dans l'allée et le colosse noir, Ben, apparut dans l'encadrement, sa ceinture et ses pistolets en travers de l'épaule. Il paraissait encore plus volumineux et plus impressionnant à la lumière du jour.

Tu as mangé ? s'enquit-il de sa voix profonde et grave.

Mais il n'attendit pas la réponse, se pencha pour embrasser la femme sur le front et fit signe à Edward de le suivre.

C'est ainsi qu'Edward commença son entraînement. Il ne revit pas le major Allen tandis que les jours passaient et qu'il apprenait l'art difficile et risqué de l'espionnage. Ben lui expliqua d'abord comment on menait une filature. Puis Spaar, l'homme au visage brûlé, lui enseigna l'art d'écouter les conversations dans les cafés, les gares, les restaurants. Avec Sally, l'épouse de Ben, il apprit à imiter différents accents, celui de la Virginie au premier chef. Le cinquième jour Spaar l'installa devant une glace bordée de deux douzaines d'ampoules, sortit une trousse de maquillage et lui montra comment se déguiser et changer subtilement d'apparence. Il apprit à marcher vite tout en ayant l'air nonchalant, à agir avec lenteur tout en paraissant pressé. Et surtout à ne jamais se fier aux apparences. La deuxième semaine, Ben l'emmena dans un entrepôt non loin de la voie ferrée où avait été dressé un ring, afin qu'il s'exerce au pugilat. Il l'envoya au tapis à plusieurs reprises jusqu'à ce qu'Edward se mette à pleurer, plié en deux. Ben le regardait en faisant craquer ses jointures d'un air dégoûté.

Tu crois que le major se montrera indulgent à ton égard ? Relève-toi. Je l'ai vu arracher les ongles d'un homme avec un tisonnier chauffé à blanc. Allez, lève-toi. Tu ne veux tout de même pas lui faire mauvaise impression demain quand il viendra te mettre à l'épreuve ?

Demain ? dit Edward en levant son visage tuméfié.

Je t'ai dit de te lever, mon garçon. Nous perdons du temps, il ne fera bientôt plus suffisamment jour ici.

L'idée de Foole était simple : il s'agissait de voler un tableau.

Mais pas n'importe quel tableau, précisa-t-il en dévisageant ses complices à la lueur de la cheminée. Il s'intitule *Emma* et doit prochainement être mis aux enchères pour la bagatelle de trente mille livres.

Trente mille livres, murmura Fludd après avoir poussé un sifflement.

Nous pourrions le restituer pour le tiers de sa valeur et décamper sans que le moindre mandat d'arrêt ait été lancé contre nous.

Molly fronça les sourcils. Tu veux que nous carottions un tableau, *Edward* ?

Foole la fixa jusqu'à ce qu'elle se mette à rougir, avant de détourner les yeux. Le vol d'une œuvre d'art peut être organisé et exécuté rapidement, reprit-il. Et cela n'a encore jamais été fait, à ma connaissance. La raison en est évidente : il est impossible d'écouler une œuvre d'art possédant une quelconque valeur puisqu'elle est aisément identifiable. Mais du coup, le dispositif de sécurité étant réduit, l'opération est plus facile à réaliser. Et nous pourrions négocier la restitution du tableau à son propriétaire, sous la condition qu'il renonce aux poursuites. Ce tableau a fait la une du *Times* au moins une fois par semaine ces derniers mois et sa notoriété suffit à lui conférer sa valeur. Nous ferons appel à notre avocat, Gabriel Utterson, pour conduire les négociations.

Utterson, s'étouffa Fludd. Tu comptes encore lui faire confiance ? Après tout ce qui s'est passé ?

Nous avons travaillé pendant quatorze ans avec lui. Foole sortit de la poche intérieure de sa redingote une coupure de presse consacrée au tableau, qu'il déplia et tendit au géant. Je ne confonds pas les sentiments avec les affaires, Japheth. Ce n'est pas une question de confiance, c'est une question d'intérêt. Et Gabriel sait parfaitement où est le sien.

Molly gardait les yeux fixés sur le tapis et les écoutait à peine.

Fludd haussa les épaules. Bon, dit-il, supposons que nous soyons d'accord et que nous acceptions de considérer cette affaire. Qui d'autre faudra-t-il engager?

Personne. Nous nous en chargerons nous-mêmes. Mais tous les détails ne sont pas encore réglés dans mon esprit. Il faut que nous connaissions les horaires et les habitudes du lieu. Que nous sachions par où pénétrer dans le bâtiment et par où en sortir en cas d'alerte. Il faut également se renseigner sur le propriétaire de cette galerie. Il s'appelle George Farquhar et il est visiblement très riche, à en croire les témoignages. Il jouit également d'une grande notoriété. Mais nous devons en savoir davantage concernant ses habitudes, son mode de vie, la manière dont il occupe ses loisirs, les relations de sa femme s'il est marié.

De combien de temps disposons-nous? l'interrompit Fludd.

D'une dizaine de jours, dit Foole en caressant ses favoris. Deux semaines tout au plus.

Deux semaines? C'est impossible, Adam.

Foole regarda Molly dans la pénombre et hocha la tête.

Il va pourtant falloir s'en contenter, dit-il.

Le lundi après-midi arriva, froid et sec, et le jardin zoologique de Londres était absolument désert. Foole avait envoyé un coursier au bureau d'Utterson le matin même et celui-ci lui avait immédiatement fait parvenir sa réponse en lui donnant rendez-vous au jardin à quatorze heures. Foole avait rejoint Piccadilly à la recherche d'un cab, sa canne sous le bras et traînant Molly derrière lui. Ils arpentaient à présent les allées gelées du jardin, tels un père et sa fille s'offrant une promenade hivernale. Foole ne disait rien. Il regardait le ciel gris puis la fillette en frissonnant. Les grillages en fer qui bordaient les enclos avaient un aspect sinistre et les cages paraissaient sales, désolées, presque à l'abandon.

Je ne suis pas idiote, lança brusquement Molly. Ce n'est pas la peine de me regarder avec ces yeux de merlan frit. Je n'ai jamais vu Utterson et tu voudrais connaître mon impression à son sujet, *Edward*.

Arrête un peu, dit Foole.

Arrête quoi ?

Je ne suis pas Edward Shade, dit-il en adoucissant la voix. Je l'ai été jadis, il est vrai. Mais cet individu est mort durant la guerre.

C'est un tissu de mensonges et tu le sais très bien.

Cela s'est passé dans une autre vie, dit-il en hochant la tête. Comme celle que tu as menée auprès de Mrs Sharper et de sa sœur, qui t'appelaient mon poussin. Tu ne parles jamais d'elles. Ni de ce que tu as représenté à leurs yeux.

Mais ce n'est pas un secret, tu es au courant de tout ça.

Foole fronça les sourcils. Sur leur gauche, la cage aux singes était silencieuse et vide.

Mrs Sharper n'arrêtait pas de me raconter des bobards, dit Molly. Mais toi, Adam, tu étais différent. Pas une fois tu ne m'as menti. Je ne t'ai jamais demandé de me raconter ta vie d'avant, ce n'était pas à moi de te poser ce genre de questions. Mais… Elle se tut.

Mais quoi ?

Jappy te connaît beaucoup mieux que moi. C'est un peu embarrassant.

Nous nous sommes rencontrés il y a plus de vingt ans, Japheth et moi.

Une grimace déforma le visage de Molly. Je n'ai jamais été le poussin de personne, murmura-t-elle.

Tu l'étais pour le petit Peter.

Ne mêle pas Peter à cette affaire, dit-elle en secouant la tête.

Tu as raison. Excuse-moi.

Il releva les yeux et aperçut un peu plus loin un individu qui les observait. Il portait un chapeau en soie et un manteau au col en fourrure boutonné jusqu'au cou. Il reconnut aussitôt la silhouette de Gabriel Utterson.

Molly, dit-il.

Tu aurais dû m'en parler plus tôt, c'est tout, dit-elle d'une voix calme.

Ils contournèrent lentement l'enclos, s'engagèrent sur la pelouse gelée.

Il aurait fait plus chaud dans votre bureau, lança Foole.

Utterson frappait ses mains gantées l'une contre l'autre pour se réchauffer. Nous avons un problème, monsieur, annonça-t-il. William Pinkerton a débarqué chez nous hier. Je ne lui ai pas parlé en personne, j'étais alors à mon bureau, mais Rose m'a dit qu'il s'était montré assez agressif. J'ai cru comprendre qu'il faisait allusion à la relation que vous entretiendriez avec un insaisissable voleur.

Foole entendit Molly retenir son souffle et détourna les yeux, irrité. Nous menons tous nos affaires comme nous l'entendons, Gabriel. Vous le savez fort bien. À qui faisait-il allusion ?

Bien sûr, monsieur, vos affaires ne regardent que vous…

De quel voleur parlait-il ?

… mais je ne peux pas me sentir surveillé de la sorte. Je ne le tolérerai pas.

De qui parlait-il, Gabriel ?

Utterson posa sur lui ses yeux brillants. William Pinkerton pense que vous êtes ou que vous avez jadis été le célèbre Edward Shade.

Foole éclata de rire, avant de s'interrompre. Vous plaisantez ? dit-il.

Le regard de l'avocat était impénétrable.

Foole se tourna vers l'enclos de l'éléphant qui s'élevait un peu plus loin. Qu'est-ce qui a pu lui donner une idée pareille ? Cette satanée séance ?

Ou la manière dont vous l'avez quittée, qui sait? répondit Utterson avec froideur. Je vous avais prévenu. Rose obtient d'excellents résultats mais il arrive qu'un membre de l'assistance...

Quoi? S'en aille, dégoûté?

Rompe le cercle. Utterson leva ses mains gantées. Rose n'avait nullement l'intention de vous mettre dans l'embarras.

Elle n'y est pour rien, dit Foole. C'était Ignatius qui parlait, n'est-ce pas?

Nous ne choisissons pas les esprits qui s'expriment, monsieur. Nous ne sommes que leurs intermédiaires.

Foole fronça les sourcils en soupesant la part de vérité que pouvaient contenir ces mots. L'avocat était aussi fourbe que cruel, mais Foole ne voyait pas pourquoi il l'aurait abusé en la circonstance. Il finit par hocher la tête. Nous nous connaissons depuis trop longtemps pour jouer au chat et à la souris, Gabriel. Et si l'un d'entre nous faisait naufrage il pourrait bien entraîner l'autre dans sa chute.

La menace plana un moment en silence entre eux.

Vous avez demandé à me voir, finit par dire Utterson en affichant à nouveau une mine impassible. De quoi s'agit-il au juste?

Foole sortit de sa poche un petit calepin doré sur tranche et le feuilleta avant de s'arrêter sur une page. Un homme d'un très haut statut social va bientôt perdre un objet de grande valeur auquel il tient beaucoup. Ceux qui vont récupérer cet objet auront besoin d'un intermédiaire pour négocier sa restitution. Moyennant une commission, bien sûr.

Ah, fit Utterson en plissant les yeux. Je plains ce pauvre homme tout en me félicitant que l'histoire connaisse un heureux dénouement. Mais je suis au regret de vous dire que je n'accepte plus ce genre de mission depuis un certain temps.

Le pourcentage sera le même que d'habitude.

Je regrette, dit Utterson à voix basse. Je ne suis plus dans le circuit.

Foole s'avança d'un pas. Je dois impérativement quitter Londres, Gabriel.

À cause de Pinkerton.

Si ce que vous m'avez dit est vrai.

Utterson considéra un instant la question. Et il serait également dans mon intérêt que vous disparaissiez de la scène, reprit-il lentement. Cela dissuaderait Mr Pinkerton de venir mettre son nez dans mes affaires. Toutefois vous avez un certain volume de dettes, monsieur. Et Mr Barr a déjà fait preuve d'une louable patience. Cette opération s'avérera-t-elle aussi profitable que vous l'espérez ?

Elle devrait en effet permettre de couvrir l'ensemble de ces dettes.

J'imagine qu'elle doit se dérouler à relativement brève échéance.

D'ici deux semaines.

Utterson lui lança un regard perçant. La précipitation n'est jamais une alliée très sûre, monsieur.

Il n'y a pas la moindre précipitation dans cette affaire, Gabriel. L'occasion se présente, voilà tout.

Ah.

Si vous acceptez cette mission, je vous contacterai à nouveau pour vous donner de nouvelles instructions. Une fois le travail exécuté, je vous demanderai d'entrer directement en contact avec le gentleman en question et de lui proposer une rencontre en terrain neutre. L'un d'entre nous lui dira de vous rejoindre le jour où l'échange aura lieu, comme d'habitude. Je ne pense pas qu'il portera plainte.

Probablement pas, en effet, s'il souhaite négocier. Mais vous savez qu'il est illégal de racheter ce genre de biens à ceux qui les ont dérobés. Êtes-vous certain qu'il acceptera de coopérer ?

Ma foi, dit Foole en regardant l'étendue blanche du ciel. Les choses sont toujours plus simples dans ce cas de figure.

Un gardien surgit à cet instant en sifflotant entre les arbres et en poussant une brouette dont la roue grinçait épouvantablement. Il leur adressa un regard inexpressif avant de se diriger vers la cage aux singes. Utterson empocha le calepin qui contenait le nom et l'adresse de George Farquhar et les salua tous les deux de la tête avant de faire demi-tour et de s'engager au milieu des fourrés dans une allée déserte.

Foole le regarda s'éloigner. J'imagine que cela équivaut à une acceptation, dit-il. Que penses-tu de lui ? demanda-t-il en se tournant vers Molly.

Je préfère sa sœur.

Moi aussi.

Mais je ne crois pas qu'il ait cherché à t'entuber. Ni qu'il soit de mèche avec Pinkerton.

Foole opina. C'est également mon sentiment.

Cet enfoiré de William Pinkerton, marmonna Molly.

Elle regarda la lumière grise qui enveloppait le jardin et les arbres qui semblaient chercher comme les hommes à se protéger du froid. Foole posa la main sur son épaule et sentit qu'elle grelottait. Il se souvint alors qu'elle était encore très jeune et éprouva une tristesse infinie à la pensée du monde tel qu'il allait.

VINGT-SIX

Il pleuvait. Il descendit de l'omnibus et traversa la rue en zigzaguant entre les flaques pour rejoindre l'entrée de Great Scotland Yard. L'eau coulait dans le col de son manteau. Une fois à l'intérieur, il ôta son chapeau, le secoua, chassa de la main les gouttes qui s'étaient déposées sur ses manches. Le sol était trempé, glissant. Il s'engagea ensuite dans l'escalier qui permettait d'accéder au sous-sol et à la salle des archives, où régnait toujours un froid glacial. Il avait dans sa poche le télégramme qu'on lui avait envoyé de Chicago. Étant donné que Shade n'avait pas laissé la moindre trace, qu'il n'y avait aucun dossier ni rapport à son nom, William n'avait aucun motif pour arrêter cet homme et encore moins pour le faire inculper. Il fallait qu'il procède autrement, de manière méthodique. Il devait d'abord reconstituer le parcours de Shade afin de pouvoir l'identifier la prochaine fois qu'il transgresserait les frontières de la loi.

Pendant vingt ans, Shade était resté dans l'ombre, sans même qu'on le soupçonne des infractions qu'il commettait. Un différend l'avait opposé au père de William pendant la guerre de Sécession, une trahison, à l'en croire, mais dont le secret était sans doute à tout jamais perdu. Enfin, peut-être pas, rectifia-t-il intérieurement. Car il y avait au moins une personne qui le connaissait, ce secret. Si seulement il pouvait lui mettre la main dessus et recueillir ses aveux. William en savait en effet un peu plus à présent que le jour où il avait rencontré Foole pour la première fois dans ce tunnel sous la Tamise, un mois plus tôt. Son père avait pourchassé Shade afin que celui-ci lui rende des comptes, c'était un fait. Mais il ignorait si la colère de son père était seule en cause dans cette affaire. Arrivé devant la salle des archives, il saisit la poignée de la porte, tapa du pied pour nettoyer ses semelles boueuses. Deux policiers en uniforme qui passaient dans le couloir le dévisagèrent d'un air soupçonneux. Au diable tout cela, songea-t-il.

L'essentiel était d'envoyer Shade derrière les barreaux.

La salle des archives était une longue pièce étroite et dénuée de fenêtres, dans les profondeurs du bâtiment. Derrière la porte en entrant se trouvait un placard rempli de seaux, de serpillières et de balais. Juste à côté se dressaient un petit bureau et une chaise branlante qui devait essentiellement servir au gardien de nuit lorsqu'il faisait ses rondes. Des chandelles étaient allumées aux deux extrémités de la pièce mais elles ne diffusaient qu'une faible lumière. Le reste était occupé par des étagères remplies du sol au plafond par des piles de paperasses, de boîtes et de dossiers étiquetés avec soin mais dont l'encre s'estompait déjà, et selon un système de classement auquel on avait depuis longtemps renoncé. Ce n'était pas la première fois que William mettait les pieds ici. Mais il était revenu pour poursuivre ses recherches au sujet du dénommé Fludd. Il était accroupi lorsque la porte s'ouvrit brusquement, ce qui fit vaciller la flamme des chandelles. Il releva les yeux et aperçut Blackwell.

Mr Pinkerton, dit l'inspecteur en entrant, on m'a dit que je vous trouverais sans doute ici. Avez-vous un instant à me consacrer ? Il referma la porte et ajouta en baissant la voix : C'est à propos du meurtre de Charlotte Reckitt.

William le regarda. Il n'avait plus guère repensé à cette affaire depuis la séance de spiritisme.

Vous l'aviez bien identifiée à la morgue, monsieur ?

Pourquoi chuchotez-vous, Blackwell ?

Je vous demande pardon ?

Parlez plus fort, mon vieux. Oui, je l'avais identifiée.

Blackwell s'éclaircit la gorge. Et étiez-vous certain qu'il s'agissait bien d'elle ?

Où voulez-vous en venir, Blackwell ?

L'inspecteur fronça les sourcils, mal à l'aise. N'est-il pas possible, monsieur, qu'une erreur ait été commise ? Et que ce corps ne soit pas celui de Charlotte Reckitt ?

William repensa à la femme qu'il avait prise pour Charlotte et suivie dans la rue quelques semaines plus tôt.

Le fait est que j'ai peut-être découvert une piste, monsieur. Grâce à ce portrait.

Continuez.

Il s'agit de l'épouse d'un propriétaire de pub. Elle a disparu juste avant que le corps ne soit découvert. Deux hommes nous ont déclaré que ce dessin lui ressemblait beaucoup, monsieur. Et le pub en question correspond aux critères du Dr Breck.

Que dit le mari ?

Je ne l'ai pas encore interrogé, monsieur.

William lissa sa moustache. Vous savez qu'il y a de fortes chances pour que cela ne mène à rien.

Oui monsieur.

Et qu'il s'agit probablement d'une erreur.

Oui monsieur.

Qu'en pense John ?

Je n'ai pas écrit à Brighton, monsieur, si tel est le sens de votre question.

À Brighton ?

Le chef est là-bas, monsieur. Vous n'étiez pas au courant ?

Qu'est-ce qu'il fabrique à Brighton ? Il est en vacances ?

À cette époque de l'année, monsieur ? Blackwell esquissa un sourire, comme si William venait de faire une bonne plaisanterie. Mr Shore sera de retour après-demain. Mais je ne voudrais pas lui faire perdre son temps, au cas où il s'agirait d'une fausse piste. Je compte d'abord mener mon enquête dans un appartement que cette femme est censée avoir fréquenté. Blackwell regarda la pile de dossiers empilés aux pieds de William. Que cherchez-vous au juste, monsieur ? Puis-je vous être utile en quoi que ce soit ?

William agita la main comme s'il s'agissait d'un détail négligeable. Vous voulez que j'aille lui parler ?

À Mr Shore ?

Non, au mari.

Ah, dit Blackwell visiblement soulagé. Ma foi, monsieur, je préférerais ne pas y aller seul.

William dévisagea l'inspecteur. Faites-moi signe quand vous aurez décidé de lui rendre visite, dit-il avant de se retourner pour poursuivre ses recherches. Mais l'inspecteur continuait de fixer William qui sentait son regard dans son dos. Vous aviez autre chose à me demander ? dit-il en poussant un soupir.

C'est à propos du corps, monsieur. Étiez-vous absolument sûr de vous lorsque vous l'avez identifié ?

Sur le moment, oui. John l'a formellement reconnu lui aussi. Ainsi qu'un de ses voisins à Hampstead, si ma mémoire est bonne. William se redressa, il avait une crampe et ses jambes étaient douloureuses. Décidément, il se faisait vieux. Mais si ce n'est pas Charlotte Reckitt qui a été découpée en morceaux...

Oui monsieur ?

... où se trouve-t-elle aujourd'hui ?

Blackwell opina du menton. Je me demande surtout à qui appartient ce corps, rétorqua-t-il.

William fouilla dans ses poches à la recherche de sa pipe. Oui, dit-il. La question se pose elle aussi.

En regagnant son hôtel sous la pluie l'après-midi même, William se disait qu'il aurait bien voulu que son père ait vécu un peu plus longtemps afin d'apprendre qu'il n'était pas loin de mettre la main sur Edward Shade. À vrai dire, il l'avait retrouvé de manière assez inattendue et ne disposait pour l'instant d'aucune preuve pour le confondre, en dehors de sa propre conviction. Mais il y croyait dur comme fer. Peu importait Charlotte Reckitt, au fond. Il ignorait si l'enquête de Blackwell confirmerait son hypothèse mais cela ne changeait rien à l'affaire. Elle finirait par refaire surface, d'une manière ou d'une autre. Le réceptionniste le vit entrer dans le hall de l'hôtel et lui fit un signe. Un paquet était arrivé en son absence. Il le soupesa et le considéra un moment avant de se décider à déchiffrer l'écriture de l'expéditeur.

Il s'agissait de Sally Porter.

Il monta dans sa chambre et ferma la porte à double tour derrière lui avant de se déshabiller. La femme de chambre était passée et avait préparé un tub. L'eau avait refroidi mais un énorme pichet en céramique rempli d'eau chaude trônait sur une desserte, à côté d'un savon et d'une pile de serviettes propres. Il considéra un instant le tub, son pantalon à la main. Il avait encore ses chaussettes. Puis il repassa dans l'entrée, saisit le paquet qu'il avait déposé sur la table basse et alla s'asseoir à moitié nu devant le bureau.

Il coupa soigneusement la ficelle avec un couteau et déversa le contenu du paquet. Il mit la lettre de côté et examina un à un les objets étalés devant lui : une boucle de ceinturon en fer, deux balles de revolver à moitié tordues, une photographie pliée et craquelée qui avait été prise à Cumberland en 1862, pendant la guerre de Sécession. Au centre William reconnut son père. Benjamin Porter y figurait également, tout jeune encore sur le côté. La photo réunissait les agents qui travaillaient dans les services secrets de l'armée du Potomac.

William ouvrit la lettre d'un geste décidé.

Cher Billy,

Je vous écris cette lettre parce que je crois que vous devez savoir la vérité sur Edward Shade même si cela doit prendre un tour étrange. Cette affaire importait beaucoup à votre père, il n'est donc pas étonnant qu'elle vous tracasse aussi. Il n'aurait pas aimé que les choses se passent ainsi mais nous ne savons pas toujours nous comporter correctement avec nos proches & je le vois bien aujourd'hui que mon pauvre Ben est mort, paix à son âme.

Oui, j'ai connu Edward Shade. Il a travaillé pour votre père dans les services secrets pendant la guerre, ce que vous savez sans doute & ce n'est certainement pas pour cela que vous êtes venu me trouver mais je vous dirai ce que je sais & j'espère que cela vous aidera à tourner cette page & à trouver la paix. Votre père n'y était pas parvenu quant à lui & mon pauvre Ben lui est resté fidèle jusqu'au bout.

Vous le verrez sur la photographie que j'ai mise dans ce paquet afin que vous connaissiez son visage, bien que la ressemblance, je le crains, ne soit pas fameuse.

William regarda la photographie de plus près et examina les agents l'un après l'autre. Un jeune homme était accroupi à l'extrémité du premier rang. C'était à vrai dire encore un enfant mais son visage était flou et le cliché altéré par le temps. On ne distinguait pas vraiment ses traits.

Edward était petit, alerte & vif & s'est avéré un collaborateur idéal pour votre père, c'était un solide garçon de quatorze ans quand je l'ai connu, je ne devrais d'ailleurs pas le traiter de garçon ! Il était malin & sympathique à la fois & il avait un véritable don pour imiter les accents. Votre père l'aimait beaucoup & le considérait un peu je crois comme un fils adoptif. Il l'avait pris sous son aile & essayait de faire son éducation. Mon pauvre Ben disait souvent que votre père se reconnaissait un peu dans cet enfant. Ils avaient tous les deux du caractère, en tout cas je peux vous l'assurer. Mais cela ne l'empêchait pas d'être fier de vous & de Robert, cela n'avait rien à voir.

Pendant la deuxième année de la guerre, juste avant la campagne de la Péninsule, les soldats de l'Union mouraient par centaines sous les tirs de l'ennemi. Vous n'étiez pas encore venu nous rejoindre, je ne crois pas. Le spectacle était attristant, désespérant même, & votre père est venu nous trouver pour nous dire que le général (je parle bien sûr de McClellan que votre père aimait plus que n'importe qui au monde) avait besoin d'informations fiables concernant la situation derrière les lignes des confédérés. Nous formions un petit groupe dans lequel il avait confiance & Edward était l'un des nôtres. J'étais présente lorsqu'il s'est porté volontaire & j'ai entendu par la suite plusieurs personnes prétendre qu'on l'avait forcé, ce qui est un pur mensonge. Je n'aimais pourtant pas cette idée à l'époque car Edward me paraissait bien jeune pour une telle mission mais on ne m'a pas demandé mon avis. Le soir du 12 avril nous avons conduit Edward, Mr Porter & moi, jusqu'à une crique asséchée derrière les lignes ennemies & mon pauvre Ben lui a ensuite confié le cheval & la charrette sur laquelle nous étions venus & laissé suivre sa route tandis que nous rebroussions chemin à pied jusqu'à Fort Monroe. Pensez un peu ! deux nègres au pays des confédérés, c'est un voyage dont je préfère ne pas me souvenir.

Cinq semaines après qu'il avait franchi la frontière ses rapports cessèrent d'arriver. Comme nous n'avions plus de nouvelles, votre père, qu'il repose en paix, devint très inquiet, il se rongeait sans arrêt les sangs, etc. Le 1er juillet il envoya un agent virginien dans le Sud pour savoir ce qu'Edward était devenu. Je ne connaissais pas très bien cet homme mais ce qui est certain c'est qu'il me déplaisait. Il s'appelait Ignatius Spaar, je crois d'ailleurs que vous l'avez connu. Il ne travaillait pas pour nous en permanence & chaque fois qu'il racontait une histoire il s'arrangeait pour que ça le mette en valeur mais ce n'est peut-être pas très gentil de ma part de dire une chose pareille. Cet été-là, l'armée du Potomac a été chassée de la Péninsule & ce n'était pas le moment idéal pour envoyer un agent là-bas. Même votre père était d'accord sur ce point.

Lorsque ce Virginien disparut à son tour après avoir rejoint Richmond, je crois que votre père ne nourrissait plus la moindre illusion, il n'avait pas reçu plus de deux rapports avant que l'opération ne tourne court. En août, Washington l'informa que les deux hommes Edward & Spaar le Virginien avaient été arrêtés par les services secrets des confédérés & enfermés dans une prison militaire.

Spaar et Shade ? William pensait à Ignatius, l'esprit qui s'était adressé à Foole pendant la séance. Et il pensait à Spaar durant la terrible retraite qui avait mis un terme à la campagne de la Péninsule, où il fallait patauger dans la boue en affrontant d'incessantes bourrasques de pluie. Spaar avait disparu dans les fourrés à Malvern Hill, et William avait toujours cru qu'il avait été capturé puis exécuté par les confédérés. L'histoire de Sally ne tenait pas debout. À moins que Spaar n'ait volontairement tranché le câble de leur ballon pour leur faire franchir les lignes ennemies et se rapprocher ainsi de Richmond. Où se trouvait Shade.

Billy, je n'aime pas évoquer cette période, c'est douloureux aujourd'hui encore de penser à ce qu'a dû endurer ce pauvre garçon. Peut-être votre père éprouvait-il la même chose & cela expliquerait qu'il ne vous en ait pas parlé. J'ai toujours respecté & aimé votre père, c'était un homme de principes mais lorsqu'il a appris ce qui était arrivé à Edward il est resté enfermé plusieurs jours dans sa tente. Étiez-vous déjà sur le front à ce moment-là ? Si oui vous devez vous souvenir à quel point il avait maigri & qu'il était animé d'une colère destructrice que j'ai revue chez lui par la suite mais Dieu merci pas trop souvent. Votre père voulait envoyer une petite équipe de nos agents derrière les lignes ennemies mais le général y était opposé & Washington a refusé de négocier un échange de prisonniers.

J'ai toujours pensé que c'était ça plus que l'abdication du général qui a laissé à votre père un souvenir aussi amer de cette guerre. Dès la fin des hostilités en tout cas son premier geste a été de se rendre dans le Sud à travers des contrées dévastées & de mener son enquête à Richmond afin de connaître les circonstances exactes de la disparition d'Edward. Nous n'étions pas du voyage Mr Porter & moi, nous étions restés à Baltimore où il y avait tant à faire, mais votre père nous écrivait presque tous les jours. Il avait peu d'espoir de retrouver Edward en vie car nous savions tous ô combien dans quelles abominables conditions étaient gardés les détenus. Au bout de plusieurs semaines il a découvert une tombe dans le cimetière de l'armée confédérale à Richmond dont l'inscription attestait qu'elle contenait les restes de l'agent virginien Ignatius Spaar & évoquait son grand sacrifice au service de la Confédération.

Votre père fit exhumer le corps & récupéra les deux balles que je vous adresse ci-joint & qui se trouvaient dans le cadavre du Virginien qui avait de toute évidence été condamné & abattu comme espion. Nous nous sommes demandé à l'époque & je me demande encore ce que signifiait cette inscription mais peut-être s'agissait-il d'une simple plaisanterie macabre. Ce genre de chose arrive en temps de guerre, vous devez vous en souvenir, la mort étant devenue une chose tellement banale.

Mais vous m'avez interrogée l'autre jour au sujet d'Edward Shade, Billy, & je ne vous ai pas dit la vérité. Edward avait bel & bien survécu à la guerre. En 1866 votre père était rentré chez lui un soir & mangeait avec votre maman à la cuisine comme ils le faisaient d'ordinaire. Puis il a rejoint son bureau à l'étage & un garçon l'attendait là pour l'abattre & il s'agissait d'Edward Shade. Ce n'était d'ailleurs plus un garçon, c'était devenu un homme entre-temps. Je ne sais pas trop ce qu'ils se sont dit tous les deux ce soir-là mais une lutte s'est ensuivie, votre père a plaqué Edward au sol & s'est emparé de son revolver. Edward s'est alors enfui en sautant par la fenêtre. Votre père lui a tiré dessus à six reprises & l'a manqué chaque fois. On pouvait dire bien des choses de votre défunt père, paix à son âme, mais sûrement pas qu'il ne savait pas se servir d'une arme.

Vous imaginez bien qu'une pareille aventure ne pouvait manquer de le mettre hors de lui. Il n'a pourtant jamais beaucoup parlé de cette soirée où Edward s'était introduit chez *lui pour l'abattre à bout portant. Mais il allait forcément en conclure que si Edward n'avait pas trouvé la mort dans cette prison de Richmond c'était parce qu'il avait trahi le Virginien venu le délivrer & du coup votre père a dû se sentir trahi lui-même.*

Néanmoins il a cru Toute sa Vie qu'Edward referait surface un jour. C'était pour ça qu'il le cherchait. Je ne sais pas si c'était par esprit de Vengeance ou par amour, les deux peut-être. Nous avons été payés Mr Porter & moi sur la caisse personnelle de votre père pendant treize ans avec une seule & unique mission : lui transmettre toutes les informations que nous pouvions recueillir au sujet d'Edward Shade. À cette fin nous avons tour à tour vécu à San Francisco, La Nouvelle-Orléans, Paris & Londres depuis maintenant six ans. Les témoignages que nous parvenions à réunir étaient pour le moins flous & incertains mais cela n'a pas empêché Allan de croire dur comme fer à son existence.

Pour ma part je suis convaincue qu'Edward Shade est mort. J'imagine qu'il gît sous une tombe anonyme quelque part dans l'Ouest ou peut-être en Amérique du Sud. Je crois que votre père était aveuglé par la colère, le chagrin & le remords & que cela l'a empêché de voir la vérité. Je crois également que vous feriez mieux, Billy, de laisser tomber cette affaire & de rentrer à Chicago.

Ce que je vous ai écrit ici correspond à la vérité, que Dieu m'en soit témoin.

Lorsque vous lirez cette lettre j'aurai quitté Londres. Je compte aller voir en Californie si ma sœur est toujours en vie, à supposer que Dieu l'ait voulu ainsi.

Soyez assuré, etc.

Il reposa la lettre et se frotta le menton. Elle ne lui avait rien dit le matin où il était allé la voir et elle lui écrivait tout cela aujourd'hui. Quel déclic s'était produit en elle entre-temps ? Si l'histoire qu'elle lui rapportait était exacte, Foole ne lui avait pas entièrement menti en lui racontant que son père avait menacé Shade de son arme dans sa propre maison. William se leva et se mit à arpenter la pièce de long en large. Spaar faisait de l'espionnage au service de son père, son métier d'aéronaute était une simple couverture et son père ne lui en avait jamais rien dit. Lui-même avait nourri pendant des années un profond sentiment de culpabilité en pensant à la disparition de Spaar. Son père connaissait pourtant la vérité mais il l'avait gardée pour lui. Il ressentit une brusque colère. Et Shade ? Shade les avait tous trahis.

Il caressa du doigt la liasse de papiers. Il essayait de se représenter Sally Porter rédigeant laborieusement cette lettre pour lui exposer la part de vérité qu'elle connaissait, relisant à la fin chaque page avec soin. Il pensait à l'amertume qu'elle avait dû ressentir en lui mentant l'autre matin. Allez donc retrouver votre sœur, Sally, songea-t-il intérieurement. Rejoignez votre famille et soyez en paix vous aussi. Dehors la pluie tambourinait sur les vitres. Il entendit la femme de chambre frapper à la porte fermée à double tour puis l'appeler à deux reprises, mais il ne répondit pas et au bout d'un moment elle s'éloigna.

VINGT-SEPT

Le lendemain matin, Foole se sentit brusquement gagné par le remords. Il se mit à arpenter l'Emporium de long en large en pensant à Farquhar, au tableau, à Pinkerton, tandis que le vieux plancher grinçait sous ses pas. Fludd l'avait mis en garde en lui conseillant de ne pas contacter le détective mais il ne l'avait pas écouté. Il n'en était rien sorti de bon et la situation n'avait fait qu'empirer depuis lors. Sans parler des reproches de Molly lorsqu'elle avait appris ce qu'il lui avait caché jusqu'alors. Mais cela ne tenait pas uniquement au passé. Il n'avait jamais aimé commettre des erreurs et éprouvait une sorte de honte à présent pour avoir agi de la sorte. Après tout, songea-t-il avec irritation, quand une situation ne vous convient plus il suffit d'en changer. Une pluie étrangement lumineuse s'était mise à tomber lorsqu'il regagna l'entrée et aperçut la silhouette massive et désapprobatrice de Fludd qui se profilait comme une ombre sur l'écran blanc des fenêtres.

Tu vas nous accompagner à la galerie, lui lança-t-il un peu sèchement. Va te changer.

Fludd acquiesça.

Molly, appela Foole d'une voix de stentor.

Lorsqu'il se retourna, il l'aperçut qui se tenait au pied de l'escalier et le regardait avec un peu d'appréhension. Il rajusta les rubans et la dentelle de son chapeau et gratifia sa robe rose d'un regard approbateur. Avec ses cheveux courts, elle paraissait suffisamment innocente pour le plan qu'il avait en tête. Fludd réapparut après avoir enfilé un costume noir élimé et trop court pour lui, dont les manches lui arrivaient aux coudes et le pantalon au-dessus des chevilles. Il avait teint sa barbe et noirci ses ongles pour avoir l'allure d'un travailleur qui n'a pas l'habitude de se faire beau un jour de semaine. Foole le considéra en émettant un vague acquiescement et troqua son chapeau melon contre un haut-de-forme cabossé. Il sortit de son portefeuille quelques billets d'une livre qu'il tendit à Fludd puis appela Mrs Sykes.

Celle-ci arriva en s'essuyant les mains à son tablier. Elle avait les cheveux en bataille et de la farine sur le menton.

Mrs Sykes, lui dit Foole, que diriez-vous de prendre votre matinée ?

Elle le regarda, aussi étonnée que s'il avait versé une salière dans un pot de confiture. Pour avoir deux fois plus de travail demain ? Sûrement pas.

Foole fronça les sourcils. J'aimerais que vous accompagniez Mr Fludd à une exposition de peinture. Cela ne vous tente pas ?

Mr Foole, répondit-elle avec fermeté, si je ne termine pas de préparer la volaille qui m'attend à la cuisine, elle va finir par prendre la poudre d'escampette. Et vous n'aurez plus que des patates et des lentilles à vous mettre sous la dent.

Mrs Sykes, intervint Fludd en se raclant la gorge, considérez cela comme un jour de congé.

De congé ?

Mr Fludd sera votre cavalier, Mrs Sykes. Vous me rendriez un grand service en acceptant cette proposition. À moins que vous n'estimiez avoir besoin d'un chaperon ?

Mrs Sykes rougit jusqu'aux oreilles et détourna les yeux.

Excusez-moi, reprit Foole d'une voix plus douce. Je ne devrais pas plaisanter de la sorte. Japheth, tu partiras avec Mrs Sykes lorsqu'elle sera prête. Il faut faire vite.

Et Hettie ? intervint Molly. Elle n'a pas droit à un congé elle aussi ?

Tu ne seras pas dans ses pattes, marmonna Fludd. Ça vaut tous les congés du monde.

Edward fut reconduit dans les bureaux du major au cours de la troisième semaine du mois d'avril 1862. L'Écossais barbu se tenait devant la fenêtre et lui tournait le dos, les mains croisées derrière lui. Il ne se retourna pas. Ses manches de chemise étaient retroussées. Dehors il s'était mis à pleuvoir.

J'ai cru comprendre que tu avais peut-être l'étoffe d'un agent de nos services en fin de compte, dit-il avant d'aller s'asseoir à son bureau. Sa voix était lasse, ses yeux fatigués. J'ai une mission à te confier. On m'a dit que tu savais lire ?

Il tendit à Edward une feuille de papier sur laquelle figuraient une adresse et la description d'une femme. Grande, veuve, d'allure aristocratique. Des cheveux auburn, bouclés, des sourcils un peu trop fournis, un grain de beauté à la base du nez. Parle avec l'accent texan. Il n'y avait pas d'autres détails et Edward ignorait son nom. Il devait la retrouver et la suivre toute la journée mais sans jamais l'approcher. Il ignorait s'il s'agissait d'un test ou d'une filature réelle mais fut surpris de voir avec quel sérieux il se mettait au travail. En suivant son cabriolet à travers la ville et en notant mentalement l'adresse de tous les endroits où elle s'arrêtait, il se disait que l'intérêt du major n'était peut-être pas d'ordre strictement professionnel. C'était assurément une très belle femme. Il avait plu au cours de la semaine précédente, les rues étaient boueuses et le cabriolet de la veuve cahotait au milieu des ornières. Edward ne le perdait jamais de vue et le suivait sans difficulté. La veuve rendit visite à plusieurs demeures huppées du quartier ouest et déjeuna le troisième jour avec un membre de l'état-major. Edward ne le connaissait pas mais aboutit à cette conclusion en étudiant de près l'uniforme de l'officier. Il reprenait tous les jours sa filature et connut pour la première fois la délicieuse impression que l'on ressent à suivre quelqu'un sans être vu, comme si l'on tenait son destin entre les mains.

Mais il ne se passa rien. Il suivit cette femme quatre jours durant, notant ses moindres faits et gestes et observant son humeur sans assister à la moindre action répréhensible. Il avait peur que son enquête ne se solde par un échec.

Le major ne semblait pourtant pas déçu. Bien au contraire. Nous attraperons cette veuve noire par la suite, grommela-t-il. Il ne souriait pas mais une lueur amusée brillait dans ses yeux. Tu as fait du bon travail, mon garçon, ajouta-t-il en chassant une miette de tabac qui lui collait aux lèvres.

Cela faisait une éternité qu'Edward n'avait pas eu droit à un commentaire aussi chaleureux et il regarda ses chaussures la gorge serrée, en proie à une émotion inhabituelle.

Foole aurait aimé y aller à pied mais Fludd était allé chercher un cab sous la pluie à l'entrée de Green Park et l'avait ramené jusqu'à Half Moon Street. Le conducteur descendit et ouvrit un parapluie constellé de taches grises pour protéger Molly qui descendait le perron. Puis il revint en toute hâte sur ses pas afin d'abriter Foole mais celui-ci l'écarta avec sa canne d'un geste irrité. Le cab était flambant neuf et disposait même d'une couverture en laine bleue qu'on pouvait étendre sur ses genoux. Ils roulèrent ainsi à l'abri de la pluie dans un confort presque irréel. Toute cette eau avait chassé les odeurs les plus pénibles, à moins que Foole n'ait fini par s'y habituer. Molly souriait et montrait du doigt les édifices célèbres, jouant son rôle de petite fille modèle avec l'aisance d'une actrice chevronnée. Après avoir dépassé Piccadilly, ils longèrent le parc et l'ancien bâtiment en brique de Devonshire House dont les grilles en fer luisaient sous la pluie. Lorsqu'ils arrivèrent au niveau de Old Bond Street, Foole tambourina avec sa canne sur le toit du cab pour dire au conducteur de remonter vers le nord. L'entrée de Burlington

Arcade se dressa bientôt devant eux. La galerie d'art Farquhar & Fils se trouvait juste en face.

Les blocs de pierre de la façade étaient massifs, la maçonnerie épaisse, les fenêtres n'étaient protégées que par une petite balustrade en fer forgé qui constituait presque une invite au vol. Foole et Molly eurent un large sourire en faisant ce constat. La lumière brillait derrière les fenêtres et on distinguait malgré la pluie les silhouettes bovines des dames qui visitaient les salles deux par deux et semblaient explorer l'épave d'une arche.

Un vol d'œuvre d'art.

Cela ne s'était jamais produit, à la connaissance de Foole. Comme Fludd n'avait pas manqué de le lui faire remarquer, cela n'avait d'ailleurs pas grand sens. Foole se disait que là résidaient justement le défi et l'élégance du projet. Il allait falloir procéder comme pour un cambriolage de banque ou l'effraction d'un coffre-fort, sans perdre de vue pour autant toutes les différences que cela impliquait.

À l'intérieur, il retrouva la grande pièce austère avec ses chaises et ses tables en fer forgé où des dames prenaient le thé. Foole sourit et fit passer Molly devant lui. À l'entrée de la première salle d'exposition se trouvait un guéridon où étaient empilées de petites brochures conçues sur le modèle des programmes d'opéra. Foole en prit une en s'inclinant respectueusement, Molly à son bras. Il y avait foule, même à une heure pareille, et cela le rasséréna. Il fit halte devant une série d'aquarelles représentant des vues de la Tamise et lut quelques lignes dans la brochure tout en épiant du coin de l'œil le garde assis sur son tabouret près de l'entrée. Puis il se dirigea avec Molly vers la seconde galerie, s'arrêta, se plongea à nouveau dans la brochure qui ne parlait absolument pas des œuvres exposées, à l'exception de l'étonnant tableau que tout le monde venait voir.

Tandis qu'ils suivaient la foule, Foole examinait le plancher. La galerie se composait de deux longues pièces en forme de fer à cheval qui se rejoignaient à chaque extrémité. Dans la salle du fond, un escalier bordé de cordelettes en satin qui tenaient lieu de rampes menait à l'étage et débouchait sur un hall où étaient encastrées plusieurs petites alcôves. Au milieu, dans un espace dégagé, trônait le tableau le plus célèbre d'Angleterre. Celui que Foole se proposait de voler. Et qui représentait Charlotte.

C'était apparemment l'œuvre d'un certain Joseph Wright of Derby, qui l'avait intitulé *Iphigénie au miroir*. Il était venu à Londres spécialement pour le peindre et son modèle avait posé pour lui pendant plusieurs semaines. Le tableau était une commande au départ mais n'avait finalement pas été payé, et on l'avait cru perdu pendant près d'un siècle. Il avait été retrouvé non loin de Derby dans le cottage d'une institutrice à la retraite qui prétendait que son père en avait hérité en remboursement d'une dette. L'intrépide Mr Farquhar avait immédiatement identifié l'œuvre et avait offert dix livres à l'institutrice pour son acquisition. Elle lui avait rétorqué qu'elle ne s'en séparerait pas à moins de douze livres. Tout cela était exposé dans la brochure qui précisait également le montant attendu de la prochaine vente aux enchères, dont on estimait qu'il ne serait pas inférieur à trente mille livres. Foole sourit intérieurement et passa la brochure à Molly avant de se faufiler parmi la foule pour se rapprocher du tableau.

Un gentleman en redingote verte se tenait près de la porte et demandait un shilling et six pence aux visiteurs avant de les laisser entrer, leur donnant un ticket qu'ils pouvaient utiliser une seconde fois. Malgré son élégance, l'homme avait une attitude à la fois condescendante et réservée, et Foole le soupçonnait d'être Farquhar en personne.

Il paya sa place et entra.

Le tableau était là. Bien que Wright l'ait intitulé *Iphigénie*, les journaux avaient pris l'habitude de l'appeler simplement *Emma*. Car la jeune femme qui avait servi de modèle au peintre et dont le visage avait tant frappé Foole lors de son premier passage était Emma Hart, la future lady Hamilton, la maîtresse de lord Nelson et la plus célèbre courtisane de son temps. Wright avait été le premier à faire son portrait.

Elle était née dans la misère, mais à l'âge de seize ans elle dansait nue sur les tables au cours de soirées privées. Elle était passée de lit en lit et avait fini par se retrouver mariée à Naples avec un homme qui était à l'article de la mort et avait le double de son âge. Dans cette ville elle avait fréquenté Goethe et les monarques de passage et s'était intéressée aux sites antiques qui l'environnaient.

La vision que Wright proposait d'Emma était tout sauf sereine. Elle était assise au milieu de la toile, cernée par les ténèbres à l'exception d'une chandelle qui achevait de se consumer sur une table à sa gauche. Le visage livide et les traits tirés, elle fixait quelque chose qui était situé hors du tableau. Elle avait les yeux de Charlotte. Et sa profonde tristesse. Le reste du tableau était plongé dans l'ombre, mais en regardant bien Foole entrevit une autre silhouette qui se découpait, à peine visible à l'arrière-plan. Il s'humecta les lèvres et se pencha en s'appuyant sur sa canne, oubliant la foule qui se pressait autour de lui et fixant intensément la toile. Il comprit alors que la silhouette qui s'avançait incarnait la femme qu'elle serait plus tard. Elle représentait sa propre mort.

Mr Foole ? lança une voix derrière lui.

Il se retourna, surpris, mais ne reconnut pas sur-le-champ l'homme qui lui faisait face.

Quel plaisir inattendu monsieur, poursuivit l'homme. Vous plaisez-vous à Londres ? Et comment va votre charmante fille ?

C'était le phrénologiste qu'il avait rencontré à bord de l'*Aurania*. L'homme qui l'avait ruiné au whist et avait pris sa montre en argent en échange de ses dettes. Foole lui adressa un sourire distingué, se glissant aussitôt dans le rôle adapté. Elle se porte fort bien, monsieur. Nous trouvons la vie londonienne extrêmement stimulante l'un et l'autre.

Je suis heureux de vous l'entendre dire. J'imagine que vous avez renoncé aux cartes ?

Foole avait pris l'homme par le coude et l'entraînait à l'écart de la cohue. Il fronça les sourcils à cette saillie et ne répondit pas. Au même instant, il aperçut un peu plus loin la silhouette massive de Fludd qui fendait la foule, Mrs Sykes à son bras. Il baissa les yeux, se racla la gorge. Qu'est-ce qui vous amène à Londres, monsieur ? demanda-t-il.

Le phrénologiste tira sur les manches de son manteau et haussa les sourcils. Mais ce tableau, bien sûr, dit-il. Toute l'Angleterre en parle et je voulais le voir de mes propres yeux avant qu'il ne soit mis aux enchères.

Avec un peu de chance, son futur propriétaire sera peut-être un amateur de whist.

Le phrénologiste sourit.

Quelle beauté extraordinaire, vous ne trouvez pas ?

L'homme acquiesça. Mais au même instant son visage s'empourpra et il releva le menton comme s'il venait d'avaler de travers. Foole suivit son regard. Il avait aperçu Fludd qui s'approchait du tableau. Lorsqu'il reposa les yeux sur Foole, son visage avait pris une expression horrifiée.

Foole retira la montre en argent de son gousset et ouvrit d'une pression du pouce le couvercle qui se souleva lentement. Eh bien, il est 11 h 52, monsieur, dit-il d'une voix aimable. Midi ne tardera plus.

Et il posa sur l'homme qui le dévisageait d'un air ébahi un regard d'une froideur assassine.

On avait donné à Edward un minuscule pistolet de joueur de cartes à la crosse émaillée qu'il dissimulait dans le pli de sa chaussette. Il rejoignait le major tous les matins à cinq heures et le trouvait immanquablement assis derrière son bureau, une tasse de café fumant à la main. Le travail d'Edward consistait à noter à la faible lueur d'une applique tout ce que le major lui dictait sans en perdre un mot. Le major le gardait auprès de lui. Il passait des après-midi entiers à l'attendre dans des salles pleines de courants d'air tandis que la pluie tambourinait sur les vitres. Le soir il traversait la route boueuse et allait ranger dans le coffre-fort une serviette bourrée de documents avant de mettre au propre la correspondance du jour. Certains soirs il découvrait un étranger qui dormait tout habillé sur son lit, mal rasé et les vêtements sales. Le lendemain matin il n'était plus là, seule l'odeur de sueur et de tabac froid qui planait encore dans la pièce attestait son passage.

Une forme d'affection s'était peu à peu installée entre eux. Un mardi, le major l'emmena en ville à bord d'un chariot et le conduisit chez un tailleur. Edward dut rester un bon moment en sous-vêtements tandis qu'un Français lui tournait autour en prenant ses mesures. Ils passèrent ensuite dans une mercerie, puis chez le coiffeur. Le major lui raconta un jour comment il avait quitté Édimbourg dans sa jeunesse pour venir en Amérique. Le navire avait fait naufrage au large de la Nouvelle-Écosse. Accrochés à une épave, sa femme et lui avaient échoué sur une plage du côté de Sable Island. Un pêcheur les avait recueillis quelques jours, le temps que la nouvelle parvienne sur le continent et qu'on vienne les chercher. Ils étaient les seuls survivants du naufrage. Edward écoutait son récit en pensant à la description que Mrs Shade lui avait faite de son propre père, essayant d'extraire de la brume des souvenirs l'image d'un bateau, une vue de l'Atlantique, des effluves de bois et d'eau salée.

Le dernier soir d'avril, le major sortit du tiroir de son bureau une enveloppe visiblement importante, qui portait le sceau du gouvernement.

Ce courrier, mon garçon, contient le décret graciant l'homme qui t'a trahi. Un certain Fisk, si tu vois de qui je veux parler? Il se leva et marcha jusqu'au poêle qui se dressait dans l'angle de la pièce et dont il ouvrit le portillon grillagé. Un tapis de braises rougeoyantes apparut dans l'ouverture. Il y fourra l'enveloppe qu'il poussa tout au fond à l'aide d'un tisonnier avant de refermer le portillon.

Son regard d'acier croisa celui d'Edward. Ce salopard subira le même sort, dit-il à voix basse. Et il brûlera aussi bien.

Le lendemain il se tenait au côté du major au quartier général de Camp Barry et écoutait l'exposé d'un gradé qui proposait de marcher sur Richmond, la capitale des confédérés. Edward portait son nouveau costume, un chapeau de soie grise, un gilet à rayures roses. Après la réunion il suivit le major dans la cour boueuse et ils rejoignirent la baraque où étaient détenus les prisonniers militaires. Edward resta un moment dans la pénombre à contempler les cellules des condamnés à mort sans ressentir la moindre émotion. Il ne prononça pas un mot. Il distinguait la barbe hirsute de Fisk étendu dans la paille, malade et blême, son poignet décharné en travers du visage.

Cet après-midi-là, tandis qu'ils rentraient à bord d'un chariot, le major tendit la main et saisit le bras du jeune homme. D'où viens-tu au juste, mon garçon ?

Edward détourna les yeux. De nulle part, monsieur. Je n'ai plus de famille. Ils sont tous morts.

Le major émit un grognement et retira sa main tout en mâchonnant son cigare. Lorsque la guerre sera finie tu viendras travailler avec moi à Chicago, dit-il d'une voix calme. Il guetta la réaction du jeune homme dans la pénombre qui s'étendait. Tu sais qui je suis ? reprit-il. Quel métier je fais ?

Edward le dévisagea. Oui, Mr Pinkerton, murmura-t-il. Je vous remercie.

Le major détourna les yeux. Tu avais tort en disant cela tout à l'heure. Nous avons tous deux familles. Celle dans laquelle nous naissons et celle que nous nous inventons. C'est cette dernière qui importe et c'est la seule qui résiste au temps.

Foole s'attarda à la galerie Farquhar. Il avait renvoyé Molly en cab à la maison en lui tapotant paternellement le bras et en donnant ses consignes au conducteur. Pendant une fraction de seconde, en la regardant, il aurait voulu que cette scène soit réelle et que la fillette ait pu mener une enfance normale. Une fois Molly partie, il était allé s'asseoir dans un café à l'entrée de Burlington Arcade, observant l'agent de police qui faisait sa ronde et le gardien de la galerie qui accueillait l'équipe de nuit tandis que la foule refluait peu à peu.

Il était tard lorsqu'il regagna le 82 Half Moon Street et il batailla un moment comme un voleur avec la serrure avant de s'apercevoir que la porte n'était pas fermée à clef. Il entra, un peu mal à l'aise. La maison était froide. Il repoussa la porte derrière lui et s'immobilisa en tendant l'oreille, écoutant le plancher craquer à l'étage. Puis un bruit étouffé lui parvint d'en bas. Il s'avança et jeta un coup d'œil dans l'escalier. Une lueur orangée montait du sous-sol. Sans même avoir ôté son chapeau ni déposé sa canne, il descendit à pas feutrés et pénétra dans la cuisine sans crier gare.

Mrs Sykes.

La domestique fit volte-face, visiblement inquiète. Mr Foole, s'exclama-t-elle. Pourquoi me faites-vous des frayeurs pareilles ? Je m'apprêtais à… Elle laissa sa phrase en suspens et se tourna vers l'alcôve éclairée par des chandelles où son lit était déplié. Une chemise de nuit était posée dessus. La porte qui donnait sur l'arrière-cuisine était fermée, un vague ronflement en émanait et Foole comprit que Hettie dormait déjà de son côté.

Excusez-moi, monsieur, reprit Mrs Sykes, mais vous ne devriez pas vous trouver ici à une heure pareille.

Et vous, vous ne devriez pas travailler aussi tard, dit Foole en ôtant son chapeau et en allant s'asseoir à la table. Vous savez très bien que nous n'attachons aucune importance à ce genre de principes. Avez-vous aimé les tableaux ?

Je n'ai pas parlé de principes, monsieur.

Foole lui adressa un regard las. Elle reposa le plat en argent qu'elle était en train d'astiquer et le considéra. Vous sentez-vous bien, monsieur ?

Ce n'est rien. Je suis simplement fatigué.

Vous voulez que je vous prépare quelque chose à manger ?

La manière dont elle avait posé cette question lui rappela brusquement Mrs Shade des années plus tôt, à l'orée de sa vie. Saviez-vous, Mrs Sykes, que j'avais pris part à la guerre de Sécession américaine ?

Oui monsieur. Mr Fludd y a fait un jour allusion.

Foole marqua une pause, l'observa. Vous a-t-il dit dans quelles circonstances ?

Oh non, monsieur. Il m'a juste expliqué que vous vous étiez rencontrés tous les deux pendant la guerre. Il n'aurait pas dû me le dire ?

Probablement pas, dit Foole en souriant pour atténuer la sévérité de sa réponse. Je n'avais même pas quinze ans. Je me suis engagé pour toucher la prime, rendez-vous compte. Je n'avais pas la moindre idée de ce que cela impliquait. Ni de l'ampleur des massacres. Il leva les yeux et la regarda. C'est un miracle que je m'en sois sorti.

Bien des gens pourraient dire la même chose, tout bien considéré.

Vous n'avez pas tort.

Elle lui sourit.

J'ai servi sous les ordres d'un major, un homme profondément bon. Dur, obstiné, entêté comme une mule. Mais il savait ce qu'il voulait et il était inutile de vouloir le faire changer d'avis. Il était tonnelier en Écosse dans sa jeunesse et avait fui l'Angleterre pour venir en Amérique. Il n'était pas très grand mais costaud, avec des bras puissants, et quand il vous serrait la main vous le sentiez passer. Il m'a appris une chose que je n'ai jamais oubliée. C'est que la vengeance et la justice sont les deux faces d'une seule pièce de monnaie. Et que celle-ci a la même valeur, quel que soit le côté qu'on regarde. J'aimais cet homme. Je l'aimais comme un père. Foole releva les yeux. Et un beau jour, il a voulu me faire assassiner.

Mrs Sykes posa son torchon sur la table. Il a quoi ?

Il a envoyé quelqu'un qui était chargé de m'abattre.

Elle le considéra un long moment. Il vaut mieux ne pas trop remuer le passé, finit-elle par dire en poussant un soupir.

Ce n'est pas facile, je le sais bien. Mais tout le charme du lendemain tient justement au fait qu'il n'a pas encore eu lieu. Et il en va ainsi depuis la nuit des temps.

Tout en parlant elle surveillait des yeux la porte dans son dos, et Foole se demanda pourquoi. Puis il entendit des pas résonner lourdement au-dessus et reconnut la démarche de Fludd, qui était descendu jusqu'au rez-de-chaussée mais finit par remonter. Il était surpris que le géant soit encore debout à une heure pareille et se demanda s'il n'avait pas quelque chose d'important à lui dire. Puis il vit Mrs Sykes rougir et tourner la tête pour dissimuler son embarras et comprit tout à coup pourquoi elle était encore éveillée.

Il rougit à son tour. Excusez-moi, lui dit-il. Je vous retiens de manière indue.

Ne dites pas de bêtises.

Il prit la bougie et regagna le rez-de-chaussée. Il n'aperçut pas l'ombre de Fludd en rejoignant sa chambre, pas plus qu'il ne l'entendit après avoir refermé sa porte et soufflé sa bougie. Il resta immobile un long moment dans l'obscurité, regardant le ruban de fumée grise qui s'élevait de la mèche éteinte. Au bout de plusieurs longues minutes, une porte s'ouvrit doucement à l'étage puis se referma, et quelqu'un descendit lourdement l'escalier, passa devant sa chambre et descendit encore jusqu'au sous-sol. Puis la maison resta plongée dans le silence.

Fludd et Mrs Sykes ? Il ôta sa veste, son pantalon, sa cravate et alla regarder par la fenêtre la rue déserte qui brillait à la lueur des becs de gaz. Il éprouvait un sentiment inattendu, un bonheur profond auquel se mêlait une satisfaction plus secrète.

Le monde pouvait-il être différent parfois de ce qu'il semblait être ?

Oui, le monde était parfois différent de ce qu'il semblait être.

VINGT-HUIT

Un long nuage bas s'étendait sur la ville. William avait enfilé son ciré et marchait à vive allure les épaules voûtées en brandissant sa canne, mais la pluie ne se décidait pas à tomber. Il se faufilait dans les rues entre les carrioles et les charrettes, bousculait les mendiants, les employés et les marchands qui encombraient les trottoirs et semblaient s'être ligués contre lui. Il avait l'estomac noué et songeait tout en marchant que Shade pouvait fort bien lui glisser entre les doigts. La nouvelle de sa visite à Rose Utterson avait dû lui parvenir et l'homme était sans doute en train de préparer son départ, si ce n'était déjà fait. Edward Shade n'avait pas échappé à son père pendant vingt ans par excès d'imprudence. Dans l'allée qui partait de guingois, la pluie avait décollé les affiches dont les lambeaux pendaient ou gisaient dans la boue. William chassa du pied une vieille boîte de lait en aluminium, tordue et défoncée. Il n'y avait personne en vue. Après la cohue des artères animées, la ruelle baignait dans une atmosphère étrange et presque hors du temps avec ses murs en brique sales, le brouillard qui rampait au travers, l'eau qui s'écoulait dans les caniveaux. Il s'arrêta devant la petite armurerie dont la vitrine affichait *Gleeson* en lettres dorées, jeta un regard derrière lui, essuya ses chaussures et pénétra dans la boutique.

Un homme leva les yeux en le voyant entrer. Il arborait des favoris broussailleux et un tablier en cuir noué sur une redingote verte. Il tenait à la main un petit marteau à l'embout pointu. La boutique était poussiéreuse, froide, mal éclairée.

William se dirigea vers lui en le fixant droit dans les yeux. C'est vous, Gleeson ?

Hadley Gleeson, monsieur. Pour vous servir. L'homme s'essuya les mains sur son tablier. En quoi puis-je vous être utile ?

Où est votre apprenti ?

L'armurier pencha la tête comme s'il avait mal entendu. Albert n'est jamais là avant dix heures, monsieur, dit-il lentement. Mais si vous avez besoin du moindre renseignement je peux le remplacer au pied levé. Pour tout vous dire, je connais le métier infiniment mieux que lui.

Je l'attendrai.

Ce n'est pas à cause de la petite Showalter, au moins ?

William ne répondit pas.

Il m'a juré qu'il n'y était pour rien. Je comprends bien évidemment la détresse de cette gamine, mais Albert serait incapable de faire une chose pareille.

William le regarda froidement. Cela n'a rien à voir avec cette fille, dit-il.

Il se mit à faire les cent pas dans la boutique qui paraissait plus petite et plus miteuse à la lumière du jour. L'armurier le suivait des yeux. Lorsque l'apprenti arriva, William se plaqua contre le mur et attendit que la porte se soit refermée pour s'avancer. Gleeson s'adressa au jeune homme au même instant.

Albert, ce monsieur veut te voir pour affaires, mais ne tarde pas trop. Il y a du travail qui t'attend.

Albert s'était déjà retourné, le visage inquiet. Ses cheveux gras lui tombaient sur les oreilles et William l'imaginait mal en train d'attenter à l'honneur d'une jeune fille. Il posa la main sur la manche de l'apprenti et l'attira à l'écart, du côté de la porte.

Vous vous souvenez de moi ? demanda-t-il d'une voix douce.

Albert le regardait par en dessous d'un air apeuré. L'armurier Gleeson observait la scène depuis son comptoir, un fusil de chasse dans une main et une petite clef à molette dans l'autre.

J'ai un message pour Mr Foole. William sortit de la doublure de son ciré un billet de cinq livres et le fourra dans la main d'Albert.

Celui-ci jeta un coup d'œil nerveux en direction du comptoir. Je lui ferai la commission, je vous le promets.

William opina. Dites à Mr Foole qu'il y a eu un rebondissement dans l'affaire du pont de Blackfriars. Et que Charlotte n'a peut-être pas fait le grand plongeon, au bout du compte.

Charlotte ?

Contentez-vous de lui dire ça, dit William en faisant volteface et en se dirigeant déjà vers la sortie. Au fait, Albert…

Oui monsieur ? répondit l'apprenti d'un air maussade.

Laissez donc cette fille tranquille.

Il attendit toute la matinée, errant de devanture en devanture, fumant sa pipe devant des embrasures de portes aux volets clos. Il ne pleuvait toujours pas. Un homme qui ne sait pas s'armer de patience n'est qu'un bon à rien, disait souvent son père. De patience et d'un pistolet chargé à portée de main. Lorsque Albert ressortit à midi, William le suivit jusqu'au Fisherman's Hook, un pub situé deux rues plus loin. À travers les vitres sales, il le vit manger seul dans un coin et saucer son assiette avec ses doigts. À quatorze heures, l'armurier Gleeson quitta la boutique, une lourde sacoche à l'épaule. Peu après son départ, l'apprenti retourna le panonceau FERMÉ et verrouilla la porte avant de prendre d'un air décidé la direction de Piccadilly. William le suivit en rasant les murs.

Albert quitta bientôt le tumulte de l'artère principale pour s'engager dans Half Moon Street et s'arrêta devant une vaste demeure. Il grimpa les marches du perron, appuya sur la sonnette réservée aux fournisseurs et fit le tour de la maison. Vêtu de son ciré, William observait la scène de l'autre côté de la rue, à l'abri d'un réverbère. Voyant qu'il ne se passait rien il se risqua à traverser et alla jeter un œil du côté où l'apprenti avait disparu. N'apercevant toujours rien, il longea prudemment la maison et le vit soudain en train de discuter avec un jeune garçon devant une porte de service. William revint sur ses pas et coupa pour rejoindre l'extrémité de la rue.

Il vit alors Albert qui s'éloignait d'un pas rapide en direction de Waterloo Place.

William souleva son chapeau et se passa la main dans les cheveux, regardant l'apprenti disparaître avant de se retourner pour considérer la maison. Il s'agissait selon toute vraisemblance du domicile de Foole. Mais il se garda bien de se présenter. Il nota soigneusement l'adresse, remit son chapeau et s'apprêtait à partir lorsque la porte s'ouvrit. Le jeune garçon apparut et descendit les marches du perron.

Eh ! Mon garçon ! lança William en traversant la rue au pas de course. Il le rejoignit devant le portail mais s'aperçut à sa grande surprise lorsqu'il se retourna qu'il s'agissait d'une fille, qui ne devait pas avoir plus d'une dizaine d'années. Elle avait un nez retroussé et constellé de taches de rousseur, des lèvres rouges, une moue bougonne. Et un regard beaucoup trop dur pour son âge. William baissa instinctivement la voix. Tu travailles ici ? demanda-t-il. Qui est ton maître ?

Mon quoi ? dit-elle en se renfrognant.

William n'était pas d'humeur à tergiverser. Il saisit la fillette par le bras et l'obligea à rejoindre le trottoir. Qui habite ici ? lança-t-il.

Elle le considéra d'un air maussade. Qu'est-ce que ça peut vous faire ? Et lâchez-moi le bras pour commencer.

Je cherche quelqu'un. Un ami à moi qui habite près d'ici. Un dénommé Foole.

Un ami à vous, vraiment.

William regarda du côté où Albert avait disparu. De quoi discutiez-vous donc, l'apprenti de l'armurier et toi? reprit-il d'un air moins assuré. Il commençait à croire qu'il avait fait erreur.

La fillette cligna des yeux.

Albert, l'apprenti, insista William.

Elle tourna la tête, l'air furieux.

William se dit brusquement qu'il s'était trompé d'endroit. Bon sang, murmura-t-il. Tu ne t'appellerais pas Showalter par hasard?

Au même instant, un cri perçant retentit dans la maison. William se retourna et aperçut une robuste domestique qui secouait un chiffon sur le perron et le fixait d'un œil méfiant. Qu'est-ce que vous fabriquez? lui lança-t-elle. Vous embêtez les gamines et vous croyez que personne ne vous voit?

William la considéra avec stupéfaction et relâcha le bras de la fillette.

Celle-ci se dégagea aussitôt. Sale cochon d'Américain, s'écria-t-elle.

Puis elle partit en courant et disparut bientôt au bout de la rue en plongeant dans la foule de Piccadilly. William se retourna, une main sur le portail, et regarda la domestique. Dites-moi un peu, lui lança-t-il.

Je ne vous dirai rien du tout. J'ai bien envie d'appeler la police.

Je cherche quelqu'un, dit William en poussant le portail et en s'avançant.

Je me fiche comme d'une guigne de ce que vous cherchez, rétorqua la femme. Foutez-moi le camp.

Attendez. Un certain Mr Foole? Adam Foole?

Dégagez, dit la femme avant de rentrer dans la maison et de claquer la porte.

William monta les marches, tendit l'oreille et frappa violemment le battant. Elle ne vint pas lui ouvrir. Il leva les yeux et aperçut deux gentlemen qui l'observaient de l'autre côté du trottoir, une canne à la main. Il fit la grimace. Il allait devoir palabrer une nouvelle fois avec l'apprenti de l'armurier et trouver un moyen de contact plus direct. Il s'apprêtait à repartir lorsque son regard tomba sur la petite plaque en bronze qui était fixée sur le côté, dans le renfoncement de la porte. *Foole Import & Export. Objets précieux. Sur rendez-vous.*

Le salopard, murmura-t-il.

VINGT-NEUF

Pendant ces premiers longs mois à la fin de la guerre, Edward devait se souvenir de l'époque où il était à Fort Monroe avec l'armée de l'Union et du bonheur qu'il y avait alors connu. La manière dont il étudiait son reflet avant de se raser dans le petit miroir fixé à un poteau de la tente par l'un des conscrits, traquant le moindre signe de ressemblance entre le major et lui. Il devait y repenser dans les années qui suivirent avec un mélange de hargne et de nostalgie. Il cherchait à imiter le major en tout, adoptant sa façon de croiser les bras en tenant les mains sous ses aisselles, le menton baissé, ou de mâchonner une brindille de bois comme s'il s'agissait d'un cigare. Il s'emportait avec le même mépris contre les magouilleurs de Washington, admirait l'élégance du général McClellan, considérait les nègres en haillons qui fuyaient le Sud et émergeaient du néant avec la compassion d'un homme qui se serait battu pendant vingt ans pour leur liberté. Et jusqu'à cette manière de rouler les *r* lorsqu'il s'énervait, comme s'il avait passé toute son enfance en Écosse lui aussi. Il n'était pas encore celui qu'il pouvait, qu'il allait devenir.

Et puis la nouvelle de l'arrestation à Richmond des hommes du major tomba un beau matin et la vie d'Edward prit un nouveau virage, le plus imprévisible.

Il était bien différent alors. La guerre faisait rage et ses vies antérieures étaient déjà derrière lui. Assis dans le salon de l'Emporium, Foole réfléchissait à tout cela en regardant par les baies vitrées le soleil se lever à l'est et étendre peu à peu sa traînée de lumière sur le tapis. Telle une créature vivante, elle remonta le long du piano, caressant au passage les plantes en pot, les deux écuelles en bois d'Anvers, les chandeliers en bronze de Gand. Le passé rampe et s'insinue en vous de la même manière, songea-t-il.

Il s'était passé quelque chose entre ce détective et lui que personne d'autre ne pouvait partager. Il pensait aux ombres qu'on percevait dans la voix de Rose Utterson pendant cette séance à mesure qu'elles prenaient possession d'elle et à la manière dont il avait brusquement reculé, comme si on l'avait brûlé. Pinkerton était revenu pour interroger Rose. Et hier apparemment il s'était présenté à l'Emporium. Molly lui avait raconté la scène la veille au soir en lui décrivant les longues moustaches noires du visiteur et sa poigne d'acier. Elle avait relevé sa manche pour lui montrer les bleus qu'il lui avait faits. Il ne me faisait pas peur, avait-elle ajouté en se vantant un peu. J'ai bien vu que c'était lui qui avait peur de moi.

La lumière rampait à présent sur la table et sur le dossier des chaises. Fludd et Molly étaient assis et dépouillaient les journaux du matin pour voir si l'on y parlait du tableau et de sa prochaine mise aux enchères. Plus on en parlerait et plus son vol aurait d'impact, il le savait bien. Pour l'instant seul un petit article en troisième page de la *Gazette* mentionnait la vente et Foole l'avait lu avec appréhension. Mais le sujet n'avait visiblement guère inspiré l'auteur de l'article. Partout ailleurs en revanche on parlait de la sauvagerie qui s'était exercée à l'encontre de l'Empire et de l'honneur blessé du lion britannique. La veille au soir, la nouvelle de la mort du général Gordon à Khartoum était arrivée à Londres et les journaux du matin ne parlaient que de ça.

Bon sang ! s'exclama Fludd étonné en se caressant la barbe. Où se trouve au juste Khartoum, Adam ? En Afrique, c'est bien ça ?

Molly leva les yeux de son journal. Où se trouve quoi ?

Khartoum.

Foole passa la main sur ses yeux fatigués. Vous êtes censés repérer les articles qui parlent d'*Emma*.

Molly arracha le journal des mains de Fludd et l'examina. Ah ! s'exclama-t-elle, tu parles du Khar*toum*. À Mexico. C'est là que le général Gordon s'est fait tuer.

À Mexico ? dit Fludd en fronçant les sourcils.

Tu n'es jamais allé là-bas ?

Fludd secoua la tête.

Oui, reprit-elle, à Mexico. La ville a été creusée dans les rochers et les gens vivent en dessous. Dans des sortes de tunnels ou de galeries. Le nom vient de là : Khar-*tombe*.

Fludd posa son énorme index sur le journal. On raconte ici qu'un corps expéditionnaire avait été envoyé du Caire pour le secourir mais qu'il est arrivé deux jours trop tard.

Molly parcourut l'article avant d'opiner d'un air entendu. Ils parlent du Caire au Mexique. Une ville située au bord de l'océan. On l'a appelée ainsi à cause de ses pyramides.

Où as-tu vu qu'ils parlaient de pyramides ?

Il y en a aussi au Mexique, insista Molly. Elles ne sont pas comme celles d'Égypte mais ce sont quand même des pyramides.

Adam ? Tu entends ça ?

Foole grommela. Il y a en effet des pyramides au Mexique, Japheth. Des pyramides mexicaines. Où il n'y en a pas, en revanche, c'est dans la galerie d'art de Mr Farquhar.

Fludd se leva alors, le visage empourpré, en courbant les épaules pour ne pas heurter le lustre. Mrs Sykes se tenait dans l'embrasure de la porte. Ah, ce général Gordon, lança-t-elle. Mais il faut être un peu idiot vous ne croyez pas pour attendre tranquillement dans son coin qu'une horde de sauvages vienne vous tailler en pièces ? Il n'a eu que ce qu'il méritait, selon moi.

Fludd se racla la gorge. Vous ne trouvez pas qu'il y a une sorte de noblesse dans son attitude ?

Mrs Sykes renifla d'un air méprisant. C'est vous qui venez me parler de noblesse à présent !

Le visage de Fludd se décomposa.

La domestique évitait soigneusement de le regarder en face. Elle sortit les mains de son tablier et se tourna vers Foole. Vous vouliez me voir, monsieur ? Vous voulez que je vous apporte du thé et une assiette de gâteaux secs ?

Foole s'agita sur sa chaise. Molly m'a dit qu'un homme s'était présenté ici hier ?

Oui monsieur. Et je peux vous dire qu'il était fort imbu de sa personne.

Que voulait-il au juste ?

Eh bien, vous voir, monsieur. Il vous cherchait visiblement.

Molly se mordillait la lèvre. Albie de chez Gleeson était venu avant lui en disant qu'il avait un message pour toi. Il l'a probablement suivi.

Foole sentit l'inquiétude le gagner. Quel était son message ?

Molly haussa les épaules. Je l'ignore. Mais il s'agissait probablement d'un simple prétexte pour qu'Albie le conduise jusqu'à toi.

Mrs Sykes s'éclaircit la gorge. Vous désirez autre chose, monsieur ? Du thé, des gâteaux secs ?

Des gâteaux secs, quelle excellente idée ! lança Fludd.

Mrs Sykes ne lui prêta aucune attention.

Je veux bien un peu de thé, dit Foole.

Et pour miss Molly ?

Quelques gâteaux secs me feront le plus grand bien, dit Molly en étirant les bras dans un geste théâtral avant de se frotter le ventre.

Fludd lui lança un regard noir.

Qu'est-ce qui se passe au juste ? demanda Foole. Vous vous êtes disputés tous les deux ?

Fludd étala les pages du journal devant lui en faisant mine de ne pas avoir entendu. Rien dans le *Telegraph* à propos du tableau, dit-il.

Foole se pencha en avant. Nous négocierons directement la restitution avec Mr Farquhar, dit-il. Ce qui évitera à la police de mettre son nez dans cette affaire. Puis nous nous rendrons à Liverpool et prendrons le bateau pour New York.

Et ensuite, Adam ? intervint Molly.

Je pensais à San Francisco, répondit Foole en souriant. Pour commencer.

À cet instant Mrs Sykes refit son apparition, les bras tendus devant elle et portant un grand plateau en argent. Elle posa l'assiette de gâteaux secs devant Molly et lui servit une tasse de thé, ainsi qu'à Foole. Les mains à plat devant lui sur la table, Fludd observait en silence le moindre de ses gestes.

Elle ne lui adressa pas un regard.

Foole remarqua qu'elle avait rajusté son bonnet et avait passé un tablier blanc flambant neuf qui soulignait le contour de ses hanches.

Durant les deux premières années de la guerre, le major avait dirigé un réseau d'espions infiltrés dans le Sud qui le renseignaient sur les effectifs des armées et le moral des troupes, l'état des lignes ferroviaires, le coût des aliments et des produits de première nécessité. Il utilisait pour cela d'anciens esclaves, des déserteurs, des civils qui cherchaient à passer la frontière, des prisonniers de guerre. Pour les opérations les plus délicates, il disposait d'une unité d'agents volontaires envoyés dans les villes confédérées avec de faux papiers et des couvertures crédibles. Le plus remarquable de ces agents était Timothy Webster, un Anglais de grande taille, mince et rasé de près, doté de fines mains d'aristocrate et qui ne manquait jamais d'offrir un cigare aux officiers qu'il rencontrait. Webster circulait dans une diligence privée en se faisant passer pour un lord anglais passionné par les champs de bataille et ne tarda pas à avoir les faveurs de l'élite des armées confédérées. Il était basé à Richmond et envoyait son rapport tous les quinze jours. En janvier 1862, la nouvelle parvint au Nord que Webster était tombé gravement malade et ses rapports cessèrent d'arriver. En mars, le major envoya dans le Sud deux agents, John Scully et Pryce Lewis, chargés de le récupérer. Lewis, redoutable joueur de cartes qui hantait les salles de jeu des bateaux fluviaux avant la guerre, avait interrogé une sympathisante des confédérés à Washington en 1861, et cette jeune femme le reconnut le lendemain de son arrivée à Richmond. Avant la tombée de la nuit, les deux hommes furent arrêtés et copieusement tabassés par le chef des espions confédérés, un dénommé Cashmeyer, avant d'être enfermés dans des cellules séparées. Cashmeyer! s'était exclamé le major en apprenant la nouvelle. C'est une véritable ordure.

Mr Lewis et Mr Scully ne trahiront jamais Tim, avait répondu Ben. Il s'en sortira.

Debout à l'entrée de la tente, Edward ne fit aucun commentaire.

Au cours des jours suivants, le major marchait de long en large, jurait entre ses dents, bombardait de missives ses supérieurs à Washington. Il redoutait que Webster ne soit arrêté, surtout s'il avait la fièvre. Mais Washington refusa de négocier, Mr Lincoln ne lui répondit pas personnellement et le secrétaire d'État insista sur le fait qu'officiellement l'Union n'employait pas d'espions et ne pouvait donc se lancer dans une négociation pour obtenir la libération de tels prisonniers. Là-dessus, au milieu du mois d'avril, trop faible pour marcher, Timothy Webster fut transporté hors de son hôtel sur une civière et conduit à la prison de Richmond.

Cela signifie qu'ils s'apprêtent à le pendre, lança le major d'une voix rogue à Edward et Spaar.

Spaar pianota un instant sur le bureau. Il faut négocier un échange, dit-il. Ils ne pendent pas nos gens. Nous ne pendons pas les leurs.

Le major avait les lèvres serrées, les traits tendus.

Et les autres, monsieur ? demanda Edward. Lewis et Scully ?

Ils vont croupir en prison. Je sais à quoi ressemblent les geôles des confédérés. Ils seront morts d'ici Noël, après avoir attrapé une saloperie quelconque. D'un geste dégoûté, le major jeta son cigare dans la boue et s'éloigna.

Pinkerton ne remit pas les pieds à l'Emporium. À mesure que les jours passaient le malaise qu'éprouvait Foole s'estompa, cédant la place aux préparatifs du cambriolage, élaboré selon son habitude avec un soin maniaque. Molly, Fludd et lui se relayaient pour noter l'heure à laquelle le gardien de nuit faisait ses rondes. Fludd fit un croquis précis des serrures de la galerie et Molly se renseigna de son côté pour en savoir un peu plus sur le veilleur de nuit. C'était un ancien marin aux bras épais qui boitillait légèrement et vivait seul à l'autre bout de la ville. Fludd interrogea son patron des yeux en entendant ça, mais Foole lui fit aussitôt comprendre que la moindre violence était exclue. Un soir sur deux durant la semaine, ils se rendirent sans se presser jusqu'à la galerie, notant le temps qu'ils mettaient et relevant le moindre obstacle susceptible de se présenter. Un après-midi, ils montèrent sur le toit du bazar qui se trouvait juste en face, de l'autre côté de la rue. Accoudés à la balustrade et munis d'un plan de la galerie, ils étudièrent le meilleur moyen d'y pénétrer. Ils savaient qu'il fallait deux clefs différentes pour ouvrir les serrures des portes mais ignoraient si les fenêtres du haut pouvaient s'ouvrir de l'extérieur. Sur le rebord, une rangée de piques en fer forgé avait été posée pour décourager les pigeons et les fenêtres elles-mêmes étaient très étroites.

Mais Foole estimait la chose possible. Fludd se rendit chez un prêteur sur gages de Whitechapel et en rapporta trois vieux tableaux sans valeur. Foole les posa à plat sur le sol et découpa soigneusement les toiles pour les séparer de leurs cadres. Ils s'abstinrent par la suite de remettre les pieds à la galerie.

Le jeudi aux premières heures du matin, Foole descendit à la cuisine et aiguisa avec soin une minuscule pince-monseigneur jusqu'à ce qu'elle soit parfaitement affûtée. Il dévissa ensuite le pommeau de sa canne. Une cavité était aménagée à l'intérieur et il y inséra la pince-monseigneur avant de revisser le pommeau par-dessus. Il avait descendu sa redingote et l'étendit sur la table de travail, parcourant la doublure de la main jusqu'à ce qu'il ait trouvé l'étiquette du tailleur, sur laquelle il tira d'un coup sec, libérant de la sorte deux petites cordelettes. Il ouvrit ensuite une grosse trousse à outils et examina la collection de lames, de poinçons et de passe-partout qu'elle contenait. Son choix se porta sur trois d'entre eux qu'il fixa à l'extrémité des cordelettes, en ayant soin qu'ils ne puissent pas s'entrechoquer. Puis il referma la trousse, redressa et épousseta sa redingote et alla l'accrocher au portemanteau de l'entrée. Après quoi il saisit un flacon de matière grasse sur une étagère et en versa une bonne quantité au fond d'un bocal dont il revissa ensuite le couvercle. Une petite cale en bois traînait dans un coin. Il la considéra un instant avant de se pencher, obéissant à une brusque impulsion, et s'en empara également. Il sortit ensuite une craie de sa poche, la cassa en deux et replaça chaque morceau dans une poche différente. Il tendit l'oreille, nettoyant avec son mouchoir la poussière de craie qui s'était déposée sur ses doigts.

Ils avaient décidé que le vol aurait lieu le samedi suivant, dans la soirée. Ce serait la Saint-Valentin et Farquhar recevait à dîner ce jour-là. Mais Foole devait encore remplir une mission entre-temps et approcher Farquhar d'une manière ou d'une autre, car il avait besoin d'un double de ses clefs.

Samedi, songea-t-il.

La maison était silencieuse. Il remonta à l'étage en protégeant de la main la flamme de sa bougie.

Lorsqu'il découvrit le major mâchonnant un cigare éteint au bord de la rivière, il s'aperçut avec stupéfaction qu'il pleurait. Allan Pinkerton se contenta de hocher la tête, mais lorsqu'il lui tendit le journal Edward craignit de fondre en larmes à son tour. Timothy Webster avait été pendu dans un champ à la périphérie de Richmond. Plusieurs milliers de personnes s'étaient rassemblées pour l'occasion et l'avaient vu gravir les marches de l'échafaud. Il était mort dignement, tous les témoignages l'attestaient, et lorsqu'on lui avait passé la corde autour du cou il avait lancé : Assurez-vous qu'elle soit bien serrée. La trappe s'était ensuite ouverte sous ses pieds, ses vertèbres avaient craqué comme des os de poulet, ses pieds avaient battu l'air un instant puis les saccades s'étaient calmées et son corps s'était immobilisé. Edward imaginait parfaitement la scène et posa la main sur l'épaule du major en éprouvant un sentiment qui ressemblait à de la compassion. Le major ne réagit pas.

La scène se déroulait le 28 avril 1862. L'armée du Potomac s'était déplacée vers le sud et avait établi son camp sur les berges de la James River au cours des jours précédents, avant d'entamer sa lente descente sur Richmond. Ce jour-là, Edward entendit parler pour la première fois du fils du major. Il était en compagnie de Spaar, l'aéronaute, qui avait ôté son calot, et les grands pins étaient mollement agités par la brise à flanc de coteau sur l'autre berge de la rivière. Le fils aîné du major devait venir participer au siège de Richmond, comme un étudiant au terme de sa première année.

Non, lui dit Spaar, il ne faut pas présenter les choses ainsi. Le major est plus fier de ce garçon que de n'importe qui au monde. Cela lui fera du bien de l'avoir à ses côtés.

À quoi ressemble-t-il ?

Willie ? À quelqu'un qui est toujours inquiet. Un peu comme toi, mon gars.

Edward regagna le camp en longeant la rivière mais n'aperçut pas le major. Et il resta allongé sur le dos cette nuit-là, les mains croisées derrière la nuque, en regardant les étoiles par l'ouverture de la tente. Les deux espions, Lewis et Scully, étaient toujours en prison dans ce trou à rats de Richmond. Edward repensait à sa propre geôle à Camp Barry, à la paille imbibée de sang qui lui tenait lieu de couche tandis qu'il attendait son exécution. Le chagrin qu'avait ressenti le major en apprenant la mort de Timothy Webster n'avait rien de feint et l'avait un peu secoué. Et il ne pouvait s'empêcher de se demander à quoi pouvait bien ressembler ce Willie. Un étudiant arborant un canotier et un gilet en soie. Des doigts fins, des dents bien blanches. Une rose à la boutonnière.

La tente d'Edward était dressée juste à côté des latrines, la puanteur était infecte et les mouches proliféraient. Il leva les yeux en réfléchissant, pesant le pour et le contre. Dans le ciel les étoiles dessinaient leurs spirales d'argent, autour de lui les hommes toussaient et ronflaient. Telle était la crasse, la laideur de ce monde. Le lendemain matin, il se leva très tôt, descendit au bord de la rivière, s'aspergea le visage et se rinça la bouche. Puis il remonta jusqu'à la tente du major, croisa les sentinelles et entra sans avoir été annoncé. Le major qui était encore en train d'étudier la carte de Richmond leva sur lui des yeux fatigués. Les mains crispées sur son chapeau, Edward lui dit avec une sorte de colère sourde : Je vais y aller. Je vais libérer Lewis et Scully.

Le major le considéra. C'est hors de question, lui dit-il. Si les tuniques grises te mettent le grappin dessus, tu seras pendu haut et court comme un vulgaire voleur de chevaux et on laissera ton cadavre pourrir au bout de sa corde.

Oui monsieur.

Le major plissa les yeux.

Tu es un brave garçon, dit-il.

TRENTE

William traversa Piccadilly au pas de course. Shore l'attendait sous l'arche de Hyde Park Corner. Les boutons de son manteau étaient défaits et son chapeau de soie rejeté en arrière. William le saisit par le coude sans ménagement et l'entraîna sur le côté.

Vous m'aviez dit qu'Edward Shade était mort pendant la guerre, lança-t-il.

Shore le regarda, étonné. William, que…

Il n'est pas mort. Il vit ici. À Londres.

Shore se dégagea et épousseta ses manches. Qu'est-ce que vous avez tous, les Pinkerton ? murmura-t-il. Quelle mouche vous a piqués ?

Il y avait du monde dans le parc malgré le froid, un soleil d'hiver éclatant venait éclairer la statue du duc de Wellington figé sur son cheval. Au-delà, le ciel s'étendait d'un bleu sombre et profond.

Il se fait appeler Adam Foole, reprit William. Mais c'est bel et bien Shade.

Des dames passaient avec leurs cols en fourrure et leurs ombrelles déployées au-dessus de leurs têtes comme si c'était déjà le printemps. Des gentlemen promenaient de petits chiens blancs au bout d'une laisse.

Adam Foole, répéta Shore. Ce nom me dit quelque chose.

Je vous ai déjà parlé de lui.

Ah, j'y suis, grommela Shore. Quand vous étiez sur la piste de cet assassin de Cooper.

L'inspecteur en chef observait William comme il l'aurait fait d'un animal sauvage pris au piège. Il lui fit un signe de tête en lui montrant les grilles du parc et se mit en marche.

Expliquez-moi ça, lui dit-il.

William lui raconta tout. Il n'était pas dans ses habitudes de mettre ainsi quelqu'un dans la confidence et il s'exprimait avec prudence, en marquant de fréquentes pauses. Il lui expliqua comment son enquête avait peu à peu bifurqué, la rencontre dans le tunnel, son expédition dans le labyrinthe des égouts puis dans le quartier de Shadwell. Il avait déjà parlé à Shore de son entrevue avec Martin Reckitt à Millbank mais lui en fit un compte rendu plus détaillé. Il lui parla de la séance de spiritisme et de l'effroi qui s'était emparé de Foole quand l'esprit avait prononcé son véritable nom. Il lui parla aussi de la lettre de Sally Porter. Shore l'écoutait avec attention.

Il existe un lien entre Shade, Charlotte Reckitt et son oncle, conclut-il. Il y a une histoire là-dessous que je n'ai pas encore totalement éclaircie. Charlotte et Shade ont eu une liaison autrefois.

Et c'est pour cela qu'elle a sauté du pont de Blackfriars.

Peut-être bien.

Shore poussa un grognement. Il y a toujours une histoire de ce genre derrière ces affaires. En tout cas vous venez de passer deux mois éprouvants.

Vous ne manquiez pas de travail de votre côté.

Ne m'en parlez pas. Entre les Fenians, les agressions et l'affaire que les journaux viennent de soulever… Il hocha la tête. Résumons-nous. Vous avez traversé l'Atlantique pour interroger Charlotte Reckitt, soupçonnée d'être une vieille connaissance de Shade. Elle meurt, votre enquête risque donc de tourner court. Mais vous rencontrez peu après un homme qui semble avoir un lien avec l'affaire Reckitt et qui – à en croire les révélations d'un spectre, si j'ai bien suivi – s'avère être Edward Shade en personne.

Je sais que ça ne tient pas debout, résumé de la sorte.

Vous n'avez pas l'ombre d'une preuve. Vous vous appuyez en tout et pour tout sur le témoignage d'un fantôme et sur votre propre intuition.

C'est lui, John.

Écoutez, William. Votre hypothèse n'est pas invraisemblable, du moins à mes yeux. Sachez-le. Mais je vous parle en tant qu'inspecteur en chef et non en tant qu'ami, et il serait irresponsable de ma part de ne pas vous dire que votre échafaudage est d'une extrême fragilité.

Je ne l'ignore pas.

Si vous racontiez cette histoire à n'importe quel flic de Chicago, il vous rirait au nez. Shore se remit lentement en marche. Je pensais que vous auriez déjà repris le bateau pour New York à mon retour de Brighton. Que vous auriez décidé d'abandonner la partie. De reprendre le cours de votre propre vie.

Je n'en crois pas un mot.

William sentait le regard de l'inspecteur en chef posé sur lui et se demanda s'il n'avait pas déjà appris qu'il enquêtait au sujet de Foole. Il revit celui-ci dans ce tunnel sous la Tamise, l'étrange lueur violette de ses yeux pendant la séance de spiritisme. Il repensait à la chute qu'ils avaient faite dans les égouts, à la férocité de son expression dans cette ruelle tandis qu'il essuyait le sang sur sa canne. Et à la précision de sa voix lorsqu'il s'exprimait, posant avec soin un mot après l'autre.

Alors, reprit Shore. Que voulez-vous au juste ? À supposer que vous ne soyez pas fou à lier.

William lui adressa un regard sombre. Je veux Edward Shade, dit-il. Je veux qu'il rende compte de ses actes.

Mais qu'avez-vous à lui reprocher au juste ? Disposez-vous du moindre chef d'inculpation ? Shore regarda ses mains rougies par le froid. Je vais être franc avec vous, William. Je ne suis pas convaincu que vous ayez trouvé votre homme, ni que celui-ci soit un criminel endurci. Si vous voulez que je vous aide, il va falloir vous montrer plus convaincant. Fournissez-moi ne serait-ce qu'un mobile. La preuve qu'un crime a été commis. D'ici là, votre Mr Foole conserve à mes yeux le profil du parfait innocent.

William caressa sa moustache d'un air irrité.

Vous m'avez dit que vous avez rencontré Shade dans ce tunnel sous la Tamise. Comment étiez-vous remonté jusqu'à lui ? Votre père l'avait traqué en vain pendant des années. Ainsi que Ben Porter.

William hésita. Je n'y suis pour rien, dit-il.

Pardon ?

Ce n'est pas moi qui l'ai trouvé, John. C'est lui qui m'a contacté. William se frotta les poignets. Son genou le faisait à nouveau souffrir. Je sais ce que vous pensez. Mais peut-être cherchait-il à me dire quelque chose en agissant ainsi.

Par exemple ?

Je l'ignore, dit William en levant les mains au ciel.

Une détonation retentit à cet instant quelque part devant eux et son écho se répercuta à travers les arbres. William regarda les patineurs qui allaient et venaient sur les eaux gelées de la Serpentine et se tourna vers Shore, qui haussa les épaules. Le coup de feu avait dû être tiré par un illuminé qui voulait faire un trou dans la glace afin de se baigner, lui expliqua-t-il. William crut qu'il plaisantait, mais tandis qu'ils franchissaient le pont un peu plus loin il aperçut au bout de l'étendue gelée un petit monticule de glace à côté d'un trou où brillait une eau d'un vert intense.

Il se sentait vidé à cause des aveux qu'il venait de faire. Exposer l'histoire à voix haute soulignait sa part hasardeuse, pour ne pas dire insensée. Et il savait que les doutes de Shore étaient fondés. Parlez-moi de l'affaire Reckitt, dit-il pour changer de sujet. L'enquête a-t-elle progressé ?

Au diable cette Charlotte Reckitt, grommela Shore. J'aurais volontiers rejeté sa tête dans la Tamise si j'avais su tous les soucis qu'elle nous causerait.

Blackwell n'a pas avancé ?

Shore éclata de rire. Mr Blackwell a sa propre théorie. Il pense qu'il s'agit d'un crime passionnel. Qu'il a déniché le pub obéissant aux critères, c'est-à-dire aux insectes et à la sciure, définis par le Dr Breck. Et qu'il dispose même d'un coupable potentiel en la personne du mari, étant donné que sa femme correspond trait pour trait à Charlotte Reckitt et qu'elle a disparu depuis un mois. Je lui ai dit que dans ce cas il n'avait qu'à boucler l'affaire au plus vite et que l'identité du coupable m'importait peu, quand bien même il s'agirait du valet de pied de la reine.

Un crime passionnel, dit William. Qui n'aurait donc rien à voir avec Charlotte Reckitt ?

Selon lui. Le propriétaire du pub affirme que sa femme est en France, qu'elle est allée voir sa famille. Et qu'elle pourrait bien ne pas revenir. Ils se seraient disputés et elle aurait décidé de retourner vivre chez sa mère sans en dire un mot à personne ni même emporter un chemisier de rechange.

Blackwell est sûr de son fait ?

Pas vraiment.

Si ce n'est pas le corps de Charlotte Reckitt qui a été repêché dans la Tamise…

Pour l'instant, je n'accorderais pas un crédit illimité à la théorie de Mr Blackwell, le coupa Shore. Cela fait vingt-sept ans que je suis dans le métier, William. L'explication la plus simple est toujours la bonne.

Sauf quand ce n'est pas le cas.

Les deux hommes se dévisagèrent un instant avant d'échanger un sourire.

William ne fit pas allusion à la conversation qu'il avait eue avec Blackwell dans la salle des archives. Un peu plus loin devant eux, sur une petite éminence, une montgolfière retenue par ses cordages se balançait au-dessus de l'herbe gelée. Des hommes vêtus d'épais manteaux et de grosses écharpes maintenaient la nacelle tandis que deux dames enveloppées dans leurs châles prenaient place à bord. L'aéronaute libéra ensuite un sac de sable, la nacelle oscilla et commença à prendre de l'altitude. Les dames poussèrent des cris puis rirent aux éclats en retenant leurs chapeaux de leurs mains gantées. La foule en bas se mit à applaudir tandis que le ballon s'élevait de plus en plus haut.

William aperçut l'homme à ce moment-là. Il était coiffé d'un haut-de-forme qui le faisait paraître encore plus grand et son énorme corps semblait à l'étroit dans son manteau. Sa barbe noire était taillée et il marchait la tête haute, sans but précis. William le reconnut aussitôt.

C'était l'homme de main d'Adam Foole.

Il ne dit rien à Shore mais se mit à suivre le géant, et l'inspecteur en chef dut hâter le pas pour le rejoindre. Il était en train de lui parler de la Grande Exposition qui s'était tenue à Hyde Park dans sa jeunesse et du Crystal Palace, dont les parois de verre et d'acier se dressaient alors au milieu des arbres.

L'homme de main de Foole s'était arrêté près d'un banc et avait sorti une grosse montre de son gousset. Peu après, deux hommes arrivèrent en descendant l'allée et échangèrent une poignée de main avec lui. Puis ils se mirent tous les trois en route. L'un d'eux portait un uniforme de l'armée britannique et les passants soulevaient leurs chapeaux pour le saluer en le croisant. William interrompit Shore et le lui montra.

Qui est-ce? demanda-t-il.

Shore suivit son regard. Ah, dit-il. C'est le colonel Vail.

Celui qui était en Afghanistan?

Lui-même. Notre héros de Kandahar. Vous avez entendu parler de lui?

Nous avons des journaux à Chicago, John.

J'oublie toujours que vous savez lire, vous autres Yankees, rétorqua Shore en souriant. Le colonel partira au Congo le mois prochain. J'ai un peu pitié de lui. On ne peut pas se rendre à un quelconque dîner en ville sans le trouver assis à la droite du maître de céans. Shore considéra ensuite les deux hommes qui l'accompagnaient. Je ne connais pas le grand gaillard qui est à sa droite mais il ne m'inspire pas confiance. Quant à celui de gauche, c'est George Farquhar, le propriétaire de la galerie du même nom. C'est un ami de lord Dugan. Son épouse est une ancienne actrice, célèbre il y a quelques années, dont on prétend qu'elle aurait été la maîtresse du duc d'York. Ce Farquhar possède une collection de diamants digne de rivaliser avec celle de lady Margaret, paraît-il. Il se prépare à vendre un tableau censé atteindre un prix record lors des enchères.

Des enchères.

Chez Christie's. Vous n'en avez pas entendu parler ? Les gens faisaient la queue jusque dans la rue pour le voir. Et il a fait la une du *Times* pendant un mois.

William haussa les épaules.

Je croyais pourtant que vous saviez lire, vous autres Yankees.

Je ne m'intéresse pas aux potins.

Vous avez tort, répondit Shore en souriant. Les potins font partie des nouvelles, mon cher. On dit que ce tableau pourrait dépasser les trente mille livres. Il s'agit d'un portrait d'Emma Hamilton. Assez coquin, si j'ai bien compris.

Trente mille livres pour un tableau ?

Oui.

Ce n'est pas possible.

La rumeur prétend même que votre Mr Amherst, le célèbre banquier, serait sur les rangs.

William vit l'homme de main de Foole acquiescer avec gravité puis faire demi-tour avant de se fondre dans la foule tandis que les deux autres poursuivaient leur chemin. Il éprouva alors un sentiment étrange, une sorte de légèreté, comme s'il venait d'entrevoir une couture, un pli caché dans le tissu de cette histoire qui faisait tenir le tout. Ce n'est pas une simple affaire de chance, se dit-il. Loin de là.

Lorsqu'il débarqua à Scotland Yard trois jours plus tard c'était à nouveau lundi, le soleil avait disparu et le brouillard planait sur la Tamise. Il ôta ses gants en cuir et signa le registre que lui tendait à l'entrée un sergent qu'il n'avait encore jamais vu. Puis il se fraya un chemin dans les couloirs et les escaliers encombrés et découvrit Shore en train de guider deux ouvriers qui portaient un grand panneau vitré et le déposèrent avec soin contre un mur dans le bureau de l'inspecteur en chef.

Parfait, les enfants, leur lança Shore alors que les deux hommes étaient de toute évidence aussi âgés que lui.

Qu'est-ce que c'est? lui demanda William.

Un cadeau de la police du Kaiser, grommela Shore. Jetez-y donc un coup d'œil.

William s'approcha. Sur le panneau figuraient une soixantaine de portraits de femmes, photographiées dans le même studio. Des jeunes, des vieilles, des brunes, des blondes, souriantes ou taciturnes, certaines en haillons, d'autres vêtues avec soin. Cela faisait penser aux clichés de l'identité judiciaire. William fronça les sourcils à mesure qu'il les examinait car il y avait quelque chose d'étrange dans cette série de portraits. Il comprit tout à coup de quoi il s'agissait. Ces femmes avaient toutes les mêmes yeux.

Ce ne sont pas seulement les yeux, intervint Shore. Il s'agit de la même femme, chaque fois maquillée différemment.

William contempla à nouveau le panneau et constata qu'il disait vrai.

Cela donne à réfléchir, reprit Shore. Nous avons tous plus d'un visage, mais je croyais que c'était une simple affaire d'expression. Maintenant je pense à cette femme chaque fois que je regarde la photo de quelqu'un. On ne voit le plus souvent que ce que l'on cherche à voir.

J'imagine que vous ne m'avez pas demandé de venir uniquement pour me montrer ça.

Non.

William ôta son chapeau et se passa la main dans les cheveux. Eh bien ?

Un homme qui correspond à la description de votre Mr Foole s'est rendu à Millbank il y a deux semaines, dit Shore. Il s'est présenté comme le secrétaire d'un certain Gabriel Utterson, avocat. Et a signé le registre sous le nom de Mr Guest. Il venait rendre visite à notre cher Martin Reckitt.

William se frotta les yeux. Mon histoire vous paraît-elle un peu plus crédible à présent ?

Shore émit un vague grognement. Inutile de vous dire que Mr Utterson nie formellement connaître l'individu en question et affirme que Mr Guest – qui est bel et bien son secrétaire – se trouvait avec lui dans son bureau ce jour-là.

La médium qui animait la séance dont je vous ai parlé était Rose Utterson.

Celle qui a appelé Foole Edward ?

William acquiesça. Son frère était également présent. Je l'ai rencontré. Il connaît Foole de vue.

Votre Mr Foole pourrait bien se révéler un client sérieux, finalement.

Dans ce cas convoquons-les tous ici. Et confrontons leurs déclarations. Ou plutôt leurs mensonges.

Inutile. Utterson se contentera de nous fournir une autre version de l'histoire et vous vous retrouverez le bec dans l'eau. Shore considéra William. Mais je sais comment vous pourriez être amené à croiser de nouveau le chemin de votre Mr Foole.

Comment cela ?

Un dîner sera donné samedi prochain, le jour de la Saint-Valentin, en l'honneur du colonel Vail avant qu'il ne parte au Congo. L'organisateur de ce dîner n'est autre que Mr George Farquhar.

Que nous avons aperçu l'autre jour au parc, murmura William.

Absolument. Maintenant, reprit Shore, j'ai mené ma petite enquête concernant cet Adam Foole et il a tout à fait le profil d'un respectable gentleman. Occupe une maison près de Piccadilly, dans Half Moon Street. Importe des objets précieux pour une clientèle triée sur le volet. Se tient sagement dans son coin. Aucune histoire jusqu'ici, aucune plainte des voisins, aucune trace de lui dans nos archives. Vous êtes vraiment convaincu qu'il s'agit de Shade ?

C'est lui.

Shore considéra la chose.

William s'assit, les jambes étendues devant lui, et regarda le panneau vitré en pensant à Foole, à cette soirée de gala et aux possibilités qu'elle offrait. Comment avez-vous entendu parler de ce dîner ? demanda-t-il à Shore.

Vous vous trouvez au siège de la police judiciaire, William. Nous avons toujours une oreille qui traîne quelque part.

Sauf quand vous dormez dessus. Non, sérieusement ?

Shore lui sourit. Ma femme fait partie du comité d'organisation. J'ai vu la liste des invités. Son nom y figure. Il doit venir seul.

William se releva et se mit à faire les cent pas. Je veux assister à cette réception, John.

C'est bien ce que je me suis dit.

Je veux observer Foole de mes propres yeux. S'il projette le moindre coup fourré, je veux le voir à l'œuvre. William réfléchit un instant, regarda Shore et ajouta : D'ailleurs vous devriez être présent vous aussi.

Ma femme y veillera, rassurez-vous. Ces dîners sont programmés des mois à l'avance, les places y sont comptées. Je ne suis même pas sûr de pouvoir vous obtenir une invitation.

Trouvez un prétexte.

Lequel ?

Dites-leur que je suis le patron de l'Agence Pinkerton. Ou que je suis le type parfait de la beauté masculine américaine.

Autant pour votre incognito.

J'imagine qu'il y aura un spectacle après le dîner ? Vous n'avez qu'à proposer mes services. William réfléchissait tout en parlant. Vous savez quoi ? Je crois même que nous pourrions profiter de l'occasion pour ouvrir enfin un dossier sur Adam Foole.

Comment cela ?

Vous vous souvenez de ce dîner à Paris avec les officiers de la Sûreté, à l'automne dernier ?

Oui, dit Shore en pianotant sur son bureau. Mais qu'avez-vous en tête ? Un exposé sur les techniques de Bertillon ?

Pourquoi pas. Et nous pourrions le faire suivre d'une démonstration pratique montrant aux gens comment l'on procède pour prendre des empreintes digitales, ajouta William en souriant. En allant chercher Adam Foole dans l'assistance à titre de cobaye plus ou moins volontaire.

Bon sang, William...

C'est un fantôme, John. J'ai vérifié de mon côté dans les dossiers de l'Agence et il n'y a absolument aucune trace nulle part au sujet de cet homme. Officiellement il n'existe pas. J'aimerais disposer de ses mensurations et de ses empreintes, afin de pouvoir l'identifier et éventuellement le confondre le jour venu.

Le jour venu. Shore était assis, immobile et la tête penchée. Lorsqu'il releva les yeux, il avait une expression lasse, empreinte d'une certaine tristesse. Je verrai ce que je peux faire, dit-il. Comment vous sentez-vous, à part ça ?

Tout va bien.

Vous n'avez pourtant pas très bonne mine, William. Shore ouvrit un tiroir de son bureau et en sortit deux verres avant d'aller prendre une bouteille de whisky qui trônait derrière lui sur une étagère. Il leur versa une copieuse rasade à chacun.

À la chance, lança-t-il.

William leva son verre dans la lumière. Je n'ai jamais trouvé la chance au fond d'une bouteille, dit-il.

Oui, répondit Shore avec un sourire. Mais ici il s'agit d'un verre.

TRENTE-ET-UN

Foole aperçut Pinkerton le premier.

Il se tenait juste à l'entrée de la vaste demeure des Farquhar, son large dos appuyé contre un buste en marbre, opinant gravement du menton au milieu d'un groupe de gentlemen dotés de favoris impressionnants. Foole reconnut parmi eux la silhouette corpulente et le visage rubicond de l'inspecteur en chef John Shore. Il vit le détective se tourner pour serrer la main d'un homme qui s'était approché de lui et s'aperçut avec une certaine surprise qu'il s'agissait de Farquhar en personne. Foole n'avait pas revu Pinkerton depuis la séance de spiritisme et il sentit son estomac se nouer. Le détective ne le vit pas.

Il fit machine arrière et se retrouva dans le vestibule, coincé contre la rambarde en fer par le flot des nouveaux arrivants. Il songea un instant à tout laisser tomber et à trouver un autre moyen de parvenir à ses fins. Dehors des cabriolets et divers attelages se succédaient dans la rue pavée et s'immobilisaient devant le perron, la lueur orangée de leurs lanternes scintillant dans le brouillard. Foole contemplait la scène depuis le seuil en fronçant les sourcils et en essayant de réfléchir. Il ne croyait pas aux coïncidences. C'était pourtant un avantage de savoir que les deux policiers seraient présents ce soir. L'air froid lui caressait le visage et il se ressaisit. Au bout d'un moment il fit demi-tour et regagna lentement l'intérieur de la maison. Que Pinkerton assiste au spectacle, après tout. Il était venu quant à lui pour prendre une empreinte des clefs de la maison et n'allait pas se laisser distraire pour si peu.

Il n'en fallait pas moins faire preuve d'une extrême prudence. Il se glissa dans la file des invités qui avançaient lentement, gratifia d'un sourire Mrs Farquhar lorsqu'il passa devant elle et pénétra à l'intérieur. Il avait prévu d'arriver tard, de toute façon. Il regarda autour de lui en cherchant des yeux la silhouette de Pinkerton, mais celui-ci était hors de vue pour l'instant. Foole avait pourtant l'impression qu'on le suivait des yeux. Il s'était mis sur son trente et un et portait une jaquette de soirée qu'il avait fait confectionner pour l'occasion. Son col amidonné lui coinçait un peu le menton et il avait sa canne à la main. Un haut-de-forme et une paire de gants blancs complétaient le tout. Il n'était pas venu pour passer inaperçu.

La demeure des Farquhar était imposante, des colonnes de marbre flanquaient le hall d'entrée. Il faisait frais à l'intérieur. Foole se défit de son manteau, de son chapeau et de ses gants, regarda la file des invités qui faisaient la queue devant le vestiaire et s'éclipsa au fond de la salle puis le long d'un couloir qui rejoignait un petit cagibi où étaient suspendus les manteaux du maître et de la maîtresse de maison. Il jeta un coup d'œil autour de lui et fouilla rapidement les poches des différents vêtements, mais les clefs de Farquhar ne s'y trouvaient pas.

Puis-je vous aider, monsieur ? s'enquit un domestique au visage cadavéreux qui venait de surgir.

Foole se tourna vers lui en souriant. Excusez-moi, dit-il, mais j'ai dû faire erreur. Je ne suis pas au vestiaire ?

Non monsieur, répondit le domestique en hochant gravement la tête. Puis-je vous montrer le chemin ?

Foole acquiesça d'un air soulagé. Volontiers, dit-il, je crains de m'être une fois de plus égaré.

Il plaisantait et s'esclaffait tout en parlant. Il n'était pas grand mais il avait du charme, il ne l'ignorait pas et savait s'en servir. Les femmes admiraient la finesse de ses poignets, les hommes étaient séduits par son rire. Il erra un moment parmi la foule des invités mais se tournait avec un grand sourire vers ses voisins chaque fois que Pinkerton menaçait de se rapprocher.

Il réussit enfin à rejoindre Farquhar et son épouse, leur adressa un grand sourire et se présenta à nouveau. Mrs Farquhar arborait un collier à plusieurs rangées de diamants scintillants, d'une beauté stupéfiante. Lorsqu'il se pencha pour lui faire un rapide baisemain, il remarqua qu'un diamant ornait également chacun de ses doigts. Farquhar, lui, avait de petits yeux ridés et Foole ne put réprimer un frisson en croisant son regard. L'homme n'était pas plus grand que lui et son épouse les dominait l'un et l'autre. La peau de sa gorge était plissée et elle était probablement deux fois plus âgée que son mari. Foole se demanda quelle sombre histoire se profilait derrière tout ça.

Mr Foole, évidemment, lui dit Farquhar d'une voix amicale. C'est un grand plaisir de faire votre connaissance.

La réciproque est vraie, monsieur.

Vous êtes collectionneur, si j'ai bien compris ?

Foole inclina la tête.

Et y a-t-il un domaine qui vous intéresse particulièrement, Mr Foole ?

Je me limitais jusqu'à présent aux peintres américains du début du siècle. Mais j'ai l'intention de décorer ma maison de Piccadilly avec des tableaux anglais.

Avez-vous vu notre *Emma*, monsieur ?

Bien sûr. Mais je crains qu'elle ne soit légèrement au-dessus de mes moyens.

Où habitez-vous précisément, Mr Foole ? intervint Mrs Farquhar.

Half Moon Street.

Mais nous sommes quasi voisins, lui dit-elle avec l'ombre d'un sourire.

Il faut que nous convenions d'un rendez-vous, reprit Farquhar avec affabilité. La semaine prochaine, si cela vous convient. Mais ce soir, monsieur, j'insiste pour que vous preniez du bon temps et profitiez de cette charmante assemblée.

George possède plusieurs remarquables séries d'aquarelles, ajouta Mrs Farquhar en gratifiant Foole de son plus beau sourire. Je me ferai un plaisir de vous les montrer.

J'en ai effectivement entendu parler, répondit Foole avec un petit rire. Mais je ne saurais vous ravir plus longtemps ce soir à l'ensemble de vos admirateurs.

Ils se tenaient tous les trois dans un petit recoin à l'écart de la cohue et Mrs Farquhar s'éventait d'un geste gracieux tandis qu'ils parlaient. Pendant qu'ils se mettaient d'accord, Foole saisit par l'épaule le propriétaire de la galerie. Celui-ci ne s'aperçut de rien mais il en profita pour fouiller ses poches à la recherche de ses clefs. À sa grande déception, il ne trouva rien à l'exception d'un mouchoir, d'un canif et d'une bague ornée d'une émeraude visiblement destinée à une main féminine.

Après les avoir laissés et s'être à nouveau mêlé aux autres invités, il aperçut Pinkerton qui contemplait la foule d'un air sombre et vengeur, appuyé à la balustrade du premier étage. Il observait Foole avec un intérêt visible. Les invités allaient et venaient entre eux, un verre à la main.

À cet instant, une grande matrone vêtue d'une robe bleue s'avança vers lui et posa la main sur son bras. Foole se retourna. Elle lui fit un grand sourire et se présenta en lui disant qu'elle venait d'arriver de Boston avec son mari et qu'on lui avait dit qu'il était américain lui aussi.

Enchanté, lui dit Foole en s'inclinant.

Lorsqu'il releva les yeux, le détective avait disparu.

La cloche retentit et tout le monde gagna la salle à manger. C'était une vaste pièce éclairée au gaz comme la salle des fêtes d'un hôtel de ville moderne. Le plafond voûté était décoré d'angelots qui donnaient l'illusion de verser des pommes d'or sur l'assemblée. Trois immenses tables étaient disposées le long des murs. Les Farquhar et le colonel Vail étaient assis au centre. Pinkerton avait été placé juste en face de Vail, à côté de Shore et de son épouse. À sa grande surprise, Foole était également installé à la table principale. Un énorme cygne en glace fondait lentement sur un chariot à roulettes. Les couverts brillaient les uns à côté des autres comme des instruments de chirurgie dans une salle d'opération, et Foole aperçut son reflet déformé sur la courbe de sa cuillère. Il faisait chaud dans la pièce et, malgré les épaisses tentures disposées le long des murs, les dizaines de voix résonnaient si fort que Foole avait de la peine à distinguer ce que les gens disaient. Les sommeliers se tenaient prêts à servir le vin et des employés en livrée passaient silencieusement d'un convive à l'autre, versant à chacun une louche de potage prélevée dans de grandes soupières en cuivre. Foole observait le visage de tous les domestiques comme s'il cherchait à les identifier. C'étaient eux qui étaient invisibles ce soir et cela leur conférait un certain pouvoir, il n'était pas sans le savoir.

Il avait été placé à côté d'un vieil homme aux cheveux blancs, au cou épais et à la joue barrée d'une longue cicatrice. C'était un clergyman.

De l'Église anglicane, lui précisa-t-il.

Enchanté, monsieur, lui répondit Foole avec gravité.

Le clergyman saisit le bras de Foole. Sa main était énorme, couverte de cicatrices, et on y distinguait encore les lignes estompées d'un ancien tatouage. J'ai été marin pendant plus de vingt ans, lui expliqua-t-il, avant d'emprunter une voie plus honorable. C'était une rude existence. La mer appartient à Dieu. Les hommes n'y trouveront jamais la paix.

Vraiment, dit Foole. Et comment avez-vous connu les Farquhar ?

Qui donc ? s'étonna le clergyman.

Foole toussota.

Je plaisantais, mon vieux. Mr Farquhar est l'un des bienfaiteurs de la paroisse. Vous êtes originaire des colonies ?

Foole esquissa un sourire. Je viens de New York, dit-il. Si c'est ce que vous entendez par là.

Bienvenue à Londres, mon vieux. C'est votre première visite ?

Non.

Ah.

Je possède une résidence ici, ajouta Foole au bout d'un instant. J'y viens plus souvent depuis le décès de ma femme.

Le clergyman hocha sa lourde tête. Elle est heureuse là où elle est aujourd'hui, monsieur.

Oui.

Foole jeta un coup d'œil suspicieux vers Pinkerton, de l'autre côté de la table. Le détective fronçait les sourcils en regardant Shore avant de se concentrer sur son potage. Foole acquiesçait aux propos du clergyman sans l'écouter vraiment. Il entendit en revanche Mrs Farquhar faire allusion à la chute de Khartoum.

L'homme qui était assis à côté de Farquhar se pencha et lui demanda en élevant la voix : Parlez-nous un peu de cette *Emma*, monsieur.

Farquhar eut un sourire félin. Je l'ai payée douze livres, monsieur.

La négociation a dû être rude.

Vous pouvez le dire.

Le clergyman émit un petit rire méprisant et Foole se rendit compte que cet homme lui plaisait.

Quelques instants plus tard, Farquhar se pencha avant de lancer à voix haute : Et vous, Mr Pickins, qu'en pensez-vous ?

Le clergyman leva les yeux, surpris. De quoi parlez-vous, monsieur ?

Du général Gordon.

Vous savez que les renforts sont arrivés deux jours à peine après la chute de la ville, intervint Mrs Farquhar.

Ce n'est pas une ville à proprement parler, ma chère.

Bien sûr que si. De quoi pourrait-il s'agir d'autre ?

Khartoum ? D'une sorte de campement entouré d'une palissade, selon moi. Colonel Vail, vous connaissez le Soudan n'est-ce pas ?

Le colonel secoua la tête. J'étais en poste en Égypte, monsieur. Mais, d'après ce que j'ai cru comprendre, Khartoum est bel et bien une ville. Protégée par une enceinte fortifiée. Jamais un campement isolé n'aurait pu soutenir un siège aussi long.

Foole avait l'impression que Pinkerton le regardait mais constata en se tournant vers lui que ce n'était pas le cas. Mrs Farquhar buvait une longue gorgée de vin et Foole vit son collier de diamants scintiller sur sa gorge à la lueur du gaz. On ne parlait que de lui dans les journaux l'an dernier, disait-elle. Vous vous souvenez, mon chéri ? On prétendait qu'il était l'homme de la situation. Le *Pall Mall* avait dressé de lui un portrait flatteur.

Oui, dit Farquhar en souriant. Gordon le Chinois. Ce qui était un peu acerbe, vous ne trouvez pas ?

Je m'en souviens parce que nous venions justement de rencontrer le général en Palestine. Un an avant le début de toute cette affaire, c'est bien cela, mon chéri ?

Je dirais plutôt deux ans.

Non, un an. C'était juste après le décès de votre mère. Elle se tourna vers l'assemblée. Nous ignorions que c'était quelqu'un d'important lorsque nous l'avons rencontré. Il avait une apparence tout à fait banale, comme la plupart des grands hommes, vous ne croyez pas ? Le général Gordon nous a expliqué qu'il menait des recherches autour de certains sites historiques rattachés à la Bible. Il nous a même confié qu'il pensait avoir identifié la montagne où l'Arche s'était échouée après le Déluge. Et qu'il espérait localiser l'ancien emplacement du jardin d'Éden.

Incroyable. Fascinant.

À quoi ressemblait-il ? On prétend qu'il avait une toute petite voix. Et qu'on voit mal comment il aurait pu s'imposer au milieu de tous ces sauvages.

Oui, acquiesça Mrs Farquhar. Il avait en effet une petite voix.

Mais c'était un gentleman, ajouta son mari. D'une attitude irréprochable.

L'avez-vous rencontré au cours de vos aventures, colonel ?

Malheureusement non, dit le colonel Vail en penchant la tête. J'aurais pourtant bien aimé lui poser quelques questions.

Lesquelles, colonel ?

Le colonel Vail se contenta de sourire.

Il lui aurait demandé comment il avait réussi à tenir tête à ces satanés Taiping avec un simple mousquet.

J'ai toujours été surpris, reprit le colonel d'une voix douce, de constater comment des affaires de la plus haute importance peuvent prendre en Angleterre un tour aussi léger. Et comment les détails les plus anodins y prennent à l'inverse des proportions effarantes. Il se racla la gorge et son regard se posa sur Pinkerton. L'assemblée s'était brusquement tue. Il y a parmi nous quelqu'un qui comprendra probablement ce que je veux dire.

Vous me faites trop d'honneur, colonel Vail, répondit Pinkerton avec un petit hochement de tête.

Mais vous êtes tous les deux des hommes d'action, intervint Shore avec un grand sourire. Si seulement ce brave général vous avait eus à ses côtés au Soudan.

Un murmure parcourut l'assistance. Certains hochaient la tête, d'autres fronçaient les sourcils.

J'ai entendu dire qu'une souscription avait été lancée à sa mémoire, dit une femme assise en face de Foole. Et que Sa Majesté en personne avait écrit à sa sœur.

C'est une belle attention. Oui, une bien belle attention.

En revanche, intervint Farquhar, je me suis laissé dire que Mr Gladstone était au théâtre le soir où l'on a annoncé la chute de Khartoum. Ce qui est tout de même un peu embarrassant pour lui, à mon humble avis.

Mr Gladstone se sent rarement embarrassé, dit le colonel.

Je me demande comment il trouve encore le sommeil, lança Mrs Farquhar. Avoir abandonné ce pauvre homme à son sort dans cette contrée lointaine. Le corps expéditionnaire aurait dû se mettre en route depuis des mois.

Foole leva la tête et son regard croisa celui de Pinkerton. Les deux hommes s'observèrent en silence et Foole eut l'impression que la pièce s'était brusquement rétrécie. Les yeux du détective brillaient comme deux braises sombres. Foole souleva son verre et le brandit dans sa direction.

Pinkerton détourna les yeux.

Il attendit que le détective soit absorbé par sa conversation avec sa voisine de gauche, s'essuya la bouche avec sa serviette et s'excusa auprès du clergyman avant de se lever pour se mettre en quête des toilettes. Des domestiques en livrée de satin disposaient des rangées de chaises dans le grand hall déserté par les invités. Deux ouvriers installaient une petite estrade dans un coin de la salle.

Foole monta l'escalier et, tout en restant dans l'ombre, observa d'en haut les serveurs qui traversaient le hall, chargés de plateaux de nourriture. Il attendit quelques instants pour s'assurer qu'il n'y avait personne à l'étage. Il s'engagea ensuite dans le couloir recouvert de tapis, observant les tableaux accrochés aux murs et essayant d'ouvrir chacune des portes devant lesquelles il passait. Les deux premières n'étaient pas fermées et donnaient sur un dressing-room et une petite chambre attenante. Foole ne s'y attarda pas. La troisième porte était fermée à clef mais il n'eut aucun mal à forcer la serrure et pénétra dans la pièce.

Il s'agissait du bureau de Farquhar. Foole se garda bien de tirer les rideaux ou d'allumer la moindre lumière, laissant son regard s'accoutumer à l'obscurité. Il distingua bientôt des cylindres de toiles enroulées, des tableaux encadrés retournés contre les murs, les contours d'un énorme bureau. Il avait mené sa petite enquête au sujet du propriétaire des lieux et savait que Farquhar avait bâti sa fortune en faisant la tournée des villages de la campagne anglaise, achetant pour une bouchée de pain tous les tableaux qu'il pouvait dénicher. Il lui arrivait ainsi de tomber de temps à autre sur un Turner ou un Gainsborough inconnu, et ces trouvailles lui permettaient de financer de plus ambitieux achats. Ce n'était pas du vol à proprement parler mais ce n'était pas tout à fait honnête non plus. Il savait aussi que Farquhar n'avait pas de soucis matériels, ayant épousé la fille d'un lord. Des ouvrages de référence occupaient plusieurs étagères et un autre meuble débordait de papiers en désordre. Le tapis blanc était épais sous ses pieds et il avait soin de ne laisser aucune empreinte en marchant. Il s'immobilisa soudain en entendant des pas s'approcher, mais le silence revint presque aussitôt.

Il sortit de la poche de sa jaquette l'enveloppe destinée à Farquhar et la déposa contre la lampe du bureau. De sa poche intérieure il retira ensuite un bloc de cire qu'il pétrit quelques instants entre ses doigts pour la réchauffer. Lorsque la cire fut suffisamment molle, il la scinda en plusieurs morceaux qu'il étala ensuite avec soin sur son mouchoir. Il ouvrit les tiroirs du bureau l'un après l'autre à la recherche des clefs de Farquhar mais ne les trouva pas. Dans le tiroir du bas il découvrit en revanche un revolver chargé et le soupesa d'un air rêveur avant de le remettre à sa place. Il souleva ensuite les papiers qui jonchaient le bureau, examina minutieusement les étagères de livres et le meuble rempli de dossiers, mais les clefs restaient invisibles. Ses yeux tombèrent alors sur le manteau accroché à une patère derrière la porte. Il traversa vivement la pièce, plongea la main dans la poche du manteau.

Et en ressortit un lourd trousseau de clefs.

Trois minutes plus tard il se glissa hors du bureau de Farquhar et referma sans faire le moindre bruit la porte derrière lui. Puis il rejoignit l'escalier à pas de loup. Au fond de sa poche, à l'abri de son mouchoir, se trouvaient les empreintes en cire qu'il avait faites de chacune des clefs. Le hall était désert et l'escalier lumineux après l'obscurité du bureau. Il percevait le brouhaha de la réception et la rumeur feutrée des conversations qui montaient du rez-de-chaussée.

Vous mentiez donc depuis le début, lança une voix près de lui.

Foole s'immobilisa.

Pinkerton se tenait dans l'ombre sur le palier et le dévisageait. Il s'avança les bras croisés sur la poitrine et le visage empreint de colère. Bonjour, Edward.

Pour la première fois depuis vingt ans, Foole répondit à l'énoncé de son ancien prénom. Je ne pensais pas vous voir ici ce soir, dit-il.

Je suis sûr que vous me dites la vérité, pour une fois, répondit Pinkerton avec un sourire amer.

La vérité n'est pas aussi complexe que vous semblez le croire.

Je pense qu'elle est extrêmement simple, au contraire, Mr Shade.

Foole remarqua la colère rentrée de son interlocuteur et songea qu'il se trouvait seul avec lui malgré la réception qui se déroulait en dessous. Il opina et se dirigea vers l'escalier. Si vous voulez bien m'excuser, William. Je suis attendu en bas.

Ce que je ne comprends pas, reprit Pinkerton dans son dos, c'est pourquoi vous avez pris un risque pareil. Pourquoi m'avoir contacté *moi* pour retrouver l'assassin de cette femme ? Vous connaissiez sans doute des dizaines d'individus susceptibles de vous aider dans une telle entreprise. Que cherchiez-vous donc ? À vous faire prendre ?

Foole s'arrêta et se retourna. Vous vous vantez un peu, William. Vous n'avez arrêté personne ni déniché grand-chose pour l'instant.

Vraiment? Fludd, votre homme de main, a été libéré à New York en décembre. Votre Mr Utterson est l'avocat de Martin Reckitt. Auquel vous avez rendu visite le mois dernier à la prison de Millbank sous un faux nom.

Et alors?

Vous êtes un escroc et vous êtes impliqué jusqu'au cou dans cette affaire.

En dépit de ce que vous croyez savoir, répondit Foole, vous vous trompez du tout au tout. Un nom n'a aucune importance.

On en change comme de chemise, c'est cela?

Martin Reckitt est un ami.

Drôle d'amitié.

Foole le gratifia d'un sourire froid. Ne le sont-elles pas toutes?

Pinkerton s'avança d'un pas. J'ai informé Mr Shore de votre existence. Toute la pègre sera bientôt au courant de l'intérêt que je vous porte. Les gens du Yard viendront vous interroger à l'occasion de toutes les enquêtes qu'ils mèneront désormais de Londres à Édimbourg. En Amérique, mon agence vous a déjà fichés, vous et votre homme de main. Vous êtes cuit.

Foole hocha la tête. Je mène une vie honnête, dit-il.

Les traits de Pinkerton se durcirent. Son regard se porta vers le couloir et la porte du bureau. Vous avez un curieux sens de l'orientation, dit-il. J'imagine qu'il s'agit des appartements privés de Mr Farquhar?

Foole s'humecta les lèvres.

Pinkerton s'approcha de lui. Que se passerait-il si je fouillais vos poches? Que trouverais-je à l'intérieur?

Foole sentait peser dans sa poche les morceaux de cire qui contenaient l'empreinte des clefs. Vous êtes venu chez moi, dit-il abruptement pour changer de sujet. Vous avez menacé et brutalisé la fillette qui est à mon service. La pauvre était terrorisée. Vous devriez avoir honte.

Pinkerton le regarda droit dans les yeux. Je suis au courant de ce qui s'est passé pendant la guerre, dit-il. Et de ce que vous avez fait à mon père.

Foole lui retourna son regard. Je n'ai rien fait à votre père, dit-il.

Il s'écarta pour passer mais Pinkerton le saisit par le bras, d'une poigne d'acier.

Vous avez livré l'agent de mon père aux confédérés, murmura-t-il avec hargne. Un homme est mort à cause de vous. Quelqu'un en qui mon père avait confiance.

Je n'ai jamais trahi personne.

Vous l'auriez tué de vos propres mains que cela reviendrait au même.

Foole se libéra de son étreinte. De mes propres mains ? lâcha-t-il sous le coup d'une brusque colère. En bas, le brouhaha de la réception s'amplifia soudain tandis qu'une porte s'ouvrait, aussitôt refermée. Vous êtes-vous jamais demandé pourquoi votre père s'était bien gardé de vous parler de cette histoire ? Il regarda Pinkerton tandis qu'une haine longtemps contenue remontait en lui. C'est Spaar qui m'a trahi après être venu me chercher. Je n'avais pas le choix. Foole tremblait en parlant. Il s'engagea dans l'escalier avant de se retourner. Je lui ai tiré deux balles dans le corps pour être sûr que ce salopard ne s'en sortirait pas.

Puis il hâta le pas et dévala l'escalier.

TRENTE-DEUX

À la fin du dîner, au milieu des chaises qui raclaient le sol et des serviettes abandonnées, William perdit de vue Foole et le colonel Vail. Il ne cessait de se répéter les dernières paroles que l'escroc lui avait lancées tout à l'heure, avant qu'ils ne redescendent. Un peu plus tard, il avait vu Foole se diriger vers le siège du colonel et s'adresser à lui de manière volubile. Vail avait regardé autour d'eux d'un air embarrassé avant de lui serrer la main. William ignorait ce que Foole complotait au juste mais cela ne lui plaisait guère. Il aperçut Mrs Shore qui se dirigeait vers lui et se hâta de faire demi-tour, traversa le hall et grimpa l'escalier sans jeter un regard derrière lui. Dans l'ombre du petit palier, à l'étage, il découvrit le colonel en personne fumant un cigare et observant les invités qui allaient et venaient en dessous. La jaquette ouverte, les traits tirés, il paraissait très seul.

Excusez-moi, lui dit William. Je ne voulais pas vous déranger.

Les yeux de Vail brillaient dans la pénombre.

Vous êtes William Pinkerton, c'est bien ça ? lui dit le colonel. Vous paraissez aussi mal à l'aise que moi dans cette assemblée.

J'aimerais bien avoir l'air aussi détendu que vous.

Vail se tourna et regarda le hall. Il glissa la main dans sa poche et en retira un cigare qu'il tendit à William. Celui-ci refusa d'un geste. Il y avait un canapé vert sur le palier mais aucun des deux hommes ne fit mine de s'y asseoir.

Regardez-les, reprit le colonel. J'étais censé me retrouver au centre de l'Empire, Mr Pinkerton. Et savez-vous ce que j'ai découvert ?

Non monsieur.

C'est que ce centre n'existe pas. Le centre ce sont eux, ajouta-t-il en désignant les invités d'un geste, son cigare à la main.

J'ai toujours pensé que l'Empire britannique n'avait pas grand-chose à voir avec la géographie, dit William.

Dans ce cas, vous êtes plus sage que moi.

William s'éclaircit la gorge. Il jeta un coup d'œil autour de lui mais Foole était hors de vue.

Londres échappe également à la géographie, dit Vail. Je serai soulagé d'en partir. Je crois que Gordon ressentait la même chose que moi. Il posa sur William un regard acéré. Je l'ai bel et bien connu, le général Gordon. L'Empire n'est pas vaste au point que l'on puisse éviter ce genre de rencontre.

Vous disiez pourtant tout à l'heure que vos chemins ne s'étaient pas croisés.

Le colonel haussa les épaules. C'était une absurdité de l'envoyer au Soudan. L'opération ne pouvait que tourner au désastre. Je me demande parfois qui prend de telles décisions. Est-ce que ces gens se donnent seulement la peine de réfléchir ?

William n'était pas un citoyen de l'Empire et le général Gordon n'était pour lui qu'une figure lointaine, emportée dans la tourmente de la guerre. Nous avons des problèmes du même ordre chez nous, dit-il.

Vail acquiesça. J'ai cru comprendre que votre père était abolitionniste.

William était surpris qu'il en ait entendu parler.

Il me manquera, ajouta Vail. Pendant une fraction de seconde William crut qu'il parlait de son père. Mais le colonel précisa : Gordon pensait qu'on pouvait civiliser le Soudan. Que le problème de l'esclavage pouvait être éradiqué à la base.

William se sentait de plus en plus mal à l'aise. Il scruta le hall à ses pieds mais n'aperçut ni Foole ni Shore parmi les invités. Les domestiques installaient les chaises et déplaçaient les bergères et les sofas en vue des distractions qui allaient suivre.

Vous allez bientôt devoir descendre pour faire votre présentation, lui dit Vail.

J'imagine.

Ils restèrent un moment silencieux dans l'obscurité. Une silhouette se profila dans l'escalier et s'arrêta à mi-hauteur, la main sur la rampe, comme en se demandant qui ils étaient. Puis elle fit volte-face et redescendit.

Le son d'un alto qu'on accordait s'éleva soudain de l'estrade dressée dans un angle de la grande salle.

Je voulais vous poser une question, reprit William.

Vail le dévisagea de ses yeux clairs.

L'homme à qui vous parliez tout à l'heure, à la fin du dîner. Mr Foole. Que vous a-t-il dit au juste ?

Le colonel fronça les sourcils. Je vous prie de m'excuser, dit-il, mais je ne connais pas de Mr Foole.

Adam Foole. Vous le connaissez forcément. Je vous ai vu en sa compagnie.

Vail secoua la tête.

Un homme relativement petit, précisa William. Les cheveux argentés. Avec des yeux brillants, presque violets.

Ah oui, dit Vail en souriant. Je vois de qui vous voulez parler. Mais il ne m'a pas dit son nom.

Que voulait-il savoir ?

Oh, rien de personnel, dit Vail avec un petit rire. Il m'interrogeait sur Mr Farquhar.

Les festivités commencèrent. Une soprano qui arrivait de Finlande se leva, pâle comme une flamme blanche dans la vaste salle. Elle chantait sans accompagnement, et William qui s'était installé tout au fond du hall dans l'espoir d'apercevoir Foole se sentit étrangement remué par la voix de cette femme. Il ne savait même pas dans quelle langue elle chantait mais l'image de Margaret peignant ses longs cheveux surgit brusquement devant lui et des larmes se mirent à couler de ses yeux.

Lorsque la jeune femme s'interrompit, toute la salle se leva pour l'applaudir. William remonta les rangées de chaises et aperçut Shore et son épouse assis près de l'estrade dans une bergère capitonnée de velours vert. L'inspecteur en chef s'écarta pour lui faire de la place et sa femme se pencha par-dessus la silhouette massive de son mari pour donner un petit coup d'éventail sur la cuisse de William en le gratifiant d'un sourire charmeur.

Où est Foole ? murmura-t-il à Shore.

Ses pensées étaient en fait tournées vers Farquhar. Il savait que le propriétaire de la galerie était riche et qu'on avait beaucoup parlé de lui dans les journaux récemment à cause de ce fameux tableau. Il se demandait ce que Foole fabriquait tout à l'heure à l'étage et savait que sa présence à cette soirée devait faire partie d'un plan plus large. Mais il était incapable d'aller au-delà de ce constat. Du moins pour le moment.

Il sentit soudain un coup de coude dans ses côtes.

Essayez au moins d'avoir l'air intéressé, lui souffla Shore.

Un homme s'avança le long des rangées de chaises avant de faire face aux invités, boitant comme s'il souffrait d'une vieille blessure à la hanche. Il arborait d'épaisses moustaches et un gilet violet qui lui donnait l'allure d'un romanichel. Il se présenta et déclara qu'il était venu avec un appareil aussi rare que fascinant qu'il désigna sous le nom de Zoltascope et qui produisait de merveilleuses images. Des peintures lumineuses, s'exclama-t-il, nées d'un monde qui n'existait pas. Tandis qu'il parlait, deux assistants en costume blanc déplièrent et tendirent un grand drap devant l'assemblée, avant de se reculer sur le côté.

Il n'y a ni trucages ni sorcellerie derrière ce phénomène, poursuivit l'homme, même si certains ont affirmé le contraire. C'est un exemple parmi d'autres des miracles que peut accomplir la science. Et vous verrez, mesdames et messieurs, vous n'allez pas en croire vos yeux.

William se pencha vers Shore et lui chuchota : Foole mijote quelque chose. Je l'ai suivi pendant le dîner, il s'est rendu dans le bureau de Farquhar.

Shore tourna légèrement la tête. Il est en train de vous regarder, dit-il.

Où est-il ?

Au fond de la salle. Il ne vous a pas quitté des yeux depuis que vous êtes venu vous asseoir ici. Que lui avez-vous dit ?

Le bonimenteur demanda qu'on réduise les lumières et ses assistants allèrent éteindre l'une après l'autre les lampes à gaz, plongeant peu à peu la grande pièce dans l'obscurité.

Un rai de lumière apparut, traversé d'un étrange halo de fumée. Le drap blanc scintillait comme un fanal dans les ténèbres. William avait déjà assisté à une démonstration de cet appareil lors d'une conférence à San Antonio, et le magicien qui leur expliquait le mécanisme leur avait dit qu'on l'utilisait autrefois pour conjurer les démons et faire apparaître les visages des morts.

L'assemblée retenait son souffle. À travers la fumée qui s'élevait apparut soudain un village curieusement éclairé, traversé par une rivière qui coulait lentement entre les maisons. Le paysage était hivernal, on distinguait un pont, le porche d'une église, une femme qui se penchait à la devanture d'une boutique, une fenêtre éclairée dans une maison qui se dressait tout au bout du village.

Puis il se mit à neiger.

C'était une neige dense, épaisse, qui tombait en rafales mais ne se déposait pas sur le sol. Des oies s'envolèrent et traversèrent lentement le ciel derrière le clocher de l'église. Une charrette tirée par un cheval franchit le pont avant de quitter le village. Tout cela se déroulait dans le plus complet silence. Un berger se profila à l'arrière-plan, emmenant un troupeau de moutons de l'autre côté de la colline. Il disparut tandis que l'image du village s'estompait peu à peu.

Les invités s'agitaient et murmuraient, un peu mal à l'aise, mais les contours d'un homme coiffé d'une casquette rouge et arborant une épaisse barbe grise surgirent soudain devant eux. Il avait un regard mauvais et faisait penser à un brigand des montagnes. Il roulait des yeux en fixant l'assistance d'un air menaçant.

Les spectateurs ne faisaient pas un geste et retenaient leur souffle. William percevait l'inquiétude et la tension qui avaient gagné la salle. Il se retourna et aperçut l'homme qui manipulait le Zoltascope, insérant et retirant des plaques dans l'appareil. Les images se mirent à défiler sur un rythme accéléré. Après avoir ôté la dernière plaque, l'homme souleva avec précaution une caisse déposée à ses pieds. Les plaques qu'elle contenait étaient équipées d'une manette.

Mesdames et messieurs, annonça le bonimenteur avec une certaine emphase, certains membres de la communauté scientifique ont donné le nom de chromatrope au phénomène que je vais maintenant vous présenter. Nous nous abstenons le plus souvent de le montrer au public en raison des dangers qu'il présente. Je vous demanderai donc de ne pas regarder le centre de l'image, cela pourrait avoir un effet néfaste sur les personnes les plus sensibles. L'année dernière, à Leipzig, un spectateur a dû être hospitalisé plusieurs semaines après avoir été nerveusement ébranlé par ce phénomène.

Un nouveau rai de lumière blanche se profila et une figure géométrique apparut devant eux, scintillante et aussi colorée qu'un vitrail. Elle se mit à tourner, d'abord lentement puis de plus en plus vite, et l'image se résorba bientôt en un flux de couleurs mélangées qui tourbillonnaient à toute allure. William ferma les yeux.

Puis les lampes se rallumèrent peu à peu dans la salle. Les hommes se mirent à rire, les femmes applaudirent mollement de leurs mains gantées.

Shore avait fermé les yeux lui aussi. Bon, dit-il en s'agitant sur son siège et en serrant les dents. Finissons-en.

William se leva sous les applaudissements et se dirigea vers le devant de la salle en redressant ses poignets de chemise. Tous les visages étaient tournés vers lui, les femmes agitaient doucement leurs éventails. Shore s'était éclipsé et revint en poussant un petit chariot à roulettes sur lequel était disposé le matériel dont ils avaient besoin. Des tampons encreurs, du papier, des compas et divers instruments de mesure, un boîtier photographique encore fermé. William s'éclaircit la gorge en évitant de regarder du côté de Foole.

La plupart d'entre vous connaissent mon excellent collègue, Mr John Shore, inspecteur en chef de Scotland Yard, commença-t-il avec un sourire. Ne vous laissez toutefois pas abuser par ce titre, c'est un remarquable détective.

Quelques rires s'élevèrent dans l'assistance et Shore hocha la tête.

Mesdames et messieurs, depuis plus de trente ans mon agence a mené de nombreuses enquêtes au sujet des cambriolages et des hold-up les plus spectaculaires qui ont été commis sur le territoire des États-Unis. Mon père, feu Allan Pinkerton, mon frère Robert et moi-même avons souvent participé en personne à l'arrestation des voleurs. L'un des problèmes qui se posent de nos jours en matière d'enquête criminelle consiste à identifier l'auteur du larcin, surtout lorsque les jours puis les semaines passent et que la piste se refroidit. Vous vous demandez sans doute comment il est possible d'arrêter un coupable au bout d'un tel laps de temps. Et vous seriez sans doute surpris d'apprendre que l'Agence Pinkerton n'a pas laissé échapper à ce jour un seul criminel ayant participé à une attaque de train à main armée. Les récits des témoins sont souvent contradictoires. Comment pouvons-nous être certains dans ce cas d'avoir mis la main sur le véritable coupable ?

Le silence avait gagné l'assemblée et William sentait que les femmes le regardaient avec une intensité particulière.

Nous recourons pour cela à une série de procédés que certains appellent la méthode Bertillon, du nom du Français qui l'a mise au point. Voyez-vous, même si nous changeons d'apparence en vieillissant, certaines données de notre morphologie demeurent immuables. La dimension de notre visage et de nos mains par rapport au reste de notre corps, la proportion de nos membres, l'écart entre nos yeux, la longueur et la forme de notre mâchoire, et j'en passe. Si vous disposez de l'ensemble de ces données concernant un criminel quelconque, à quoi il faut ajouter certains signes extérieurs – la couleur de ses yeux, de ses cheveux, de sa peau, la présence d'éventuelles cicatrices, etc. –, vous pourrez aisément l'identifier. Qui pourrait échapper à soi-même ?

Personne, assena Shore.

Personne en effet. Et nous allons vous montrer ce soir comment l'on procède. Mais nous avons besoin pour cela d'un volontaire. Y a-t-il un ou deux criminels endurcis parmi vous ?

Un rire parcourut l'assistance.

William considéra l'assemblée. Quelques femmes avaient levé la main mais il les ignora et son regard se porta vers le fond de la salle. Vous, monsieur, vous devriez faire un suspect idéal, dit-il en montrant Foole du doigt. Celui-ci refusa l'invitation d'un geste avec un sourire désinvolte.

Allons, monsieur, insista William en haussant le ton. Cela ne présente aucun danger, je vous assure.

Une jeune femme assise à côté de Foole posa la main sur son bras en souriant et un gentleman se levait déjà pour le laisser passer. Plusieurs personnes s'étaient retournées pour le regarder.

Shore se dirigeait vers lui.

Non, sincèrement, lui dit Foole. J'ai déjà assisté à ce genre de séance.

On applaudit pour saluer notre courageux volontaire, lança William.

La plupart des femmes obéirent à cette injonction et certains hommes interpellèrent Foole pour l'encourager.

William percevait la fureur du petit escroc derrière son sourire de façade.

Mais Shore l'avait agrippé par le bras et l'entraînait sur le devant de la scène. Pendant ce temps William nettoyait les appareils de mesure à l'aide d'un chiffon gris.

Mesdames et messieurs, reprit-il, je vous présente notre valeureux volontaire. Il fit mine d'examiner la stature de Foole. La plupart du temps, ajouta-t-il en faisant un clin d'œil au public, j'évite de faire appel à un volontaire plus grand que moi.

De nouveaux rires fusèrent.

Et quel est votre nom, monsieur ?

Ne faites pas ça, grinça Foole entre ses dents sans cesser pour autant de sourire.

Mr Adam Foole, mesdames et messieurs, lança William comme un harangueur de foire.

La salle éclata en applaudissements.

Placez-vous ici, monsieur. Oui, c'est parfait. Il mesura les poignets de Foole et lui tordit le bras sans ménagement. Il y a de nombreuses manières de prendre les mesures de quelqu'un, dit-il. Nous allons toutes vous les montrer.

Les applaudissements redoublèrent.

Pour commencer, poursuivit William, je vais vous demander de me laisser prendre l'empreinte de vos doigts. Les empreintes digitales d'un homme sont uniques, il n'y en a pas deux qui se ressemblent et elles restent identiques tout au long de sa vie. C'est un détail qui a son importance, étant donné que nous laissons d'invisibles empreintes partout où nous posons les mains.

Foole ne le quittait pas des yeux et le fusillait du regard.

Nous commençons par appliquer les doigts un par un sur un tampon encreur avant de reporter la main sur une feuille vierge. Et voici ce que nous obtenons, ajouta William une fois l'opération terminée en brandissant la feuille afin que le public la voie. Nous allons maintenant procéder de même avec l'autre main, monsieur.

Peut-être pourriez-vous faire appel à un second volontaire, monsieur ? lui dit Foole en souriant. Cela vous permettrait de montrer les différences qui existent entre deux séries d'empreintes.

Pour toute réponse, William saisit son poignet gauche et plaça les doigts du voleur sur le tampon encreur avant de les appliquer sur la feuille.

Lorsqu'il eut terminé, la salle applaudit à nouveau.

Mais nous n'en avons pas fini, dit-il avec un sourire. Il conduisit Foole vers une chaise, le fit asseoir et mesura l'écart entre ses yeux, la longueur de son nez, la distance séparant sa mâchoire de son front. Il prit également la mesure de son bras, de son torse, puis demanda à Foole de se lever et de retrousser ses manches, souriant à la vue d'une petite cicatrice blanche sur son avant-bras gauche.

Normalement, poursuivit-il, nous examinons méticuleusement le patient et relevons le moindre détail significatif : cicatrices, grains de beauté, tatouages, etc. Étant donné la délicatesse de notre volontaire, nous nous en abstiendrons ce soir. Mais nous n'en noterons pas moins la couleur des yeux et des cheveux de ce gentleman, sa taille et ainsi de suite.

Durant ces opérations, Shore notait toutes les informations qu'ils recueillaient et remplissait de sa fine écriture les formulaires destinés à ses propres archives. Puis il sortit l'appareil photographique de son étui et le fixa sur son trépied, muni de son cache en tissu noir. Et enfin, dit William, nous allons bien sûr photographier notre criminel. Ce qui permettra à d'éventuels témoins de l'identifier. Je vous prierai de ne pas bouger, monsieur, sinon nous serions obligés de recommencer l'opération.

Foole redressa la tête et se tint parfaitement immobile. Il y avait dans son regard fixé sur l'objectif une férocité que William ne lui avait encore jamais vue.

L'ampoule grésilla légèrement en se déclenchant et ce fut terminé.

William remercia Foole d'un sourire. Je vous recommande, monsieur, de ne commettre aucun crime en rentrant chez vous ce soir, vous risqueriez d'être identifié sur-le-champ.

Le public éclata de rire. Shore rit à son tour, William l'imita.

Et Foole en se levant se mit à rire lui aussi. À rire et à rire, retroussant les lèvres et révélant ses canines acérées, sans cesser de fixer William de son étrange regard félin.

Une heure plus tard, William descendait à la lueur des réverbères le perron de l'opulente demeure des Farquhar, en proie à une immense lassitude. La maison brillait de mille feux derrière lui, la soirée battait encore son plein. Il serrait sous son bras la sacoche en cuir contenant les mesures qu'il venait de prendre et le dossier anthropométrique d'Edward Shade. Les plaques photographiques, les empreintes digitales, sa signature manuscrite sous son pseudonyme actuel. Il venait de réussir là où son père avait échoué sa vie durant. La nuit était très froide et il sentait sourdre en lui une violence dont il commençait à comprendre, l'âge venant, qu'elle l'accompagnerait jusqu'au terme de sa vie. Il était bien le fils de son père. Il revoyait la détresse perceptible dans le regard de Foole fixant l'objectif. À l'angle d'une rue, une jument attelée à un cab hennissait. Tous les chevaux londoniens étaient malades. William héla le conducteur et monta à bord du véhicule qui se mit en route en cliquetant sur les pavés. Il ferma les yeux. Il aurait dû se sentir heureux mais il ressentait au contraire une impression d'échec en pensant à la conversation avortée qu'il avait eue avec Foole devant le bureau de Farquhar. Il aurait dû le laisser parler, songeait-il, le laisser raconter ses bobards. Il y a toujours une part de vérité dans les mensonges d'autrui. Même dans ceux d'Edward Shade.

Non, il n'en avait pas terminé. William poussa un juron. Il allait devoir remettre les pieds Half Moon Street.

TRENTE-TROIS

La nuit s'épaississait.

Les trois silhouettes avançaient dans les rues silencieuses et nimbées de brouillard. Un gentleman svelte mais de petite taille, accompagné d'un colosse qui lui tenait lieu d'homme de main et d'un jeune garçon qui les suivait à quelques pas. Ils marchaient d'un pas vif dans ce décor immobile, arborant tous les trois la même tenue de soirée élégante, une redingote noire et un chapeau de soie, bien que le plus petit des trois fût visiblement leur chef. Malgré ses favoris blancs et ses rides, il n'était pas vieux. Mais son regard, oui son regard portait la trace et le poids d'une existence déjà longue.

Ils longèrent le portail de Green Park puis le bâtiment silencieux de Devonshire House sans apercevoir âme qui vive. Eux-mêmes n'échangeaient pas un mot. Ils s'immobilisèrent au pied d'un réverbère à l'angle d'une rue en regardant chacun dans des directions différentes. Puis le jeune garçon recula et disparut dans l'ombre d'un porche tandis que les deux autres obliquaient dans Old Bond Street, affichant une décontraction calculée. Le petit homme fumait un cigare effilé. Lorsqu'ils arrivèrent devant Burlington Arcade, il s'arrêta, étudia son reflet dans la vitrine d'une galerie de sculpture et jeta son cigare avant de l'écraser d'un coup de talon.

Il ôta ses gants, plongea les mains dans ses poches, écrasa les morceaux de craie pour en imprégner ses doigts.

Le géant barbu observa la rue de droite à gauche mais n'aperçut pas l'ombre d'un mouvement. Le petit homme opina et le colosse sortit de sous son manteau un étui cylindrique qu'il lui tendit. Puis il s'accroupit et croisa les deux mains pour lui faire la courte échelle. Le petit homme cala sa canne entre ses dents, l'étui sous son menton, et se hissa sur les mains du géant.

D'un simple geste, celui-ci le souleva au-dessus de ses épaules, ce qui permit au petit homme d'agripper le rebord en pierre d'une fenêtre du premier étage. Il resta ainsi suspendu un moment les pieds dans le vide tandis que le géant reculait et se fondait dans l'ombre. Puis il replia les jambes, se balança vers la gauche et parvint à poser le coude et l'avant-bras sur le bord avant de se hisser complètement sur l'appui.

Il avait tout juste la place de s'y tenir accroupi et son premier geste fut de remettre ses gants. Il dévissa ensuite le pommeau de sa canne et retira la petite pince-monseigneur qui s'y trouvait. Il se pencha et d'un geste aussi vif que précis força la serrure qui retomba à l'intérieur avec un bruit sec. Il tendit l'oreille, aux aguets, cala ensuite sa canne sous son bras et souleva verticalement le panneau de la fenêtre. Il n'avait plus qu'à se faufiler à l'intérieur.

La pièce n'était pas meublée, il le savait. Elle n'était pas éclairée non plus, sinon par le faible halo que diffusait un réverbère depuis la rue, mais il n'en distinguait pas moins le grand portrait d'Emma Hamilton qui le regardait d'un air triste sur le mur opposé. Il la contempla, plongé dans une rêverie qui lui parut durer une éternité mais n'excéda sans doute pas quelques instants. Puis il se mit à l'ouvrage.

Il se dirigea d'abord vers la porte et essaya d'entendre derrière le battant les pas du garde qui faisait ses rondes. Au début il n'entendit rien, mais il perçut au bout d'un moment un bruit lent et récurrent, semblable à celui des vagues venant mourir la nuit sur une plage, et ne put retenir un sourire. Le garde s'était endormi.

Il ôta sa redingote et l'étala sur le sol, les manches écartées telle une victime qui aurait perdu connaissance. Il retira de la doublure la petite cale en bois et alla la glisser sous la porte.

Puis il traversa la pièce, détacha la cordelette en velours et décrocha le tableau avec précaution avant de le déposer sur le plancher, le portrait face à lui. Le cadre doré était massif et devait valoir en lui-même plusieurs centaines de livres. Il sortit de sa poche le petit bocal de matière grasse et un couteau pliant à la lame acérée. Il l'ouvrit et se mit au travail. La toile était épaisse, résistante, et il la découpait lentement, sans se presser, en ayant soin de l'attaquer derrière le bord de manière à ne pas endommager la partie visible du tableau. Lorsqu'il eut terminé, il retourna la toile, dévissa le bocal et plongea l'extrémité de la cordelette dans la graisse, puis en frotta le revers de la toile afin de l'assouplir. Il s'interrompait toutes les deux minutes et tendait l'oreille pour s'assurer que personne ne venait.

Il enroula ensuite la toile, le portrait tourné vers l'extérieur afin d'éviter que la peinture ne se craquelle, et l'introduisit dans l'étui cylindrique dont il reboucha l'extrémité, abandonnant le cadre vide sur le sol de la galerie.

Ses gestes étaient nets, précis. Il remit sa redingote, alla récupérer la cale en bois, prit sa canne et s'arrêta devant la fenêtre pour vérifier qu'il n'oubliait rien. Puis il franchit de nouveau l'embrasure, rebaissa le panneau derrière lui et essuya avec son coude les empreintes crayeuses qu'il avait laissées sur l'appui. Sa canne entre les dents, il se laissa ensuite glisser avec souplesse jusqu'à se retrouver suspendu au rebord de la fenêtre, avant de lâcher prise et d'atterrir sur le trottoir quelques mètres plus bas.

Le géant réapparut, brossa de la main la redingote du petit homme et redressa son col. Au coin de la rue, le garçon émergea de l'ombre à son tour et les rejoignit. Aucun d'eux n'émit le moindre mot. Ils remontèrent Piccadilly sans se presser et s'arrêtèrent à l'angle de Half Moon Street, le temps que le petit homme allume un nouveau cigare et jette un regard autour de lui, à la recherche d'éventuels témoins. Puis ils s'éloignèrent tous les trois.

Le tout n'avait pas pris plus de dix-sept minutes.

Si quelqu'un avait jeté un coup d'œil dans la rue à cet instant précis, il aurait vu une lumière s'allumer au premier étage du 82. Puis on tira les lourds rideaux et la maison replongea dans l'obscurité.

TRENTE-QUATRE

Les coups frappés à la porte étaient violents, insistants, et ils se figèrent tous les trois dans le bureau de Foole. La même idée leur traversa évidemment l'esprit. Il était plus de minuit et Foole n'avait jamais imaginé que le Yard puisse remonter aussi vite jusqu'à eux. Et soudain, avec un brusque sentiment de panique, il comprit qui était en bas.

Pinkerton.

Il n'avait pas encore parlé à ses complices de l'humiliation qu'il avait subie lors de la réception. Fludd alla chercher dans la bibliothèque, au fond d'une cachette aménagée derrière une rangée de volumes, un long poignard à la lame recourbée dont Foole ne supportait pas la vue. Il fit un signe à Molly qui s'empressa d'enrouler la toile et de la remettre dans son étui.

Il n'éteignit pas les lumières. Dans le hall d'entrée, où aucune lampe n'était allumée, il écarta discrètement les rideaux et jeta un coup d'œil à l'extérieur mais n'aperçut pas sur le perron la silhouette massive de l'Américain aux mains d'étrangleur et aux yeux de mort-vivant. Il repensa à la manière dont Pinkerton s'était comporté à la sortie du Lascar, serra les dents et hâta le pas. On frappait à nouveau à la porte mais il distinguait un autre bruit à présent, une sorte de raclement qu'il ne parvenait pas à identifier. Il se demanda si le détective n'était pas en train de fracturer la serrure. Fludd gardait un silence qui ne présageait rien de bon et Foole, après avoir regagné son bureau, se débarrassa à la hâte de sa redingote puis de sa chemise tandis que Molly lui tendait sans un mot sa robe de chambre. Il passa la main dans ses cheveux pour les ébouriffer. Lorsqu'il redescendit, il aperçut Fludd déjà prêt à l'action, dans l'ombre de l'escalier, et évita de poser les yeux sur le poignard dont il serrait le manche entre ses doigts. Derrière la vitre teintée de la porte d'entrée, il distingua le vague contour d'un bras, puis d'une épaule, mais ne parvint pas à les identifier et sentit ses poils se dresser sur sa nuque. Des coups furieux et insistants retentirent pour la troisième fois contre la porte.

Oui, oui, j'arrive, lança Foole d'une voix irritée. Il avait déjà la main sur le verrou et s'apprêtait à le tirer lorsqu'il s'aperçut qu'il avait encore aux pieds ses chaussures maculées de la poussière des rues. Il savait que Pinkerton ne manquerait pas de le remarquer mais il était trop tard, il n'y avait plus rien à faire. Il poussa un soupir et ouvrit la porte.

Se retrouvant face à la noirceur de la nuit tandis qu'un air glacé lui soufflait au visage.

Et là sur le perron, un bras levé et les cheveux auréolés de ténèbres, se tenait Charlotte Reckitt. Il la contempla, ébahi.

Charlotte ? murmura-t-il.

Bonsoir, Adam, dit-elle.

Et sa voix était exactement la même que dans son souvenir, semblable à la rumeur d'un cours d'eau baigné par la lumière du soleil.

UN DÉTECTIVE AMÉRICAIN

VIRGINIE
1862

Il n'était le fils de personne.

Il était petit avec des favoris noirs qui commençaient à peine de pousser, des yeux d'un violet intense et un léger accent qui pouvait passer pour virginien. Il émanait de lui une beauté singulière, née peut-être d'une souffrance profondément enfouie. En cette deuxième semaine du mois de mai 1862, c'était encore un jeune garçon et les rues grouillantes de Richmond conservaient leur mystère à ses yeux. Il portait l'uniforme gris des confédérés comme si c'était réellement le sien, hochant gravement la tête dès qu'il croisait quelqu'un. Son oncle avait combattu aux côtés de Jackson pendant la campagne de la Shenandoah, prétendait-il. Non, le Sud n'était pas encore vaincu. Il arrivait de Baltimore, fils unique d'un messager qui avait été fait prisonnier, et il avait passé la frontière pour rapporter les lettres que son père lui avait confiées. Non, il ne pensait pas repartir au Nord. On pouvait l'apercevoir le matin contemplant la rivière grise et se massant l'épaule comme si son bras avait été amputé. La brume s'élevait au-dessus de la Chickahominy. Il fumait et partageait son tabac avec tous ceux qui lui en demandaient. Des officiers le sabre au côté et arborant des gants d'un blanc étincelant ou des gamins pieds nus encore plus jeunes que lui, qui portaient les messages du 23e régiment de Virginie à Camp Lee. L'après-midi, le Capitole répandait sa vérité de marbre au-dessus de la ville en guerre. Toute la journée les canons descendaient les rues en cahotant sur leurs larges roues et des gens âgés sortaient des boutiques en s'essuyant les mains sur leurs tabliers pour les regarder passer. Il marchait parmi eux, il était l'un d'entre eux, animé de la même rage qu'eux.

Mais il n'était pas celui qu'il prétendait être. En vérité il avait été envoyé par le Nord pour se déplacer parmi eux comme une vipère rampant dans les hautes herbes d'un pré, invisible et chargée d'un terrible poison. L'homme qui lui avait confié cette mission était un solide Écossais aux mains épaisses, à la poitrine large et aux yeux bleus caustiques, qui servait dans les forces de l'Union avec le grade de major. La mission du garçon était claire : sortir de prison deux espions nordistes avant qu'ils ne soient fusillés, pendus ou emportés par la maladie.

Il était seul dans cette capitale ennemie, sans recours possible, sans le moindre allié. S'il échouait ou s'il était capturé, il serait aussitôt abattu les yeux bandés par un peloton d'exécution et jeté au fond d'une fosse anonyme dans les faubourgs de Richmond. Personne ne le saurait ni ne porterait jamais son deuil.

Personne à l'exception d'un homme.

Une semaine plus tôt, alors que le soleil rougeoyant disparaissait derrière la ligne des arbres, Edward se trouvait dans une clairière au sud du campement de l'Union et regardait les époux Porter achever leurs préparatifs. Le trajet allait prendre une bonne partie de la nuit. Le major avait posé la main sur l'épaule du jeune homme comme pour signifier qu'il lui appartenait. Ben vérifiait les essieux du chariot tandis que Sally lui donnait ses dernières instructions avant d'aller planquer ses affaires sous la paille. Lorsque le mari et la femme eurent terminé, ils se redressèrent et contemplèrent le jeune homme. Personne ne prononça un mot. Edward tenait un sac de couchage enroulé sous son bras et avait enveloppé un petit pistolet à la crosse en ivoire dans un morceau de toile cirée qu'il avait ensuite glissé dans les replis du sac. Il n'avait pas d'autre bagage. Il regarda le major qui opina en silence. Sally s'était accroupie dans la paille, un châle autour des épaules. Ben et Edward allèrent prendre place sur le banc à l'avant, serrés l'un contre l'autre. Les mouches bourdonnaient dans la pénombre environnante. Edward en chassa une qui s'était posée sur son cou. Lorsqu'il se retourna, le major avait déjà disparu.

L'obscurité tomba. Ils prirent la direction de l'est, puis du sud, puis de l'est à nouveau à travers la forêt plongée dans les ténèbres. Une simple lanterne brillait faiblement, fixée à une tringle au-dessus de la mule et projetant d'étranges ombres alentour. Sans ses pistolets et son ceinturon, Ben paraissait presque plus inquiétant. Ils empruntèrent un sentier herbeux qui traversait les bois et passèrent devant une cabane solitaire construite au milieu d'une clairière. Mais personne ne se montra et ils poursuivirent leur chemin sans s'arrêter. Lorsqu'ils atteignirent les berges boueuses de la James River, Edward descendit du chariot, récupéra son sac de couchage et son petit chapeau et salua de la tête les époux Porter qui lui rendirent son salut d'un air grave.

Bonne chance, murmura Sally.

Ben s'agita sur son siège en tripotant les rênes. Tout se passera bien, marmonna-t-il.

Edward poursuivit son chemin seul. La lune s'était levée et il faisait suffisamment clair pour avancer le long de la rive. Il eut soin de marcher délibérément dans la boue, de frotter sa veste contre l'écorce des arbres et de couvrir de poussière ses manches et ses poignets. Il dormit cette nuit-là dans une ferme en pierre sous la protection de deux sœurs, veuves l'une et l'autre, qu'Edward prit d'abord pour des jumelles. Toutes les deux soutenaient activement les rebelles et leur maison était un repaire important pour la cinquième colonne des confédérés. Avant l'aube, un garçon de son âge vêtu de haillons et portant sur l'épaule une cage à homards vint siffler à l'entrée. Les deux sœurs réveillèrent Edward et lui donnèrent un paquet contenant du poulet froid et des galettes de maïs avant de l'emmener en chemise de nuit au fond de leur jardin.

Le jeune garçon le conduisit en barque sur les eaux brumeuses jusqu'à la rive des confédérés. Arrivé sur la berge, il porta les doigts à ses lèvres et siffla en imitant un cri d'oiseau pour avertir les sentinelles. Edward se tenait à la proue, écoutant le bruit des vagues qui venaient lécher la coque de l'embarcation. Lorsqu'il en descendit et s'avança dans l'eau pour rejoindre la berge, un soldat émergea du rideau d'arbres, le canon de son fusil baissé et les yeux dans l'ombre. Les confédérés avaient établi un poste de guet, une simple cabane au toit de chaume, trois kilomètres plus loin. Le feu brûlait dans la cheminée lorsqu'ils arrivèrent. Edward tendit les mains pour se réchauffer, un peu nerveux, avant d'extirper son laissez-passer de sa botte. Le capitaine d'infanterie qui l'interrogeait était assis sur un tabouret à trois pieds face au foyer, enveloppé d'une couverture, et paraissait très fatigué. Edward regardait par les vitres sales le jour se lever. Lorsque l'officier les lui demanda, il sortit le paquet de lettres cachées dans la doublure de son manteau et les lui tendit.

Le capitaine expliqua à Edward que les laissez-passer n'avaient plus cours. Des espions avaient appris que les forces de l'Union se préparaient à lancer une importante offensive sur Richmond.

Edward opina sans ajouter un mot.

Le capitaine lui dit ensuite qu'il n'avait pas revu sa femme et ses enfants depuis plus d'un an et ne pensait pas les revoir un jour. Eh bien, mon garçon, ajouta-t-il, si tu vois Mr Davis, dis-lui qu'il y a ici des braves qui ne demandent qu'à se battre et à en finir avec tout ça.

Du lard grillait un peu plus loin dans une poêle. Un homme toussait. Une porte était restée ouverte quelque part.

Tout était immobile devant lui, sa vie entière l'attendait. Il marchait au milieu de la route et grimpa à bord d'une charrette qui transportait des ballots de soie vers Richmond. Lorsqu'il atteignit la ville, il montra une fois de plus son laissez-passer et fut conduit sous bonne escorte dans un bâtiment d'allure ordinaire, érigé derrière une haie. On lui demanda d'aller faire son rapport au premier étage au responsable des services secrets, le capitaine Cashmeyer. Edward déglutit, regarda ses chaussures maculées de boue et monta. On le fit attendre dans une antichambre spacieuse, sous un grand portrait de Jefferson Davis. Il entendait les oiseaux chanter à travers la fenêtre. La douceur de la lumière, l'élégance des colonnes de marbre dans l'entrée, tranchaient singulièrement avec le caractère sinistre des lieux. Car le major avait prévenu Edward. Personne ne pouvait pénétrer à Richmond sans être passé par les services de Cashmeyer. C'était lui le principal responsable de l'arrestation de Lewis et Scully, ainsi que de la pendaison de Timothy Webster. Dans le Sud on le comparait volontiers à une araignée venimeuse.

Un soldat apparut et lui jeta un regard froid. On y va, lui lança-t-il.

Cashmeyer se leva de son bureau, serra la main d'Edward et lui fit signe de s'asseoir dans un canapé placé sous la fenêtre. Il lui offrit du thé, des biscuits. Il avait de toutes petites oreilles, des épaules très larges, des cheveux blonds déjà clairsemés. Ses yeux étaient d'un noir intense.

Ton oncle était à la bataille de Shenandoah ? demanda-t-il à Edward.

Oui monsieur.

Je connais ton père. J'ai été navré d'apprendre son arrestation.

C'est la faute de ces espions, monsieur, lâcha Edward d'un ton venimeux. Quelqu'un a dû parler. Il a été trahi.

Tu soupçonnes quelqu'un en particulier ?

Edward hocha la tête avec colère. Si je savais de qui il s'agit, monsieur, je n'hésiterais pas un instant et j'irais lui trancher la gorge.

Cashmeyer fronça les sourcils, observa le jeune homme. Il se leva et alla se planter devant une fenêtre en regardant derrière les stores, le visage caché. Ton père ne m'a jamais dit qu'il avait un fils. Et tu as la peau bien foncée, mon garçon.

Edward se racla la gorge. Ma mère était espagnole.

Espagnole ?

Oui monsieur.

Les Espagnols sont les nègres de l'Europe, répliqua Cashmeyer d'une voix douce. C'est triste à dire mais c'est la vérité. Il regardait les rues de Richmond de l'autre côté de la fenêtre, perdu dans ses pensées. Quand on porte deux races en soi, reprit-il, laquelle finira par l'emporter ?

Edward ne répondit pas.

Cashmeyer grommela, les mains toujours croisées derrière le dos. Certains pourraient penser que la guerre que nous menons tourne autour de cette question. Et du droit de chacun à choisir son identité. Le Nord peut-il gouverner sans notre consentement ? Ou avons-nous le droit de suivre notre propre destin ? Mais en vérité, poursuivit-il à voix basse, cette guerre a un autre motif.

Une minute s'écoula. Edward avait les mains moites et attendait. Voyant que le capitaine ne disait plus rien, il finit par lancer d'une voix circonspecte : Oui monsieur ?

Cashmeyer se retourna, comme s'il était surpris de le voir encore là. Bienvenue dans la Confédération, mon garçon. Il y a une chambre libre pour toi au Spotswood. Nous aurons bientôt l'occasion de mettre tes talents à contribution.

Il prit une chambre au deuxième étage de l'hôtel Spotswood, comme on le lui avait recommandé. Il se réveilla tôt le lendemain matin et grimpa la colline sous la pluie jusqu'au Capitole. Les jours commencèrent ensuite à s'écouler. Une toute jeune femme de chambre noire lui faisait les yeux doux tous les matins mais il l'ignora. Il notait chaque soir dans un petit carnet, à la lueur d'une bougie, les informations qu'il avait pu recueillir, même s'il n'était pas censé envoyer le moindre rapport. Dix-sept batteries de tir entouraient la capitale. Les soldats qui la défendaient étaient équipés de fusils Enfield fabriqués en Angleterre et transitant par les Bermudes. L'infanterie avait été décimée par les maladies mais la cavalerie tenait bon. Il estimait à 75 000 le nombre de soldats en armes regroupés à Richmond. Il cachait ce carnet et le petit pistolet à crosse d'ivoire sous son matelas. Il évitait les abords des prisons.

En marchant sous la pluie au milieu des officiers confédérés, Edward découvrait les mêmes visages que dans le Nord, le même sang, la même fièvre. Quelques jours après son arrivée à Richmond, il se rendit sur le champ de foire aux abords de Camp Lee et contempla l'échafaud encore en place où Timothy Webster avait été pendu. Edward regrettait de ne l'avoir jamais rencontré. Les deux autres espions, John Scully et Pryce Lewis, avaient été arrêtés sept semaines plus tôt. Webster ayant été exécuté sans eux, les rumeurs s'étaient mises à circuler. On prétendait que Lewis l'avait trahi, qu'il était responsable de sa mort. Et que Scully avait révélé les plans du major à l'armée sudiste. Toutefois les deux hommes étaient toujours emprisonnés et le major ne croyait pas à ces racontars. Quant à Edward, cela va sans dire, il s'en remettait à l'opinion du major.

Dans les derniers jours de mai, alors que McClellan venait de prendre Mechanicsville et que les canons de l'Union n'étaient plus qu'à dix kilomètres de Richmond, il se rendit compte que quelqu'un le suivait. L'homme portait une longue barbe mal taillée et un pantalon gris couvert de taches, mais il avait les yeux vifs. Chaque fois qu'Edward quittait son hôtel le matin, il l'apercevait de l'autre côté de la rue, les pouces enfoncés dans les poches de son gilet. Un homme valide et qui paraissait pourtant inoccupé au sein de la capitale confédérée.

Il apprit par un petit cireur de chaussures que l'homme était un agent de Cashmeyer et son sang se figea à cette nouvelle. Il avait élaboré plusieurs plans successifs pour libérer Lewis et Scully, mais chaque fois quelque chose était venu se mettre au travers. Il avait appris que les deux hommes étaient détenus à Castle Godwin, un bâtiment en brique d'allure sinistre qui se dressait au fond d'un terrain vague derrière Carey Street. Au début il passait devant tous les jours lors de sa promenade matinale puis avait fini par y renoncer. Il avait tout d'abord pensé y pénétrer en se présentant comme un simple visiteur mais cela risquait d'attirer l'attention. Il avait donc abandonné ce plan et entrepris de rassembler une quantité suffisante de dynamite afin de pénétrer de force dans les lieux lorsque l'armée de l'Union commencerait de bombarder la ville. Il suffirait de faire sauter la charge au pied de la muraille de la prison, de s'y introduire par cette brèche et d'aller chercher Lewis et Scully. Mais McClellan avait finalement renoncé à lancer son assaut et Edward avait dû réfléchir à un autre moyen de les libérer. Il s'était lié d'amitié avec l'un des jeunes gardiens de la prison, mais celui-ci avait été envoyé sur le front avant de trouver la mort à Glendale. Edward avait estimé qu'il serait imprudent d'approcher un autre gardien. En fait il aurait eu besoin d'un complice pour mener à bien cette opération.

Au cours de la deuxième semaine, l'agent de Cashmeyer fut remplacé par un autre individu, nettement plus âgé. Et quelques jours plus tard Lee lança sa grande contre-attaque. La semaine infernale balaya tout dans sa tourmente, les forces de l'Union furent repoussées jusqu'à Malvern Hill et Edward se retrouva de nouveau seul.

Il était en train de regarder la vitrine d'une fabrique de harnais dans Carey Street, début juillet, lorsqu'il vit s'y refléter deux silhouettes qui passaient derrière lui. Il s'immobilisa et les laissa s'éloigner, avant de faire demi-tour et de les suivre.

La scène avait lieu après la retraite de l'Union et le carnage de Malvern Hill. Edward était bloqué depuis lors à Richmond. Il suivit les deux hommes jusqu'au centre de la ville, en marchant lentement et en ayant soin de garder ses distances. Le plus petit des deux, vêtu d'un costume blanc, parlait avec vivacité. L'autre se contentait de l'écouter. À un moment donné, le plus grand salua son interlocuteur et se dirigea seul vers un magasin dont il franchit le seuil. Edward traversa la rue au pas de course et le suivit à l'intérieur. Il s'agissait d'une boucherie. L'homme qu'il avait suivi se tenait devant le comptoir et lui tournait le dos, tout en saisissant le paquet qu'on lui tendait. Il salua le boucher, fit volte-face et se dirigea vers la sortie en frôlant au passage l'épaule d'Edward, sans lui avoir adressé un regard. La porte claqua derrière lui.

Sa barbe avait poussé depuis la dernière fois qu'Edward l'avait vu et son accent était plus prononcé, au cœur des terres confédérées. Mais son visage présentait les mêmes cicatrices.

Il s'agissait bien d'Ignatius Spaar.

Au petit déjeuner le lendemain matin, Edward aperçut les deux hommes plongés dans la contemplation silencieuse de leurs assiettes de saucisses et d'œufs brouillés. Il alla s'asseoir à leur table dans son uniforme gris et les salua. Ils levèrent tous les deux la tête, surpris et intrigués. Spaar tendit sa main gauche et saisit maladroitement la sienne tandis que son compagnon posait ses couverts en souriant. C'était un avocat du Texas dénommé Marvell.

Je vous ai aperçu dans les parages, mon garçon, lança Spaar d'un air enjoué tout en continuant à manger. C'est vous qui avez rapporté le courrier de Baltimore. On prétend que vous avez passé la frontière seul.

Oui monsieur. Ma mère a toujours dit que j'avais de la chance.

Pour ce qui est de la chance, je n'en sais trop rien, dit l'avocat. Mais vous êtes indéniablement courageux.

Merci monsieur.

Son père a été arrêté à Baltimore, Mr Marvell, lui précisa Spaar.

Je suis sincèrement désolé de l'apprendre.

Vous n'êtes ni l'un ni l'autre originaires de Richmond ? demanda Edward.

Marvell émit un petit rire. Je me demande qui l'est vraiment, par ici.

Edward esquissa un sourire.

Je suis moi aussi de passage, dit Spaar en fixant Edward de ses yeux clairs qui tranchaient singulièrement sur la peau ravagée de son visage.

Et qu'est-ce qui vous amène dans la capitale, Mr Marvell ? s'enquit Edward.

L'avocat s'essuya les lèvres et reposa sa serviette à côté de son assiette. Vous avez entendu parler des deux espions qui ont été arrêtés ici en avril dernier, mon garçon ?

Vaguement, monsieur.

Eh bien, je suis venu proposer mes services à la Confédération. En vue d'assurer leur défense.

Assurer leur défense ? dit Edward avec un sourire incrédule.

Marvell opina.

Je ne comprends pas. Vous voulez les aider ?

L'avocat éclata de rire. Non, en aucun cas. Du reste personne ne peut venir en aide à ces hommes. Je veux au contraire apporter mon soutien à la Confédération. Ces hommes doivent passer devant un tribunal. Et lorsque leur procès aura lieu, la loi exige qu'ils bénéficient d'une assistance juridique. Disons que je suis là pour accélérer le processus.

Cela peut vous paraître étrange, mon garçon, intervint Spaar, mais il ne faudrait pas que la Confédération donne l'impression de ne pas respecter ses propres lois. Nous avons des alliés qu'il convient de ménager, vous comprenez. L'Angleterre, la France, d'autres encore. Mr Davis aura plus de difficultés à obtenir leur soutien si nous enfreignons ainsi nos propres règles. Ai-je bien résumé la chose, Mr Marvell ?

Marvell lui sourit. Dire que je pensais vous avoir ennuyé en vous exposant cette affaire hier.

Ils se levèrent tous les trois, abandonnant les restes de leur petit déjeuner, et rejoignirent la rue éclairée par le soleil de juillet. La chaleur imprégnait les façades des maisons et les sabots des chevaux qui passaient soulevaient de petits nuages de poussière. Marvell les quitta, levant deux doigts vers le bord de son chapeau en guise de salut. Edward et Spaar se mirent lentement en marche tout en poursuivant leur conversation. Lorsqu'ils furent certains que personne ne risquait de les entendre, Edward laissa tomber son accent et lança : Affable personnage. Et qui pourrait se révéler utile. Comment l'avez-vous rencontré ?

Me croiras-tu si je te dis : par hasard.

Edward lui lança un regard en biais.

Ils avaient traversé la ville en direction de l'ouest et rejoignirent bientôt les abords de Camp Lee, où Webster avait été pendu deux mois plus tôt. L'échafaud avait été démonté depuis longtemps. L'herbe était jaune et clairsemée.

Qu'êtes-vous venu faire ici, Mr Spaar ?

L'aéronaute lui adressa un regard froid.

C'est le major qui m'envoie, dit-il enfin. Et c'est à cause de toi que je suis là.

De moi ?

Spaar acquiesça.

Vous m'apportez donc un message.

Oui, je t'apporte un message.

Edward attendit mais Spaar resta silencieux et regarda longuement le camp un peu plus loin, les soldats qui manœuvraient, les canons et les harnais des chevaux qui brillaient au soleil.

Et quel est ce message ?

Je suis chargé de te ramener, Edward. On m'a envoyé pour te sortir d'ici.

Le soir même, Spaar débarqua à l'hôtel d'Edward, une canne sous le bras, et se lança dans une virulente discussion avec l'employé de la réception au sujet d'une réservation qui à sa grande surprise n'avait pas été faite. Surgissant comme par hasard dans le hall, Edward intervint poliment en disant que s'il y avait eu une erreur il serait enchanté de partager sa propre chambre. L'employé le regarda d'un air soulagé. Il y avait deux lits de part et d'autre de la fenêtre donnant sur la rue et cela ne le gênait absolument pas, bien au contraire, il était heureux de pouvoir rendre service à un compatriote.

Spaar avait reçu des consignes claires. Il devait retrouver Edward et le ramener à tout prix dans le Nord. Il avait laissé un chariot et un cheval dans une ferme à quelques kilomètres de la ville et devait y conduire Edward dès que possible. Quand Edward lui demanda comment il avait fait pour franchir les lignes ennemies alors que la bataille de Malvern Hill faisait rage, une expression étrange passa sur le visage de Spaar et il se contenta de lui dire d'un air las : Le major tient à ce que je te ramène vivant, Edward. Il faut que nous partions sur-le-champ.

Edward le dévisagea, un peu méfiant. Quelque chose clochait dans son histoire, même s'il ne voyait pas exactement quoi. C'est impossible, dit-il. Je ne peux pas partir maintenant. Pas avant d'avoir accompli la mission qui m'a été confiée.

De quoi s'agit-il au juste ?

Vous n'êtes pas au courant ?

Spaar haussa les épaules. J'ignore pourquoi tu es ici, mon garçon. Les instructions qu'on m'a données n'allaient pas jusque-là.

Edward fronça les sourcils, traversa la chambre et colla son oreille à la porte.

Personne ne nous écoute, Edward. Tu peux parler librement.

Edward retraversa la pièce, s'assit à côté de Spaar sur le bord du lit et lui chuchota à l'oreille. Vous allez pouvoir me donner un coup de main. Je suis ici pour faire évader Lewis et Scully de Castle Godwin.

Spaar considéra Edward d'un air étonné. À toi tout seul ? Qui as-tu contacté ? Comment comptes-tu procéder ?

Edward regarda dans les yeux l'homme au visage brûlé. Sur ce point, dit-il en souriant, votre Mr Marvell pourrait sans doute nous être utile.

Un jour passa, puis deux. Les deux hommes essayaient d'élaborer un plan réalisable. Edward avait parlé à Spaar de Cashmeyer et des agents du général Winder. Marvell était venu proposer ses services à la Confédération et cela lui permettait d'entrer en contact avec les deux prisonniers. S'ils pouvaient le convaincre d'agir avec eux, un plan d'évasion paraissait possible. Mais Spaar n'aimait pas cette hypothèse et sa méthode s'avéra plus brutale.

Le troisième soir, il disparut seul dans les ténèbres et revint une heure plus tard, les manches et le pantalon maculés de sang.

Edward s'empressa de refermer la porte derrière lui. Qu'avez-vous donc fait ?

Ce qu'il fallait faire, répondit Spaar. Mr Marvell ne nous donnera plus de soucis désormais.

Le lendemain matin, Spaar se rendit au quartier général de Winder pour proposer son assistance juridique. Il en revint un étroit sourire aux lèvres. Ils avaient entendu parler de moi, dit-il. Mr Marvell, qui a lutté avec succès contre les voleurs de bétail au Texas. Ma proposition n'a pas manqué de les intéresser.

Edward sourit à son tour.

Mais il surprenait parfois une étrange expression sur le visage de Spaar lorsque celui-ci pensait qu'Edward ne le regardait pas. Chaque après-midi, l'aéronaute allait retrouver Lewis et Scully dans les profondeurs de Castle Godwin, tandis qu'Edward commençait à préparer leur évasion. Il avait demandé à Spaar de prendre une empreinte des clefs du gardien, à partir de laquelle il avait fait fabriquer un double. Il acheta plusieurs vêtements de rechange ainsi que deux paires de bottes dans différents magasins au fil de la semaine. Spaar l'interrogea longuement au sujet de ses tentatives avortées. Il lui disait bien que c'était pour lui éviter de commettre de telles erreurs à l'avenir, mais Edward ne le croyait qu'à moitié. Spaar réussit à faire passer le double des clefs à Lewis. Les deux prisonniers étaient détenus dans des cellules séparées, ils n'avaient plus que la peau sur les os et leur moral était au plus bas. Scully était animé d'une sourde colère, contrairement à Lewis. Edward avait déjà obtenu un laissez-passer pour le Nord, après avoir affronté les questions perfides et le regard acéré du militaire de service. Toutefois, lorsqu'il était revenu, on lui avait donné ses papiers sans lui accorder un regard. Ce qui aurait dû le rassurer.

Le 12 au soir, Spaar et lui se rendirent à pied jusqu'à Camp Lee comme pour une simple promenade. Arrivé là, Edward traça avec un bâton dans la poussière le plan schématique de la ville et expliqua à Spaar comment l'opération devait se dérouler la nuit prochaine. Il effaça ensuite du plat de la semelle sa carte éphémère et demanda à son complice de lui répéter mot pour mot ce qu'il venait de lui expliquer.

Tu as de la chance cette fois-ci, mon garçon, lui dit Spaar. Tu vas rejoindre le Nord avec moi, quoi qu'il arrive.

La nuit tombait. Les cigales chantaient, les tilleuls sombraient peu à peu dans les ténèbres. Puis les étoiles se levèrent à l'horizon.

Edward acquiesça.

Répétez-le-moi encore une fois, dit-il à Spaar.

La nuit de la nouvelle lune, Spaar et lui quittèrent leur hôtel ensemble, un quart d'heure après vingt-deux heures. Ils n'emportaient rien avec eux et traversèrent le hall sans s'arrêter, leurs chapeaux melon rabattus sur les yeux. Une fois dehors, Edward se glissa dans une allée et pénétra par une porte qui n'était jamais verrouillée dans l'étable située à l'arrière de l'établissement. Spaar lui serra la main et lui souhaita bonne chance. Ils devaient se retrouver devant le pont, sur la route qui partait de la ville vers le sud. Avant de s'éloigner, il jeta un coup d'œil en arrière. Spaar le gratifia d'un regard assassin.

Une fois à l'intérieur, Edward alla chercher l'alezan dans sa stalle et le conduisit jusqu'à la charrette qui était rangée dans un coin de la cour. Il lui mit son harnais tout en lui parlant à voix basse. Une fois dans l'allée, il posa la main sur le museau de l'animal et lui chuchota à l'oreille jusqu'à ce qu'il se soit calmé. Puis il grimpa à bord de la charrette et se mit en route.

Les rues étaient très sombres, la ville n'était pas éclairée. Il empruntait de préférence les ruelles étroites qui sinuaient entre les maisons, en évitant les artères principales. Il avait trois laissez-passer établis au nom de Lewis, de Scully et au sien. Au fond de la charrette, deux ballots contenaient des vêtements de rechange et deux paires de bottes destinés aux évadés. Il traversait une rue paisible sous une allée de tilleuls quand il entendit soudain une voix lui intimer l'ordre de lever les mains en l'air. Il se retourna, alarmé, et aperçut un capitaine de cavalerie qui se dirigeait vers lui à pied. Il trouva étrange que l'homme ne fût pas à cheval mais se garda évidemment d'en faire la remarque. Le capitaine lui demanda son laissez-passer et Edward le lui tendit, un peu inquiet.

Où vas-tu à une heure pareille, mon garçon ? lui demanda l'officier en se caressant le nez de son doigt ganté. Il y a un couvre-feu, au cas où tu l'ignorerais.

Oui monsieur.

Le capitaine fit le tour de la charrette et regarda la paille qui était à l'arrière comme s'il répugnait à la toucher. Il finit par ôter délicatement son gant blanc et plongea la main dans la paille avant d'en retirer un ballot de vêtements, puis l'une des paires de bottes. Qu'est-ce que c'est que ça ? demanda-t-il.

Edward haussa les épaules. Je vais nettoyer les latrines de Camp Lee, monsieur. Ce sont mes vêtements de rechange pour le retour, si vous voyez ce que je veux dire.

Le capitaine le considéra en se mordillant la lèvre, feuilleta à nouveau ses papiers. Il finit par les lui rendre en disant : C'est bon, mon garçon, tu peux y aller.

Edward sentit la sueur couler dans son dos tandis qu'il agitait les rênes et se remettait en route. Il ralentissait à chaque carrefour et tendait l'oreille avant de poursuivre son chemin. Il avait pris soin de graisser les essieux de la charrette qui roulait en silence dans la ville déserte. Il s'était donné vingt minutes pour atteindre la prison et regardait régulièrement l'heure à sa montre. Il savait que Lewis devait avoir quitté sa cellule à présent et qu'il devait descendre sans bruit deux étages plus bas pour libérer Scully avant que les deux hommes ne rejoignent ensemble la cour de la prison. Avant cela ils devaient franchir deux portes et longer un couloir en évitant la ronde du gardien. Une fois dans la cour ils allaient devoir empiler une partie des caisses qui y étaient entassées pour franchir le mur d'enceinte et sauter dans l'allée voisine. D'après les calculs de Spaar, l'opération ne devait pas leur prendre plus d'une quinzaine de minutes.

Lorsqu'il atteignit les abords de la prison, il ralentit l'allure, s'arrêta et descendit de la charrette avant de se cacher en compagnie de l'alezan dans l'allée qui longeait le mur d'enceinte. Il scruta un moment les ténèbres, fit claquer sa langue à deux reprises et tendit l'oreille mais n'obtint aucune réponse.

Le mur de brique de la prison était haut et se perdait dans l'ombre, tandis que le bâtiment lui-même découpait sa masse sombre sur le ciel nocturne. Il abandonna un instant l'alezan et s'avança dans les ténèbres en chuchotant : Hello ? Hello ?

Il n'y avait personne. L'allée était déserte.

Il sortit sa montre de son gousset et regarda l'heure à la faible lueur du ciel. Une demi-heure s'écoula ainsi. Il fut bientôt vingt-trois heures. Puis vingt-trois trente. Il ne percevait toujours pas le moindre mouvement. L'alezan poussa un léger hennissement et il posa la main sur sa crinière dans l'obscurité pour le rassurer. Son plan avait été d'abandonner la charrette une fois à l'extérieur de la ville. Ils se seraient ensuite séparés, deux d'entre eux partant à cheval au plus vite et les deux autres rejoignant la frontière à pied.

Ses yeux étaient douloureux, sa bouche asséchée. De toute évidence, quelque chose n'avait pas marché.

Il dut finalement se résoudre à partir. Il jeta un dernier coup d'œil autour de lui avant de saisir les rênes et la charrette repartit lentement dans le chemin de terre, ses planches craquaient et les sabots de l'alezan ne faisaient quasi aucun bruit dans la poussière. Il était minuit et demi. Il tourna le dos à la prison et s'éloigna.

Les ruelles étroites étaient désertes, les tilleuls immobiles, les maisons muettes.

Les deux hommes ne s'étaient pas montrés.

Il ramena la charrette par les rues que rien n'éclairait en écoutant grincer doucement le harnais. Il ignorait ce qui avait pu se passer mais il ne pouvait s'agir d'une trahison, étant donné qu'il n'y avait pas eu d'embuscade. Il pensa tout d'abord que Lewis et Scully avaient été transférés ailleurs le jour même. Puis qu'on les avait exécutés. Mais ils pouvaient tout aussi bien avoir été trop faibles pour parvenir à s'évader. Ou avoir été surpris durant leur tentative.

Spaar l'attendait dans l'obscurité aux abords du pont, et Edward eut un sombre pressentiment en l'apercevant. Il ralentit l'allure mais ne s'arrêta pas, et l'aéronaute se hissa d'un bond à ses côtés sur le banc. Il avait compris que les choses ne s'étaient pas déroulées comme prévu mais ne lui posa pas la moindre question.

Spaar descendit un peu avant l'hôtel et termina la route à pied tandis qu'Edward allait remettre la charrette en place et reconduire l'alezan dans son étable. Il craignait à présent qu'on ne l'entende, mais aucune lumière ne s'alluma aux fenêtres et personne ne se montra. Lorsqu'il eut regagné leur chambre, Spaar l'attendait, assis au bord du lit. Il n'avait ôté ni son chapeau ni sa jaquette. Edward glissa les laissez-passer sous son matelas. Il éprouvait un mélange d'inquiétude et de colère. Autour d'eux tout était immobile et silencieux dans l'hôtel. Seule une faible lueur parvenait de la rue un peu plus bas.

Eh bien, mon garçon ? finit par lancer Spaar.

Edward hocha la tête et répondit d'une voix rageuse : Je les ai attendus en vain pendant deux heures dans cette allée.

Nous partirons demain matin, comme convenu.

Edward avait beau le savoir, il y avait quelque chose de terrible à entendre la chose énoncée de la sorte.

Vous aviez bien remis les clefs à Lewis ?

Spaar poussa un soupir.

En main propre ?

Lewis et Scully sont des amis, mon garçon. L'idée de les abandonner ici ne me plaît pas plus qu'à toi.

Je veux savoir ce qui s'est passé, dit Edward. Peut-être est-il possible de tenter le coup une deuxième fois.

Il entendit Spaar qui ôtait ses bottes l'une après l'autre. Ce n'est pas ce que nous avions décidé, dit-il d'une voix mesurée. Lewis a dû se dire que l'opération était suicidaire.

Edward avait l'impression d'avoir échoué et trahi du même coup la confiance du major. Il était à deux doigts de se mettre à pleurer. Au bout d'un long moment il reprit : Suicidaire pour qui ?

Spaar ne répondit pas.

Edward s'allongea tout habillé dans l'obscurité. Il ne comprenait pas pourquoi Spaar avait tellement hâte de quitter Richmond. Il se tourna sur le côté en calant sa tête contre l'oreiller. Vous savez que je n'ai encore jamais tué personne, Mr Spaar.

Tu n'étais donc pas à Cheat Mountain ?

Bien sûr que si.

Et tu prétends n'avoir tué personne ?

Ce n'était pas pareil. On ne voyait même pas sur qui on tirait. Tout ce qu'on distinguait, c'était de la fumée.

Lorsqu'il faudra rendre compte de tes actes, cela ne fera pas une grande différence.

Rendre compte de mes actes ?

Oui.

Vous faites allusion au Jugement dernier ?

Tu ne crois pas qu'il aura lieu ?

Edward changea de position, son épaule s'était engourdie. Je crois au contraire qu'il a déjà commencé, dit-il.

Ils restèrent silencieux un long moment. Edward regardait le plafond. Il finit par demander : Vous êtes endormi ?

Non.

Je pense à Mr Webster. Qui ne craignait pas la mort.

Qu'est-ce qui te fait croire ça ? Redouter de mourir, ce n'est pas grave. Ça n'a aucune importance.

Je sais.

Demain à l'heure qu'il est, nous aurons rejoint le Nord. Essaie de dormir un peu.

Edward ferma les yeux et écouta la respiration de Spaar. Il se rendit brusquement compte qu'il n'avait pas confiance en cet homme. Il rouvrit les yeux. Que dira le major en nous voyant revenir ? demanda-t-il.

Le major m'a confié une mission très claire, dit Spaar. Cette réponse parut étrange à Edward. Endors-toi, mon garçon.

Il ne pensait pas qu'il parviendrait à s'endormir et ce fut pourtant le cas. Peu avant l'aube, un homme traversa la chambre pieds nus pour ne pas faire de bruit, un gros oreiller de plumes à la main. Il se pencha au-dessus d'Edward, aussi gris et filiforme qu'un spectre, et plaça doucement quoique d'une main ferme l'oreiller sur son visage, pesant ensuite de tout son poids tandis qu'Edward se mettait à gigoter, brusquement tiré de son sommeil.

Il ouvrit les yeux tout en se débattant. Quelque chose pesait sur sa poitrine, le poids d'un homme dont le genou entravait son bras. Il sentait même l'odeur du savon qui imprégnait ses mains. Il parvint à rouler sur le côté, à libérer son bras et à écarter l'oreiller qui l'asphyxiait. Un visage couvert de cicatrices le contemplait sans émotion, d'un air calme et résigné.

Spaar réussit à remettre l'oreiller en place et pesa à nouveau de tout son poids pour l'étouffer.

Des années plus tard, il se trouvait sur une digue en béton à l'embouchure de la James River et regardait les moutons d'écume briller au sommet des vagues tandis qu'un ferry approchait lentement. Des mouettes tournoyaient en jacassant dans le ciel et il essayait d'évoquer ces journées anciennes, les pouces dans les poches de son pantalon, les pans de sa redingote ouverts et ses cheveux blancs soulevés par le vent. Il ressentait une étrange tristesse en se rappelant à quoi il avait survécu. La révélation qu'il avait eue cette nuit-là. La manière dont il avait réussi à extraire son pistolet de sa cachette derrière le montant du lit avant d'abattre violemment la crosse sur la tempe de Spaar, tandis que l'air retrouvait brusquement le chemin de ses poumons. Il avait roulé hors du lit, emmêlé dans les draps. Il se souvenait encore de la peur qu'il avait ressentie à cet instant précis. Le clair de lune nimbait la chambre d'une lueur argentée. Il s'était relevé. Spaar avait foncé sur lui un poignard à la main, il avait brandi son pistolet et tiré. Lorsque Spaar s'était écroulé, il s'était approché, terrifié, et avait pointé son arme sur son visage avant d'appuyer une seconde fois sur la détente.

Des bruits de pas avaient retenti dans l'escalier, suivis d'un long silence. Puis la porte de la chambre avait volé en éclats, son battant à moitié tordu était allé heurter le mur de plâtre. Une demi-douzaine de soldats confédérés s'étaient précipités dans la pièce en hurlant. Sa frayeur était telle qu'il les avait pris pour des géants. Le couloir était éclairé par des bougies et dans cette lumière incertaine il avait reconnu Cashmeyer qui fumait tranquillement tandis qu'un sergent le plaquait au sol avant de lui menotter les chevilles et les poignets. Il ne comprenait pas comment ils avaient fait pour arriver aussi vite.

Il avait levé la tête. Une mare de sang gluante s'étalait sur le plancher, imbibant les draps de son encre sombre. Il aperçut les mains de Spaar, recroquevillées dans la mort comme des serres d'oiseau.

Son visage n'était plus qu'une bouillie d'os, de cervelle et de dents.

Il avait du sang sur le visage mais ce n'était pas le sien.

On l'avait traîné dans la rue comme un sac de pommes de terre et jeté à l'arrière d'un chariot où son crâne heurta le plancher. Le véhicule se mit ensuite lentement en route dans l'obscurité. Il releva péniblement la tête et aperçut deux soldats accroupis sur le banc, le fusil à la main et le regard braqué sur lui. Il pensait à Spaar et à Allan Pinkerton. Il n'arrivait toujours pas à comprendre ce qui venait de se passer. L'humidité fétide du plancher imprégnait son visage, et il tourna la tête pour s'en écarter.

On le conduisit à Castle Godwin. La façade en brique se dressa bientôt devant lui. Tandis qu'on l'extirpait sans ménagement du chariot, il crut tout d'abord qu'on allait l'abattre. Mais on se contenta de le remettre tant bien que mal sur ses pieds et Cashmeyer se pencha pour ôter les fers qui entravaient ses chevilles. Edward dut ensuite traverser la cour boueuse, éclairée par des torches. Il aperçut le général Winder, hirsute et enveloppé dans un long ciré comme un capitaine de baleinier, qui se contenta de lui adresser un regard dédaigneux puis de faire volte-face avant qu'Edward ne soit parvenu jusqu'à lui. On entendait les prisonniers gémir dans les cellules. Les escaliers étaient en pierre. De la paille humide traînait sur les dalles des cachots au pied des fenêtres défendues par des barreaux. Il entendit des portes s'ouvrir, se refermer.

De quoi suis-je accusé ? marmonna-t-il en reprenant peu à peu connaissance. C'était de l'autodéfense, capitaine. Cet homme a essayé de me tuer.

Un soldat ouvrit la porte de sa cellule, et Edward distingua de vagues silhouettes qui remuaient dans les ténèbres, telles de hautes herbes agitées par le vent. Sauf qu'il n'y avait pas le moindre vent.

Les yeux de Cashmeyer disparaissaient dans l'ombre. Il veut savoir de quoi on l'accuse, lança-t-il.

L'un des soldats lui adressa un hideux sourire.

Vous ne pouvez pas arrêter quelqu'un qui s'est simplement défendu, protesta Edward.

Tu n'es pas en état d'arrestation, répondit Cashmeyer.

Edward le dévisagea.

Tu n'es pas en état d'arrestation, répéta l'autre. Tu n'as même pas mis les pieds ici.

Quelqu'un le saisit par le bras et le poussa dans la cellule avant de refermer la porte. Il tomba à genoux dans la pénombre, les poignets toujours menottés dans le dos. Les autres prisonniers ne lui accordèrent pas un regard. Il pensait à Lewis et Scully qui se trouvaient quelque part dans les parages, jamais il n'avait été aussi près d'eux. Le regard vitreux, il contempla les barreaux de sa cellule, écoutant autour de lui les hommes tousser ou gratter leurs membres dévorés par les puces.

Une fois le jour levé, on vint le chercher pour le conduire dans une pièce aux murs maculés de sang. Une rigole était aménagée dans le sol comme dans un abattoir. On le battit jusqu'au soir. Son visage n'était plus qu'une plaie.

On ne lui avait pas posé la moindre question.

Une semaine s'écoula ainsi. On venait le chercher tous les jours.

S'il vous plaît, implorait-il. S'il vous plaît.

Tais-toi donc.

S'il vous plaît.

Les cordes se resserraient autour de ses poignets, la manivelle se mettait à tourner et son corps était soulevé vers le plafond, les os de ses épaules se mettaient à craquer. Quelqu'un hurlait quelque part comme un enfant.

Un soir, la porte de sa cellule s'ouvrit et Mr Marvell apparut. Il s'accroupit auprès de lui et lui dit : Vous êtes dans un sale pétrin, mon garçon, je doute qu'il soit possible de faire quelque chose pour vous. Je suis désolé.

Edward ferma les yeux, cessa d'écouter. Lorsqu'il se réveilla, l'avocat n'était plus là. Edward regarda l'endroit où il se trouvait en se demandant s'il avait rêvé ou non.

Au milieu de ce qu'il traversait, il essayait de comprendre l'attitude de Spaar, la rage froide qu'avait manifestée à son égard l'homme au visage brûlé. Il se souvint d'une conversation qu'ils avaient eue, assis dans l'herbe devant Camp Lee et bercés par le chant des cigales. Il avait dit à Spaar qu'il ne repartirait pas d'ici sans Lewis et Scully.

Spaar avait poussé un soupir et retiré de son étui un long poignard qu'il dissimulait sous son manteau. Il l'avait tourné un moment entre ses doigts avant de lui dire d'une voix douce : Je ne peux pas t'abandonner ici, Edward.

Edward avait regardé l'arme et répondu en souriant : Qu'allez-vous faire dans ce cas ? M'égorger ?

Le sourire de Spaar s'était figé, une sorte de tristesse ou de pitié avait envahi son visage. C'était à cette pitié qu'Edward songeait à présent, croupissant sur sa litière de paille humide au fond de son cachot. Ainsi qu'à la réponse que le mort au visage brûlé lui avait faite. Ah, mon garçon, quel est le prix d'une vie selon toi ? Personne n'enverrait à Richmond quelqu'un qui soit vraiment indispensable.

Une araignée était tapie à dix centimètres de son visage et s'écarta lentement, très lentement de lui. Il finit par comprendre la triste vérité et se mit à trembler en poussant un petit gémissement. Il était devenu un boulet, peut-être même représentait-il un danger potentiel. Ignatius Spaar n'était pas un tendre. Ce n'était pas pour le sortir de Richmond que le major l'avait envoyé jusqu'ici.

C'était pour l'éliminer.

Il tomba malade. Deux hommes maintenaient son poignet sur le bras d'un fauteuil tandis qu'un troisième lui plantait une baïonnette dans la main. Une semaine passa, puis une autre. Un après-midi on vint le chercher, il était étendu grelottant de fièvre dans la paille fétide, les soldats retournèrent son corps du bout de leurs bottes avant de s'en aller. Un homme vint l'examiner, lui retroussa les lèvres, regarda sa gorge. Plus tard, une femme apparut dans la cellule, un mouchoir en travers du visage, et lui posa quelques questions d'une voix étouffée, mais il ne comprit pas ce qu'elle lui demandait. Quelqu'un lui avait mis une paire de chaussures aux pieds mais quelqu'un d'autre les lui vola la nuit suivante. Il perdit le compte des jours. Il avait conscience quelque part au fond de lui qu'il avait disparu et qu'on n'entendrait plus parler de lui.

Puis un matin on l'extirpa de sa geôle, les poignets solidement menottés, et on le fit monter dans un chariot sous bonne escorte. Sa chemise pendait sur ses épaules comme une serviette mouillée aux branches d'un arbre. Sa main était bandée et son col paraissait beaucoup trop large tellement il avait maigri. Deux soldats chargeaient de lourdes caisses en bois à l'arrière du chariot. On le fit asseoir sur un banc juste à côté sans lui fournir la moindre explication. Un garde le surveillait par l'ouverture. Il était très jeune, plus jeune même qu'Edward, et avait l'air de s'ennuyer. Edward sentait le chariot tressauter chaque fois qu'une caisse y était déposée. Tout cela lui était bien égal. Quand il bougeait la tête, il sentait le sang s'agiter sous son crâne comme dans un bocal. Il demanda d'une voix faible où on allait l'emmener.

En enfer, lui répondit le jeune soldat avec un rictus.

Je vous en prie, implora Edward. Allons-nous vers le Nord ? S'agit-il d'un échange ?

Mais le garde adossé au montant du chariot se contenta de hausser les épaules.

L'attelage se composait de deux chevaux mais lorsqu'ils prirent la direction du sud, puis de l'ouest, les derniers espoirs d'Edward s'effondrèrent. Ils avançaient sur des chemins défoncés face au soleil couchant dont la lueur rougeoyante embrasait leurs visages et l'intérieur du chariot.

Le deuxième jour, il se dit qu'ils devaient se rendre au Texas. Ils firent halte ce soir-là dans une auberge installée le long de la route, au bord d'un vaste champ. Il se demandait en regardant le ciel s'il allait bientôt mourir. Si on allait abandonner son cadavre dans la prairie où il serait la proie des chiens du voisinage. Les étoiles brillaient déjà. Les deux soldats restèrent un bon moment dans l'auberge, laissant

Edward toujours menotté seul à l'arrière du chariot. Des tirs d'artillerie résonnaient apparemment dans le lointain. Il n'essaya pas de s'enfuir. Lorsqu'ils revinrent, les deux hommes lui avaient apporté un peu de viande et un morceau de pain. Il était incapable d'avaler quoi que ce soit. Le jeune garde haussa les épaules mais il y avait à présent une vague pitié dans son regard.

Ils s'enfoncèrent dans la nuit. Une lanterne avait été placée de part et d'autre du conducteur, éclairant faiblement leurs visages. Ils traversaient une contrée parsemée de collines, franchirent plusieurs ponts. Le jeune garde semblait en proie à une étrange nervosité et Edward se demandait s'ils ne s'étaient pas rapprochés des positions nordistes. Le chariot s'affaissait puis se redressait au gré du relief. Il entendit les sabots des chevaux claquer sur des planches tandis que le véhicule ralentissait en arrivant aux abords d'un pont en bois. On entendait la rivière couler en dessous. Il se produisit tout à coup un énorme craquement. Le chariot bascula et Edward fut projeté sur le plancher. Le garde s'était retenu à l'armature du toit et regardait d'un air inquiet par l'ouverture. Edward sentait bien que le véhicule était en train de perdre l'équilibre.

Capitaine Redd, lança le garde d'une voix affolée. Capitaine !

Edward poussa un juron.

Les chevaux hennissaient, pris de panique. Et tout à coup le chariot s'écroula sur le côté, le coude du soldat vint violemment heurter le dos d'Edward, et après un instant de suspens, d'immobilité parfaite, le véhicule bascula avec fracas dans la rivière. L'eau s'engouffra des deux côtés dans un tourbillon noir et les submergea aussitôt. Edward fut renversé, entraîné et rapidement recouvert par les flots, sans parvenir à reprendre son souffle.

Il se débattait de toutes ses forces. Ses poignets étaient toujours menottés mais il parvint à se redresser puis à regagner dans les hauteurs du chariot un espace où il y avait encore un peu d'air. L'eau s'écoulait à une vitesse folle. Il aperçut le jeune soldat de l'autre côté qui cherchait de l'air lui aussi et sentit ses jambes s'agiter près des siennes tandis qu'il coulait à nouveau. Edward le saisit alors par les épaules et pesa de toutes ses forces pour le maintenir sous l'eau, tout en se hissant lui-même pour aspirer un peu d'air. Le garçon se débattait sous son étreinte. Son corps s'immobilisa tout à coup et se mit à dériver, emporté par le courant.

L'eau était sombre et glacée. Le poids de ses bottes et de ses vêtements entraînait Edward vers le fond. Il battit des pieds, se tortilla dans tous les sens pour atteindre l'étroite ouverture et se glisser au travers. Il parvint enfin à sortir du chariot et rejoignit la surface à grands coups de jambes. Lorsqu'il émergea, les mains tendues devant lui, l'air déchira ses poumons. Il avait dans la bouche un goût de sang.

Il ne vit aucune trace du capitaine. Il rampa dans la boue jusqu'au rivage et se hissa péniblement sur la berge en suffoquant. Il roula sur le côté puis sur le dos et s'immobilisa enfin, les bottes encore dans l'eau, la poitrine soulevée de halètements incessants.

Il n'aurait pas su dire combien de temps il était resté là, les poignets entravés, la tête rejetée en arrière, la gorge exposée. Il était au plus mal et dormait secoué de frissons, traversé par d'étranges rêves. Il entendait le bruit de la rivière sur les galets et aperçut en relevant le visage l'épave du chariot dont les roues brisées se dressaient un peu plus loin, balayées par l'écume. Juste à côté gisaient les carcasses à moitié submergées des deux chevaux, leurs crinières agitées par le courant. À l'emplacement du pont, on ne distinguait plus qu'une série de piliers découpés sur le ciel. Le soleil disparaissait derrière les arbres. L'obscurité et la fraîcheur s'étendaient. Il se rendormit.

Ouvrit un œil fiévreux. Quelque chose avançait dans la boue et les ténèbres.

Son œil se referma.

La rivière devint plus pâle, presque argentée, et l'aube se leva. Edward tremblait, il était très malade et aperçut en levant la tête la silhouette d'un homme barbu vêtu d'un manteau bariolé qui descendait le cours de la rivière sur la berge opposée. Il s'arrêta pour examiner l'épave du chariot confédéré avant de disparaître en silence au milieu des arbres.

Lorsque Edward releva à nouveau la tête, l'homme était debout auprès de lui. Il avait empilé sur un petit radeau quelques caisses qui provenaient du chariot, ainsi que deux paires de bottes et deux fusils Enfield rescapés du naufrage. L'homme se pencha vers lui et fouilla ses poches, mais Edward était trop affaibli pour protester. Il était très grand, barbu, et n'avait que la peau sur les os. Il émanait une sorte de sauvagerie de son visage, avec son nez crochu et ses lèvres étroites. Edward crut tout d'abord avec effroi qu'il était tombé aux mains d'un Comanche. Mais au même instant l'homme s'agenouilla, le souleva et le porta dans ses bras à travers les peupliers puis le long d'un ravin et plus haut encore dans les collines.

Les mains de l'homme étaient douces, sa peau aussi sèche que celle d'un serpent. Il étendit Edward frêle et tremblant sur une couverture, lui fit boire de l'eau. Il sortit une trousse de son manteau, étala plusieurs clefs sur le sol et en choisit une avec laquelle il ouvrit ses menottes, qu'il empocha soigneusement. Puis il débarrassa Edward de sa veste et de son pantalon, l'enveloppa d'une couverture bien sèche et l'installa près du feu. Il n'avait pas ouvert la bouche. Un jour passa, peut-être deux.

Le crépuscule tombait quand Edward se réveilla pour de bon et se retrouva au milieu d'un petit campement installé contre une palissade. L'homme qui l'avait sauvé était près du feu et le regardait. Ils étaient seuls. C'était apparemment une sorte de rétameur et sa charrette se dressait non loin de là, avec tout le matériel nécessaire au travail du cuir et des métaux. Un cheval efflanqué se tenait à côté et leur jetait de temps à autre un regard craintif.

Vous n'êtes donc pas mort, dit le rétameur.

Il avait un curieux accent. On aurait dit un Anglais, encore qu'il ne l'était assurément pas. Ce n'était pas un Sudiste en tout cas.

Edward avait la langue aussi sèche qu'une éponge. Il déglutit péniblement.

Vous avez un nom ? demanda le rétameur.

Comme Edward ne répondait toujours pas, il alla touiller une poêle qui grésillait sur les pierres du foyer. Edward ferma les yeux, les rouvrit. Remarqua les deux Enfield appuyés contre un tronc d'arbre.

Le rétameur l'observait et se fendit soudain d'un sourire. Il lui manquait une dent sur le devant.

Edward tremblait de fièvre mais n'en serra pas moins les poings.

Le géant tendit vers lui une main aussi noire que s'il l'avait frottée au charbon. Calmez-vous. Si j'avais voulu vous tuer, ce serait déjà fait, dit-il avec un petit rire. Je m'appelle Fludd.

Fludd.

Oui. Et je répands moi aussi le déluge sur terre[1] pour anéantir toutes les créatures qui portent en elles le souffle de la vie. Une lueur étrange et sombre brillait dans le regard du géant. Au bout d'un moment il ajouta : Et tout ce qui vit sur cette terre finira par mourir.

Edward jeta un coup d'œil autour d'eux, dans les ténèbres qui s'étendaient. Depuis combien de temps vivez-vous seul ici ? demanda-t-il.

Le nommé Fludd eut un large sourire.

Assez longtemps pour avoir trouvé Dieu, dit-il. Et assez longtemps pour l'avoir perdu.

---

1. Jeu de mots entre *Fludd* et *Flood* (déluge) *(N.d.T.)*.

On n'est pas courageux si l'on n'a pas peur, disait le major. La fumée de son cigare montait comme un étrange encens dans les hauteurs de sa tente. Ses manches étaient retroussées, sa barbe hirsute, la grande carte de la vallée avant le début des combats était étalée devant eux. Je ne ferai jamais confiance à un homme qui ignore la peur, reprit-il. Ce qui compte, c'est ce qu'on fait de cette peur.

Il disait aussi : On peut lire dans un homme comme dans un livre. Il suffit de le feuilleter et de tomber sur la bonne page.

Le major était bourru et s'emportait facilement, mais pas une fois il ne s'était mis en colère contre Edward et il y avait toujours une sorte de douceur dans ses yeux lorsqu'il le regardait. Il disait qu'il était pour sa part libéré de la peur pour la bonne raison qu'il l'éprouvait sans cesse. Lorsque le soleil s'était couché ce jour-là, il était resté auprès d'Edward tandis que les époux Porter inspectaient les essieux et le harnais du chariot et il avait dit au jeune homme qu'il aurait aimé partir avec lui.

Quoi qu'il arrive, je trouverai le moyen de te rapatrier, lui dit-il en lui agrippant l'épaule.

Vous n'aurez pas à le faire, répondit Edward. Je les ramènerai tous les deux sains et saufs, monsieur.

Ne présume pas de tes forces, mon garçon, avait rétorqué le major. Tu pourrais être mon fils.

L'ŒIL TOUJOURS AUX AGUETS

LONDRES

1885

TRENTE-CINQ

Personne n'a remarqué la disparition, monsieur. De tout le week-end.

Blackwell avait rabattu son chapeau sur ses yeux.

Avant que Mr Farquhar ne découvre la lettre, bien entendu, ajouta-t-il.

Le cab bifurqua brusquement et s'engagea à toute allure dans une rue adjacente. Shore se retint à la portière. Quelle lettre ? demanda-t-il.

Celle qui se trouvait sur le bureau de Mr Farquhar, monsieur. Et qui contient des instructions assez explicites.

Des instructions ?

Blackwell était assis, les mains entre les genoux. Il acquiesça, mal à l'aise. Oui monsieur. Des instructions.

Quel genre d'instructions ?

Des instructions relatives à la restitution du tableau, intervint William avec impatience. Il se tourna vers Blackwell. Vous avez cette lettre sur vous ?

L'inspecteur farfouilla dans la poche intérieure de son pardessus et en retira une enveloppe froissée. Shore voulut s'en emparer mais William la saisit avant lui de ses mains gantées. Il sortit avec beaucoup de précaution la lettre de l'enveloppe avant de la déplier sur le siège à côté de lui. Elle était rédigée d'une écriture aussi ferme qu'élégante.

Qui a eu cette lettre entre les mains ? demanda-t-il. En dehors de Farquhar et de vous ?

Blackwell hocha la tête. L'épouse de Mr Farquhar, selon toute vraisemblance. Et peut-être l'agent qui a recueilli leurs dépositions.

William se pencha et lut la lettre en entier. Puis il la retourna soigneusement et la brandit devant la fenêtre du cab pour l'examiner en transparence.

Eh bien ? demanda Shore. Que dit-elle ?

William regarda longuement Blackwell. Elle dit qu'*Emma* a été temporairement retirée de la galerie et transportée dans un endroit où elle sera plus en sécurité. Que des rumeurs commençaient à circuler concernant son vol éventuel et qu'afin de préserver une œuvre d'intérêt national les personnes concernées ont pris sur elles d'assurer sa protection, et cetera. Le tableau sera restitué moyennant le versement d'une somme destinée à couvrir les frais engagés. Un intermédiaire entrera en contact avec Mr Farquhar dans les prochains jours, et cetera. Celui-ci serait mal avisé de porter plainte, étant donné que cette opération n'a aucune visée criminelle. La police ne doit donc pas intervenir dans cette affaire. Vous êtes d'ailleurs nommément cité.

Moi ? s'étonna Shore. Montrez-moi ça.

Vous n'avez pas de gants.

Au diable les gants. Donnez-moi cette lettre.

Mais William fronça les sourcils et attendit. Shore poussa un soupir et enfila ses gants d'un air furibond. William lui tendit la lettre.

Shore lut à voix haute : *Veuillez informer Mr John Shore de Scotland Yard que sa présence n'est nullement requise.* C'est une plaisanterie, dit-il en hochant la tête.

Le cab tourna une fois de plus à toute vitesse et vacilla en équilibre sur deux roues avant de retomber lourdement. William fut brutalement projeté contre Blackwell. Où disiez-vous que cette lettre a été trouvée ? demanda-t-il en ramassant le chapeau de l'inspecteur qui avait roulé par terre.

Dans le bureau de Mr Farquhar, monsieur.

À son domicile, donc.

Le conducteur du cab se mit soudain à apostropher ses chevaux, en les traitant de tous les noms.

Oui monsieur, répondit Blackwell en considérant William d'un air intrigué. Elle avait apparemment été déposée contre une lampe sur son bureau. À l'endroit où Mr Farquhar range d'ordinaire ses papiers, précisa-t-il.

On l'a découverte ce matin ?

Oui monsieur.

Il ne manquait rien d'autre ? intervint Shore. Des documents, les clefs de la galerie ? Les diamants de Mrs Farquhar, nom de nom…

Non monsieur. Selon Mr Farquhar rien d'autre n'a été dérobé.

William remit délicatement la lettre dans son enveloppe et la glissa dans sa poche intérieure. Le voleur n'a pas pris les clefs parce qu'il n'en avait pas besoin, dit-il. Ce n'est pas un amateur.

C'en est pourtant un à mes yeux, répliqua Shore. Négliger une telle collection de diamants et emporter cette *Emma* ! Il est impossible de fourguer un tableau pareil.

Il n'aura pas à le fourguer.

Si George Farquhar refuse de négocier, le voleur se retrouvera le bec dans l'eau. Avec un tableau dont il ne pourra strictement rien faire.

Il ne refusera pas, rétorqua William. Il est plus profitable pour lui de payer une rançon que de perdre définitivement un tableau pareil.

À cet instant le cab rebondit une fois de plus contre une ornière et ils furent secoués comme des pruniers. Shore poussa un juron et frappa sur le toit pour demander au conducteur de s'arrêter. Il ouvrit la porte et descendit d'un air excédé.

Nous terminerons le chemin à pied, lança-t-il au conducteur. Nous ne sommes pas sur un champ de courses, mon vieux.

C'était Shore qui avait proposé à William de l'accompagner à la galerie. Il était arrivé malheur à ce bon Mr Farquhar, lui avait expliqué l'inspecteur en chef, et William avait aussitôt pensé à Foole qu'il avait surpris dans ses appartements privés. Les empreintes digitales d'Edward Shade étaient à présent précieusement archivées dans un tiroir de sa chambre d'hôtel. L'Agence et l'identité judiciaire constitueraient bientôt un dossier sur lui, de sorte que cet homme – Foole, Shade, quel que soit son nom – serait arrêté la prochaine fois qu'il commettrait un acte répréhensible. Son père, qui l'avait traqué pendant des années, n'avait jamais été aussi près que William l'était désormais de lui mettre la main au collet. Le fait d'avoir réussi à localiser puis à identifier cet individu aurait dû lui suffire.

Mais ce n'était pas le cas. Il pensait à Charlotte Reckitt dans les placards de la morgue, aux doutes que Blackwell nourrissait à son sujet. Au grand Ben Porter qui avait terminé sa vie dans un trou à rats et dont la veuve était probablement en route pour la Californie à l'heure qu'il était. À son propre père enfin, dont le corps se désagrégeait dans la glaise noire de Chicago.

Le brouillard humide et jaune qui planait dans l'atmosphère lui piquait les yeux. Un fardier passa en cliquetant sur les pavés et ses contours fantomatiques se perdirent bientôt dans la brume. Ils tournèrent au coin de la rue et débouchèrent dans Bond Street. Shore s'engagea en zigzaguant dans la circulation dominicale. William le suivit, son chapeau noir rabattu sur les yeux et Blackwell sur ses talons.

Tandis qu'ils approchaient, une longue silhouette émaciée émergea de la brume et s'avança vers eux.

Voyez donc qui est sorti de sa tanière, marmonna Shore avant d'ajouter à voix haute : Vous êtes apparemment arrivé sur les lieux avant nous, Dr Breck.

Le médecin adressa un regard méprisant à Blackwell et lança avec amertume : Je croyais vous avoir prévenu, Mr Shore. Si vous ne recommandez pas à vos agents de ne toucher à rien sur la scène du crime, je ne vois vraiment pas en quoi je pourrais vous être utile.

Shore frotta ses mains gantées l'une contre l'autre. Mr Blackwell, voulez-vous aller voir s'il y a encore quelqu'un ici. Le gardien de nuit, peut-être.

Je parle sérieusement, rétorqua Breck tandis que l'inspecteur s'éclipsait. On m'attend à l'hôpital pour un travail tout aussi urgent.

Dr Breck, l'interrompit William, qu'avez-vous découvert ?

Vous au moins, Mr Pinkerton, vous serez en mesure d'apprécier ma trouvaille. Le médecin se tourna et brandit un petit flacon de liquide rouge. Savez-vous ce qu'il contient ?

Blackwell réapparut à cet instant et lança : La solution, peut-être.

Breck lui adressa un regard dédaigneux. Quelle solution ?

La solution de notre problème, monsieur.

Ah ah, ricana Breck. Très drôle.

Blackwell eut un sourire poli et reprit : Le gardien de nuit est toujours ici, Mr Shore. Il semble n'avoir rien entendu. Ni rien remarqué d'anormal jusqu'à ce matin, lorsque Mr Farquhar a découvert la lettre. Ils sont alors montés ensemble dans la galerie et ont constaté que le tableau avait effectivement été volé. Il dit ne pas avoir la moindre idée de ce qui a pu se passer, ni de la manière dont les voleurs ont bien pu procéder.

Cela n'a rien d'étonnant, commenta Breck, étant donné qu'il dormait.

Vous allez sans doute l'interroger? demanda William à Shore.

Breck lui lança un regard froid. Dois-je comprendre que vous collaborez également à cette enquête, Mr Pinkerton?

Peu importe, rétorqua Shore. Dites-nous plutôt ce que vous avez découvert.

Ah, dit Breck en passant un doigt crasseux sous son col. L'homme que vous cherchez est de petite taille et de corpulence moyenne mais relativement athlétique. Il n'est pas venu ici en cab ni avec un quelconque véhicule. Il s'est introduit seul dans la galerie en passant par l'extérieur du bâtiment mais un complice l'attendait en dessous. Il était vêtu comme un gentleman et se trouvait récemment en Amérique. Il est passé plusieurs fois à la galerie au cours des dernières semaines et il s'agit d'un cambrioleur professionnel qui a déjà eu maille à partir avec la justice. Pas chez nous, mais à l'étranger. Aux États-Unis, selon toute vraisemblance.

William avait écouté le médecin avec attention. Lorsqu'il eut terminé, il le regarda et lui demanda posément : Comment savez-vous tout ça?

Vous voyez ce que vous vous attendez à voir, répondit Breck d'un air impassible. Moi je ne m'attends à rien. Il désigna la rue. Comme il a plu pour la dernière fois samedi soir et qu'il n'y a qu'une seule empreinte de roues dans la boue, il est raisonnable d'assumer qu'il s'agit de l'attelage de Mr Farquhar, sachant qu'il est venu à la galerie ce matin. Ce qui implique que le voleur est arrivé à pied. Il y a une empreinte de craie blanche effacée sur le rebord de la fenêtre, vraisemblablement laissée par le cambrioleur. Il l'a effacée afin que ses empreintes ne le trahissent pas. Ce qui indique qu'il redoute d'être identifié grâce à elles. Cette technique est récente, elle a été mise en pratique au cours des toutes dernières années. Et encore, uniquement en Argentine, en France et aux États-Unis. Notre homme a donc eu affaire aux autorités de l'un de ces trois pays récemment. Il était forcément bien habillé pour ne pas attirer l'attention. Et il s'est rendu voici peu en Amérique parce qu'il fumait ce cigare, qui est d'origine américaine et qui est d'ailleurs assez coûteux.

Breck désignait de la pointe de sa chaussure un mégot de cigare écrasé sur la chaussée.

Rien de ce que vous venez de nous dire ne constituerait une preuve aux yeux d'un tribunal.

Peu importe. C'est la vérité.

La justice n'a que faire de la vérité, docteur.

Ah bon ?

Elle a besoin de preuves.

Breck lui adressa un étrange et sombre sourire. La justice, répéta-t-il doucement comme s'il savourait le terme.

Les flammes du gaz qui brûlait dans les appliques projetaient une couronne de lumière dans les hauteurs des murs. Les pas d'un homme qui arpentait la galerie résonnaient au-dessus d'eux tandis qu'ils montaient. C'est toujours la même chose avec ce fichu croque-mort, grommela Shore.

Vous parlez de Breck ?

Non, de Blackwell.

William ôta ses gants mouillés. J'ignorais que vous aviez un problème avec lui, dit-il.

Shore eut un rire sans joie. Je n'ai aucun problème avec lui. Sa théorie concernant la jeune femme repêchée dans la Tamise pourrait même se révéler payante. Il soupçonne un tenancier de pub dont la femme a disparu. Je vous en ai parlé la semaine dernière.

Oui. L'affaire Charlotte Reckitt.

Shore haussa les épaules. Nous l'avons rebaptisée l'affaire de la Tamise.

Vous avez des doutes vous aussi ?

Il ne s'agit pas de douter, mais de rester ouvert à toutes les hypothèses. Shore posa la main sur le bras de William. J'ai un service à vous demander. Mr Blackwell a l'intention d'aller interroger demain ce tenancier.

Et vous craignez qu'il ne soit pas à la hauteur.

L'individu, quel qu'il soit, qui a fait subir un pareil traitement à cette femme ne saurait être pris à la légère. Je n'ai pas envie de me retrouver avec un deuxième cadavre décapité sur les bras.

William opina, en repensant à cette tête tranchée et aux blessures que le torse avait subies.

Shore le regarda comme s'il regrettait de lui avoir demandé cette faveur avant d'émettre un grognement. Il semble qu'un industriel américain ait eu des visées sur ce tableau. Les journaux prétendent qu'il était l'un des deux acheteurs potentiels, l'autre étant un aristocrate français, un certain De Galbert. Vous ne pensez pas qu'ils pourraient être l'un ou l'autre impliqués dans l'affaire ?

Farquhar lui-même me paraît un suspect plus crédible.

Vous ne parlez pas sérieusement ?

William regarda l'inspecteur en chef et sourit. Non, dit-il. Pas vraiment. Mais une chose est certaine : lorsque la presse aura relayé l'information, la notoriété du tableau s'en trouvera renforcée. Et plus sa célébrité sera grande, plus sa valeur augmentera. Farquhar vend des tableaux à longueur d'année, il sait parfaitement comment fonctionne le marché. Vous devriez avoir une petite conversation avec lui.

Shore le fit pénétrer dans une galerie au plafond élevé et orné de moulures en plâtre. Sur le plancher était déposé un grand cadre doré et parfaitement vide. La cordelette en velours qui servait à le protéger avait été détachée et l'une de ses extrémités avait durci, comme si on l'avait enduite d'un produit gras. L'unique fenêtre était baissée mais n'était pas verrouillée. Lorsque William s'en approcha, il aperçut des traces de suie sur le bord intérieur.

Breck en a-t-il terminé ici ?

Oui. Shore serra les dents sur l'embout de sa pipe, sans l'allumer.

William se dirigea vers le cadre déposé sur le sol et s'agenouilla pour l'examiner. Parlez-moi de ce gardien de nuit, dit-il.

Il s'appelle Owen Archer, dit Shore. Un militaire à la retraite, qui a servi en Inde pendant des années. Il jure n'avoir rien vu ni rien entendu. Blackwell aurait tendance à le croire.

Un vol de ce genre suppose généralement un complice dans la place.

Vous croyez que je devrais l'interroger ?

Probablement. William fronça les sourcils. Le tableau a été détaché de son cadre avec un très grand soin. Celui qui a fait ça savait ce qu'il voulait. Et qu'il fallait éviter d'endommager la toile. Ce qui signifie qu'il compte la revendre, ce qui est peu probable, ou la garder pour lui, ce qui serait le signe d'un étrange engouement, ou encore...

Ou encore ?

Qu'il compte procéder comme le dit la lettre. Et restituer le tableau en parfait état à son propriétaire.

Je le trouve pour ma part plutôt esquinté, grommela Shore.

Le voleur est entré puis reparti par la fenêtre, comme Breck le soupçonnait, reprit William. Ce qui signifie qu'il est agile et robuste. Et plutôt petit. Il avait sans doute un complice qui faisait le guet en bas. Il vous faut donc rechercher un criminel endurci de corpulence modeste, assez intelligent pour n'avoir jamais été capturé. Selon toute vraisemblance, il a un complice de grande taille et suffisamment costaud pour l'avoir aidé à escalader ce mur. La lettre a été déposée samedi soir au domicile de Farquhar, ce qui implique que le voleur ou l'un de ses complices assistait à la réception. Et qu'il avait été invité, pour ne pas éveiller le moindre soupçon. Breck a l'air de penser qu'il serait originaire d'Amérique. Cela vous fait-il penser à quelqu'un ?

Shore le dévisagea. Ma foi, dit-il, cela vous ressemble un peu.

William eut un sourire carnassier. Si j'avais été à la place du voleur, j'aurais cherché à avoir un alibi parfait. Et le plus simple n'était-il pas d'assister à la réception des Farquhar ce soir-là ? Mais c'est là qu'intervient un facteur que notre homme n'avait pas prévu.

Lequel ?

Les empreintes.

Breck nous a dit qu'il n'en avait pas laissé.

Sur la fenêtre, non. William retira soigneusement la lettre de sa poche. Mais voilà l'erreur qu'il a commise. Demandez au Dr Breck d'analyser cette lettre.

Shore le regarda, étonné. Pourquoi aurait-il laissé ses empreintes sur cette lettre ? Alors qu'il les a soigneusement effacées partout ailleurs.

La lettre a été déposée avant que nous ne nous livrions à notre petite démonstration l'autre soir, John. Le vol a été exécuté après. Quand il a déposé cette enveloppe, notre homme n'avait pas à se soucier de ses empreintes.

Shore le regarda en hochant la tête. Vous et votre Edward Shade, marmonna-t-il. Il faut toujours que vous rameniez tout à lui.

C'est parce que tout nous y ramène, rétorqua William.

TRENTE-SIX

Foole se réveilla tôt et resta allongé dans l'obscurité, les yeux grands ouverts.

Charlotte dormait à l'étage au-dessus. Le simple fait de le savoir ravivait en lui des braises douloureuses, profondément enfouies. Il se tourna sur le côté et le sommier craqua.

Il n'avait jamais imaginé la revoir dans un pareil état. Ses yeux étaient cernés, ses cheveux pendaient comme des loques autour de son visage. Et cette voix... Il avait contemplé sa silhouette qui se découpait dans la nuit froide. Puis en baissant les yeux il avait aperçu la petite valise posée à ses pieds. À cet instant, Mrs Sykes avait posé la main sur son bras et il avait reculé à l'intérieur de la maison.

Il la revoyait envelopper Charlotte dans une couverture avec un petit claquement de langue, tout en jetant à Fludd un regard indéchiffrable. Entrez donc, ma chérie, disait-elle, venez vous abriter du froid. Molly avait disparu, seul le blanc de ses yeux brillait dans les ténèbres de l'escalier.

Tu étais morte, dit Foole. J'ai vu ton cadavre.

Charlotte lui adressa un regard mal assuré. Elle retira ses gants et en guise de réponse posa sa main froide sur la joue de Foole.

Il sentait encore la pression de cette main comme si elle avait laissé son empreinte sur sa peau. Il émergea des draps et alla plonger les doigts dans sa bassine d'eau froide, s'humectant le visage et le cou avant de s'éclabousser les aisselles en frissonnant. En dépit de sa fatigue, un sentiment de victoire naissait peu à peu en lui. Quelque part au-dessus, Charlotte rêvait, Charlotte était en vie.

Il ouvrit son armoire en silence, s'habilla rapidement et descendit.

Il pensait trouver Mrs Sykes déjà debout, occupée à vider les cendres du poêle. Mais les bougies des appliques n'étaient pas allumées et il faisait froid dans l'entrée. Il traversa l'Emporium et aperçut un rai de lumière sous une porte. Il l'ouvrit pour saluer son employée mais s'immobilisa dans l'embrasure, surpris.

Je croyais que tu dormais, dit-il.

Charlotte se tourna et tendit les mains vers le feu qui brûlait dans la cheminée. Elle avait des cernes sous les yeux et les traits tirés. Je n'arrivais pas à trouver le sommeil, dit-elle.

Il ne sut pas quoi lui répondre.

J'ai allumé le feu. J'espère ne pas avoir outrepassé…

Elle n'acheva pas sa phrase et baissa les yeux. Foole referma la porte et s'avança à pas lents, comme s'il pénétrait dans un rêve. Elle portait une robe vert pâle qu'il avait déjà vue sur Hettie et dont les manches trop courtes lui arrivaient au-dessus des poignets. Avec sa peau d'une pâleur spectrale et ses cheveux noirs en bataille, on aurait dit qu'elle débarquait d'une autre planète. En la regardant, il eut la désagréable impression d'être face à une étrangère qui le considérait d'un œil méfiant. Mais ses traits se détendirent soudain et il retrouva la jeune femme qu'il avait connue jadis. Sans doute lui donnait-il l'impression d'être un étranger lui aussi.

Qu'y a-t-il ? lui demanda-t-elle en l'observant attentivement.

Je me disais juste… Eh bien, que le temps a passé.

Tu as vieilli toi aussi, dit-elle avec un petit sourire.

Il rougit et détourna les yeux.

Ils restèrent un moment silencieux, vaguement mal à l'aise. Charlotte finit par se lever et alla regarder les objets entreposés sur une étagère. Une grosse ammonite prise dans sa gangue de pierre, une collection de vieux journaux aux reliures piquetées, une caisse en bois contenant des pièces de monnaie anciennes exhumées lors de fouilles archéologiques.

J'ai parlé à Gabriel et Rose, dit-il enfin. Ils te croient morte. J'ai demandé à Fludd de mener son enquête dans les bas-fonds de Londres mais personne ne semblait savoir grand-chose. Je me suis même lancé sur la piste du Sarrasin.

Cooper ? lança-t-elle en le regardant par-dessus son épaule.

Je l'ai d'ailleurs retrouvé. Au Lascar.

Elle digéra l'information, étonnée sans doute qu'il ait su qu'elle avait travaillé autrefois avec cet homme.

Il n'est plus que l'ombre de lui-même, ajouta Foole. Je suis désolé de te l'apprendre.

Cela fait des années que Cooper n'est plus bon à rien, dit-elle d'une voix dénuée d'émotion. Simplement, il ne s'en est pas rendu compte. Il se serait tranché la gorge s'il avait su qu'il finirait de la sorte.

Mais il n'y avait aucune chaleur dans sa voix et Foole se demanda jusqu'à quel point les années l'avaient endurcie. Les bûches craquaient dans le foyer, quelques éclats de braise giclèrent de la cheminée. Foole sentit ses mains se serrer sur le dossier de la chaise tandis qu'il essayait de chasser la pitié qu'il sentait naître en lui.

Où étais-tu donc passée, Charlotte ?

Elle détourna les yeux d'un air réticent.

Je te croyais morte. Tu as dû savoir que j'étais ici.

J'ai entendu dire que tu me cherchais, oui.

Tu étais à Londres, dans ce cas.

Elle acquiesça.

Et tu ne m'as pas contacté. Tu ne m'as pas adressé le moindre signe.

Elle se retourna, les mains croisées devant elle. Et pourquoi l'aurais-je fait? Tu marchais main dans la main avec William Pinkerton. J'ai aperçu un jour ton Mr Fludd attablé avec lui dans un café de Haymarket.

Pinkerton était à la poursuite de ton assassin, dit-il d'une voix douce.

De mon assassin.

Oui, de ton assassin.

Elle s'avança d'un pas. Mais William Pinkerton sait parfaitement que je ne suis pas morte. Il m'a aperçue le mois dernier. Il m'a suivie dans la rue. Pourquoi me serais-je cachée sinon, pendant tout ce temps?

Foole voyait plusieurs réponses possibles à cette question mais se garda de les formuler. Le détective dont tu me parlais dans ta lettre en décembre, reprit-il, c'était lui?

Oui.

Que voulait-il? Comment t'a-t-il retrouvée?

Elle porta brusquement la main à sa gorge. J'ignorais au début de qui il s'agissait. Un détective américain à Londres? Peut-être me suivait-il depuis des mois sans que je l'aie remarqué.

Comment l'as-tu repéré?

J'ai cru que c'était par hasard. Mais ce n'était pas le cas.

C'est lui qui s'est montré.

Oui. Il a croisé mon regard un jour dans le métro et m'a adressé un petit salut de la main. Puis il m'a collé aux basques à travers Londres, je n'arrivais plus à m'en dépêtrer. Le lendemain il est venu sonner chez moi et il est parti avant que je ne vienne ouvrir. Il m'a fait le coup plusieurs jours de suite. Il savait que j'étais chez moi et que je ne répondais pas. Mais cela commençait à m'énerver et un jour j'ai fini par aller ouvrir et lui proposer d'entrer. Il a refusé. C'est à ce moment-là que j'ai appris son nom. Il m'a donné sa carte.

Que voulait-il ?

Charlotte regarda longuement Foole, comme si elle s'attendait à ce qu'il réponde lui-même à cette question. Puis elle baissa les yeux. Il m'a suivie pendant des semaines. Au début c'était simplement gênant. Cela compliquait mes projets concernant l'évasion de mon oncle, c'est vrai, mais pas plus que ça. Et puis cela a fini par prendre un tour inquiétant. Il venait surveiller ma maison la nuit. Je retrouvais des traces de pas sur le tapis en rentrant. Un jour j'étais au bord du trottoir dans Potter Street et quelqu'un m'a poussée dans le dos, j'ai failli être fauchée par un cab. C'était lui.

Foole se disait que cela ne ressemblait guère à William Pinkerton. C'est à ce moment-là que tu m'as écrit cette lettre ? reprit-il.

Oui.

Je l'ai reçue la veille de Noël.

Charlotte ne fit aucun commentaire.

Je ne m'attendais plus à avoir un signe de toi. Je l'avais espéré, après l'arrestation de ton oncle. Et j'ai conservé cet espoir des années durant. Mais je ne pensais plus que cela arriverait.

Elle s'humecta les lèvres, s'apprêta à dire quelque chose, se retint. J'ai toujours conservé de la tendresse pour ce qui s'est passé entre nous, dit-elle à la place.

Mais ?

Cela appartient au passé.

Il acquiesça tandis qu'un élan douloureux lui vrillait la poitrine.

Tu n'es plus le même toi non plus, Adam.

Il acquiesça derechef.

J'ai été mariée, dit-elle.

Je l'ai entendu dire. Il s'éclaircit la gorge et ajouta : Tu ne l'es plus ?

Je t'avais attendu, dit-elle brusquement avec une visible amertume. Pendant des mois. L'as-tu su, au moins ? J'ai vécu dans l'appartement de mon oncle à Whitechapel six mois durant. Tu connaissais l'adresse. Tu aurais pu m'écrire. Tu ne l'as pas fait.

Il opina d'un air contrarié en regardant le feu. J'étais jeune, dit-il. Et en colère.

Tu étais surtout stupide.

Oui, concéda-t-il avec un vague sourire.

J'ai cru que je m'étais trompée à ton sujet. Que mon oncle avait raison.

Raison à propos de quoi ?

Charlotte lui adressa un long regard, un peu calmée. Trois semaines après mon retour, quelqu'un s'est présenté chez mon oncle. Je l'ai immédiatement reconnu. C'était le négociant français qui était dans le même hôtel que nous, à Port Elizabeth. Il était là pour nous surveiller et avait fait son rapport, mon oncle était donc au courant de notre relation. Il m'a convoquée dans son bureau pour me dire que le Français venait de lui apprendre que tu nous avais trahis, que tu devais revendre les diamants à Brindisi et que tu avais déjà prévu de transférer les fonds dans une banque privée de Venise. Tout en lui racontant ça, Charlotte l'observait du coin de l'œil en guettant sa réaction. Mon oncle est parti à Brindisi fou furieux en refusant que je l'accompagne. Il a été absent pendant six semaines. Et quand il est revenu, eh bien les inspecteurs l'attendaient au bout du quai. Je ne l'ai plus revu en liberté depuis lors.

J'ai failli mourir à Brindisi, Charlotte. Je grelottais de fièvre.

En prison il m'a dit que tu nous avais menacés en prétendant que les diamants t'appartenaient. Sa main gauche était bandée, il m'a raconté que tu l'avais attaqué au couteau dans une ruelle près du port.

Il ne s'est jamais rien passé de tel.

Vraiment ?

Bon sang. Foole hocha la tête, détourna les yeux, la regarda à nouveau. Je n'avais plus rien, plus un sou, rien. Je n'étais même plus en état de marcher. C'est Martin qui m'a trahi. Il s'est emparé des diamants et il m'a abandonné.

Je sais.

Je n'y comprends rien. Pourquoi a-t-il agi ainsi ? Pourquoi m'a-t-il doublé de la sorte ?

Par amour, dit-elle simplement.

Foole se tut et la regarda. Il n'était pas sûr de comprendre ce qu'elle venait de dire. Je suis allé le voir il y a quelques semaines, dit-il. Dans sa prison. Je voulais lui parler de toi, de ce qui était arrivé. Foole s'éclaircit la gorge. Il m'a dit que tu avais eu un enfant.

Charlotte ne réagit pas.

Je l'ignorais. Si je l'avais su à l'époque. Si j'avais su que tu étais…

Elle l'observa un moment. Mon oncle t'a dit que l'enfant était de toi ? dit-elle enfin.

N'était-ce pas le cas ?

Non.

Foole sentit son visage s'assombrir.

Je suis tombée enceinte deux ans après l'histoire de Port Elizabeth, Adam. Il ne pouvait pas être de toi.

C'était donc un fils, murmura Foole.

Tu as vraiment envie de savoir tout ça ? dit-elle d'une voix lasse. J'ai su que j'allais le perdre aussitôt après l'avoir pris dans mes bras. Il n'a pas émis un son pendant ces deux jours. Elle leva les yeux vers lui. C'est de l'histoire ancienne, j'ai digéré tout ça.

Foole déglutit, mal à l'aise.

Il ressemblait à son père. David était un escroc. David Aldergate. Rapide, solide, efficace. Il t'aurait plu. Je ne sais pas si l'amour y était pour quelque chose mais nous formions une bonne équipe.

Et le bébé.

Est mort. Et David est mort l'année suivante, dans un accident de la route à Newcastle. Charlotte resta un long moment silencieuse, avant de reprendre : Je suis tombée malade après cet épisode. Je voulais mourir moi aussi.

Foole la regarda. Il avait brusquement l'impression que le temps s'était effacé et qu'ils partageaient à nouveau l'intimité qui avait été la leur autrefois. Mais imprégnée de tristesse à présent.

Elle lui montra ses poignets et il distingua les lignes blanches d'anciennes cicatrices.

J'ai perdu trop de choses, dit-elle simplement. Je ne veux plus rien perdre à présent.

Foole opina.

Millbank va fermer, Adam. Ils veulent envoyer mon oncle à Portsmouth. Il mourra là-bas, je ne le reverrai plus jamais. Elle eut un petit geste de la main. Je ne voulais rien te demander, c'est Gabriel qui a insisté en disant que tu serais peut-être d'accord.

Foole avait les yeux fixés sur le feu. Je suis revenu à Londres pour toi. Pas pour ton oncle.

C'est la même chose.

Il fronça les sourcils.

Il sera transféré mercredi. Je suis en cheville avec un gardien qui s'arrangera pour le laisser filer lors d'une halte dans une auberge, près de Chichester. Je serai là pour le récupérer.

Mercredi.

Oui, dans trois jours. Elle fronça les sourcils. Je n'avais pas prévu que les choses se passeraient ainsi. Mon oncle ne devait être transféré qu'au printemps.

Mais tu y seras tout de même.

Il le faut.

Les yeux de Charlotte croisèrent les siens. Il n'y avait ni amertume ni reproche dans son regard, juste une infinie tristesse. Au bout d'un moment elle reprit : Pinkerton n'arrêtait pas de me poser des questions à propos d'un type sur qui il essayait de mettre la main. Un dénommé Shade. Edward Shade.

L'horloge se mit à sonner dans l'obscurité. Une bûche s'effondra dans le foyer, provoquant une giclée d'étincelles.

Il s'agit de toi, n'est-ce pas ? C'est après toi qu'il en avait.

Qu'est-ce qui te fait croire ça ?

Si je me trompe, dis-le-moi.

La faible lueur du jour commençait à poindre derrière les carreaux et rampait vers eux en s'étirant le long des étagères. Il entendait les pas de Fludd et de Molly qui s'étaient levés à l'étage au-dessus.

Adam ?

Edward Shade est mort depuis longtemps, dit-il enfin. Et les morts ne ressuscitent pas.

Charlotte hocha la tête.

Tu vois bien que si, dit-elle. Puisque je suis là.

TRENTE-SEPT

Il suffit de parler des morts pour les entendre ricaner.

Blackwell passa à l'hôtel le mardi matin. William fixait ses boutons de manchettes en regardant par la fenêtre quand il aperçut l'inspecteur dans la rue. Il descendait d'un cabriolet, les pans de son manteau flottaient derrière lui comme des ailes de chauve-souris. Il retenait son chapeau de la main et leva brusquement les yeux en direction de William, qui recula instinctivement bien qu'il fût protégé par le panneau vitré. Il n'avait pas eu de nouvelles de Scotland Yard à propos du tableau volé et pensait que Blackwell lui en apportait. Mais ce n'était pas la raison de sa venue.

La femme dans la Tamise ? rétorqua William, étonné, sur le seuil de sa chambre. Vous avez donc bouclé votre enquête ?

Oui monsieur. Le coupable est l'individu dont je vous avais parlé. Le tenancier de ce pub.

Et la victime n'est pas Charlotte Reckitt, dit William en enfilant sa redingote.

Non monsieur.

Blackwell se fendit d'un sourire timide, ce qui constituait un spectacle assez inhabituel. L'expression funèbre que William lui connaissait depuis toujours céda la place au visage encore jeune d'un homme à la fois inquiet, tendu et excité.

Allons voir ça, lui dit-il.

En cours de route, Blackwell lui résuma ce qu'il avait appris.

La femme s'appelait Ellen Shorter. Elle avait été l'employée puis l'épouse du tenancier du Baker's Dwarf, une taverne située dans le nord-ouest de Londres que Shorter avait rachetée une douzaine d'années plus tôt. Il avait dépassé la quarantaine et sa femme avait eu vingt-neuf ans en avril dernier. Ils avaient eu deux enfants dont un garçon qui avait été emporté par la fièvre à l'âge de six mois. Ellen avait des yeux foncés, des cheveux noirs et parlait assez bien le français en raison de ses origines maternelles, ce qui lui assurait un certain succès auprès de la clientèle continentale. Une jeune femme séduisante, très chaleureuse en tout cas.

Comment cela, chaleureuse ?

Amicale, monsieur. Plaisantant avec les ouvriers.

Elle se prostituait ?

Non monsieur.

Mais elle leur faisait du gringue.

Blackwell eut l'air embarrassé. Tout le monde semble considérer Shorter comme une sorte de géant débonnaire, poursuivit-il. Il est très grand, baraqué, mais personne parmi les gens que j'ai interrogés ne l'a jamais vu s'énerver ni lever la main sur quiconque.

Mais ?

Mais un étudiant du quartier, un certain James McKinnon, l'a vu perdre les pédales un jour. Apparemment, il avait ouvert par erreur une lettre adressée à sa femme et qui contenait des détails un peu scabreux.

Une lettre d'amour.

Une demande de rendez-vous, monsieur.

N'est-ce pas la même chose ?

Parfois, monsieur.

Il s'agit donc d'un bon géant débonnaire sauf lorsque sa femme est concernée. Où se trouve-t-elle à présent?

Elle est censée être en France où elle serait allée voir sa tante.

Je vois, dit William en fronçant les sourcils.

Elle semble être partie précipitamment.

Mmm.

Personne n'a entendu parler d'elle depuis six semaines. Shorter prétend cependant qu'elle lui a écrit à plusieurs reprises.

J'imagine qu'il n'a pas conservé ses lettres?

Elles auraient brûlé accidentellement.

Et du côté des bestioles aveugles de notre cher docteur? Y a-t-il une cave dans ce pub, au moins?

Je l'ignore, monsieur. En tout cas pour l'instant.

William hocha la tête. C'est tout ce que vous avez? Une épouse partie rendre visite à sa famille et un mari colérique?

Blackwell fronça les sourcils. Il lui raconta qu'un agent avait interrogé Shorter. Lorsqu'il lui avait montré le portrait-robot, il avait prétendu n'avoir jamais vu cette femme, alors que plusieurs clients lui avaient déclaré qu'il s'agissait d'Ellen Shorter. L'agent avait trouvé cela bizarre, mais la police menait alors plusieurs enquêtes de front et à ce stade la victime était toujours supposée être Charlotte Reckitt. Blackwell apprit également à William qu'un témoin s'était présenté la veille pour faire une déposition concernant un possible suspect pour le vol du tableau de Farquhar. Il affirmait qu'on lui avait volé une montre en argent à bord d'un paquebot américain, juste après le nouvel an. L'inspecteur lui dit ensuite qu'un homme âgé était venu de Brighton pour leur dire que sa fille avait disparu et que son mari prétendait qu'elle était allée rendre visite en France à des parents malades, ce qui était selon lui absolument faux.

Attendez, l'interrompit William. Cet homme dont on a volé la montre… De qui s'agit-il ? Qu'a-t-il vu au juste ?

C'est un médecin de Liverpool, monsieur. Il a déclaré qu'on lui avait volé une montre à bord de ce bateau au cours de la traversée et qu'il avait revu le coupable pendant la réception de Mr Farquhar, juste avant la disparition du tableau. Il semblait très affirmatif sur ce point.

Rien d'autre ? À quoi ressemblait cet homme ?

Le médecin ?

Non, le voleur de montre.

Blackwell s'éclaircit la gorge. Il prétendait venir de Boston et voyageait avec sa fille. Un homme assez petit, aux cheveux blancs, très bien habillé, au regard perçant.

William esquissa un sourire. Et l'homme qui est venu de Brighton ? J'imagine qu'il s'agit du père d'Ellen Shorter ?

Blackwell opina. Le plus curieux, monsieur, c'est que selon cet homme personne n'est malade pour l'instant dans sa famille. Il est convaincu que sa fille a des ennuis. Il n'aime pas son mari et ne lui fait pas confiance.

William posa la main sur la portière du cabriolet qui tressautait sur les pavés. Et que dit Shorter de tout ça ?

J'ai envoyé un agent l'interroger. Il prétend que sa femme n'avait plus de relations avec son père et ne lui adressait plus la parole depuis des années. Sans compter que son beau-père lui doit plusieurs centaines de livres.

Dites-moi une chose, Blackwell. Qu'est-ce qui relève de l'instinct à votre avis dans tout ça ?

De l'instinct, monsieur ?

Oui.

Il s'agit d'une enquête de police, monsieur. Fondée sur des déductions logiques.

William sourit et détourna les yeux. Dans notre métier, dit-il, les trois quarts du travail se font sans qu'on y réfléchisse, inspecteur. C'est votre instinct qui vous guide. Le tout est d'apprendre à s'en servir. Et à lui faire confiance.

Le Baker's Dwarf était une ancienne taverne située le long d'Edgware Road, juste en face du champ où le torse décapité avait été découvert. Elle avait été construite au XVIIIe siècle, lui expliqua Blackwell, et servait alors aussi bien d'auberge que de relais pour les chevaux. La ville avait à présent absorbé ses faubourgs et ce qui était jadis un avant-poste n'était plus à présent qu'un banal établissement où les ouvriers venaient boire en sortant du travail.

Il n'y avait pas grand monde dans les rues à cette heure. Le pub présentait une façade de guingois, il y avait des chambres à louer et une vieille enseigne au motif effacé était suspendue à une chaîne au-dessus du linteau. Une lampe restait allumée pendant la journée mais ne diffusait qu'une lumière incertaine. William frissonna et remonta son col pour se protéger du froid. Le ciel était gris et une brume légère s'étendait sur le décor.

Vous croyez qu'il fait plus chaud à l'intérieur ? demanda William.

C'est peu probable, monsieur.

Ils claquèrent la porte derrière eux et traversèrent la salle pour rejoindre le comptoir. Quelques clients étaient attablés devant des pintes et deux prostituées étaient avachies dans un coin, à moitié endormies. Les deux arrivants ôtèrent leurs chapeaux et William éleva la voix pour demander du whisky. Le battant de la petite porte qui donnait sur la cuisine s'ouvrit et le tenancier apparut.

Dès qu'il vit son visage et ses yeux, William sut qu'il avait affaire à un assassin, même s'il aurait été incapable d'expliquer d'où lui venait cette conviction.

Shorter était d'une stature colossale, il avait un cou de taureau et de gros yeux bleus exorbités. Il dégageait une impression de puissance malgré sa démarche pesante. Il était barbu et parlait d'une voix tonitruante.

Qu'est-ce que ce sera? éructa-t-il en souriant et en posant ses deux énormes mains à plat sur le comptoir.

William lui retourna son sourire. L'homme le dominait d'une bonne tête mais il avait déjà envoyé au tapis des individus plus coriaces. Du whisky, répéta-t-il. Le meilleur de votre réserve.

Vous êtes américain, pas vrai? Shorter se pencha et sortit de sous le comptoir une bouteille couverte de poussière, avant de saisir deux verres. Vous m'en direz des nouvelles, ajouta-t-il.

William regardait délibérément autour de lui. Où est votre dame?

Quoi?

La patronne.

Le sourire de Shorter s'effaça. Vous la connaissez?

William leva la main. Pas précisément, dit-il. Mais nous étions passés ici l'an dernier et elle avait été très gentille avec nous.

D'où venez-vous exactement, les gars? demanda Shorter. Il n'avait pas encore débouché le whisky et servait une pinte de bière dont il chassait la mousse à un client accoudé un peu plus loin au comptoir.

De Floride.

Tous les deux?

William considéra Blackwell. Oui, dit-il. Tous les deux.

Shorter émit un petit gloussement. Votre copain n'a pas une tête de Yankee.

Il est canadien.

Et qu'est-ce qui vous amène en Angleterre?

William haussa les épaules. Oh, les affaires. Le plaisir aussi.

Quel genre d'affaires?

William eut un petit rire. Ça dépend. Il regarda Blackwell, puis la bouteille posée sur le comptoir. Vous n'avez pas quelque chose d'un peu plus sérieux ? demanda-t-il à Shorter.

Vous ne voulez pas goûter celui-ci ?

William haussa les sourcils.

Shorter se fendit d'un léger sourire. Nous avons peut-être bien ça en magasin, mais ça vous coûtera plus cher.

William fouilla dans sa poche et déposa un billet de cinq livres sur le comptoir.

Vous avez soif tous les deux ? demanda Shorter en jetant un coup d'œil à Blackwell. Il se retourna vers William. Il n'a pas de langue, votre copain ?

Il parle lorsqu'il a un verre devant lui.

Ils restèrent tous les trois un moment silencieux. Blackwell arborait un large sourire.

Très bien, finit par dire Shorter. Suivez-moi, je vais vous montrer quelque chose. Betty, beugla-t-il.

Une vieille femme hagarde apparut sur le seuil de la cuisine.

Surveillez le bar, j'emmène ces deux messieurs en bas.

Où ça, en bas ? demanda la vieille.

Là-dessous, répondit Shorter en désignant le plancher du pouce.

Il avait saisi sous le comptoir une vieille lanterne qu'il alluma et dont il referma ensuite avec soin le carreau couvert de graisse. Les deux policiers le suivirent dans un étroit passage qui partait derrière le bar. L'escalier en bois était vermoulu et craquait sous leurs pas de manière inquiétante. Shorter marchait en tête, son énorme dos leur bloquait la vue. William sentait naître en lui une tension un peu électrique, comme lorsqu'il voyait un éclair déchirer le ciel au-dessus des champs au cours de son enfance.

La cave était humide, basse de plafond et jonchée de sciure. William dut se courber pour y pénétrer. Le sol était grossièrement taillé dans la roche, de la mousse et des moisissures constellaient les parois. Le long de deux des murs étaient empilés des barriques et des fagots de bois, un troisième abritait un casier à bouteilles. William essaya d'accrocher le regard de Blackwell mais l'inspecteur avait suivi Shorter dans le recoin poussiéreux où étaient stockées les bouteilles. Au pied de l'escalier une couche de débris d'une étrange épaisseur recouvrait le sol autour d'un billot. William écarta ce tas de sciure du bout de sa semelle. De grosses taches de sang maculaient le sol.

Que s'est-il passé par ici ? demanda-t-il.

À genoux devant le casier à bouteilles, Shorter se redressa et émit un petit rire. C'est à cause de cette satanée grève des bouchers, dit-il avant de se retourner d'un air nonchalant.

William se pencha vers le billot et souleva la hache qui y était plantée. En dépit du mauvais éclairage, on distinguait nettement des traces de sang sur la lame, ainsi que quelques cheveux coagulés. Vous vous servez d'une hache pour ça ?

Shorter se releva et essuya sa main gauche sur son tablier. Son autre main s'était refermée sur le goulot d'une bouteille. Cela m'arrive, dit-il.

Je crois que nous allons avoir quelques questions à vous poser, monsieur, intervint Blackwell.

Shorter hocha la tête. Vous avez un drôle d'accent pour un Canadien.

Oui, dit William qui tenait toujours la hache.

Où avez-vous dit que se trouvait votre femme, monsieur ?

Shorter jeta un regard assassin à l'inspecteur mais ses yeux se reposèrent sur William.

Vous voulez me tuer ? dit-il. J'ignore combien on vous a payés pour ça mais je double la mise.

Reposez cette bouteille, dit William.

Nous n'avons nullement l'intention de vous faire du mal, dit Blackwell avant de s'avancer d'un pas. Je suis l'inspecteur Blackwell, de Scotland Yard. Et voici mon associé.

Reposez cette bouteille, répéta William.

Qu'est-il arrivé à votre femme, monsieur ? reprit calmement Blackwell.

Le visage de Shorter était devenu gris et ses larges épaules s'étaient mises à trembler. Pendant quelques instants, William crut qu'il allait falloir le maîtriser. Mais ce n'était ni la colère ni la rage qui animaient le tenancier. Il regarda la bouteille qu'il tenait par le goulot comme s'il découvrait son existence et la posa doucement sur le sol.

Voulez-vous nous parler de tout ça, Mr Shorter ?

Je ne voulais pas qu'il lui arrive malheur, dit-il dans un souffle.

Je comprends, monsieur.

Ce n'était pas prémédité. Il releva les yeux et se mit à trembler. Elle s'apprêtait à me quitter.

Oui.

Je l'ai prise la main dans le sac. Je savais qu'il y avait anguille sous roche et je lui ai dit que je devais sortir ce soir-là. Je suis revenu un peu plus tard sans me faire remarquer et je l'ai surprise à l'étage au-dessus du bar, ses bagages étaient déjà prêts. Elle était habillée en homme et devait retrouver ce salaud de peintre. Elle s'était même coupé les cheveux pour donner le change.

Que s'est-il passé, monsieur ?

Shorter posa son énorme main sur le casier à bouteilles. Je l'ai frappée. Je ne voulais pas lui faire de mal. Je lui ai donné une simple claque mais elle a aussitôt tourné de l'œil et s'est effondrée raide morte sur le sol. Shorter regarda William qui avait toujours la hache à la main. Je l'ai descendue ici et je l'ai attachée, puis je lui ai donné quelques petits coups de couteau pour voir si elle ne se réveillait pas. Je me disais qu'elle me faisait peut-être marcher, vous comprenez. Ç'aurait bien été son genre. Mais elle était morte pour de bon. Je ne savais pas quoi faire.

Vous l'avez donc coupée en morceaux, dit William.

Le colosse ferma les yeux et se balança d'un pied sur l'autre mais ne répondit pas.

Qu'est-il arrivé au peintre, monsieur?

Michael Witten, dit doucement Shorter. Je suis allé le trouver, ce salopard, vous pouvez me croire.

Et?

Et je lui ai tranché la gorge. Pendant qu'il dormait.

Où est-il à présent?

Shorter les dévisagea, le regard vitreux. Quelque part au fond du fleuve, murmura-t-il. Et je n'hésiterais pas à le refaire si jamais il ressuscitait d'entre les morts.

Nous allons devoir vous arrêter, monsieur.

Shorter acquiesça.

L'inspecteur sortit de sa poche une paire de menottes à l'ancienne, les ajusta à la bonne taille et les passa autour des énormes poignets de l'aubergiste, qui se laissa faire sans résister.

Ce que vous oubliez de nous dire, intervint William, c'est que votre femme n'est pas morte à la suite de vos coups. Elle a été empoisonnée.

Empoisonnée?

Au chloroforme.

Le tenancier tressaillit.

Les choses ne se sont pas passées de manière aussi imprévue que vous nous le disiez, n'est-ce pas?

Je l'aimais, dit Shorter.

Vous l'avez en effet amplement démontré, rétorqua William avec colère. Il écarta du pied les affaires qui traînaient dans la cave. Il devrait y avoir davantage de traces de sang par ici, après une telle boucherie.

Mr Shorter? intervint Blackwell.

Le tenancier avait les yeux baissés sur ses poignets et ne répondit pas.

William finit par découvrir une petite porte coincée sous l'escalier. Il la fractura et tomba sur un réduit qui devait servir autrefois à stocker des bûches. Il aperçut au fond une corde qui traînait et une paire de chaussures d'homme. Les parois du réduit étaient noires de sang.

Il fit demi-tour et alla s'asseoir sur une caisse, face au colosse. Ellen avait-elle avoué sa liaison ?

L'homme releva les yeux. Jamais de la vie, dit-il. Elle était trop futée pour ça.

Et Witten ?

Le visage de Shorter se contracta. Je ne lui en ai pas laissé le temps.

Mais il paraissait vidé et ne tenta pas de leur résister. William remonta de la cave et donna une guinée à un client du pub en lui demandant d'aller chercher un agent. Blackwell et Shorter émergèrent à leur tour et les trois hommes attendirent à la cuisine entre une batterie de casseroles grasses, une collection de couteaux et un cochon qui rôtissait. Lorsque le policier arriva, William adressa un regard à Blackwell et sortit. Il fut surpris de voir que l'inspecteur le suivait. Il faisait froid dans la rue, l'air était humide. William enfila ses gants. La porte se rabattit derrière eux en claquant.

J'ai une question à vous poser, Blackwell. Y a-t-il la moindre chance pour que quelqu'un d'autre soit impliqué dans cette affaire ?

Quelqu'un d'autre, monsieur ?

Quelqu'un qui aurait eu un motif et qui aurait un lien avec la pègre.

Blackwell le fixait avec de grands yeux. Je ne vois pas comment cela serait possible, monsieur. Si vous insinuez que la lettre écrite par Mr Witten était un faux…

William se frotta les yeux. Ellen Shorter n'avait pas besoin d'un amant pour quitter son mari.

Et la lettre, monsieur ?

William fronça les sourcils. Quelque chose le troublait dans tout ça mais c'était peut-être l'énigme, le mystère inhérent au meurtre en tant que tel, auquel il ne s'habituerait décidément jamais. Ça ne fait rien, dit-il avec un petit hochement de tête. Vous avez fait du bon travail, Blackwell.

L'inspecteur rougit. Merci, monsieur.

Mais William lui tournait déjà le dos.

TRENTE-HUIT

Ne me demande pas de lui faire confiance, lança Molly au petit déjeuner le premier jour, un œuf à la coque décapité devant elle.

Molly n'a pas tort, grommela Fludd un peu plus tard, sa grosse main posée sur la balustrade. C'est le genre de femme à te voler tes chaussures dès que tu as le dos tourné.

Il les avait écoutés tous les deux en silence en tripotant ses favoris car il était à nouveau la proie d'une étrange attirance. Il avait repensé au projet de Charlotte de faire évader son oncle durant son transfert à Chichester mais ne voyait pas comment procéder. Elle lui avait demandé son aide, il aurait voulu lui dire non mais s'en était avéré incapable. Il savait parfaitement que l'histoire qu'ils avaient vécue autrefois ne se reproduirait pas. Pendant ce temps Fludd se grattait la barbe, le regard sombre, et Molly allait d'une pièce à l'autre en maugréant. Charlotte quant à elle ne se montrait pas.

Je vois, marmonna Molly. Nous ne sommes pas assez bien pour elle.

Foole lui-même était encore sous le choc. Il ne cherchait pas à défendre Charlotte auprès de ses complices et cette réticence était considérée comme une faiblesse par Molly, comme une force par Fludd. Dans l'après-midi il sentit une présence dans son dos, une main se poser sur son épaule, une voix lui murmurer : J'avais oublié l'odeur de ta peau. Mais lorsqu'il se retourna il n'y avait personne. Le soir en montant se coucher une chandelle à la main, il entrevit sa silhouette indécise sur le palier, semblable à une apparition, et s'aperçut qu'elle avait pleuré. Elle s'approcha de lui, saisit sa main libre et la posa sur son sein. Ses doigts étaient glacés.

Lorsqu'il voulut l'embrasser, elle s'écarta, lui lança un regard impénétrable, disparut dans l'obscurité.

Le lundi arriva. Foole, Molly et Fludd étaient assis à l'arrière de l'Emporium et dépouillaient les journaux en peaufinant les derniers détails de leur plan. Le vol d'*Emma* faisait la une de la plupart des quotidiens londoniens et la réprobation était unanime. Certains accusaient les Français, d'autres les Irlandais, un éditorialiste du *London World* allait même jusqu'à se demander si George Farquhar n'était pas de mèche avec les voleurs. La date de la vente avait été repoussée. Certains abonnés écrivaient pour donner des conseils à la police, d'autres décrivaient des individus suspects qu'ils avaient aperçus dans les gares ou sur les quais de la Tamise. Fludd se lassa assez vite de toute cette paperasse et alla farfouiller dans une caisse bourrée de laine dont il retira avec soin un masque en bois laqué. Des mèches de cheveux adhéraient au front et l'intérieur du masque avait été enduit d'un liquide foncé qui faisait penser à du sang.

Voilà qui pourrait se révéler utile, lança-t-il. Qu'en pensez-vous ? Comme déguisement ?

Des dizaines de dents minuscules étaient plantées autour des yeux, de vieilles pièces de monnaie fixées à des cordelettes pendaient le long de la mâchoire. Le tout était d'une laideur effroyable.

Fludd le plaça devant son visage. De quoi ai-je l'air ? demanda-t-il d'une voix caverneuse.

Beaucoup mieux qu'au naturel ! s'esclaffa Molly.

Fludd ôta le masque, regarda Foole. Alors ? dit-il. On s'en tient toujours à notre plan ?

Concernant l'échange ? Oui. Toute cette publicité devrait renforcer le désir de Farquhar de vendre ce tableau, qui risque de battre des records aux enchères. La lettre précisait que Gabriel se mettrait en rapport avec lui. Nous opérerons vendredi.

Dérober ce tableau, murmura Molly. Alors que son fichu palais est bourré de diamants.

Foole leva la main. Gabriel écrira à Farquhar demain en lui donnant les détails de la transaction. Nous l'attendrons à Billingsgate à onze heures. Ce sera toi, Molly, qui lui remettras le tableau. Tu travailleras au grand jour tandis que Japheth et moi resterons dans l'ombre.

Et la flicaille ? demanda Fludd. Elle risque de grouiller dans le secteur. Tu ne penses tout de même pas que Farquhar se rendra seul au rendez-vous ?

Foole hocha la tête. Il y aura sûrement quelques policiers dans les parages, par mesure de sécurité. Mais Farquhar leur demandera sans doute de ne pas intervenir. Il tient à récupérer son tableau. Et même si quelques agents étaient postés sur l'embarcadère cela ne devrait pas nous gêner.

Bon, dit Fludd. Il est vrai que nous nous enfuirons par le fleuve. Tu as réuni l'équipage, fillette ?

Molly acquiesça. Ils n'attendent plus que la fin du versement. Elle regarda Fludd et Foole à tour de rôle. Vous êtes sûrs que les flics ne pourront pas nous suivre ?

Sauf s'ils nagent comme des poissons.

Eh bien, moi, dit-elle, j'aurais plutôt tendance à couler comme une ancre.

Évite de tomber à l'eau dans ce cas, lança Fludd avec un sourire.

Adam…

Tout ira bien, Molly.

Nous pouvons t'attacher avec une corde, proposa Fludd.

Et vous deux ? Tout est en place de votre côté ?

Foole opina. Un dernier point. Mrs Sykes nous a trouvé une planque à Newington. Une maison dont les propriétaires sont absents pour l'année. Nous nous rendrons directement là-bas. Mrs Sykes et Hettie fermeront l'Emporium et resteront ici.

Au cas où ce maudit Pinkerton se pointerait par ici, précisa Fludd en regardant Molly.

Oui, dit Foole.

Je ne vois pas comment il pourrait penser que nous sommes impliqués dans le vol d'*Emma*, Adam. Et si Farquhar respecte nos consignes, aucune plainte ne sera déposée contre nous.

Il suffit que nous nous tenions à carreau pendant quelques jours. Je préfère éviter les complications, au cas où Pinkerton viendrait fouiner par ici.

Et comment comptes-tu procéder avec sa majesté ? demanda Molly d'un air sarcastique.

Sa majesté ?

Oui.

Tu veux parler de Charlotte.

Je ne faisais pas allusion à Jappy.

Plaisante tant que tu voudras, dit Fludd. Je suis sûr que j'aurais un certain succès en corset.

Foole regardait Molly dont les petits yeux brillaient à la lueur des appliques. Charlotte n'est pas concernée par cette affaire. Ne lui en parle pas.

Molly serra les mâchoires. Tu veux dire qu'elle va continuer à habiter ici ? Avec Mrs Sykes ?

Pas exactement.

Fludd regarda Foole dans les yeux. Ce que veut dire Molly, c'est que c'est une question de confiance. Nous ne pensons pas que la présence de Pinkerton à Londres et le fait que Charlotte t'ait écrit pour te demander de venir relèvent de la coïncidence. C'est une Reckitt, Adam. Tu serais bien avisé de t'en souvenir.

Ils restèrent tous les trois plongés dans un silence embarrassé. Foole finit par se lever, alla ouvrir la porte et appela Charlotte. Puis il se retourna, laissant la porte ouverte derrière lui. Charlotte doit aller ailleurs, dit-il. Et il ne s'agit pas de Newington. Mais je préfère qu'elle vous le dise elle-même.

Molly se leva d'un bond.

Du calme, fillette, lança Fludd.

Charlotte apparut dans l'encadrement de la porte et pénétra dans la pièce en adressant à Foole un regard indéchiffrable. Que se passe-t-il? demanda-t-il.

Raconte-leur ce que tu m'as dit, répondit Foole. Concernant tes projets.

Charlotte n'eut pas un instant d'hésitation. Mon oncle est enfermé à Millbank, dit-elle. J'ai l'intention de suivre son convoi mercredi lorsqu'il sera transféré à Portsmouth afin de l'aider à s'évader. J'ai demandé à Adam de m'assister dans cette opération.

Tout le monde resta un bon moment silencieux.

Tu ne nous avais pas parlé de ça, finit par dire lentement Fludd.

C'est une plaisanterie, s'exclama Molly. Dis-nous que tu as refusé.

Charlotte regardait Foole d'un air confiant et il détourna les yeux, embarrassé. Il s'agit de son oncle, Japheth, dit-il enfin.

Tu as donc accepté, l'interrompit Fludd. Ce n'était pas une question.

Foole acquiesça.

Cela pourrait être dangereux.

Oui.

Tu comptes agir seul? Pour libérer ce vieux salopard?

Je ne serai pas seul, dit Foole. Charlotte sera avec moi.

Ne fais pas ça, Adam, murmura Molly.

Fludd enveloppa de sa main l'épaule de la fillette.

Je ne serai absent qu'une nuit, Molly, répondit Foole. Vous tiendrez la boutique entre-temps, Japheth et toi. Je serai de retour à temps pour prendre le relais.

Et si tu ne rentrais pas? lança Molly.

Fludd se leva sous l'emprise d'une visible colère et regarda Foole en silence avant de se diriger vers la porte. Viens, Molly, lança-t-il par-dessus son épaule. Nous en avons assez entendu.

Molly lança à Foole un regard noir. Tu ferais bien de te demander ce qui est le plus important, dit-elle avant de disparaître à son tour.

La pièce resta plongée dans le silence. Foole sourit avec peine, regarda la caisse ouverte, le masque qui grimaçait sur le plancher. Il entendit Molly marteler le sol avec colère à l'étage et Fludd qui la suivait de son pas lourd et traînant. Une porte claqua quelque part dans la maison.

Que vas-tu faire, finalement? demanda Charlotte derrière lui.

Foole se retourna, la regarda.

La fillette ne t'approuve pas, ajouta-t-elle.

Molly pourrait être ma fille. Je n'ai pas besoin de son approbation.

Mmm.

Quoi?

Peut-être a-t-elle raison, Adam. Peut-être n'en sortira-t-il rien de bon.

De quoi?

De notre affaire, dit Charlotte en détournant les yeux.

Foole se raidit mais ne bougea pas. Il faut que je te pose une question, dit-il. Lorsque tu m'as écrit cette lettre... Il se força à la regarder dans les yeux. Pensais-tu déjà que j'étais Edward Shade? Que c'était après moi que courait Pinkerton?

Charlotte mit quelques instants à répondre. Tu veux savoir si je t'ai attiré dans un piège ? dit-elle enfin. Afin que Pinkerton n'ait plus qu'à t'épingler.

En quelque sorte.

Foole se sentit aussitôt honteux. Sans un mot, Charlotte fit volte-face et se dirigea vers la porte. Lorsqu'elle se retourna, toute son attitude prouvait qu'elle était profondément blessée. Si tu me crois capable d'une chose pareille, commença-t-elle. Mais elle n'acheva pas sa phrase.

La scène, devait-il se dire par la suite, était remarquablement jouée.

Le mardi, Fludd loua la vieille charrette du maréchal-ferrant, y chargea leurs valises et leurs malles. Puis Molly et lui, couverts d'épais manteaux, prirent la direction du nord afin de rejoindre Newington. Foole et Mrs Sykes les regardèrent s'éloigner depuis la fenêtre du salon. Au milieu de la matinée, il accompagna Charlotte en cab pour acheter quelques affaires dont ils avaient besoin pour l'évasion de son oncle. Ils firent la tournée des boutiques et demandèrent que leurs achats soient livrés Half Moon Street. Ils réservèrent également deux places au nom de Mr et Mrs Balderdash pour la diligence de Portsmouth qui quittait Londres le lendemain à quatre heures du matin, puis déambulèrent un moment sur le Strand. Foole surveillait la foule autour d'eux mais n'aperçut pas l'ombre d'un policier dans les parages. Au début de l'après-midi, ils marchèrent jusqu'à la Tamise et longèrent l'Embankment sous les arbres dénués de feuilles. Foole avait l'étrange sensation de mener brusquement une autre existence, qui aurait pu être la sienne si les choses avaient tourné autrement.

Arrivés au pont de Blackfriars, ils s'arrêtèrent à hauteur de la travée. Charlotte contempla le fleuve qui tourbillonnait en dessous et les barges qui s'engouffraient sous les arches.

Foole sentit un frisson le parcourir. C'était une journée sombre, un après-midi sombre.

C'est donc ici que tu as sauté ? demanda-t-il.

Charlotte resta silencieuse.

Tu fais bien des mystères, dit-il.

Elle le regarda d'un air de reproche. La circulation des attelages sur le pont était bruyante, les conducteurs criaient, des porcs qu'on conduisait à l'abattoir poussaient des hurlements atroces.

Tu ne fais pas confiance aux gens, dit-elle.

J'aurais eu confiance dans notre enfant. Il n'avait pas eu l'intention de dire ça et la regarda, surpris. Excuse-moi, ajouta-t-il.

Mon enfant, corrigea-t-elle. Mais il est mort.

Oui.

Ils se turent un instant. Puis Charlotte secoua la tête et reprit : Je suis arrivée par là. C'était la nuit, William Pinkerton était à mes trousses et ne me lâchait pas. J'avais l'impression d'être poursuivie par un taureau furieux. J'ai compris aussitôt arrivée ici que j'avais commis une erreur. J'ai enjambé la rambarde, à cet endroit, et suis restée un instant sur le parapet. Puis je me suis laissée tomber. Charlotte regardait le fleuve en dessous, les yeux dans le vide. J'ai cru que j'allais mourir, dit-elle. Je ne sentais plus rien. Et je n'arrêtais pas de penser à mon enfant. Il y avait une rivière près de l'endroit où nous nous étions arrêtés ce jour-là, précisa-t-elle. Je me souviens que nous sommes descendus sur la berge et que je l'ai enveloppé, puis couché dans un petit berceau. La rivière était haute, je l'ai aussitôt perdu de vue. Je n'arrêtais pas de revoir cette scène.

Foole hocha la tête en fixant le fleuve boueux, les mains agrippées à la balustrade en fer. Il pensait au chariot des confédérés dans lequel il avait failli mourir vingt ans plus tôt, à l'eau noire qui envahissait ses poumons, au jeune soldat qui se débattait à ses côtés. Et à la silhouette d'Allan Pinkerton le regardant partir pour le Sud, vers sa propre mort.

Charlotte posa sa petite main gantée sur sa manche. Il frissonna. Ce qui a été fait par amour doit être jugé par l'amour, dit-elle. C'est toi qui me l'as dit jadis.

Les yeux de Foole se posèrent sur son poignet. Une infime étendue de peau était visible entre son gant et le bord de sa manche.

Tu ne t'en souviens pas ?

Une nuée d'oiseaux s'envola au loin sur la berge, on aurait dit que l'air frissonnait. Le ciel s'assombrissait, les remous du fleuve étaient plus profonds. Des caboteurs à vapeur passaient au fil de l'eau, des braseros allumés sur leurs ponts.

Il vaut mieux rentrer, dit-il. Nous devons partir tôt demain matin. Et il y a encore des choses à préparer.

Il l'observait tout en parlant et vit poindre sur son visage une tristesse qu'il ne connaissait pas.

Tu as changé, dit-elle.

TRENTE-NEUF

Le mercredi, William se rendit à pied jusqu'à Half Moon Street et s'arrêta quelques instants pour contempler l'Emporium. Il comprit aussitôt que Foole alias Shade n'était plus là. Les rideaux étaient tirés, aucune fumée ne sortait des cheminées. Il posa sa main gantée sur le portail en fer, jeta un regard derrière lui dans la rue. Margaret aurait pu lui dire à cet instant précis qu'on ne vit pas avec ses regrets. On décide de faire ce qu'on doit faire le moment venu et la vie poursuit son cours. La porte d'entrée s'ouvrit brusquement et William se retourna, surpris.

C'était l'employée de maison de Foole. Une forte femme, un châle jeté sur les épaules et le bonnet de travers.

Mon maître n'est pas à la maison, lança-t-elle.

William s'avança d'un pas. Pensez-vous qu'il sera bientôt de retour ?

Elle marqua une pause, le dévisagea d'un air concentré. C'est vous qui êtes venu il y a deux semaines, dit-elle.

Oui, dit William en s'immobilisant.

Vous avez bousculé la petite.

Il ouvrit le portail et s'avança. C'était un malentendu, dit-il, et je le regrette. Je suis en relation avec Mr Foole. La petite est-elle là ? Puis-je lui présenter mes excuses ?

Elle est partie à la campagne elle aussi. Nous sommes en train de fermer la maison.

William monta les marches du perron. Par la porte il distinguait le vestibule élégamment meublé. Le ménage avait été fait, un chiffon traînait encore sur un guéridon dans l'entrée. Au fond du couloir une jeune fille aux traits émaciés le dévisageait dans l'embrasure d'une porte, une brosse à la main, mais elle s'éclipsa dès qu'elle l'aperçut.

Quand Mr Foole doit-il revenir ? reprit-il.

Je serais bien incapable de vous le dire. Vous connaissez les aléas du commerce.

Il est parti pour plus d'une semaine en tout cas, puisque vous fermez la maison.

Oui.

Plus d'un mois peut-être ?

La femme le fixa d'un œil soupçonneux.

Il y a sûrement une adresse où je pourrais lui écrire.

Dieu sait quand il aurait votre message.

Et Mr Fludd ? Est-il encore ici ?

Écoutez, répondit-elle d'une voix agacée, nous avons du travail à ne plus savoir qu'en faire, ma fille et moi. Vous feriez mieux de partir à présent, Mr Pinkerton.

Il la regarda, surpris, et se rapprocha.

Oui, lança-t-elle, je sais qui vous êtes. Et je connais les individus de votre espèce.

Quelle espèce ? demanda-t-il doucement.

Elle serra les dents. Vous avez trahi la confiance de mon maître, vous devriez avoir honte de vous être comporté de la sorte. Et de persécuter un homme aussi bon que lui.

Elle fit volte-face et referma la porte. Quelques instants plus tard, William l'entendit repousser les verrous. Il avait l'impression d'avoir franchi un seuil qui ne lui permettait plus de revenir en arrière. Il regarda ses chaussures, mal à l'aise, avant de relever les yeux et de contempler la rue.

La masse brune du brouillard s'épaississait.

Mais Foole n'était pas encore parti, malgré ce que prétendait son employée. William en avait la certitude, tout comme il était convaincu que l'élégant escroc était responsable du vol d'*Emma*. Il s'assit devant une fenêtre, dans un restaurant qui donnait sur un square désert. Tout en mangeant il sortit de la poche de son manteau la vieille photo des hommes qui travaillaient avec son père à Cumberland. La silhouette floue et encore un peu enfantine de Shade était bien reconnaissable. Puis il regarda son père, barbu et le regard féroce, la main plongée dans la poche de sa redingote comme pour en retirer une arme. Il était décidément étrange, songea-t-il, que le jeune homme qu'il avait formé et le fils qu'il avait élevé aient été condamnés à s'affronter un jour dans une ville étrangère, hantés l'un et l'autre par des drames bien différents.

L'après-midi, il se rendit à Scotland Yard et trouva Shore en bras de chemise, la tête plongée entre ses coudes et ronflant sur son bureau. Il était entré sans crier gare et contempla l'inspecteur en chef, surpris.

William, murmura Shore en soulevant la tête et se frottant la joue, l'air encore endormi.

Je ne voulais pas vous réveiller.

Entrez donc. Et fermez cette porte, bon sang.

William s'exécuta. Je vois que la matinée a été rude.

C'est la nuit qui l'a été. Un cinglé s'est mis à assommer les prostituées à coups de marteau au sud de Ludgate. Ce qui n'était évidemment pas du goût des honnêtes gens. Enfin, peu importe. Vous avez lu les journaux ? George Farquhar débarque ici quasiment tous les jours. Il ne tient plus en place.

Ma foi, cela doit être éprouvant pour lui.

Pour lui ? grommela Shore. Vous n'avez pas idée de la pression que je subis. Farquhar dîne régulièrement avec lord Hattersby. Il connaît la moitié des membres du Parlement. Ce n'est pas quelqu'un dont j'aimerais avoir à annoncer la ruine.

William fronça les sourcils d'un air compatissant.

Le voleur du tableau ne s'est pas encore manifesté, reprit Shore. Cela devrait être le cas d'ici un jour ou deux. Nous nous rendrons au domicile de Mr Farquhar dès que cela aura lieu. Il leva les yeux, marqua une pause. Votre présence a été requise.

Ma présence ?

Oui. Farquhar compte apparemment vous engager. Pour assurer sa protection ou quelque chose de ce genre.

Il est donc décidé à accepter l'échange ?

Je n'ai pas pensé un instant qu'il en irait autrement.

Aucune plainte ne sera donc déposée.

Non. Ce qui nous empêche d'arrêter les auteurs du vol. Le dossier que vous avez constitué autour de votre Mr Shade devra attendre encore un peu. Il n'y avait toutefois aucune ironie dans l'intonation de Shore, comme s'il partageait la déception de William. Mr Blackwell m'a informé que vous aviez bouclé avec succès tous les deux le dossier de Charlotte Reckitt, continua-t-il.

Oui. Sauf qu'il ne s'agissait pas d'elle.

Je sais.

C'est étrange, dit William avec une ombre de sourire. Nous n'avons même pas la preuve qu'elle soit réellement morte. Peut-être refera-t-elle surface un jour et m'aidera-t-elle à remonter jusqu'à Shade, après tout. À moins que Farquhar ne change d'avis entretemps.

Cela m'étonnerait. Il a l'intention de négocier. Il veut récupérer son bien, William. C'est compréhensible.

C'est Edward Shade qui a fait le coup, John. J'en ai la certitude.

Cela ne change rien. Vous ne pouvez pas arrêter cet homme sans motif.

J'en trouverai bien un.

Pas à Londres, William. Dois-je vous le répéter une fois de plus ? Je n'ai vraiment pas envie de devoir gérer les faux pas d'un célèbre détective américain accusé d'autodéfense.

William regarda Shore et un déclic se produisit en lui. Breck a fini d'analyser cette lettre, c'est ça ?

Les yeux de Shore s'étrécirent. Pendant tout ce temps, dit-il, j'ai cru que vous poursuiviez un fantôme, votre père et vous. Il saisit sa pipe et l'alluma avant de pousser le pot de tabac vers William. Les deux hommes fumèrent un moment en silence, environnés d'une légère nuée blanche. Oui, dit enfin l'inspecteur en chef. Les empreintes sont bien celles de votre Edward Shade.

Le salopard, murmura William. Je le savais.

Mais vous ne pouvez rien faire pour autant, William.

Leurs regards se croisèrent.

Non, dit William. Légalement je ne peux rien faire.

QUARANTE

La diligence de Portsmouth avait pris la direction du sud à la lueur rougeoyante du soleil levant qui éclairait peu à peu les visages de Foole et de Charlotte, leurs épaules, leurs mains gantées posées sur les couvertures qui enveloppaient leurs genoux. Un vent glacial sifflait par les parois fissurées, laissant passer les voix du conducteur et du jeune passager qui avait pris place à ses côtés, sur le siège avant. Le conducteur était un homme déjà âgé arborant une grosse écharpe verte et des gants aux extrémités coupées. Dans la pénombre de la cour d'auberge, avant le départ, il avait observé ses passagers en soufflant dans ses mains mais sans faire le moindre geste pour les aider à charger leurs bagages sur le toit.

Charlotte paraissait inconsolable. Elle regardait sans dire un mot le paysage défiler, les fermes succéder aux fermes, les fumées s'élever des cheminées. Foole la guettait du coin de l'œil sans la déranger. Il sentait naître en lui une vague tristesse mais n'était pas en mesure de la partager.

À midi, la diligence arriva à Guildford. Foole et Charlotte descendirent à l'auberge locale et se retrouvèrent dans la cour, sous l'auvent de l'entrée principale, leurs deux modestes malles à leurs pieds. Charlotte pénétra à l'intérieur pour voir s'il était possible de manger quelque chose. Il y avait un seul plat au menu, un ragoût de bœuf aux carottes et aux oignons. Foole mangea son assiette de bon cœur mais Charlotte ne toucha pas à la sienne. Sitôt ce déjeuner avalé, ils traversèrent la basse-cour et rejoignirent une petite étable tout au bout du sentier. Charlotte y pénétra et demanda si un certain Hadfield Crooke était dans les parages.

Un petit homme rasé de près et au cou en partie recouvert par une tache de naissance sortit de l'étable en enfilant sa redingote. En quoi puis-je vous être utile ? leur demanda-t-il.

Mr Crooke ?

Oui.

Nous vous avons écrit, dit Charlotte, et vous nous avez répondu que vous pourriez nous louer une voiture à cheval.

C'est exact, madame, marmonna l'homme.

Mais le véhicule qu'il leur montra était une simple charrette dénuée de toit à laquelle était attelée une jument famélique. Foole alla examiner les roues qui étaient en piteux état et se dirigea vers la porte.

Faites comme vous l'entendez, lui lança le nommé Crooke. Mais vous ne trouverez rien d'autre à vingt kilomètres à la ronde.

Foole le salua d'un petit geste. Nous nous débrouillerons. Tu viens, Charlotte ?

Mais Charlotte s'était approchée de la jument squelettique et avait posé la main sur son flanc. Paie cet homme, lui dit-elle. Nous allons prendre cette charrette.

Ils chargèrent leurs malles à l'arrière de la charrette et se mirent en route au début de l'après-midi en direction de Midhurst. Leur progression était souvent ralentie par les flaques de boue qui avaient gelé dans les anfractuosités du sol. Ils se trouvaient dans l'ouest du Sussex et longeaient des bosquets de chênes et des collines parsemées de bornes médiévales qui marquaient jadis les limites des propriétés. Une brume hivernale s'étendait au ras du sol et s'écartait sous les roues de leur charrette avant de se refermer derrière eux, comme s'ils n'avaient jamais existé.

Ils firent halte à Midhurst dans un froid glacial. Ils détachèrent leur monture famélique dans la cour d'une auberge et allèrent lui donner à manger. Dans la salle commune, ils commandèrent de la bière et deux grands verres de cidre chaud et se réchauffèrent près du feu, sans adresser la parole à quiconque. Puis ils allèrent récupérer leur jument et se remirent en route. Ils traversèrent la rivière Rother et roulèrent encore pendant cinq kilomètres en direction du sud, jusqu'à Heyshott. Le village semblait désert, abandonné, lugubre. Ils longèrent l'église entourée de ses stèles funéraires et la petite pelouse communale que traversait un chien solitaire, avant d'arriver en vue d'un pub à l'enseigne de La Licorne. Charlotte et Foole remarquèrent aussitôt la présence du gros fourgon d'un noir d'ébène qui était garé près des étables avec ses armoiries royales, ses fenêtres grillagées et ses lanternes jumelles déjà allumées dans la lumière déclinante. Il s'agissait bien sûr du véhicule chargé du transport des prisonniers.

Charlotte fouilla dans sa malle et en sortit un épais manteau de laine, un pantalon d'homme et une paire de bottes qu'elle fourra dans une grande sacoche avant qu'ils ne pénètrent dans le pub. L'établissement était bondé, enfumé, un tapis de braises rougeoyaient dans la cheminée. Foole regarda Charlotte mais elle paraissait distante, froide, aux aguets. Les prisonniers étaient évidemment restés dans le fourgon.

Je ne le vois pas, dit Foole.

Charlotte ne répondit pas. Elle se leva et resta un moment debout jusqu'à ce qu'un garde vêtu d'un manteau rouge et portant une matraque à la ceinture s'approche de leur table. Il tenait à la main une chope à moitié vide et leur adressa un bref signe de tête.

Vous arrivez de Londres, c'est bien ça ? leur lança-t-il aimablement.

Charlotte lui adressa un regard froid. Asseyez-vous, Mr Bailey, lui dit-elle.

J'étais sûr que c'était vous, dit l'homme en baissant la voix. Nous nous apprêtons justement à changer d'attelage.

Charlotte avait sorti de son manteau une petite bourse en feutre qui cliqueta lorsqu'elle la posa sur la table. Voici le reste de ce qui vous est dû, dit-elle.

Bailey jeta un regard prudent autour de lui avant d'empocher la bourse.

Où est-il ? demanda-t-elle.

Le garde grimaça un sourire. Ils sont dix-sept là-bas dedans. On leur a servi de la soupe aux pois et un petit verre pour faire passer le tout, et ils vont aller faire un tour aux chiottes. Sauf votre respect, ajouta-t-il en portant la main à son chapeau.

Comment comptez-vous procéder ?

Oh, c'est bien simple, je m'occuperai de lui en dernier. Il est au courant de ce qui doit se passer ? Il ne va pas se mettre à beugler, au moins ? Comme ils ne répondaient ni l'un ni l'autre, Bailey haussa les épaules. Bon, c'est moi qui les recompterai avant que nous repartions et on ne devrait pas s'apercevoir de sa disparition avant notre arrivée à Portsmouth. Et mon rôle s'arrête là, conclut-il en jetant un coup d'œil à Charlotte.

Foole fronça les sourcils. Vous partirez dans combien de temps ?

Un quart d'heure tout au plus. Je devrais déjà être dehors. Vous êtes arrivés juste à l'heure, je me demandais si vous n'aviez pas eu des ennuis.

La route était mauvaise, se contenta de dire Charlotte. Emmenez-le aux toilettes, Mr Bailey. Nous nous chargerons du reste.

Ils attendirent dix minutes puis se levèrent et sortirent dans le froid. Ils firent le tour du pub et s'installèrent dans un coin en regardant Bailey qui conduisait les prisonniers un à un dans la petite guérite avant de les ramener dans le fourgon. Ils entendaient les deux autres gardes hurler des ordres, au milieu du lourd cliquetis des chaînes. Finalement Bailey apparut aux côtés d'un vieil homme à la silhouette frêle et pénétra avec lui dans les latrines. La porte se referma derrière eux. Une minute puis deux s'écoulèrent. Bailey ressortit seul et regagna le fourgon à bord duquel il grimpa pour remettre les fers aux pieds des prisonniers.

Attends, dit Foole en posant la main sur le bras de Charlotte. Je vais y aller en premier.

Les lourdes portières du fourgon se refermèrent et furent verrouillées à double tour, puis deux gardes montèrent à l'avant, le troisième allant se percher à l'arrière. Les fouets claquèrent, les chevaux se mirent en marche, le véhicule s'ébranla et s'éloigna bientôt à vive allure.

Foole laissa Charlotte et traversa la cour argileuse. Il ouvrit d'un geste la porte des latrines et découvrit Martin Reckitt qui clignait des yeux dans son uniforme de prisonnier et le contemplait d'un air ébahi.

Vous, balbutia-t-il. C'est donc vous qui avez combiné ça.

Foole maintint la porte ouverte pour laisser passer la lumière. La guérite était étroite, d'une saleté repoussante, il en émanait une vieille odeur d'urine et d'excréments. Martin Reckitt était livide et Foole avait de la peine à reconnaître en lui le dangereux criminel qu'il avait entrevu à Millbank. Ce n'était plus qu'un pauvre hère, une pitoyable créature. Foole s'accroupit, examina les chaînes qui entravaient ses chevilles. Il connaissait ce modèle qui datait d'une bonne trentaine d'années et en viendrait aisément à bout.

Qu'est-ce que vous faites ? lui demanda le vieil homme. Que se passe-t-il ?

Que savez-vous au juste ?

Tuez-moi sans plus tarder, lança le vieil homme. Si vous en avez le courage.

À cet instant la porte échappa à la main de Foole. Il fit volte-face, prêt à tout, mais ce n'était que Charlotte et il se retourna juste à temps pour voir le regard de Martin Reckitt, bouche bée, qui découvrait sa nièce en chair et en os.

Le vieil homme se mit à trembler et se pencha imperceptiblement vers elle. Puis il la prit dans ses bras.

Seigneur Dieu qui êtes aux cieux, murmura-t-il. Seigneur trois fois Saint. Il se tourna ébahi vers Foole qui percevait son haleine fétide. Comment est-ce possible ?

Ses mains tremblaient.

Nous n'avons pas le temps, dit abruptement Charlotte en le repoussant. Adam, occupe-toi des chaînes.

Foole alla chercher dans sa malle sa petite trousse à outils, jeta un rapide coup d'œil autour de lui et rejoignit ses compagnons. Il s'agenouilla malgré la saleté du sol et il ne lui fallut que quelques minutes pour libérer le vieil homme de ses chaînes, qu'il jeta ensuite dans le trou des latrines.

Charlotte ouvrit sa sacoche et en retira les vêtements. Foole aida Martin Reckitt à se déshabiller. Sa peau était noire de crasse, son ventre et ses cuisses étaient parsemés de croûtes.

Charlotte, balbutiait-il sans paraître gêné. Ma petite Charlotte.

Plus tard, lui lança sèchement Foole. Il faut que nous décampions d'ici au plus vite.

Le vieil homme ne le regardait pas et ne l'avait peut-être même pas entendu.

Charlotte elle-même regardait son oncle avec inquiétude, comme s'il s'agissait d'un étranger. Elle se rendit soudain compte que Foole l'observait. Son visage se ferma, elle repoussa la porte et s'éloigna.

Ils quittèrent la cour de l'auberge, tassés dans la charrette. La jument épuisée sous son harnais les tirait à grand-peine et l'obscurité commençait de s'étendre sur la campagne environnante.

Martin était assis entre eux, frêle et tremblant, et ne quittait pas Charlotte des yeux. Aucun d'eux ne parlait. Foole ne distinguait pas l'expression du vieil homme et Charlotte fronçait les sourcils, évitant le regard de son oncle. Il ignorait ce qu'elle éprouvait au juste mais cela ne relevait visiblement ni de la joie ni du soulagement.

L'obscurité fut bientôt telle qu'ils ne furent plus en mesure d'avancer. Ils conduisirent la charrette à l'écart de la route sous un bosquet de chênes. En poussant un peu plus loin, ils découvrirent les restes d'un foyer, un cercle de pierres noirâtres où gisaient encore les restes d'un petit animal. Dans la pénombre, Foole alla ramasser des branches mortes, puis ramena une brassée de paille de la charrette. La paille prit feu d'un coup et il recula, écartant les étincelles à l'aide de son chapeau.

Elle est encore mouillée, dit-il. Cela ne produira pas beaucoup de chaleur.

Martin ne disait rien. Charlotte avait disparu et Foole crut qu'elle était allée chercher un peu de nourriture dans la charrette.

Cela fera tout de même un peu de lumière, murmura-t-il.

La lumière est constamment présente, déclara Martin d'une voix calme. Il ne tient qu'à nous de l'apercevoir.

Foole s'accroupit et rajouta une branche dans le feu.

Nous croyons être au centre du monde mais rien n'est plus faux, reprit Martin en regardant Foole. Je m'en rends compte à présent. Cette histoire n'est pas la vôtre, Adam Foole, pas plus qu'elle n'est la mienne. Elle appartient au Seigneur et à Lui seul. Et Il la racontera comme bon Lui semble.

Foole comprit que quelque chose ne tournait plus très rond ou avait basculé de manière irréversible dans l'esprit du vieil homme. Ce n'était pas de la folie à proprement parler mais n'en relevait pas moins d'une forme de dérèglement. Il leva les yeux. L'obscurité était totale à présent.

Il faut que nous trouvions quelque chose à manger, dit-il au bout d'un moment.

Martin Reckitt ne semblait pas l'entendre. Il était assis sur la souche d'un arbre abattu et contemplait le feu, sa tête tremblait à l'extrémité de son cou comme une fleur sur sa tige. Ce n'est pas mon corps qui a faim, dit-il. Je n'ai pas de mots, les mots me manquent pour désigner cela. C'est une chose terrible, Adam Foole. D'avoir vécu toute sa vie grâce aux mots et d'en être brusquement démuni. Surtout en un pareil instant.

Qu'entendez-vous par là ? lui demanda Foole.

Mais le vieil homme ne répondit pas.

Lorsque Charlotte émergea dans l'obscurité derrière son oncle, on aurait dit un spectre tant son visage était livide. Elle enserra d'un bras le front du vieil homme, tira sa tête en arrière et de son autre main lui planta dans le cou la lame d'un poignard, tranchant d'un geste sa carotide. Un jet de sang noir gicla sur la terre couverte de mousse avant de se déverser de sa gorge en un flot bouillonnant et de se répandre sur sa redingote. Il émit un grognement étouffé, ses yeux roulèrent en arrière et il s'écroula brusquement sur le sol.

Foole avait bondi. Grand Dieu, Charlotte ! s'exclama-t-il.

Elle leva sur lui un regard horrifié et se mit à trembler.

Le vieil homme était étendu le visage dans la mousse, son sang se déversait sur le sol gelé.

Elle ne disait rien, les doigts toujours crispés sur le poignard.

Foole eut un mouvement de recul, il venait de comprendre. C'était donc ça ton plan, murmura-t-il. Depuis le début.

Charlotte regardait Foole sans le voir mais reprit brusquement ses esprits. Elle eut un petit frisson et fit volte-face.

Il la vit rassembler ses affaires et les fourrer dans une sacoche, puis la suivit jusqu'à la charrette qu'ils avaient louée. Elle ramena la jument et lui remit lentement son harnais.

Il y a cinq ans, dit-elle enfin, un homme m'a abordée dans un pub de Lambeth, me prenant pour une prostituée. Il m'a dit que j'étais le portrait craché d'une femme qu'il avait aimée jadis et qui s'avéra être ma mère.

Foole frissonnait dans la nuit froide. Le feu continuait de brûler un peu plus loin sous les arbres.

Il m'a parlé de mon père, en me disant que c'était un homme bon et intelligent, mais qui avait suscité le courroux d'une bande de malfrats. Ceux-ci l'avaient tué avant de provoquer la déchéance de ma mère. Je me suis rendue dans le quartier où ils avaient habité, j'ai retrouvé d'autres personnes qui les avaient connus. Et qui se souvenaient de moi. On a prononcé plusieurs fois en ma présence le nom de l'homme qui était responsable de leur malheur. Il n'y avait pas l'ombre d'un doute à ce sujet.

Martin.

Elle acquiesça. Elle s'était mise à trembler pour de bon à présent et une lueur sauvage brillait dans son regard. C'est lui qui a tué mon père, Adam. Et qui nous a fait expulser de notre logement, ma mère et moi. Lorsqu'il est venu me chercher par la suite dans cet orphelinat, ce n'était pas par charité. Mais par esprit de vengeance.

Tu aurais pu le laisser mourir dans son trou.

Et toi ? Qu'aurais-tu fait à ma place ?

Foole serra les dents. Il pensait à son propre père, à Mrs Shade, à la manière dont Allan Pinkerton avait posé sur son épaule une main paternelle. Où vas-tu aller à présent ? demanda-t-il. Que comptes-tu faire ?

Je ne veux pas que tu gardes ce souvenir de moi, dit-elle. Tu dois me prendre pour une horrible femme.

Absolument pas.

Cela viendra.

Son corps était à présent secoué de violents tremblements.

Attends un instant, dit-il. Il revint sur ses pas, alla chercher sa propre malle et la hissa à l'arrière de la charrette. Il l'ouvrit à la lueur de la lanterne, en retira une couverture, un sachet de biscuits salés et sa petite trousse à outils, puis il la referma et s'écarta du véhicule.

Tu pourrais venir avec moi, dit-elle.

Mais c'était impossible. Il secoua la tête. Il contempla son visage encore choqué à la faible lueur de la lampe en se disant qu'il ne la reverrait plus, cette fois-ci, et qu'il ne lui avait jamais connu une telle expression.

Elle ne récidiva pas sa proposition, saisit les rênes et fit faire demi-tour à la jument. La lueur orangée de la petite lanterne vacillait tandis qu'elle s'éloignait et disparaissait peu à peu dans les ténèbres. Elle ne s'était pas retournée, ne lui avait pas adressé un dernier regard.

QUARANTE-ET-UN

William et Shore furent introduits à l'étage dans les appartements privés de Farquhar par un individu au regard bovin qui était apparemment son majordome. La maison qui avait une allure de palais le soir à la lueur du gaz paraissait froide et austère le jour, avec ses colonnes de marbre blanc.

Farquhar se leva de son bureau d'époque pour les accueillir. Il était vêtu d'un costume noir à la coupe impeccable agrémenté d'un gilet vert et son visage trahissait une certaine anxiété. Eh bien, monsieur, que propose Scotland Yard? lança-t-il à Shore sans lui tendre la main.

Mr Farquhar. Vous vous souvenez sans doute de Mr Pinkerton.

Évidemment. Votre démonstration samedi dernier a fait une certaine impression à ma femme, monsieur. Ainsi qu'à moi, je dois le dire.

La pièce était étroite, toute en longueur. Le plafond était tapissé de panneaux en bois de cerisier et un manteau de cheminée en chêne laqué brillait comme s'il avait été huilé. Sur le bureau trônait un grand chandelier en argent à sept branches orné de symboles et de motifs gravés. Farquhar surprit le regard de William.

Vous admirez cet objet, monsieur? Il vient de Russie. C'est une menora, qui sert dans le rituel juif.

Les rabbins ne vous en veulent pas de l'exposer ainsi?

Farquhar eut un sourire indulgent, comme s'il s'agissait

d'une plaisanterie. Ma femme ne se sent pas très bien, reprit-il, sinon elle serait bien sûr présente à mes côtés pour vous accueillir. Je la pousse à prendre quelques jours de repos dans notre propriété du Yorkshire. Mais cette affaire l'a beaucoup contrariée elle aussi. Avez-vous vu ce que racontent les journaux, Mr Shore ? Les mensonges qu'ils colportent à mon sujet ?

Vous ne devriez pas accorder d'importance à de tels ragots, monsieur.

Ils prétendent que je serais impliqué, que j'aurais même monté cette affaire de toutes pièces. Et cela à seule fin de me faire de la publicité.

William ôta son chapeau, le posa sur le bureau et s'assit dans l'un des fauteuils sans y avoir été invité. Mr Shore m'a dit que vous n'aviez pas l'intention de porter plainte contre le voleur.

Les voleurs, corrigea Shore. Ils sont de toute évidence plusieurs.

Farquhar hocha la tête. Leur sort m'importe peu. C'est *Emma* qui m'intéresse. Je veux récupérer ce tableau, Mr Pinkerton. Et je ne lâcherai pas ces dix mille livres sans avoir l'assurance que ce sera le cas.

Shore était toujours debout et attendit que Farquhar soit retourné derrière son bureau pour s'asseoir à son tour. C'est mon métier de veiller à ce que tout se déroule au mieux, dit-il.

C'était votre métier de veiller à ce qu'un tel cambriolage ne se produise pas. Nos rues ne sont-elles plus sûres ? Je suis franchement étonné que vous daigniez mettre les pieds dans notre ville, Mr Pinkerton, alors que tant de crimes la défigurent tous les jours. Vous devez nous prendre pour des barbares.

Shore se racla la gorge et sortit de sa poche un petit carnet et un crayon. Si vous pouviez nous dire ce que vous savez, monsieur. Vous parliez à l'instant de dix mille livres. Dois-je en déduire que les voleurs sont entrés en contact avec vous ?

Farquhar acquiesça d'un air grave. Ils me réclament dix mille livres, la moitié en billets, l'autre en bons au porteur. Oui, leur lettre m'a été apportée ce matin par la personne qui représente leurs intérêts. Il écarta la menora sur son bureau et regarda Shore d'un œil sévère. N'est-il pas un peu étrange, monsieur, qu'ils aient ainsi recours à un représentant légal ? Cela ne les rend-il pas vulnérables ?

Vulnérables ?

Eh bien, ne pourriez-vous pas remonter jusqu'à eux par l'intermédiaire de cet homme ? De ce Gabriel Utterson ?

Utterson, murmura William.

Shore lui jeta un rapide coup d'œil. Gabriel Utterson est relativement connu, Mr Farquhar. C'est un homme intelligent mais qui n'a pas la moindre éthique. Le problème, monsieur, c'est qu'il agit dans cette affaire de manière parfaitement légale. Tout le monde a le droit d'avoir un conseiller juridique. Et, à moins que vous n'acceptiez de porter plainte, le Yard n'a aucun motif légal pour intervenir dans ce dossier.

Mr Pinkerton, dit Farquhar en glissant le pouce dans la poche de son gilet, sur la recommandation de Mr Busby, l'un de mes plus vieux amis, j'aimerais m'assurer vos services. J'ai cru comprendre que vos conditions étaient assez...

Henry Busby ? l'interrompit William.

Il a été très impressionné par vos méthodes, monsieur.

Henry Busby avait été victime d'un chantage concernant des pratiques sexuelles répréhensibles. Après avoir mené leur enquête, les agents de Pinkerton avaient toutefois découvert que ce célibataire aussi riche qu'excentrique se faisait chanter lui-même. Le directeur de la galerie n'était vraisemblablement pas au courant de la teneur de ce dossier.

Pouvons-nous régler les détails matériels, monsieur ? demanda Farquhar en pianotant sur son bureau.

Ce sera cinquante dollars par jour, plus les frais, répondit William sans hésiter. Il s'agit d'un tarif standard et non négociable. Nous remplirons les documents officiels ultérieurement.

Vous acceptez donc ma proposition ?

Je dois vous rappeler, Mr Farquhar, que l'Agence Pinkerton ne se substitue pas à la police officielle, intervint Shore.

Farquhar toisa l'inspecteur en chef d'un œil méprisant. Que les choses soient claires, dit-il. Je souhaite engager Mr Pinkerton afin de récupérer ce tableau en toute sécurité. Je n'ai pas l'intention de poursuivre les auteurs de ce vol. La revanche en l'espèce ne m'intéresse pas.

C'est peut-être un tort, dit William en faisant la moue.

Je vous demande pardon ?

En obéissant aux exigences de ces hommes, vous vous exposez à d'éventuelles récidives.

Ce sera la première et la dernière fois que j'obéirai à une telle injonction, répondit Farquhar avec gravité. Je veux bien faire cette concession demain, mais cela ne se reproduira pas.

Demain ?

La lettre stipulait que l'échange aurait lieu demain ? intervint Shore en tripotant ses favoris. C'est un délai bien court.

Farquhar lui tendit la lettre que lui avait remise Utterson et l'inspecteur en chef la parcourut.

La méthode de ces voleurs est tout à fait inhabituelle, reprit Shore. Généralement ils mettent des semaines, voire des mois à se manifester. Je suis un peu surpris par la vitesse avec laquelle se déroule cette affaire. Il releva les yeux. Vous allez devoir réunir la rançon en un temps record, monsieur. Je vous suggère de ne pas vous rendre seul à votre banque. Je peux envoyer quelqu'un pour vous accompagner.

William prit à son tour la lettre. Vous ne savez donc pas encore où l'échange aura lieu, si je comprends bien ?

C'est exact, monsieur. Leur représentant me communiquera les détails demain matin.

Shore opina. Passez me voir au Yard dès que vous les connaîtrez. Nous mettrons alors au point les derniers détails ensemble.

Comment tout cela va-t-il se dérouler, messieurs ? demanda le propriétaire de la galerie, un peu mal à l'aise.

C'est très simple, dit William. Vous suivrez leurs instructions à la lettre. Vous apporterez l'argent à l'endroit qu'ils vous indiqueront, vous le leur donnerez et ils vous rendront le tableau. Ce sont eux qui dirigent les opérations.

Et je suis censé leur faire confiance, monsieur ? Imaginer qu'ils seront suffisamment honnêtes pour me rapporter *Emma* ?

Oui monsieur, répondit William. C'est exactement ce que vous êtes censé faire.

QUARANTE-DEUX

Martin Reckitt gisait le visage livide contre le sol et Foole le contemplait à la lueur du clair de lune en mangeant lentement ses biscuits salés. Quelque chose s'était brisé en lui, que rien ne pourrait plus réparer. Pendant dix ans il avait rêvé de Charlotte, portant toujours sur lui son daguerréotype, la chérissant au fond de son cœur. Et pendant tout ce temps il s'était trompé de fond en comble sur son compte. Il finit par aller s'étendre à l'abri d'un bosquet de chênes le long d'un arbre abattu mais il ne dormit pas. Il n'arrivait pas à chasser l'étrange impression qu'il n'était pas seul. À l'aube il se leva, regarda le ciel et revint sur ses pas, contempla une dernière fois le cadavre raidi, fouilla dans les poches du mort pour en retirer le portefeuille que Charlotte lui avait donné et quitta définitivement les lieux.

Il parcourut six kilomètres à pied à travers les champs humides pour rejoindre Mildhurst et attendit l'ouverture de la poste, les chaussures trempées, afin d'acheter le billet du retour. Il se fichait que son attitude puisse paraître suspecte. Le train pour Londres s'arrêtait ici tous les matins à 10 h 15. Foole était l'unique passager sur le quai et grimpa à bord avec lassitude. Le contrôleur siffla, le moteur de la locomotive se remit lentement en branle et le train prit peu à peu de la vitesse. Il parcourut toute la ligne jusqu'à la gare de Waterloo et regagna Londres seul, silencieux et sombre.

Il ne parla du meurtre ni à Fludd ni à Molly.

Lorsqu'il émergea du brouillard jaunâtre à Penton Place, Fludd ouvrit la porte et le considéra. La maison que Mrs Sykes leur avait dénichée paraissait froide, ses propriétaires étaient partis pour plusieurs mois, les voisins ne leur accorderaient sans doute aucune attention. Le quartier était à la mode autrefois, ou du moins honorable, mais cela remontait à bien des années et les maisons enveloppées de brouillard offraient une apparence de misère et de désolation.

On dirait que tu as dormi à la belle étoile, grommela Fludd. Tu as encore des brindilles dans les cheveux.

Il claqua la porte derrière eux et tira les verrous.

Foole ôta sa redingote, dont le col et les poignets étaient encore mouillés, regarda autour de lui et l'accrocha dans un coin à une patère. Je mangerais bien un morceau, dit-il. Qu'est-ce que nous avons ?

Rien de chaud, en dehors d'un reste de porridge. Fludd recula en se grattant la barbe. Nous ne savions pas si tu allais rentrer seul, Adam.

Eh bien, tu peux le constater à présent.

Tout s'est bien passé ?

Foole haussa les épaules, il n'avait pas envie de parler de ça. Dis-moi où nous en sommes, reprit-il à la place. La charrette est-elle louée ? Avons-nous des nouvelles de Gabriel ?

Alors, qu'est devenue notre pimbêche ? lança Molly en surgissant du salon. Ses bottines lacées étaient couvertes de boue et laissaient des traces sur le tapis. Elle se tut en voyant l'expression de Foole.

Charlotte n'est pas revenue, répondit Fludd. Comme Adam nous l'avait dit.

Tout s'est déroulé comme prévu ? Vous avez sorti Martin Reckitt de son trou ?

Plus ou moins.

La fillette semblait percevoir sa détresse et le regardait d'une drôle de façon. Cette sollicitude le mit soudain hors de lui.

Il revoyait le visage de Charlotte devant le feu la nuit dernière. Elle ne l'avait peut-être pas trahi mais le moins qu'on puisse dire c'est qu'elle n'avait pas été tout à fait franche avec lui. Il pensait à la conversation qu'ils avaient eue devant le pont de Blackfriars. Elle avait bien essayé de l'avertir que leurs buts n'étaient pas forcément identiques. Il n'avait pas voulu l'entendre. Il releva les yeux et vit que Fludd et Molly le regardaient avec pitié.

Il se secoua. Nous avons du travail, lança-t-il. Où est ma malle ? Vous ne l'avez pas laissée Half Moon Street au moins ?

Fludd désigna l'escalier.

Elle ne m'a jamais inspiré confiance, Adam, lança Molly.

Ça n'a pas d'importance.

Et si elle débarquait ici ? demanda Fludd.

Ce ne sera pas le cas.

Mais si ça l'était ?

Nous ne la reverrons plus, lança Foole avec hargne. Ni vous ni moi.

Il avait remâché ce qui s'était passé entre Charlotte et lui pendant le long trajet qui le ramenait à Londres. Le pire était de n'avoir rien vu arriver. Il avait bien compris qu'elle n'était plus la même et il avait senti quelque chose, une sorte d'avertissement qui émanait d'elle, mais il n'en avait pas perçu toute la portée. Elle avait tué son oncle pour accomplir une vengeance que Foole pouvait comprendre. Il pensait à Allan Pinkerton et sentait une grande ombre noire lui étreindre le cœur.

Il laissa Fludd et Molly en bas, monta les marches avec lassitude et pénétra dans une chambre d'où partait une échelle qui permettait d'accéder au grenier. Foole la gravit et déboucha sur une pièce minuscule. Sa valise de voyage était posée sur un petit lit étroit. Une grande malle verte débordant de vêtements était coincée contre le mur à côté de plusieurs piles de paperasses et de dossiers. Un lavabo en porcelaine se dressait dans un angle, une serviette était pliée sur le rebord. Foole se lava les mains et le visage, se sécha avec la serviette. Lorsqu'il se retourna, il vit Fludd à son tour au sommet de l'échelle.

Qu'y a-t-il ? demanda Foole d'une voix moins aimable qu'il ne l'aurait voulu.

Il croyait savoir ce qui tracassait le géant mais il se trompait, et son apparition n'avait rien à voir avec Charlotte Reckitt.

Ta satanée Molly, lui dit Fludd, s'est mis en tête de conduire la charrette hier et est allée emboutir une échelle sur Lambeth Road, au sommet de laquelle se trouvait une plaque de métal tranchante comme un rasoir qui nous est tombée dessus et qui a coupé notre cheval en deux. J'ai failli être décapité par la même occasion.

N'exagère pas, lança Molly depuis la pièce du dessous.

Je n'exagère rien du tout.

Foole regarda Fludd qui remplissait l'ouverture de la trappe à lui tout seul. Il avait envie de repos, de solitude. Cela ne peut-il pas attendre ? demanda-t-il.

Molly se fraya un chemin à son tour et sa tête apparut au sommet de l'échelle. Un rat de la taille d'un cochon était en train de me grimper sur la cuisse, expliqua-t-elle. Qu'aurais-tu fait à ma place ?

Foole s'étendit sur le lit tout habillé et ferma les yeux. De quoi parlez-vous exactement ?

Notre cheval est mort.

Celui que vous aviez loué ?

Oui.

Foole rouvrit les yeux. En avons-nous un autre ?

Fludd regarda Molly, qui se mit à contempler avec intérêt une tache de graisse sur le mur.

Il faut en trouver un d'ici demain, dit Foole.

Fludd opina.

Quant à toi, Molly, tu vas aller chez Mr Appleby Barr et tu lui diras que nous réglerons nos affaires ensemble demain après-midi. Il s'est montré suffisamment patient à notre égard. Foole se frotta les yeux et ajouta : Attends une seconde, Japheth. À bien y réfléchir, loue-nous également une autre charrette. Quelque chose de voyant, de bien reconnaissable. N'y a-t-il pas un magasin près de la gare de Waterloo que la pègre fréquentait jadis ?

Oui, répondit Fludd. Je connais l'endroit.

QUARANTE-TROIS

Le vendredi arriva. William se réveilla tôt et se lava le torse et les bras à l'eau froide. Il s'habilla dans l'obscurité puis alla fumer sa pipe devant la fenêtre, les mains derrière le dos. En dessous, un cheval attelé passait comme un spectre dans la rue déserte et s'effaça peu à peu, avalé par la brume. Une minute plus tard, un balayeur apparut, nettoyant lentement le trottoir. Puis deux employés de bureau émergèrent, visiblement pressés. Le brouillard se dissipait.

L'échange devait avoir lieu le jour même. À huit heures, il saisit son pardessus, enfonça son chapeau sur sa tête et descendit. Après avoir traversé le hall de l'hôtel, il se rendit à la station de cabs la plus proche, à l'angle de la rue. Il n'avait pas pris de petit déjeuner et n'avait du reste pas faim. Il sentit un calme étrange l'envahir peu à peu tandis qu'il roulait vers Scotland Yard. Il avait déjà éprouvé ce genre d'impression et se dit que les choses risquaient de mal tourner aujourd'hui.

Il y avait quelque chose de lugubre et de pitoyable dans la grisaille qui émanait du Yard. Il salua de la tête le policier de faction à l'entrée et signa le registre, les doigts engourdis. Arrivé devant le bureau de Shore, il hésita un instant et jeta un coup d'œil dans le couloir avant de tourner la poignée et d'entrer.

Vous êtes en retard, grommela Shore, les mains à plat sur son bureau, une assiette de poulet froid devant lui. Vous avez déjeuné ?

Est-ce une invitation ?

Shore lui lança un regard en biais. Oui. Mais ce sera à vos frais.

William ôta son chapeau et se passa la main dans les cheveux. Où est Farquhar ? Il faut que nous mettions au point les derniers détails.

Shore haussa les épaules. Il est chez Gilly, avec Blackwell. Nous allons les rejoindre. Vous êtes prêt pour cette équipée ?

Et lui ?

George Farquhar est probablement plus solide que vous ne l'imaginez. Shore sortit une clef et ouvrit l'un des tiroirs de son bureau dont il retira un revolver et une boîte de cartouches. Vous avez fait du bon travail, Blackwell et vous, avec cet aubergiste assassin, reprit-il. J'ai signé le rapport hier et mes supérieurs étaient enchantés. Il ouvrit le barillet et chargea le revolver. Cela fait trente ans que je suis dans le métier et je suis toujours surpris par la manière dont peuvent tourner certaines affaires.

Je vous crois sur parole.

Moquez-vous de moi tant que vous voudrez. Mais je n'ai aucune honte à l'admettre.

Je vous crois sur ce point aussi.

C'est pour vous, dit Shore en lui tendant l'arme. Pour votre sécurité.

William sortit son propre colt déjà chargé de la poche de son manteau et le lui montra. L'inspecteur en chef grimaça un sourire. Sacré Pinkerton, dit-il en hochant la tête. Londres n'a qu'à bien se tenir tant que vous êtes là. Il marqua une pause et ajouta : Autre chose. Martin Reckitt a été retrouvé assassiné hier.

Assassiné ?

Oui.

William sentit son sang se figer. Il ouvrit puis referma les mains. Comment ?

Une évasion qui a mal tourné, selon toute vraisemblance. Ou une dispute avec les complices venus le libérer.

Peu importe. La chose a eu lieu pendant son transfert à Portsmouth, il a disparu lors d'un changement d'attelage en pleine campagne. Les autres prisonniers étaient apparemment de mèche. Un fermier de Heyshott a découvert son corps dans les bois, la gorge tranchée. Une femme qui n'était pas de la région a été aperçue dans l'auberge où la halte a eu lieu. Shore tendit à William un télégramme qui contenait une description détaillée de l'inconnue.

Il s'agit visiblement de Charlotte Reckitt, dit William en relevant les yeux, surpris.

Oui. Comment expliquez-vous ça ?

William s'assit. Il n'avait pas quitté son épais manteau. Je n'en ai pas la moindre idée, dit-il doucement. Vous pensez qu'elle a été assassinée elle aussi ?

Non, je pense qu'elle a fait le coup.

Vous voulez dire qu'elle aurait tué son oncle ?

Oui.

Ce n'est pas une meurtrière.

N'importe qui peut commettre un meurtre, William. Il suffit que les circonstances s'y prêtent.

William savait que Shore avait raison mais ce n'était pas ce qu'il avait voulu dire. Il ne répondit pas et se leva brusquement. Farquhar nous attend, dit-il en remettant son chapeau.

Shore l'entraîna dans le brouillard de Great Scotland Yard Street qui se dissipait peu à peu. Ils traversèrent le flot ralenti des fiacres et des charrettes avant de franchir le seuil étroit d'une taverne surmonté d'un auvent rouge. Gilly était un petit restaurant qui comportait à l'arrière quelques salons privés. Shore écarta un rideau, s'engagea dans un couloir au sol dallé et s'arrêta devant la troisième porte. Ce genre de tractation ne pose généralement pas de problème, dit-il en se tournant vers William. Mais je me méfie de la réaction de cet Edward Shore lorsqu'il découvrira votre présence. Soyez prudent.

Je le suis toujours.

Quoi qu'il en soit, j'ai demandé à Mr Blackwell d'assurer vos arrières. Il se tiendra à l'écart et restera dans l'ombre, cela va sans dire. Mais je ne veux pas vous envoyer là-bas sans protection, Mr Farquhar et vous. Ces gens ne sont pas des amateurs.

Si Shade voulait faire un carnage, il s'y prendrait autrement, John.

Shore lui adressa un regard apitoyé, comme s'il venait de dire une absurdité, puis ouvrit la porte. Blackwell était assis en bras de chemise devant une table. George Farquhar faisait les cent pas devant la fenêtre en fumant un cigare dont il tirait des bouffées saccadées. Il arborait un élégant manteau d'hiver complété par un chapeau gris. Il tenait à la main gauche une serviette en cuir noir aux fermoirs argentés.

Messieurs, lança William. Sommes-nous prêts ?

Blackwell se leva et les salua. Mr Shore, Mr Pinkerton…

William retira son manteau, le déposa sur une chaise et se dirigea vers le petit bar qui se dressait le long d'un mur pour leur servir quatre verres de sherry. Messieurs, dit-il, nous avons un certain nombre de détails à régler.

Farquhar le regarda d'un air interrogateur avant de s'asseoir à la table.

William désigna la serviette. Il s'agit de la rançon, je suppose ?

Oui.

Puis-je la voir ?

Non sans réticence, Farquhar lui tendit la serviette. Le compte y est, monsieur, je puis vous l'assurer.

William leva les yeux et fixa le propriétaire de la galerie. Puis il ouvrit la serviette, aperçut des liasses de billets et de bons au porteur qu'il se mit en devoir de compter.

Après avoir constaté que les dix mille livres étaient bien réunies, il regarda Blackwell puis Farquhar, et poussa un soupir. Avez-vous déjà été confronté à une négociation de ce genre ? lui demanda-t-il.

Pourquoi ? Le montant n'est pas exact ?

William lui rendit la serviette. Tout est parfait de ce côté-là, dit-il. Le problème, c'est qu'il ne faut pas que vous perdiez les pédales. N'oubliez jamais que vous n'êtes pas maître de la situation. Ce sont eux qui sont aux commandes.

Shore posa les mains à plat sur la table et intervint. Ce que Mr Pinkerton veut vous dire, Mr Farquhar, c'est qu'il a souvent participé quant à lui à ce genre de transaction. Il faut que vous lui fassiez confiance. Cela dit, vous n'avez aucune raison d'être inquiet. Mr Blackwell sera présent en civil à l'arrière-plan pendant toute l'opération, afin d'assurer votre sécurité.

Excusez-moi, répondit Farquhar avec une certaine gravité, mais je ne voudrais pas que ces individus découvrent la présence d'un officier de police et croient que je les ai trahis.

C'est une procédure normale, monsieur. Ils savent que nous allons agir ainsi.

Et ils ne me verront pas, monsieur, ajouta Blackwell. À moins qu'ils ne m'obligent à intervenir.

Farquhar regarda William. Cela vous semble-t-il correct, monsieur ?

William fronça les sourcils. Tout le monde veut aboutir au même résultat dans cette affaire, dit-il. Y compris les voleurs.

Vous faites allusion à la restitution d'*Emma* ?

Oui.

Et non à l'arrestation des criminels ?

William marqua une pause et opina.

Shore lui lança un regard en biais. Nous sommes bien d'accord, William ?

La lumière froide de février filtrait péniblement de la fenêtre. William croisa les mains sur la table.

Oui, dit-il d'une voix caverneuse. Entièrement d'accord.

Blackwell s'éclaircit la gorge. Nous pouvons y aller, messieurs ?

QUARANTE-QUATRE

Il était en train d'attacher son col quand Molly vint le trouver dans son bureau, une orange à la main. Elle s'assit en fronçant les sourcils.

Gabriel nous a envoyé un coursier, dit-elle. Pour nous dire que le type serait là-bas à onze heures.

Foole sortit du dernier tiroir de son bureau un petit coffret en bois de chêne qui contenait des postiches et des déguisements. Il porta finalement son choix sur une moustache grise et une paire de sourcils broussailleux, puis dévissa un pot de crème adhésive.

Le paquebot ne quittera Liverpool que dans six jours, reprit-elle. Je me disais que nous pourrions aller nous planquer au calme dans le Devon en attendant.

Non. Nous irons directement à Liverpool, cela nous évitera de voyager en train et d'être éventuellement repérés.

Molly ouvrit un tube qu'elle renifla en fronçant les narines.

J'ai envoyé Japheth régler les derniers détails et ramener la charrette. Nous serons là pour surveiller le bon déroulement des opérations. Tu te souviens du quai ?

Oui. Billingsgate Stairs. Elle se mit à peler méticuleusement son orange. Tu es sûr que le vieux Farquhar ne va pas nous jouer un tour de cochon ?

Sûr et certain.

Et s'il ne venait pas seul ?

Il serait le dernier des imbéciles s'il ne se faisait pas accompagner. Et George Farquhar n'est assurément pas un idiot. Les quais grouilleront probablement de flics, mais l'échange aura lieu au milieu du fleuve. Laisse passer une demi-heure après avoir récupéré l'argent puis reviens ici. Assure-toi que Gabriel aura bien recompté l'argent. Il sait qu'il peut prendre son temps, il a déjà participé à ce genre de transaction. Je ne m'attends pas à la moindre complication mais…

Je sais. Il faut se méfier de Gabriel Utterson.

Ce n'est pas Gabriel qui m'inquiète, rétorqua Foole. Il est suffisamment bien payé en la circonstance. Tu ne sais vraiment pas nager ?

Pas plus que la dernière fois que tu m'as posé la question. À part faire la planche, mais ça ne compte pas.

Foole esquissa un sourire. S'il y avait le moindre problème, dit-il, saute à l'eau et fais la planche en te laissant dériver vers la berge le plus rapidement possible.

Molly découpa l'orange en quartiers, en fourra un dans sa bouche.

N'oublie pas le rôle que tu joues dans cette affaire, Molly.

Oh, ne t'inquiète pas, je saurai bien retenir ce vieux barbon. J'ai entendu dire que sa femme était tellement secouée qu'elle s'était retirée à la campagne.

Oui, dans leur propriété.

Molly mâchait ses quartiers d'orange en fronçant de plus en plus les sourcils.

Qu'y a-t-il ?

Pinkerton ne va pas nous donner du fil à retordre ?

William Pinkerton ne souhaite probablement qu'une chose, dit Foole, c'est que tout se déroule au mieux ce matin. Et que l'échange ait bien lieu. Il doit se dire que sans ça il n'aura plus la moindre chance de nous mettre le grappin dessus.

Les flics vont forcément repérer Gabriel, dit Molly.

Sans parler de toi, Molly, ajouta Foole.

Pinkerton m'a déjà vue.

Gabriel ne commet aucun acte répréhensible, reprit Foole. Aucune loi n'interdit ce genre de transaction, qui reste dans la sphère privée. Le fait qu'on le voie participer à l'échange n'aura pour lui aucune incidence. Quant à toi, tu seras à leurs yeux une simple enfant des rues recrutée pour l'occasion. Tout en parlant, Foole avait appliqué les faux sourcils et la moustache sur son visage. De quoi ai-je l'air, attifé de la sorte ?

Molly le regarda et redevint aussitôt sérieuse. Sois prudent, Adam.

Je le suis toujours. Foole examina un instant le reflet de l'inconnu qui le fixait dans la glace avec ce frisson qu'il ressentait toujours dans ce genre de circonstances. Quant à Farquhar...

Nous l'abandonnerons sur le fleuve, je sais.

Oui. Et il serait préférable qu'il ne soit pas suivi. Foole ouvrit un pot de fond de teint et y trempa un doigt avant de l'étaler sur son visage.

Adam, murmura Molly.

Leurs regards se croisèrent dans la glace.

Je suis vraiment désolée que cela n'ait pas marché avec ta Charlotte.

Ma Charlotte. Foole baissa les yeux, regarda ses mains. Il ignorait ce que la fillette soupçonnait au juste mais elle était tout sauf idiote. À dire la vérité, dit-il, elle ne m'a jamais appartenu.

QUARANTE-CINQ

William tenait la serviette de Farquhar serrée contre sa poitrine. Les rues étaient animées, bruyantes, des marchands ambulants traversaient le pont de Londres, des rabatteurs couraient derrière les omnibus en annonçant leurs tarifs. Farquhar tenait d'une main ses gants en peau de chevreau, l'autre était enfoncée dans la poche de son manteau. Ils étaient descendus du véhicule de la police à l'extrémité de Threadneedle Street, en se conformant aux instructions, et William avait guidé le propriétaire de la galerie à travers ce quartier surpeuplé dans les effluves sulfureux et le halo jaunâtre du brouillard qui s'estompait, les odeurs de détritus et le grincement des charrettes tirées par des chevaux pantelants. Il s'était arrêté au pied de la statue de Cornwallis et regardait autour de lui.

Shade n'était nulle part en vue.

Un garnement coiffé d'une casquette rouge trop grande pour lui surgit devant eux en se rongeant les ongles. Z'avez une petite pièce, monsieur ?

Écarte-toi de là, aboya Farquhar.

William regarda le gamin qui le détaillait de la tête aux pieds. Z'étiez pas censé être là, dit-il avant de se tourner vers le propriétaire de la galerie. Z'êtes Mr Farter, je suppose ?

Pardon ?

Le gamin eut une mine excédée. Allons, maniez-vous. Z'aurez rien du tout si vous restez ici. Laissez votre gorille et suivez-moi.

Voyant que Farquhar ne réagissait pas, William intervint. Il doit s'agir de l'envoyé de Mr Shade, dit-il. Nous allons devoir le suivre.

Farquhar le regarda. Ce gosse ? dit-il d'un air dégoûté.

Z'attendiez qui au juste ? lança le gamin. La reine en personne ?

C'est bon, dit William en s'avançant. Nous te suivons.

Le gosse ne bougea pas. Z'étiez pas prévu au programme, dit-il. On m'a dit d'amener seulement celui-là.

Personne ne fit un geste. Le gamin considéra William pendant quelques instants comme s'il pesait le pour et le contre. Il haussa finalement les épaules et se mit en route, les conduisant vers le fleuve dans un dédale de ruelles et d'arrière-cours. Ils finirent par déboucher sur un quai en pierre où se pressaient une foule de passagers, d'employés et de badauds, au pied d'une pancarte qui annonçait : «Bateaux à vapeur du pont de Londres.» Il ne quitta pas Farquhar d'un pouce et se fraya un chemin à coups d'épaule parmi cette marée humaine. Le vacarme et la cohue travaillaient en faveur de Shade, il le savait bien.

Où est ton patron ? lança-t-il. Il nous attend ici ?

Le gamin l'ignora.

Ils descendirent une volée de marches en bois si raides que William faillit perdre l'équilibre. Au pied du petit embarcadère en planches qui flottait à l'ombre du pont, la Tamise était noire, glaciale, agitée d'une écume livide. Dans les petites guérites sur lesquelles il était écrit en grosses lettres ON PAIE ICI, les vendeurs haranguaient les clients. Mais le gamin les contourna et s'engagea à vive allure sur une étroite passerelle en bois qui longeait l'arche du pont.

Il les conduisit jusqu'à un entrepôt délabré où les employés des compagnies annonçaient à grands cris la destination des ferrys au milieu de la foule des passagers qui attendaient leur tour. Ils étaient à Billingsgate Stairs et Shade n'était toujours pas en vue. Au milieu de la cohorte des caboteurs qui accostaient et repartaient, un vapeur à la coque peinte en rouge se tenait à l'écart. Trapu dans sa vareuse, le capitaine les observait, accoudé au bastingage. Le pont de l'embarcation oscillait au gré des remous du fleuve. William déchiffra le nom du vapeur : le *Goliath,* écrit en lettres bleues au-dessus de la ligne de flottaison. Il comprit tout à coup ce qui allait se passer. L'échange allait avoir lieu au milieu du fleuve.

Quoi ? s'exclama Farquhar en ralentissant l'allure. Nous allons devoir monter sur ce bateau ?

Où est le problème ?

Farquhar regarda William droit dans les yeux. J'étais à bord du *Cricket* lorsqu'il a explosé, monsieur. Je n'ai jamais remis les pieds sur un bateau à vapeur depuis lors.

Sûr qu'après votre histoire de *Cricket,* rétorqua le gamin, z'allez pas aimer notre petite balade.

William le saisit par le bras. Je te connais, lança-t-il. Où t'ai-je déjà vu ?

Le gosse se libéra. William reconnut brusquement la fillette qu'il avait accostée devant le domicile de Foole à Piccadilly.

Son expression avait dû le trahir car la gamine lui lança un regard noir.

Moi aussi je vous connais, Mr Pinkerton, lui dit-elle sans l'ombre d'un sourire.

Le *Goliath* quitta le quai et s'engagea à vive allure dans le courant. Il y avait beaucoup d'autres embarcations sur le fleuve, de longues barges sombres avançaient prudemment à travers le brouillard. Le capitaine n'avait pas ouvert la bouche, sauf pour saluer vaguement la gamine, mais il ne quittait pas William des yeux. C'était un individu costaud, plutôt trapu, arborant d'énormes favoris et un grand chapeau noir bizarrement perché au sommet du crâne. William se dit qu'on avait dû louer ses services mais qu'il ne faisait vraisemblablement pas partie de la bande de Shade. Son colt dans la poche et la serviette sous le bras, il s'étonnait de ne pas avoir été fouillé. Le vapeur finit par ralentir. Le capitaine maintenait fermement la barre et la violence du courant fit lentement pivoter la proue. William vit alors se dessiner dans la brume les contours de l'autre bateau.

C'était une chaloupe à vapeur qui ressemblait un peu à leur embarcation, à ceci près que sa coque était peinte en vert et sa proue plus effilée. L'individu qui se tenait derrière le bastingage portait un long manteau bordé de fourrure dont le vent soulevait les pans et un costume crème agrémenté d'un chapeau blanc, comme s'il s'était trouvé sous les tropiques et non dans la rigueur de l'hiver londonien.

William sentit Farquhar se raidir derrière lui. Est-ce lui ? Est-ce l'homme que je dois rencontrer ?

William observait la scène mais ne répondit pas.

Vous deux, aboya la gamine. Restez où vous êtes et attendez.

William distinguait une deuxième silhouette à bord de la chaloupe qui apparaissait et disparaissait tour à tour dans le brouillard. Il glissa la main dans sa poche pour vérifier que son arme était toujours là. La chaloupe émergea alors de la brume et se rapprocha lentement pour venir se ranger le long de leur propre embarcation, ce qui permit à William d'apercevoir le pont. Il y avait bien deux hommes à bord. L'un se tenait à la barre. Quant à l'autre, l'homme en blanc, il ne s'agissait pas de Shade mais de Gabriel Utterson.

Mr Pinkerton, murmura Farquhar. Cet homme est leur mandataire, c'est bien ça ?

Oui, dit William en se secouant. Il s'agit en effet de leur représentant.

Farquhar observait le visage de William avec une certaine inquiétude. Y a-t-il un problème ? lui demanda-t-il. Vous attendiez quelqu'un d'autre ?

William vit la gamine ôter sa casquette et la fourrer dans son manteau. Elle grimpa sur le bastingage et se tint en équilibre au-dessus des eaux glacées tandis que la chaloupe approchait. William relâcha son revolver. Il avait été bien naïf de croire que Shade se montrerait en personne.

Tout va bien, murmura-t-il. Finissons-en.

Gabriel Utterson leur adressa un petit signe depuis le pont de la chaloupe. Le capitaine avait coupé le moteur et l'embarcation dériva lentement vers eux avant de se ranger le long de leur coque.

J'espère que vous n'êtes pas venus les mains vides, messieurs, leur lança Utterson.

William se contenta de brandir la serviette.

Utterson opina. Je vais examiner son contenu, si cela ne vous ennuie pas.

William confia la serviette à la gamine qui se tenait sur le bastingage. Elle la saisit, fit volte-face et sauta par-dessus le vide et les eaux noires pour atterrir dans la chaloupe. Sous le choc, les deux embarcations vacillèrent un instant l'une contre l'autre avant de s'immobiliser à nouveau.

Mine de rien, William sortit son revolver.

Où est le tableau, monsieur ? murmura Farquhar. Je ne le vois pas.

Un peu de patience, Mr Farquhar.

Et s'il s'agissait d'une entourloupe ?

William le regarda. D'après mon expérience, dit-il, ce sont généralement les escrocs qui sont encore les moins malhonnêtes dans ce genre de transaction. Ils n'ont aucun intérêt à vous tromper, monsieur. Ils se contentent de gagner leur vie à leur manière. Soyez patient.

Farquhar considéra d'un œil inquiet le brouillard qui les enveloppait.

Utterson s'agenouilla, enveloppé dans son lourd manteau. Il ôta ses gants et ouvrit la serviette. Personne ne disait un mot. Les deux bateaux oscillaient doucement au gré du courant. L'avocat finit par se relever et adressa un signe de tête à Molly avant de refermer la serviette. Le moteur de la chaloupe se remit en marche, lâchant un nuage de vapeur blanche. Farquhar était à deux doigts de défaillir.

Du calme, lui dit William.

La chaloupe se rapprocha, Utterson se hissa par-dessus le bastingage et parvint non sans peine à prendre pied sur le pont du vapeur. William s'avança et lui tendit la main pour l'aider à franchir l'obstacle.

Bon sang, s'exclama l'avocat. Quelle idée d'organiser un rendez-vous d'affaires dans un pareil endroit. Mr Pinkerton, on ne m'avait pas annoncé votre présence. Et vous êtes sans doute Mr Farquhar ? C'est un plaisir de vous rencontrer, même en de telles circonstances.

Ces circonstances ne tiennent qu'à vous, monsieur, lui répondit froidement Farquhar.

Utterson porta la main à sa poitrine. N'allez surtout pas croire que je cautionne ce genre de pratique, monsieur. J'agis afin que les intérêts de chacun soient assurés au mieux et je ne suis nullement partie dans cette affaire. Pas plus que je n'ai d'intérêt dans son dénouement.

Sauf si l'on nous escroquait, intervint William.

Je vous demande pardon ?

Si cette gamine disparaissait avec l'argent, vous seriez tenu pour responsable.

Ah, dit Utterson avec un petit sourire. Je me demande par qui.

Par moi.

Mr Utterson, reprit Farquhar brusquement excédé, je n'ai pas l'habitude d'attendre. Où est mon tableau ?

Nous y venons, monsieur, nous y venons. Utterson se retourna et fit un signe à la gamine qui cria quelque chose au capitaine de la chaloupe, laquelle se mit à reculer avant de s'éloigner dans le brouillard.

Elle part avec l'argent, Mr Pinkerton, aboya Farquhar. Il se précipita vers le bastingage qu'il empoigna avec rage.

William posa la main sur son bras. Un peu de patience, lui dit-il. Elle va revenir. Ils ne sont pas venus au rendez-vous avec le tableau. Leur confiance ne va pas jusque-là.

Et la nôtre ? s'exclama Farquhar. Jusqu'où peut-elle aller ?

William haussa les épaules.

Dix minutes passèrent, puis vingt. Au bout d'une demi-heure, Farquhar se mit à arpenter le pont, hors de lui. Lorsqu'une heure se fut écoulée, il alla s'asseoir au pied de la cheminée, où la chaleur du moteur était perceptible. L'air au-dessus du fleuve était glacé. Ils attendaient tous en silence et William commençait à se demander si on ne les avait pas arnaqués. Mais Utterson ne paraissait pas inquiet, il avait simplement l'air de s'ennuyer.

Ils finirent par entendre la chaloupe qui revenait et se profilait peu à peu à travers le brouillard. La gamine se tenait à la proue et serrait sous son bras un long étui cylindrique.

Votre tableau, monsieur, commenta Utterson.

Ils étaient gelés tous les trois. Tandis que la chaloupe venait se ranger le long de leur embarcation, la gamine balança l'étui par-dessus bord. Utterson le saisit au vol mais il lui échappa et alla rouler sur le pont avant de s'immobiliser contre le socle de la barre.

Farquhar, paniqué, s'empressa d'aller le ramasser.

Bon Dieu, jura-t-il, qu'est-ce que cette gamine a dans le crâne ?

Utterson jeta un coup d'œil à Molly. Je ne saurais vous dire, monsieur. Ce n'était pas très malin en effet.

Le vapeur s'était lentement remis en route vers le quai. Le capitaine était debout derrière la barre, le chapeau de traviole, et fumait paisiblement. William percevait le bruit des embarcations qui allaient et venaient sur le fleuve, étouffé par la brume. Farquhar avait déjà ouvert le couvercle de l'étui et sorti avec précaution la toile dont il se contenta de dérouler la partie supérieure.

Eh bien, monsieur ? s'enquit Utterson en se penchant vers le propriétaire. Êtes-vous satisfait ? Pouvons-nous regagner la terre ferme ?

Farquhar se tourna vers William. Il s'agit bien d'*Emma*, Mr Pinkerton. Mais il faudra attendre d'être en lieu sûr pour vérifier que la toile est en bon état.

Ce sera le cas, monsieur. J'en suis certain.

Farquhar enroula à nouveau le tableau et le remit dans son étui en cuir. Qui sont donc ces gens ? demanda-t-il brusquement avec un air de dignité blessée. Mr Utterson, vous avez décidément de bien douteuses fréquentations. Je ne serais pas très fier, à votre place.

Utterson se contenta de hausser les épaules, sans paraître offensé. Je suis au service de la loi, monsieur, et je sers au mieux ses intérêts. Un point c'est tout.

William se retourna juste à temps pour voir la chaloupe avec la gamine à son bord prendre de la vitesse et s'éloigner dans la brume. Il se leva, contourna les deux hommes et se précipita vers la barre pour ordonner au capitaine de la suivre.

Le capitaine saisit sa pipe et le regarda. Suivre cette chaloupe ? Au milieu d'un pareil trafic ? dit-il d'un air dubitatif. De surcroît j'ai été payé pour vous conduire au milieu du fleuve et ma mission s'arrête là. Il avait de puissants avant-bras de marin et un cou de lutteur, mais cela n'empêcha pas William de l'attraper par le revers de sa vareuse.

Suivez cette chaloupe, répéta-t-il. Cette affaire concerne la police.

Vous n'en faites pas partie, rétorqua l'autre. Mais il y avait de l'indécision dans son regard.

Mr Pinkerton, lança Utterson d'une voix sévère. Je dois vous mettre en garde, quelles que soient vos intentions. Mes clients ont fait preuve d'une totale franchise à votre égard et vous feriez bien de respecter les termes de ce contrat. Capitaine, tenez-vous-en aux consignes que vous avez reçues.

Le capitaine regarda William d'un air mauvais.

William sortit son colt de sa poche, l'arma et posa le canon sur le front du marin. Personne ne prononça un mot.

Très bien, dit le capitaine sans faire un geste. Nous allons suivre cette chaloupe.

William baissa son arme.

Le capitaine frappa à deux reprises sur la trappe qui donnait accès aux machines. Le vapeur prit aussitôt de la vitesse et le pont se mit à tanguer. La chaloupe avait déjà disparu dans le brouillard et William n'était pas certain de pouvoir la rattraper. Un vent glacial soufflait, les pans de son manteau claquaient derrière lui et il se pencha en essayant de suivre les oscillations du bateau pour ne pas perdre pied. Il aperçut du coin de l'œil Utterson qui s'approchait de lui. Il se tourna à moitié et brandit à nouveau son revolver. Il entrevit le visage livide de Farquhar qui avait fermé les yeux et serrait contre sa poitrine l'étui contenant le tableau.

Ne bougez pas, lança William.

Utterson s'immobilisa, levant les bras pour garder l'équilibre sur le pont qui tanguait. Que comptez-vous faire au juste, monsieur ?

William ne lui répondit pas. Il se retourna pour examiner à travers le brouillard les embarcations qui passaient. Des péniches chargées de charbon, des ferrys où les passagers étaient serrés comme des sardines, des barges où s'empilaient des caisses. Le capitaine ralentit soudain l'allure et lui montra la petite coque verte de la chaloupe qui se profilait au loin.

Ne la perdez pas de vue, lui lança William. Mais laissez-lui tout de même un peu d'avance.

L'embarcation où se trouvait la gamine s'était rapprochée d'un quai délabré sur la rive nord, juste après le pont de Londres. William la vit sauter à terre avant même que la chaloupe n'ait accosté et disparaître aussitôt au milieu de la foule. Il essayait désespérément de la suivre des yeux et enjamba le bastingage tandis qu'ils approchaient à leur tour de la berge. Il n'était pas question qu'il la laisse filer, cette gamine était le seul fil susceptible de le conduire jusqu'à Shade.

Mr Pinkerton, lança Farquhar derrière lui, vous ne pouvez pas m'abandonner de la sorte. Je vous ai engagé pour que vous assuriez le bon déroulement de cet échange.

Vous avez récupéré votre tableau.

Il n'est pas encore en sécurité, monsieur.

Il ne risque plus rien. William marqua une pause et regarda l'avocat. Mr Utterson ici présent a lui aussi été engagé pour assurer le bon déroulement de cette opération. Il est dans son intérêt de faire en sorte qu'il ne vous arrive rien, à *Emma* comme à vous. Sa réputation est en jeu.

Le visage du capitaine se profila derrière la barre. *Emma*? lança-t-il. N'est-ce pas le tableau volé dont tous les journaux ont parlé?

William fronça les sourcils. Mr Blackwell sera ici d'un instant à l'autre. Il vous suffit d'attendre son arrivée, Mr Farquhar. Il se tourna vers Utterson et lui lança un regard noir. Si jamais il arrivait malheur à ce gentleman, dit-il, je vous tiendrais pour responsable. Capitaine, lança-t-il ensuite.

Le marin le regarda.

Je vous remercie, dit William en portant la main à son chapeau.

Le quai était à portée à présent. Il sauta par-dessus le bastingage, retomba sur ses pieds et redressa son chapeau avant de se lancer à la poursuite de la fillette au milieu de la cohue.

QUARANTE-SIX

D'en haut, depuis le pont de pierre, Foole avait vu Farquhar et Pinkerton descendre de leur véhicule et se mêler à la foule. Il portait un costume d'ouvrier élimé et feignait d'avoir la jambe raide, en boitillant comme s'il était perclus d'arthrose. Pinkerton aurait pu l'apercevoir en contre-jour s'il avait levé les yeux mais il ne le fit pas. Il vit Molly s'approcher d'eux puis les conduire au bord du fleuve en direction de Billingsgate Stairs. Foole fit alors volte-face et se hâta de retraverser le pont. Fludd l'attendait, vêtu d'un tablier couvert de taches, flattant de la main les flancs de la jument pour la calmer. Leur fourgon était garé dans une cour crasseuse et ils n'échangèrent pas un mot en grimpant sur le siège avant. Fludd saisit les rênes et le véhicule se mit lentement en route, rejoignant en grinçant le flot de la circulation matinale.

Quelle heure est-il ? grommela Fludd.

Onze heures précises. Nous avons une bonne heure devant nous.

Tu t'es occupé du majordome ?

Un brusque drame familial l'a contraint de partir à la première heure ce matin. Sa sœur est menacée d'expulsion.

Fludd esquissa un sourire. Très bien. Et la cuisinière, les deux servantes ?

Parties toutes les trois à la campagne avec leur maîtresse.

Dans son impatience, Fludd fit claquer les rênes et la jument se cabra un instant sous son harnais. Ils progressaient lentement et n'atteignirent la résidence de Farquhar qu'au bout d'une demi-heure. Fludd gara le fourgon devant la maison, le long des bornes. Sur la porte du véhicule, on pouvait lire en grosses lettres rouges *ABBOTT Transports & Livraisons*. Fludd alla chercher à l'arrière une énorme caisse en bois qui était vide pour l'instant et sur laquelle figurait la mention FRAGILE. Foole saisit pour sa part plusieurs grandes sacoches marron, également vides.

C'était une matinée lumineuse, des dames déambulaient, escortées par des hommes coiffés de chapeaux de soie. Foole et Fludd les saluèrent d'un geste de la main en les croisant. Ils arrivèrent enfin devant les imposantes portes d'entrée et déposèrent leur chargement. Foole sortit de sa poche le trousseau contenant le double des clefs. Il les essaya calmement l'une après l'autre. La quatrième s'avéra être la bonne, la clef tourna deux fois dans la serrure et les lourdes portes en chêne de la résidence de George Farquhar s'ouvrirent devant eux. Les deux hommes jetèrent un bref coup d'œil derrière eux, ramassèrent la caisse et les sacoches et pénétrèrent à l'intérieur.

La maison était silencieuse. Ils savaient ce qu'ils cherchaient mais s'immobilisèrent néanmoins et tendirent l'oreille. Ils ne perçurent aucun mouvement, aucun bruit de pas. Foole avait expliqué la disposition des lieux à Fludd et les deux hommes s'avancèrent d'un même pas vers l'escalier. En cet instant précis, Farquhar se trouvait quelque part sur la Tamise, Pinkerton à ses côtés.

Ils se séparèrent au pied de l'escalier. Fludd poursuivit son chemin en bas vers la salle à manger, sa caisse vide à bout de bras, à la recherche de l'argenterie et de la vaisselle de valeur. Foole gagna l'étage et se dirigea aussitôt vers la chambre de Farquhar. Il fouilla d'abord les tiroirs à la recherche de ses boutons de manchettes, qu'il fourra les uns après les autres dans l'une des sacoches. Farquhar avait une belle collection de montres de gousset en or et en argent et il s'en empara également. Il découvrit ensuite un petit coffre-fort au fond d'une armoire, essaya les diverses clefs jusqu'à ce qu'il ait trouvé la bonne. À l'intérieur se trouvait une pile impressionnante de billets de banque et de bons du Trésor. Il fit main basse sur le tout. Ses gestes étaient vifs, précis, silencieux. Le coffre contenait également de nombreuses lettres mais il ne s'en occupa pas.

Il s'arrêta un instant dans le couloir de l'étage pour admirer une petite aquarelle représentant une vue de la Tamise et songea un instant à l'extraire de son cadre mais finit par y renoncer. Il passa ensuite dans le bureau de Farquhar et chercha la lettre qu'il avait déposée quelques jours plus tôt mais ne la trouva pas. Il s'assura même qu'elle n'avait pas été glissée dans la poche intérieure de l'un des manteaux mais en vain. Il fronça les sourcils, porta la main à son front et se retourna lentement. Par dépit, il s'empara d'un porte-plume et d'un encrier en or, d'un très joli presse-papiers en cristal et d'une édition de Shakespeare datant du XVIIe siècle. Puis il rejoignit le couloir en silence.

Onze minutes s'étaient écoulées.

En pénétrant dans la chambre de Mrs Farquhar, il s'immobilisa, la main sur la poignée, brusquement mal à l'aise. La pièce lourdement meublée était plongée dans la pénombre. Un énorme lit à baldaquin se dressait au milieu. Ses rideaux étaient tirés, ce qui était un peu étrange puisqu'il était inoccupé. Son malaise se dissipa néanmoins et il traversa la chambre en se dirigeant vers le bureau. Ce fut alors qu'il perçut un léger soupir, suivi d'un craquement de sommier.

Une main blême se profila, écartant les rideaux du lit, et la silhouette encore ensommeillée de Mrs Farquhar émergea peu à peu.

Foole s'immobilisa, puis se retira dans l'ombre à l'autre bout de la pièce. Mrs Farquhar avait les cheveux en bataille, les joues encore enduites de sa crème de nuit. Elle se tourna, secouée par une violente quinte de toux, avant de cracher à ses pieds sur le tapis. Puis elle s'assit en remuant les épaules, ouvrit et referma la bouche.

Foole retenait son souffle.

Mais elle ne regardait pas de son côté. Au bout de quelques instants, elle émit un grognement, enfila une paire de mules en velours et se leva pour aller prendre sa robe de chambre sur une chaise à côté du lit, avant de quitter la pièce. Foole se tenait toujours à l'autre bout de la chambre maintenant vide, encore sous le choc. Il se rapprocha de la porte à pas de loup et tendit l'oreille.

Mrs Farquhar descendait laborieusement l'escalier.

Il eut une pensée pour Fludd qui était en train de remplir sa caisse au rez-de-chaussée et songea un instant à descendre pour l'alerter. Il y renonça presque aussitôt. Le géant avait un don pour gérer ce genre de situation et saurait fort bien se débrouiller sans lui. Il reprit son exploration de la chambre. Le bureau n'offrait rien d'intéressant mais il trouva ce qu'il cherchait en ouvrant la porte de l'armoire. Un second coffre-fort y était dissimulé et là même clef permettait de l'ouvrir. Lorsqu'il découvrit son contenu, Foole n'en crut tout d'abord pas ses yeux. Il y avait deux étagères remplies de coffrets à bijoux. Il ouvrit le couvercle du premier et poussa un cri étouffé. Une bonne dizaine de colliers couverts de diamants scintillaient de tous leurs feux dans la pénombre, dégageant une lueur presque irréelle. Chacune de ces parures était d'une rare délicatesse. Il referma le couvercle et fourra le coffret dans une sacoche, ainsi que les suivants, sans se donner la peine d'examiner leur contenu. Cela fait, il referma le coffre puis la porte de l'armoire et se hâta de rejoindre le couloir.

La vieille dame ne réapparaissait toujours pas.

Foole atteignit le palier dans la pénombre. Il ne savait pas si Fludd s'était déjà aperçu de sa présence et se pencha par-dessus la balustrade. Il entrevit alors la silhouette massive de son complice caché derrière une colonne dans le hall d'entrée. Mrs Farquhar apparut au même instant de l'autre côté dans sa robe de chambre pâle, tenant à la main un plateau en émail où elle avait déposé un pichet d'eau et une assiette de poulet froid. Il la vit s'avancer, elle allait forcément contourner la colonne derrière laquelle le géant s'était dissimulé. Foole essaya d'attirer l'attention de son compagnon afin de le prévenir mais n'y parvint pas.

La vieille dame se rapprochait.

Foole redoutait le geste que Fludd allait devoir faire si elle découvrait sa présence. Il avait posé ses sacoches et s'apprêtait à enjamber la balustrade lorsqu'il vit son complice se déplacer en silence tout autour de la colonne au moment où elle arrivait, ce qui lui permit de rester caché. Mrs Farquhar poursuivit son chemin sans l'avoir vu.

Elle s'engagea ensuite dans l'escalier et Foole alla se planquer derrière une fougère en pot. Après l'avoir vue regagner sa chambre il souleva ses sacoches en silence, les serrant contre lui pour éviter que les bijoux ne fassent du bruit en s'entrechoquant, et descendit avec une extrême précaution l'escalier recouvert d'un épais tapis.

Fludd l'attendait en bas, sa caisse remplie dans les bras, et lui lança un regard furibond avant de se diriger vers la sortie. Puis les deux cambrioleurs se hâtèrent de décamper dans le brouhaha de la rue.

QUARANTE-SEPT

William surgit au sommet de l'escalier brinquebalant qui prenait sur le quai du pont de Londres. Les marches en bois vibraient sous son poids et les passants étaient obligés de s'écarter pour lui céder la place. Il ne voyait plus la fillette. Elle avait fait preuve d'un calme et d'un professionnalisme impressionnants ce matin, et il avait bien compris qu'elle n'avait pas tenu ce rôle par hasard et faisait véritablement partie de l'équipe de Shade. Il aperçut un lampadaire à gaz érigé sur un socle en pierre sur lequel il grimpa pour parcourir des yeux les files de véhicules qui se déversaient dans King William Street. Mais la gamine avait disparu dans la brume et le dernier lien susceptible de le conduire jusqu'à Shade venait de lui filer entre les doigts.

Un ramoneur qui passait pieds nus et le visage couvert de suie le salua en souriant. William détourna les yeux et aperçut tout à coup la fillette de l'autre côté du pont.

Elle se dirigeait vers Southwark, elle avait ôté sa casquette rouge et marchait à vive allure en zigzaguant entre les charrettes, le dos courbé et la serviette serrée contre la poitrine.

William quitta le socle d'un bond et se mit à courir. Il ralentissait tous les vingt mètres et se penchait par-dessus la rambarde pour ne pas la perdre de vue. Il finit par la rattraper et resta une dizaine de mètres en arrière tandis qu'elle quittait le pont et s'engageait dans le chaos industriel de Borough High Street.

La circulation était encore plus dense dans ce secteur. La fillette regarda derrière elle puis pénétra dans une minuscule confiserie. William rabattit son chapeau et alla se poster à l'abri d'un porche de l'autre côté de la rue. Au bout d'une dizaine de minutes, un homme vêtu d'un costume mal coupé sortit de la boutique en s'essuyant les mains sur son pantalon. Il se rendit jusqu'à l'angle du pâté de maisons, où se trouvait une station de cabs, détacha son cheval et grimpa sur le siège de son véhicule. La fillette apparut alors. La tête baissée, la casquette enfoncée sur les yeux, elle se dirigea d'un pas vif vers le cab et y monta.

William comprit trop tard ce qui se passait. Il poussa un juron et traversa la rue en courant mais le véhicule s'éloignait déjà. Il atteignit la station essoufflé et leva la main pour héler le premier cab de la file.

Oui monsieur, c'est pour aller où ? lui lança un jeune homme en quittant nonchalamment son abri, une pomme en partie croquée à la main.

William désigna le véhicule qui disparaissait déjà au milieu de la circulation. Je dois suivre ce cab, est-ce possible ?

Le conducteur suivit son regard. Celui qui a quatre roues, là-bas au fond ? Ma foi, cela devrait pouvoir se faire. Mais ça vous coûtera un ou deux shillings de plus.

Ne le perdez pas de vue et je doublerai la mise.

Topez là, monseigneur. Montez vite.

William se hissa à bord tandis que le conducteur sautait sur son siège. Le fiacre partit sur les chapeaux de roue. William agrippa la poignée en cuir et se pencha en essayant de distinguer les contours des véhicules dans la brume. Il pensait à Shade à l'époque où celui-ci avait connu son père, à la photographie qui avait été prise à Cumberland. Il sentait la colère monter en lui et serra les poings tandis que le fiacre poursuivait sa route à toute allure.

Le cab de la fillette s'arrêta devant un petit square au carrefour de Newington Butts. Des enfants noirs de crasse traînaient sur les porches et la carriole d'un rémouleur attendait devant la porte ouverte d'une demeure. Le fiacre de William poursuivit son chemin et s'immobilisa un peu plus loin devant la vitrine d'une épicerie sur Kennington Park Road. William descendit dans l'air froid et tendit un billet de cinq livres au conducteur.

C'est beaucoup trop, monsieur, lui lança ce dernier ébahi.

Mais William s'éloignait déjà. La fillette pour sa part n'avait pas ralenti l'allure et s'était engagée d'un air décidé dans Penton Place. C'était une rue morose comme on en trouvait tant dans le sud de Londres, avec sa rangée de maisons identiques tassées les unes contre les autres le long d'une chaussée boueuse. Il croisa quelques livreurs qui poussaient leur chargement entre les ornières et des éboueurs qui tiraient leur carriole à bout de bras. Une odeur fétide d'huile de baleine planait dans l'atmosphère à cause des ateliers installés juste à côté et il n'arrivait pas à la chasser. Son colt pendait lourdement dans sa poche et il posa la main dessus pour qu'il cesse de se balancer.

La fillette s'arrêta enfin et pénétra dans une maison sur la gauche. Un maigre parterre de fleurs s'étendait devant et des gonds rouillés étaient encore visibles à l'ancien emplacement du portail. De part et d'autre se dressaient les maisons noircies, lugubres et mélancoliques des dépossédés, avec leurs fenêtres béantes et leurs vieux panneaux À LOUER à moitié effacés placardés sur les vitres. Un peu au-delà, juste derrière la rangée de maisons, se profilait une voie ferrée où les trains passaient à grand bruit en lâchant des nuages de fumée.

William ne s'arrêta pas mais poursuivit sa route. Un visage blême apparut puis disparut à la fenêtre du salon, les rideaux retombèrent et retrouvèrent leur immobilité. Il ignorait si Shade se trouvait ou non à l'intérieur et continua de marcher en détournant la tête jusqu'à ce qu'il soit hors de vue. Il fit alors demi-tour, revint un peu sur ses pas et disparut dans l'ombre d'une tonnelle en face de la maison.

Il lissa ses moustaches du doigt, vérifia que son arme était toujours là.

Et attendit.

QUARANTE-HUIT

Fludd lâcha la caisse à l'arrière du fourgon avant d'y grimper lui-même pour la pousser contre la paroi du fond. Foole s'accroupit, attacha solidement les sacoches et alla s'asseoir à l'avant, sur le siège du conducteur. Aucun des deux hommes n'avait prononcé un mot, même s'ils saluaient de la main les dames qui passaient et si Fludd sifflotait en allant détacher la jument avant de monter à son tour et de saisir les rênes.

Ils se mirent lentement en route et se fondirent bientôt dans le chaos de la circulation. Ils prirent la direction du sud pour rejoindre le Strand, puis traversèrent la Tamise sous un ciel menaçant tandis que les barges et les péniches glissaient lentement à leurs pieds.

Des filets de fumée noirâtre déchiraient la brume au-dessus de Southwark, dans ce secteur où les usines s'activaient nuit et jour. Ils prirent la direction de l'est et arrivèrent bientôt devant les grilles de l'usine des frères Booth. Ils ralentirent alors l'allure et s'arrêtèrent quelques mètres plus loin. Appleby Barr occupait un petit bureau au premier étage sur l'arrière du bâtiment. Foole avait l'intention de lui céder la totalité de leurs prises, d'une part pour rembourser ses dettes mais aussi pour avoir à nouveau du crédit auprès du prêteur sur gages. Les dix mille livres que leur avait rapportées la restitution du tableau suffiraient à couvrir leurs dépenses pendant un certain temps. Alors qu'il s'apprêtait à descendre, Fludd posa la main sur son bras.

Il faut se montrer prudent, Adam. Ce type a probablement des gardes du corps lui aussi.

Foole opina. Il y a deux flics à l'entrée qui surveillent les allées et venues.

À son service ?

Sans l'ombre d'un doute. Mais avec les flics on ne sait jamais.

Tu ignores également ses intentions.

Foole s'arrêta et considéra Fludd. Barr n'a aucun intérêt à envenimer la situation, dit-il doucement. Je n'ai aucune inquiétude à ce sujet. Attends-moi ici un instant.

Il descendit, traversa la rue en scrutant les visages des indigents qui s'entassaient là et aperçut enfin l'individu qu'il cherchait, un gamin accroupi contre le mur d'une cour intérieure et vêtu de haillons deux fois trop grands pour lui.

Geoffrey, chuchota-t-il.

Le gosse lui lança un regard inquiet.

Foole sortit une guinée de la poche de son gilet et la lui tendit. La main du garçon tremblait. N'aie pas peur, lui dit-il. Prends-la donc.

Merci, Mr Foole, marmonna le gosse ébahi avant d'empocher la pièce. Je suis resté ici toute la matinée comme vous me l'aviez demandé et je l'ai vu arriver.

Il était seul ?

Il n'a jamais de garde du corps, si c'est ce que vous voulez dire.

Foole s'accroupit. Il y aura une autre guinée pour toi si tu accomplis encore une mission, dit-il.

Oui monsieur.

Les deux policiers dont tu m'as parlé, qui surveillent le bâtiment. Je voudrais que tu les appelles dans cinq minutes en leur disant qu'on a besoin d'eux dans la rue. Dis-leur qu'une charrette s'est renversée, qu'une femme a été blessée. Peux-tu faire ça pour moi ?

Dans cinq minutes ?

Foole lui montra l'horloge qu'on apercevait sur la façade d'un bâtiment de l'autre côté de la rue. Tu sais lire l'heure ?

Un sourire éclaira le visage crasseux du gamin.

Pour une guinée j'y arriverai, monsieur.

De retour au fourgon, Foole aperçut Fludd qui contemplait les grilles grandes ouvertes de l'usine et la cour qui s'étendait au-delà. Des caisses s'empilaient, des tonneaux étaient suspendus en l'air à des filets d'acier. Un homme en bras de chemise et portant un tablier en cuir sortit dans la rue, regarda sur sa gauche, souleva sa casquette et regagna l'intérieur de l'usine. Foole connaissait les lieux, il savait que derrière les lourdes portes blindées au fond de la cour des orphelins rampaient pieds nus au milieu des machines et astiquaient le sol sous l'œil des contremaîtres qui arpentaient les passerelles dans les hauteurs de l'édifice. Barr avait repris l'usine aux trois frères Booth quatre ans plus tôt en remboursement de leurs dettes, ce qui lui permettait de disposer d'une façade respectable pour le reste de ses activités. Il se rendait à son bureau trois fois par semaine, vérifiait les registres et recevait les clients comme n'importe quel industriel.

Attends encore dix minutes, dit Foole. Et va le trouver.

Tu ne viens pas ? s'étonna Fludd.

Foole secoua la tête. Je te retrouverai à Newington. D'ici une petite heure.

Tu as quelque chose de plus important à faire ?

En quelque sorte.

Le géant se pencha, incrédule. Tu ne parles pas sérieusement ?

Je dois absolument dire au revoir à quelqu'un que je connais de longue date et que je ne reverrai probablement jamais. Foole regarda son compagnon dans les yeux. Mr Barr nous attend, Japheth. Cela fait des années que je le connais. Il est à cran.

Il ne me fait pas peur.

Foole fit le tour du fourgon et grimpa à l'arrière. Il ouvrit la caisse que Fludd avait remplie et en examina le contenu. Tu as fait du bon travail, dit-il. Il y a largement de quoi le satisfaire. Il saisit un chandelier à sept branches en argent dont il observa un instant les inscriptions avant de le glisser sous son manteau et sauta du fourgon.

On lui fait un prix pour le lot, si je comprends bien ? demanda Fludd d'un air dubitatif. Tu veux que je fasse monter les enchères ?

Tires-en ce que tu pourras, lui dit Foole, mais ne pousse pas le bouchon trop loin. Ce que nous perdons au change, nous le regagnons en rentrant dans ses bonnes grâces. Nous n'en sommes pas de notre poche dans cette affaire.

Il se redressa, lui serra la main et partit à la recherche d'un cab. Une dizaine de mètres plus loin, il se retourna, en proie à un sentiment étrange. Fludd était assis dans le fourgon et le fixait dans une immobilité parfaite. Cette image le frappa comme une sorte d'avertissement en provenance d'un monde qui n'existait plus, à propos d'un monde qui n'existait pas encore.

QUARANTE-NEUF

William n'attendit guère plus d'une demi-heure avant de voir arriver un vieil homme dans un costume noir élimé qui s'engagea dans Penton Place, enjamba allégrement une flaque d'eau et se dirigea vers la maison qu'il surveillait. Malgré son déguisement, il l'avait reconnu au premier coup d'œil.

Il patienta mais aucun rideau ne fut tiré, aucune lumière ne s'alluma, personne ne se montra pour accueillir le nouvel arrivant. Il n'avait pas davantage aperçu Fludd, l'homme de main de Shade. Au bout d'un moment, William émergea de l'ombre, traversa la rue, monta les marches du perron et frappa du plat de la main contre la porte d'entrée.

Shade! cria-t-il. Shade!

Il donna même un coup de pied dans la porte. Mais comme il n'obtenait aucune réponse et n'entendait aucun bruit à l'intérieur, il recula en levant les yeux vers la façade. Tout était éteint, il n'y avait pas le moindre signe de vie.

Il s'installa sur le trottoir juste devant la maison, sortit son colt et vérifia méthodiquement, une à une, que les cartouches étaient bien en place dans le barillet. Il savait que Shade l'observait et comprendrait ainsi qu'il ne plaisantait pas. Puis il s'avança d'un pas nonchalant et donna un violent coup de coude dans la vitre de l'entrée. Après quoi il passa la main par l'ouverture et déverrouilla la porte.

Il s'interrompit, tendit l'oreille, jeta un coup d'œil derrière lui dans la rue avant de se résoudre à entrer, les poings serrés.

Il laissa ses yeux s'accoutumer à l'obscurité, entendit une vieille horloge égrener les secondes et le bois craquer de toutes parts dans la maison. Des éclats de verre gisaient à ses pieds. Derrière les portes ouvertes du salon, il distinguait une table en acajou rouge sang, une cage à oiseau vide, un escalier qui se perdait dans l'ombre.

Edward, lança-t-il. Je suis venu vous parler.

Silence, obscurité. Il tenait son colt à bout de bras le long de son corps.

Montrez-vous, cria-t-il.

Une porte claqua et William se mit en mouvement. Il perçut un brusque mouvement dans l'angle de son champ de vision, se retourna et vit la fillette qui jaillissait des ténèbres en brandissant un tisonnier. Il ne put refréner son geste, saisit l'enfant à la gorge et serra de toutes ses forces tout en lui arrachant le tisonnier de l'autre main, avant de la repousser violemment en arrière. La gamine alla heurter le mur et s'écroula au milieu des débris. Ses membres étaient repliés d'une curieuse façon mais elle respirait toujours. Il baissa les yeux et vit du sang couler le long de sa propre main.

Il entendit soudain un grognement furieux qui s'élevait depuis le perron de la maison et fit volte-face.

C'était Fludd, l'homme de main. Il surgit dans la pièce en rugissant et en brandissant un long poignard. William recula d'un pas mais sa semelle glissa sur le verre brisé. Il leva son arme et tira.

CINQUANTE

Foole entendit le choc et le bris de la vitre dans l'entrée. Durant une fraction de seconde il se dit que c'était impossible, qu'il avait dû rêver. Il était seul dans la maison avec Molly. Il venait à peine d'ôter ses postiches et se frottait le visage avec une serviette humide lorsque Pinkerton s'était mis à appeler Shade dans la rue. Foole savait qu'aucune plainte n'avait été portée contre eux et cela signifiait que le détective agissait de son propre chef, en dehors du cadre légal. Lorsqu'il comprit cela, la peur l'envahit pour la première fois.

Il se dirigea aussitôt vers sa valise grande ouverte et en sortit son vieux revolver. Il était un peu cabossé mais il l'avait soigneusement entretenu et maintenu en état depuis les jours lointains où il avait vécu ce calvaire en Virginie. Il vérifia qu'il était bien chargé avant de le caler dans la ceinture de son pantalon. Puis il saisit la serviette qui contenait la rançon de Farquhar et se précipita vers l'escalier de service.

Arrivé sur le palier du rez-de-chaussée, il sentit que son genou était en train de le lâcher. Il retint son souffle, ne poussa pas le moindre cri et ne ralentit pas l'allure. Il s'arrêta pour respirer un instant et fixa l'obscurité mais n'entendit rien. Molly apparut soudain à la porte de la cuisine.

Adam, chuchota-t-elle. File. Dépêche-toi.

Elle fit demi-tour et disparut. Il s'arrêta un instant, une main sur la balustrade, l'autre refermée sur son vieux revolver, la serviette coincée sous le bras. Il la revit brusquement qui guettait à la porte du côté de l'entrée.

Edward, lança une voix. Je suis venu vous parler.

Il faut y aller, Molly, dit-il doucement sans arriver à croiser son regard.

Montrez-vous, aboyait Pinkerton.

C'est toi qui l'intéresses, chuchota-t-elle. File. Je vais tâcher de le retenir et je m'enfuirai de mon côté.

Foole secoua la tête. Mais il savait qu'elle avait raison. De surcroît, ayant grandi dans les rues, elle avait l'habitude de la violence et savait se défendre. Il posa la main sur son bras. Tu sais où me retrouver, dit-il.

Elle opina d'un air furieux. File, bon sang.

Lorsqu'il se retourna, il l'entrevit, pâle et éthérée dans la pénombre, qui traversait la cuisine et se dirigeait vers l'entrée, un tisonnier à la main. Puis il entendit le détective qui déboulait dans la maison comme un taureau furieux. Foole ouvrit la porte de derrière et sortit dans le froid.

Lorsque le coup de feu retentit, il s'immobilisa devant la barrière qui protégeait la voie ferrée et voulut revenir sur ses pas mais s'interrompit aussitôt. La douleur qui lui élançait le genou était devenue intolérable. Il n'entendit pas d'autre détonation. Il était là sans trop savoir que faire, le manteau grand ouvert, le brouillard l'environnait de toutes parts. Il farfouilla dans la serviette et sortit le revolver, vérifia une fois de plus qu'il était chargé, regarda à nouveau à travers la brume et crut entrevoir un bref instant une silhouette qui émergeait de la porte de derrière et traversait le jardin, les yeux braqués sur lui.

Puis le brouillard se referma et ses contours disparurent à nouveau.

CINQUANTE-ET-UN

William dérapa, leva son revolver et tira, mais la balle alla se perdre sur le côté. L'énorme bras du géant s'abattit alors sur lui.

Il balaya d'abord le colt sans plus d'effort que s'il avait écrasé une mouche. Le revolver et le poignard tombèrent par terre et disparurent simultanément dans les ténèbres. L'avant-bras et le coude de William vibraient comme une barre de fer martelée sur une enclume. Il fit volte-face et tenta d'échapper à la poigne du géant mais n'y parvint pas. Le colosse l'étreignit et le souleva du sol.

Il n'arrivait plus à respirer, sa vue commençait à se brouiller, ses oreilles s'étaient mises à siffler. Il sentait l'odeur de vinaigre que dégageait la sueur du géant et sa barbe drue lui piquer le front. Il pensa soudain à Margaret et à ses filles au milieu des cerisiers en fleur dans leur jardin à Chicago. Il retroussa les lèvres et planta de toutes ses forces ses dents dans le visage du géant, lui arrachant du même coup un morceau de joue. Il sentit le sang couler dans sa bouche. Le géant fut parcouru d'un long frisson mais ne relâcha pas son étreinte. William lui assena alors un violent coup de tête en plein visage, qui fit voler son nez en éclats comme un fruit mûr tandis que le sang giclait de tous les côtés. Après quoi il réussit enfin à se libérer.

Il s'écroula sur le sol, haletant.

Le géant était tombé à genoux lui aussi, le visage plongé dans ses mains et secouant la tête dans tous les sens. William se remit sur pied tant bien que mal et ramassa en tremblant le tisonnier qui traînait par terre, à l'endroit où la fillette l'avait lâché. Il le souleva à bout de bras et l'abattit d'un coup.

Il ne s'attarda pas pour contempler le spectacle. Après avoir vu le géant s'effondrer, il gagna en vacillant la porte de derrière et aperçut au fond du jardin une silhouette qui se profilait dans la brume le long de la voie ferrée. Il savait qu'il s'agissait de Shade. Puis le brouillard s'épaissit et il s'élança du mieux qu'il pouvait. Il y avait un portail au bout du jardin que prolongeait une volée de marches grossièrement creusées dans le sol. Il les gravit, le souffle court, essuyant avec sa manche le sang qui coulait jusqu'à son menton et imprégnait sa moustache. Son bras droit pendait inerte à son côté.

Au sommet des marches, il se retrouva au bord d'une muraille de pierre qui dominait la tranchée où passait la voie ferrée. Il regarda les rails qui s'étiraient comme une longue incision en direction de la ville mais n'aperçut aucune trace de Shade. Les pierres glissaient sous ses pieds et des touffes d'herbe grise pointaient çà et là entre leurs fissures. William fit quelques pas, les façades arrière des maisons se profilaient dans son dos à moitié cachées par le brouillard. Le décor avait quelque chose de fantomatique et d'étrangement théâtral.

Et soudain il aperçut Shade.

Le voleur ne fuyait pas. Il se tenait en appui sur une jambe face à William tandis que celui-ci s'approchait. Le revolver avait l'air léger dans sa main, comme s'il faisait partie de son corps et constituait une simple extension de son poignet. Il le brandissait avec une violence insoupçonnée, sous-jacente, en direction de William qui s'immobilisa aussitôt.

Vous êtes seul ? lui lança Shade.

William ne répondit pas. Il se tenait à une dizaine de pas et savait qu'il ne devait pas s'approcher davantage.

Rentrez donc à Chicago, dit Shade. Cette histoire est terminée.

C'est vous qui le dites.

William.

Celui-ci avança d'un pas, levant ses mains tachées de sang. Et si vous me disiez plutôt ce qui s'est passé entre mon père et vous ?

Le brouillard glacé allait et venait autour d'eux comme un monstre informe, une créature vivante. Shade tourna lentement la tête et regarda la tranchée plongée dans l'ombre à leurs pieds comme s'il avait perçu l'arrivée d'un convoi. Au bout de quelques instants, William l'entendit à son tour. Les pierres vibrèrent imperceptiblement comme si le sol s'était mis à trembler. Un grondement sourd résonna dans le lointain.

Edward, reprit-il en passant un poignet ensanglanté sur son front.

D'où vient ce sang ?

L'arme était toujours braquée sur son cœur. Le grondement du train se rapprochait.

William regarda sa main d'un air surpris, comme s'il découvrait sa présence, avant de relever les yeux. Je ne les ai pas tués, s'écria-t-il. Ni la fillette ni votre ami Fludd.

Shade lui répondit mais le bruit du train couvrit sa voix. Il hocha alors la tête et cria d'un air furieux : Votre père n'aurait pas aimé que les choses se passent ainsi.

Ce n'est pas à cause de lui que je suis ici.

Vous lui avez sacrifié votre vie.

Le train apparut soudain en grondant, on aurait dit qu'il émergeait du sol noir dans un panache de fumée. Shade adressa à William un étrange regard, comme s'il s'excusait, et gagna en boitillant le bord de la tranchée. La fumée s'éleva autour de lui, la vapeur souleva ses vêtements et emporta son chapeau tandis qu'il serrait contre lui la serviette contenant les dix mille livres.

Attendez, lança William.

Pendant une fraction de seconde le voleur se tourna vers

lui, mais William ne distingua pas ses traits. Puis il fit volte-face, sauta dans le maelstrom et disparut.

Il ne découvrit pas la moindre trace de sang. Aucun corps n'avait été traîné, écrasé, ballotté le long des rails. Seul son chapeau était resté accroché à un buisson un peu plus bas après avoir été soufflé. William descendit la muraille pour le récupérer et resta un moment le chapeau à la main en regardant la tranchée à nouveau déserte autour de lui. Puis il remonta et aperçut une lanterne qui clignotait un peu plus loin dans le brouillard. Un agent de police s'était rendu sur les lieux, alerté par des voisins qui avaient entendu le coup de feu. Un coursier fut aussitôt envoyé à Scotland Yard, John Shore débarqua à son tour, la maison fut fouillée de fond en comble mais on ne trouva pas le moindre indice concernant l'endroit où Shade avait pu se rendre.

Edward Shade nous a quittés pour de bon cette fois-ci, déclara Shore au bord de la muraille qui surplombait les rails.

William ferma les yeux, les rouvrit. Margaret lui manquait tout à coup avec une violence qui le faisait trembler.

Oui, dit-il. Probablement.

Tout le monde souffre au bout du compte, il le savait. Personne n'est épargné. Certains mouraient aussi dans son propre pays. Le matin suivant, il se rendit au bureau des compagnies maritimes sur le Strand et acheta un aller simple pour New York. Le départ était prévu dans dix jours et lorsqu'il ressortit dans la rue il fut brusquement frappé par la beauté désolée qui émanait de la ville. Au-dessus de la Tamise, le ciel était d'un bleu limpide, glacial. Il se frotta les mains, hâta le pas et pénétra dans un café où il resta une heure près d'une vitre embuée à étudier les horaires des chemins de fer et à mettre au point un itinéraire. Il avait dix jours devant lui et s'était dit qu'il pourrait faire un tour à Glasgow. Il en avait assez de Londres.

À midi, il se rendit chez un modiste de Piccadilly et acheta plusieurs chapeaux ornés de grands rubans et de plumes d'autruche dans le style français pour sa femme et ses filles. Il donna son adresse à Chicago et recommanda au vendeur de les emballer avec soin. Pour son frère il fit l'acquisition d'une édition de Dickens reliée en cuir. Il écrivit à Margaret, puis à Robert. Il envoya plusieurs télégrammes pour préciser les détails de son arrivée à New York. Il regagna ensuite son hôtel et dormit d'un sommeil sans rêve. Il se réveilla le soir, ragaillardi. Il fit ses bagages, remplissant méthodiquement sa vieille malle de voyage, et glissa le dossier contenant les empreintes et les mesures d'Edward Shade entre ses vêtements. Il était convaincu que l'escroc n'était pas mort. Ce soir-là, il se rasa et utilisa l'eau chaude de son bain pour se rincer le visage avant de s'essuyer avec une serviette propre. Il regarda son reflet fatigué qui le fixait dans la glace, insatisfait.

On frappa à sa porte le lendemain matin, qui était un dimanche. Il alla ouvrir en bras de chemise et découvrit John Shore qui regardait ses pieds, le chapeau à la main. L'inspecteur en chef releva les yeux et lui dit : Il y a quelque chose encore qu'il faut que vous sachiez.

Ne devriez-vous pas être à l'église ?

Shore eut un sourire las et lui tendit un bout de papier sur lequel était griffonnée une adresse.

William le regarda. De quoi s'agit-il ?

C'est au sud-ouest de Londres, derrière Sands End. J'ai demandé à Mr Blackwell de se livrer à une petite enquête.

William le regarda, perplexe, et les deux hommes restèrent un moment silencieux. Shore finit par ajouter d'une voix bourrue : Il semblerait qu'elle ne soit pas morte, finalement.

Il posa la main sur l'épaule de William. Il y avait de la

douceur et même un peu de compassion dans son geste. Puis il remit son chapeau et s'en alla.

Il renonça à l'Écosse, finalement. L'après-midi même il prit place à bord d'un vapeur encombré sur le quai de Waterloo et remonta le fleuve dans le tumulte et la cohue avant de débarquer à Pimlico. La pluie menaçait et il prit une barque conduite par un vieil homme qui avait un accent à couper au couteau, au point que William ne comprenait pas la moitié de ce qu'il disait. Ils descendirent lentement vers l'ouest à la rame, passèrent sous les arches du pont de Battersea et finirent par atteindre Broomhouse Dock. Le ciel s'assombrissait de plus en plus. William déplia ses jambes engourdies et remonta une rue qui longeait une rangée de maisons avant de rejoindre Fulham Road. Il se mit à pleuvoir alors qu'il atteignait Walham Green. Il rabattit son chapeau sur ses yeux mais ne chercha pas à s'abriter. La pluie n'était pas très forte. Il dut demander son chemin à plusieurs reprises car aucune plaque n'indiquait le nom des rues, mais il finit par apercevoir le mur d'enceinte du cimetière de Westminster et la petite maison qu'il cherchait, face au monde des morts.

Il frotta ses semelles à deux reprises sur le paillasson en fer, puis frappa à la porte et attendit un long moment tandis que la pluie s'écoulait des gouttières. Il entendit enfin le bruit d'un verrou qu'on tirait et la porte s'ouvrit.

C'était une vieille femme qui se tenait devant lui, courbée et repliée dans ses hardes comme une bougie fondue. Sa main noueuse tremblait sur le chambranle de la porte. William secoua la tête en la regardant et elle le reconnut peu à peu à travers le brouillard de sa vue déclinante, en reculant comme si elle était confrontée à un spectre.

Vous n'êtes vraiment pas raisonnable, dit-elle tandis qu'une étrange lueur s'allumait dans son regard embrumé.

William tenait son chapeau à la main, l'eau ruisselait sur son visage. Sally, dit-il. Sally Porter.

La maison était petite mais bien chauffée car un feu brûlait dans la cheminée. William s'assit sur un canapé dans ses vêtements trempés. Il n'y avait pas de tapis sur le plancher qui craquait sous son poids. La pièce était carrée et le papier peint taché qui ornait les murs avait bien vingt ans d'âge. Le plâtre s'écaillait par endroits. Les mains de Sally Porter tremblaient et elle gardait les yeux baissés. William n'ôta pas son manteau. Sur une table dans l'angle était posé un élégant chandelier à sept branches en argent orné d'inscriptions et de symboles. Il n'eut pas à le regarder deux fois pour savoir d'où il provenait.

Je ne vous demanderai pas comment vous m'avez dénichée, dit-elle.

John Shore, dit William en haussant les épaules.

Ah. Ce John Shore n'a pourtant jamais été fichu de faire correctement son boulot.

Maintenant qu'il était là, il éprouvait une brusque tristesse et regrettait presque de l'avoir retrouvée. C'est une belle pièce, dit-il en désignant le chandelier. Une antiquité juive, me semble-t-il ?

Sally marmonna indistinctement.

J'ai reçu votre lettre, dit-il.

Je sais.

Vous avez donc renoncé à vos projets californiens ?

Elle lui lança un regard perçant. Elle était assise dans un rocking-chair et un chat blanc s'étira soudain sous la fenêtre avant de s'approcher d'elle et de sauter sur ses genoux. Elle plongea ses doigts noueux dans la fourrure de l'animal. William trouvait pénible et d'une certaine manière injuste d'assister ainsi au début d'un inexorable déclin. Edward Shade a disparu, lança-t-il en allant droit au but.

Elle opina de la tête mais son regard était dur.

Je suis venu pour que vous me disiez la vérité, Sally.

Je le sais bien.

Ses lèvres étaient sèches, sa langue épaisse comme du carton. Il pensait à la lettre que Sally lui avait écrite, à Edward Shade, et il essayait de rassembler les pièces de ce puzzle mais n'y parvenait pas. Voulez-vous bien m'en parler? demanda-t-il plus doucement. Me dire comment les choses se sont passées?

Vous ne le comprendriez probablement pas, dit-elle. Mais on voyait qu'elle hésitait. Elle marqua une pause et reprit : Ça a toujours été un bon garçon. Tout comme vous, Billy. Et c'est resté quelqu'un de bien avec l'âge, en dépit de tout.

Vous ne parlez tout de même pas de Shade.

Mais si.

Vous avez été en contact avec lui pendant toutes ces années?

Pas au sens où vous l'entendez.

William hocha la tête. Shade avait trahi mon père, dit-il doucement. Il lui a menti, l'a humilié. Mon père avait confiance en vous.

Arrêtez. On ne comprend pas un chat en lui faisant la peau.

À ces mots, le chat de la vieille négresse redressa la tête et se leva brusquement, avant de disparaître comme une ombre dans l'obscurité. William se mit debout, marcha jusqu'à la fenêtre aux vitres sales. Il sentait la colère monter en lui. Qu'aurait pensé Ben de tout ça? murmura-t-il.

Sally détourna les yeux, ses doigts noueux crispés sur ses genoux.

William comprit alors. Ben était dans le coup lui aussi ? Vous avez menti tous les deux à mon père pendant des années ?

Ne dites pas ça.

Et vous m'avez menti à moi aussi. Vous deviez être terrifiée en me voyant débarquer à Londres. Vous avez dû penser que j'étais là pour...

Non.

Et les objets que vous avez glissés dans votre lettre. J'imagine que c'est Shade en personne qui vous les a fournis.

Billy.

J'ai vraiment agi comme un imbécile, dit-il avec amertume.

Vous ne comprenez rien. Votre père aimait ce pauvre garçon comme s'il avait été son fils. Comme il vous aimait, Robert et vous. Et je ne dis pas ça pour vous faire de la peine.

Elle le regarda longuement, calmement, comme si elle le scrutait au plus profond. Mon pauvre Mr Porter a fini par le retrouver. Cela remonte à six ans maintenant. Il travaillait comme livreur à l'époque et suivait une petite voleuse à la tire qui le conduisit dans un parc. Et qui cette gamine rejoignait-elle ? Edward en personne. Celui-ci n'a pas eu un instant d'hésitation, il s'est avancé vers Ben et l'a pris dans ses bras en le serrant si fort qu'il a failli l'étouffer.

Il savait qu'il était traqué.

C'est vrai, il l'avait toujours su. À la fin de la guerre, poursuivit Sally, Edward est venu à Chicago pour trouver votre père qui venait de rentrer du Texas où il avait fait arrêter la bande de Mireau. Le jeune Edward s'est introduit dans son bureau armé d'un pistolet et d'un couteau.

William ne l'avait pas interrompue mais elle leva tout de même la main, comme pour repousser ses objections. Edward attendait votre père dans le seul but de l'abattre, reprit-elle. Il avait dix-huit ans et ruminait ce meurtre depuis un bon bout de temps. Il s'était assis derrière le bureau de votre père et vous écoutait tous discuter en bas dans l'entrée. Il croyait savoir ce qui s'était passé, il avait eu quatre ans pour y réfléchir et était arrivé à la conclusion que votre père avait envoyé Ignatius Spaar à Richmond avec pour mission de l'éliminer. Il pensait que votre père et le général McClellan étaient surveillés et ne pouvaient pas prendre le moindre risque après ce qui était arrivé à Timothy Webster, Lewis et Scully. Il fallait faire le ménage, pour reprendre ses termes.

Sally se frotta les lèvres puis releva les yeux. La seule chose que le jeune Edward ne parvenait pas à comprendre, c'était comment les services secrets confédérés avaient fait pour intervenir aussi vite. Ils étaient apparemment là avant même que Spaar ne s'approche de lui pour l'étouffer. Ils s'étaient battus et à peine avait-il tué Spaar qu'ils avaient déboulé dans la chambre à la vitesse de l'éclair.

Elle prit une longue inspiration et resta un moment silencieuse dans la pénombre, comme si elle avait perdu le fil de son récit. Mais elle finit par hocher la tête. Spaar avait été retourné et projetait bel et bien de l'assassiner. Mais qui lui en avait donné l'ordre ?

Pas mon père.

En tout cas il n'était pas le seul responsable, rétorqua doucement Sally. La vérité, c'est que Spaar avait été capturé par les confédérés le lendemain de son arrivée à Richmond et qu'il avait conclu un pacte avec eux pour sauver sa peau. Mais s'il avait réussi, s'il avait réellement tué Edward ? Les confédérés auraient tout de même fini par le pendre. Comme ils l'avaient fait pour Webster.

Pourquoi donc ?

Sally haussa les épaules. Tout le monde trahissait tout le monde à l'époque.

Sauf mon père.

Sauf votre père. Et Edward.

Une bûche s'effondra dans la cheminée. Comment savez-vous tout ça ? demanda William.

Sally ne répondit pas. Elle poursuivit à la place : Le jeune Edward ignorait tous ces détails lorsqu'il s'est introduit dans le bureau de votre père ce soir-là. Il avait bel et bien l'intention de le tuer et, quand votre père est entré et l'a aperçu, il l'a compris sur-le-champ. Il m'a dit un jour, beaucoup plus tard, que le regard d'Edward était à peine humain ce soir-là. Et qu'il lui avait fait peur. Une seule bougie était allumée dans le bureau, ils étaient quasiment dans l'obscurité, tout le monde s'apprêtait à aller dormir dans la maison, le domestique allait et venait dans l'escalier. Mais Edward n'a pas tiré, finalement. Il a regardé votre père et n'a pas pu. Et savez-vous pourquoi ?

William attendit la suite. Dehors la pluie s'était arrêtée.

Votre père s'était mis à pleurer. C'est ça qui a retenu Edward et l'a empêché d'appuyer sur la détente. Il n'émettait aucun son mais pleurait pour de bon. Edward a essayé de s'en tenir à son plan et lui a expliqué la raison de sa venue, pourquoi il le tenait pour responsable de ce qui lui était arrivé. Votre père l'a regardé et lui a dit qu'il comprenait mais ne voulait pas que votre mère voie son cadavre. Il lui a dit ensuite qu'il avait fait des recherches après la guerre pour le retrouver, qu'il avait donné sa démission dès 1862 en partie parce que le gouvernement avait refusé d'entamer des négociations pour sa libération. Il a ajouté que chacun devait faire ce qu'il avait à faire. Que s'il devait le tuer qu'il le fasse et prenne la fuite au plus vite. Après quoi il a fait quelque chose qui n'a fait qu'accroître la confusion du jeune homme. Il s'est levé, a contourné la table et l'a serré dans ses bras.

Shade ne lui a donc pas tiré dessus.

Edward pensait que c'était pourtant ce que votre père aurait voulu qu'il fasse.

Ils restèrent assis en silence un long moment.

Pourquoi ne m'avez-vous pas raconté cela plus tôt ? demanda enfin William. Pourquoi m'avez-vous menti ?

Toutes les vérités ne sont pas bonnes à dire, Billy. Il faut parfois en laisser de côté pour trouver le bonheur ou la paix. C'est une chose que votre père n'a jamais comprise.

Mon père.

Écoutez-moi bien, dit-elle d'une voix ferme. J'aimais votre père. Et mon pauvre Mr Porter l'aimait lui aussi. Jamais nous ne lui aurions refusé quoi que ce soit. C'est la vérité, Dieu m'en est témoin.

William la regarda sans colère mais elle tourna la tête. Il rabattit son chapeau mouillé sur ses yeux et se dirigea vers la porte. Arrivé là, il s'arrêta et demanda : Où est-il, Sally ? Où est-il allé ?

Cela, je serais bien incapable de vous le dire, maugréa-t-elle.

Où est-il, Sally ?

Elle humecta ses lèvres sèches, le regarda dans les yeux. Ne croyez surtout pas que je sois restée aveugle devant cette situation, dit-elle. Votre père avait parfois un caractère difficile et pouvait même se montrer injuste. Je sais comment les choses se sont passées entre vous. Et ce n'est pas moi qui ferai mine de l'oublier. Sa voix se brisa et une ombre s'étendit comme une grande aile sombre sur le mur du fond.

Où est-il ? demanda William pour la troisième fois.

Ah, Billy, dit-elle en grimaçant. Son visage n'était plus qu'un masque de douleur. Il est parti loin, très loin d'ici. En Argentine. Vous feriez mieux de renoncer à le suivre.

En Argentine, répéta-t-il. Il la regarda comme s'il pensait ne plus jamais la revoir. Savez-vous autre chose ?

Elle le fixa en silence de ses yeux vitreux.

Il ouvrit la porte et ajouta, le dos tourné : Vous pouvez remercier Dieu que mon père soit mort. Vous lui auriez brisé le cœur.

Il n'y avait qu'un seul paquebot qui se rendait directement à Buenos Aires et il ne devait pas quitter Liverpool avant le samedi suivant. Toute la semaine, William s'endormit tard, mangea beaucoup et régla ses affaires à Scotland Yard sans souffler mot à Shore ni à Blackwell de sa conversation avec Sally. Sa colère était retombée. Il avait tourné et retourné dans sa tête les révélations qu'elle lui avait faites en essayant de mettre un peu d'ordre et de sens dans toutes ces histoires mais n'y était pas arrivé. Le vendredi soir, il prit un train de nuit pour Liverpool, sortit de la gare le lendemain matin et se rendit aussitôt sur le port. Le soleil rouge s'élevait lentement dans le ciel derrière lui. Il descendit sur une jetée en bois, traversa des cohortes d'étrangers qui pleuraient, le visage plongé dans leurs mains. La douleur qui lui étreignait la poitrine commençait à s'estomper. Le paquebot à la coque sombre était amarré au quai qu'il remonta sur toute sa longueur. Il errait au milieu de la foule, dépassant la plupart des gens d'une bonne tête, et son chapeau le faisait paraître encore plus grand. Il était habillé en noir et personne ne soutenait son regard bien longtemps. Il n'adressait la parole à personne, n'avait aucun bagage, s'engagea sur la passerelle et monta à bord. C'était le dernier jour du mois de février 1885.

Il avait pleuré après les funérailles de son père mais cela avait été une marque de chagrin furtive, étrange, et ce qu'il ressentait à présent en voyant les gens agiter leurs mouchoirs, leurs bagages à la main, n'était pas de même nature mais y ressemblait un peu.

Il franchit plusieurs ponts et gagna le secteur des premières classes. Arrivé devant l'une des plus luxueuses cabines du navire, il fouilla dans ses poches mais elles étaient vides. Il saisit alors la poignée et constata que la porte n'était pas fermée.

Plusieurs malles étaient entreposées sur le sol à côté de l'alcôve occupée par le lit. Les affaires n'avaient pas encore été déballées pour la traversée. William détourna les yeux. Il entendit des femmes rire dans le couloir et referma la porte avant d'aller s'asseoir sur un petit canapé sous le hublot. Il se releva, fit les cent pas, se rassit. Sur le petit bureau était posé un quotidien qui n'avait apparemment pas été lu. Il le saisit et regarda les titres. Le journal datait d'une semaine et la une était entièrement consacrée au retour du tableau volé.

William avait entendu dire que Farquhar avait réussi à tourner cette affaire à son avantage et à se faire une formidable publicité. Un homme politique avait accusé les Russes d'être derrière ce vol. Le monde des hommes était décidément grotesque, songea William. Pour ne pas dire ridicule. Il entendit soudain gratter à la porte, la poignée tourna et Edward Shade pénétra dans la cabine.

Il aperçut immédiatement William mais se contenta de le saluer d'un petit hochement de tête avant d'ôter son chapeau et de lisser ses cheveux blancs. S'il était étonné de découvrir le détective dans sa cabine, il n'en laissa rien paraître. Il se fendit d'un léger sourire, traversa la pièce et revint avec une bouteille de porto et deux verres qu'il tenait par le pied.

J'espérais que vous alliez vous manifester, dit-il en déposant les verres sur le bureau et en débouchant la bouteille.

William sourit à son tour, dans l'expectative.

Nous ne nous étions pas dit au revoir dignement. N'est-il pas étrange que bien des choses finissent ainsi par revenir à leur point de départ ?

Des mouettes criaient dans le ciel matinal. William observait Shade qui lui tendit un verre avant de s'asseoir en croisant les jambes.

Vous êtes seul ? reprit Shade.

William opina.

Shade haussa les épaules avec un soupçon de lassitude. Mon excellent ami Mr Fludd se trouve quelque part dans les parages, comme vous l'avez sans doute deviné.

Et son visage ?

Ma foi… Il va probablement devoir renoncer à sa carrière théâtrale.

Et la petite ?

Molly.

Comment s'en est-elle sortie ? demanda William en fronçant les sourcils.

Elle n'est pas du genre à oublier les coups qu'elle a reçus.

Je ne suis pas venu ici pour me livrer à la moindre violence.

Vous m'auriez déçu si tel avait été le cas, rétorqua Shade. Il portait un élégant costume à rayures destiné à des climats moins rigoureux et sirotait son porto. William l'observait mais n'avait pas touché à son propre verre. Il se sentait fatigué et ses yeux étaient douloureux.

Shade attendait.

Finalement William ouvrit sa redingote, révélant du même coup le colt qui pendait à sa hanche, et grimaça un sourire en disant : Je vous ai apporté quelque chose.

Shade fronça les sourcils et empoigna plus fermement la canne qui était en travers de ses genoux, comme pour prévenir une éventuelle attaque.

William retira de sa poche intérieure la photo que lui avait donnée Sally Porter. Il la déplia, regarda une fois de plus le camp boueux de Cumberland, les agents figés dans le froid, la silhouette de son père encore jeune mâchonnant son cigare, ses yeux d'Écossais endurci plus noirs que l'obsidienne. Et celle un peu floue d'Edward Shade adolescent. Il la lui tendit. Shade s'en empara, la contempla un instant et murmura : Tout cela s'est passé dans une autre vie.

Pas vraiment.

Shade releva la tête, ses yeux brillaient dans la pénombre. J'aimais votre père, dit-il d'une voix douce. Mais je n'étais pas son fils.

C'est la vérité.

Shade poussa un soupir et reposa la photo sur la table basse. Vous êtes donc allé voir Sally, dit-il.

Je l'ai vue, oui.

Shade l'observa attentivement. But une nouvelle gorgée, sans un mot.

William s'éclaircit la gorge. Ce que je ne comprends pas, et qui me trotte dans la tête depuis que je lui ai parlé, c'est la raison pour laquelle mon père a chargé les Porter de vous retrouver. Pourquoi eux ? Pourquoi avoir envoyé deux nègres à Londres, bon sang ?

Il avait confiance en eux.

Il n'avait confiance en personne. Mais il les aimait bien et je crois qu'eux aussi l'aimaient. Et pourtant quand ils vous ont retrouvé ils ne le lui ont pas dit et se sont même mis à travailler pour vous. C'étaient les plus anciens associés de mon père, il les avait aidés à sortir de leur condition d'esclaves et à retrouver la liberté. Ils étaient à ses côtés pendant la guerre. Et malgré tout, ils ont fini par le trahir pour s'associer avec vous.

Shade ne répondit pas. Ses yeux brillaient d'une lueur intense dans la pénombre. Un sourire doux comme du velours éclaira son visage.

Ils vous ont aidé à préserver votre secret, insista William.

Que voulez-vous que je vous dise ? J'ai du charme, voilà tout.

Pas à ce point.

Shade haussa les épaules. Je les payais très bien, ajouta-t-il.

L'argent ne les intéressait pas.

L'argent intéresse tout le monde.

William hocha la tête. Mon père n'a laissé aucun dossier, pas le moindre rapport qui permette de remonter jusqu'à vous.

Les Porter ont tout détruit.

Il gardait une copie de tout. Il possédait même un double des examens médicaux qu'il avait passés dans son enfance.

Shade le regarda. Où voulez-vous en venir, William ?

William se pencha et posa sur la table basse le verre de porto auquel il n'avait pas touché. Je veux tout simplement dire qu'on s'est moqué de vous, Edward.

Le regard de Shade s'assombrit, ses sourcils se froncèrent.

Pendant tout ce temps vous avez cru lui échapper…

C'était le cas, l'interrompit Shade avec une rage contenue. Il ne m'a jamais capturé.

Il savait pourtant que vous étiez en vie.

Oui.

Et il savait parfaitement où vous vous trouviez.

Shade eut un sourire incrédule.

Pendant toutes ces années vous avez cru le fuir, échapper à ses recherches. Mais vous n'avez rien compris. Ce n'était pas pour vous retrouver qu'il avait engagé Ben et Sally. Mais pour veiller sur vous.

C'est ridicule.

Vous et votre chance légendaire, ironisa William. Vous échappez à la police de Montréal juste avant l'arrivée des Pinkerton. Vous évitez la prison de justesse à Boston et à New York. Vous quittez un train avant qu'il ne soit fouillé, vous traversez l'Atlantique je ne sais combien de fois sans être jamais inquiété. Vous ne vous êtes donc pas posé de questions ? Vous n'avez pas trouvé cela un peu suspect ? Un peu trop idyllique ?

William se leva, remit son chapeau et enfila ses gants. La sirène du paquebot retentit à trois reprises comme un signal d'alarme échappé d'un rêve. La lumière du jour déclinait imperceptiblement. Il traversa la cabine, posa la main sur la poignée de la porte et se retourna vers le voleur, surpris d'éprouver un vague sentiment de tristesse. Il se demandait une fois de plus quel genre d'amour son père avait pu porter à cet homme aux mains soigneusement manucurées, en pantalon à rayures fines et au pli impeccable.

Je ne suis pas venu pour vous dire au revoir, reprit-il en fronçant les sourcils. Mais parce que je voulais que vous le sachiez.

Shade le regarda sans ciller, son verre de porto ne tremblait pas dans sa main. Que je sache quoi ? demanda-t-il.

Dehors les eaux du port s'empourpraient. Des mouettes passaient en hurlant et en tournoyant dans le ciel, leurs ombres se reflétaient à la surface éternellement mouvante de l'eau.

William esquissa un sourire.

Que je saurai vous retrouver, dit-il.

ÉPILOGUE

OREGON
1913

Quand une vie commence-t-elle à décliner ?

Sa femme était morte depuis près de dix-huit ans à présent. Il y pensait parfois avec une ombre de tristesse. Sa fille cadette avait failli périr dans un accident d'automobile en 1905, l'aînée s'était mariée et était allée vivre ailleurs. Il leur écrivait encore de longues lettres à l'une et à l'autre, bien que son écriture fût devenue à peu près illisible, et il était parfois rongé par un désir de les revoir aussi violent qu'une souffrance physique qui le laissait pantelant. Quand son frère était mort en avril 1907, il avait compris qu'il était désormais seul pour de bon. Il dormait de moins en moins, puis se mit à dormir trop. Ses cheveux étaient devenus gris, il avait rasé sa moustache et changé de style de vêtements pour s'adapter à son temps. Son bureau à Chicago était sombre avec ses meubles en acajou, ses fauteuils en cuir et ses peintures équestres. À mesure que les années passaient, il y avait de moins en moins de dossiers empilés devant lui. Il s'était mis à partir un peu plus tôt en fin de journée. Il était devenu un homme respecté. Lors des banquets, il avait droit à la place d'honneur. Lorsqu'il regagnait les écuries après une promenade à cheval, il avait toujours son colt Navy sur lui mais il n'était plus chargé. Les ombres s'étiraient sous les chênes, les étoiles apparaissaient dans le ciel. Il s'était mis à marcher plus lentement, puis avec l'aide d'une canne, puis ses muscles avaient commencé à fondre, ses épaules étaient devenues douloureuses. Une douleur à la base de son crâne l'élançait le soir lorsqu'il s'allongeait et il savait qu'elle l'emporterait un jour. En 1896, Shore avait pris sa retraite, il avait quitté le Yard l'esprit encore hanté par les meurtres de Whitechapel et il avait été recruté en 1898 par l'antenne londonienne de l'Agence Pinkerton. Malgré son insolente bonne santé, son visage rubicond et son étonnante énergie pour un homme d'une soixantaine d'années, il n'avait pas vécu assez longtemps pour connaître le XXᵉ siècle. Il avait entendu dire un jour qu'Adam Foole était mort dans la misère à Gênes en 1893, une autre fois qu'il avait été condamné aux travaux forcés à Marseille. Cette dernière information remontait à 1896 mais il ne l'avait pas prise au sérieux. La même année, Japheth Fludd avait été photographié en Chine à la suite d'un combat au couteau, retenant ses boyaux à pleines mains. L'Agence avait pris de l'importance. On l'invitait régulièrement à donner des conférences et les journaux avaient fini par le trouver sympathique. On aurait dit que le monde qu'il avait connu s'était transformé presque du jour au lendemain en une époque mythique, une ère légendaire dont les rares survivants étaient considérés avec vénération, comme les lointains témoins d'un temps disparu. Les années passaient de plus en plus vite tandis qu'on mettait de moins en moins de temps à traverser l'Atlantique. Il s'émerveillait comme un gosse de l'apparition des avions. Mais il détestait le téléphone, se méfiait des automobiles et regrettait les grands espaces vierges d'autrefois. Cela faisait quatorze ans qu'il avait entendu prononcer pour la dernière fois le nom d'Edward Shade. Quatorze ans.

Comment faisait-il ? Il se lavait soigneusement les mains à l'eau froide, mangeait peu, avait arrêté de boire.

La vie continuait.

C'était lui l'aîné.

Sa vue commençait à baisser. Ses cheveux étaient devenus gris puis s'étaient clairsemés, il avait rasé sa moustache à l'eau froide par un après-midi d'hiver dans une chambre d'hôtel à Gainesville, en Géorgie. Sa femme était déjà morte à cette époque et la douleur de cette perte était depuis longtemps inscrite en lui, comme les séquelles d'une mauvaise chute. Il se rendait sur sa tombe tous les dimanches matin, vidait les fleurs fanées et remplissait d'eau claire le vase en porcelaine avant de lire son épitaphe sans songer à rien d'autre. Il dormait. Il ne dormait pas. Il dormait.

Il fermait les yeux et tout lui revenait. Un quart de siècle s'était écoulé mais il suffisait qu'il ferme les yeux pour tout revoir. L'obscurité qui s'étendait comme un épais brouillard sur les pavés gelés. Le grincement des chaînes sur leurs crochets au fond des allées, les yeux jaunes et stagnants dans l'ombre comme des lambeaux de fumée. Il sentait cette pourriture autour de lui, le crépitement des sabots ferrés sur les dalles de pierre, les foules humaines circulant dans le brouhaha des omnibus, ces silhouettes avec leurs chapeaux de soie, leurs favoris, leurs redingotes. Il marchait. Il marchait avec toute la puissance de son corps, la lourdeur de ses épaules, les poings serrés, c'était le crépuscule, c'était la nuit, il distinguait à peine la silhouette qui l'attendait au pied d'un réverbère, à la lueur du gaz. Son visage était tourné dans l'ombre mais cela n'avait aucune importance, il savait parfaitement de qui il s'agissait. La vieille malle gisait à ses pieds comme s'il se préparait à un long voyage.

Il attendait depuis toujours. Il attendrait jusqu'au bout.

NOTE DE L'AUTEUR

De nombreux et excellents ouvrages ont été écrits concernant les débuts de l'Agence Pinkerton, la guerre de Sécession et la vie des criminels à Londres pendant l'ère victorienne.

Bien que certains faits décrits dans ce roman se rattachent à des lieux et des événements réels, cette histoire est une œuvre de fiction. Ses personnages à la fois réels et imaginaires sont des créations de l'auteur. Le Londres éclairé au gaz qu'ils traversent n'a jamais existé.

REMERCIEMENTS

Je tiens avant toute chose à remercier le merveilleux Jonathan Galassi, pour la justesse et la bienveillance de son regard, et sa grande perspicacité ; ainsi qu'à Jo Stewart, Jeff Seroy, Rodrigo Corral, Lottchen Shivers, et toute l'équipe de FSG. Je remercie également Juliet Mabey pour sa grâce, son enthousiasme et son éblouissant talent d'éditrice ; de même que James Magniac, le talentueux James Jones et toute l'équipe de Oneworld. Je suis extrêmement reconnaissant envers l'attention et le respect de Kristin Cochrane, Anita Chong, Marion Garner, Aoife Walsh, Kelly Hill (pour sa magnifique couverture), John Sweet, Shaun Oakey, Sharon Klein, Trish Kells et toute l'équipe de M&S. Trident Media a rendu tout cela possible, en particulier Claire Roberts, et Alexa Stark qui a fait preuve d'une grande détermination.

John Baker, Jeff Mireau et l'imperturbable Jacqueline Baker ont, dès le début, discuté et amélioré de nombreuses épreuves. Mon agent et amie Ellen Levine, sans qui le roman n'existerait pas, fut discrètement l'orchestratrice de tout ce travail.

Durant tout le processus d'édition, Ellen Seligman rayonnait d'énergie : son intelligence, son exaltation et sa clairvoyance se ressentent à chaque page. Elle est irremplaçable.

Et toujours, par-dessus tout, je dois cette vie à Esi : mon amour, mon amie, ma première lectrice et la plus sincère.

TABLE

DÉJÀ PARUS CHEZ ALTO

DÉJÀ PARUS DANS LA COLLECTION CODA

Composition : Hugues Skene
Conception graphique : Antoine Tanguay et
Hugues Skene (KX3 Communication)

Éditions Alto
280, rue Saint-Joseph Est, bureau 1
Québec (Québec) G1K 3A9
editionsalto.com

ACHEVÉ D'IMPRIMER
CHEZ MARQUIS IMPRIMEUR
EN NOVEMBRE 2017
POUR LE COMPTE DES ÉDITIONS ALTO

GARANT DES FORÊTS
INTACTES

L'impression de *De synthèse* sur papier
Rolland Enviro100 Édition plutôt que sur du papier vierge a permis
de sauver l'équivalent de 46 arbres, d'économiser 169 039 litres d'eau
et d'empêcher le rejet de 2 072 kilos de déchets solides
et de 6 809 kilos d'émissions atmosphériques.

PERMANENT   100 %

Dépôt légal, 1er trimestre 2018
Bibliothèque et Archives nationales du Québec
Bibliothèque et Archives Canada